KB076723

기원

성서

〈비극〉

개 정 판

성서 <비극>

발 행 | 2024년 03월 11일
저 자 | 셀아란
펴낸이 | 한건희
펴낸곳 | 주식회사 부크크
출판사등록 | 2014.07.15.(제2014-16호)
주 소 | 서울특별시 금천구 가산디지털1로 119 SK트윈타워 A동 305호
전 화 | 1670-8316
이메일 | info@bookk.co.kr

ISBN | 979-11-410-7598-9

www.bookk.co.kr

성서비극

개정판

셀아란 지음

차 례

서장

무대에 오르기 전

서장

사방이 한 채 보이지 않는 검은 숲에서 소녀는 눈을 떴다.

자신은 누구인가, 이곳은 어딘가. 그런 자연스러운 감정보다 소녀가 먼저 떠올린 것은 단지 어디론가 향해야 한다는 하나의 애매한 목표의식뿐이었다.

가느다란 다리로 여린 몸을 이끌고 소녀는 공허만이 존재하는 숲을 한걸음, 한걸음 천천히 나아갔다. 인기척은커녕 동물 한 마리도 살지 않는 듯한 이 숲은, 그 속에서 고요함을 넘어 모든 것이 그저 허무해 보일 뿐이었다. 단 한 명뿐인 인간 소녀는 아랑곳하지 않고 걸었다, 목표를 잊지 않고 허무함 만이 가득한 이 숲을 자신이 납득 할 때까지 계속해서 걸었다.

그리고 걷고, 또 걸은 결과 소녀는 어두운 숲의 배경과는 거리가 먼 오히려 자기 자신과 어울리는 오두막집을 발견했다. 그 오두막

집은 아무것도 없는 이 숲 가운데에서 누구보다 자신을 드러내듯이 의기양양하게 세워져 있었다. 밝은 진홍색의 통나무로 이루어진 그저 평범하고 작은 오두막이었지만 그 따뜻한 분위기가 그 주변까지 영향을 주는 것 같았다.

소녀는 그 따뜻함에 이끌려 그 오두막 안으로 들어갔다.

하지만 집안에는 사람은커녕 생물체조차 보이지 않았으며 오랫동안 방치되어 있었는지 이곳저곳 먼지투성이였다. 소녀는 집안의 커다란 창문 옆에 있던 의자에 쓰러지듯이 앉았다. 그곳에 가만히 앉아 있으면 지루한 이 세상에서 벗어날 수 있을 것이라고 생각했기 때문이다. 당연하게 찾아온 잠의 안개는 소녀를 잠들 게 만들기에는 충분하였다.

소녀는 생에 처음으로 꿈을 꿨다.

꿈에서는 많은 사람들이 소녀를 둘러싸며 무언가 소리쳤다. 소녀는 사람들의 외침이 전혀 들리지 않았기에 고개를 가로저었다. 끊임없이, 계속해서 그들의 목소리를 거부하는 듯 이 격하게 고개를 저었다. 그럼에도 사람들은 소리치길 멈추지 않았다. 그런 사람들 속에서 소녀는 가슴 안쪽이 답답해지는 것을 느꼈다. 이상하게 스멀스멀 올라오는 열기에 소녀는 점점 숨을 쉬기 힘들어졌고 시야가 점점 흐려지며 사람들의 목소리가 천천히 들리기 시작했다.

"~~~~~~~~~~"

목소리는 분명히 들렸지만 그들이 무슨 말을 하는지는 여전히 알 수 없어서 소녀는 천천히 그들의 말을 귀 기울이기 시작했다.

"죽어라 마녀!"

마녀, 그 의미를 모르는 소녀는 의문을 가지게 된다. 도대체 마녀가 뭐길래 저 사람들을 화를 내는 것인가. 그렇게 소리를 지르는 것인가? 마녀라는 단어에 호기심을 가진 소녀는 또다시 그들의 말을 들으려고 귀를 기울였지만 다음 목소리는 영원히 들려오지 않았다.

꿈에서 깬 소녀에게 남은 것은 호기심과 커다란 의문뿐이었다. 그렇기에 소녀는 천천히 생각하기 시작했다. 마녀란 존재는 무엇일까? 가만히 앉아서 생각해 봤자 해결될 리 없는 문제였다.

자신이 생각이라는 것을 하고 있다는 것을 인식하기 시작하자 금세 그녀의 머리에는 두 번째 의문이 떠올랐다. 소녀는 이 숲은 왜 존재하는가 라는 의문을 갖게 됐다. 다만 두 번째로 떠오른 의문은 첫 번째와 버금가는 난제였기 때문에 소녀는 생각했다. 끊임없이 생각하면서 하루, 하루를 보냈다.

길고 긴 시간을 창문 옆 의자에 앉아 보낸 결과, 소녀는 아무리 생각만 해봤자 답이 나오지 않는다는 걸 알아냈다. 그렇기에 소녀는 다시 오두막을 나와 길을 걸었다.

검은 길을 한걸음, 한 걸음 나아간 소녀는 이질적으로 붉게 물들어져 있는 하늘을 보고 세 번째의 의문점을 떠올렸다. 왜 저기에 있는 하늘은 지금까지 보던 색과 다른 것일까?

그런 자그마한 호기심을 가지고 걸음을 옮긴 소녀는 난생처음 보는 풍경을 목격했다. 불타오르는 집, 비명을 지르는 사람들, 그런 사람들을 하나하나 검고 기다란 창으로 찌르는 백의의 사람들.

그들의 비명이 여기저기 울려 퍼져 하나의 연주가 되고 그 섬뜩한 선율에 자극을 받은 백의의 사람들은 더욱더 미친 듯이 사람들을 죽여나갔다.

그야말로 광기의 현장.

그 상황에서도 소녀는 그저 불타는 마을을 가만히 바라볼 뿐이었다.

살려달라고 외치는 여성, 그저 바닥에 주저앉아 우는 아이들, 빈약한 무기로 싸우려 하는 남성. 그 모든 풍경이 소녀에겐 그저 흥미로운 이야기의 한 장면 같아 보였다. 뜨거운 불길이 마치 커다란 파도처럼 휘몰아치고 거센 바람이 마을 내에서 바깥으로 퍼져 나가며 천재(天災)를 연상시켰다.

"아."

소녀가 처음 내뱉은 자그마한 소리는 마을 중앙에서 퍼지던 거센 바람에 휩쓸려 숲 저 너머로 사라졌지만, 소녀의 마음에는 기묘한 감정이 천천히 차올랐다. '그들과 똑같이 나도 나만의 이야기를 만들고 싶다,' '나도 그들과 같이 다채로운 세상을 보고 싶다.' 같은 동경의 감정이 말이다. 그것이 비록 절망이라도 감정이라는 것을 느끼고 싶었던 소녀는 천천히 빨갛게 물들여진 길을 걷고 걸어서 중앙에 있는 마을 중앙 분수 앞에 섰다.

하지만 이곳에서 일어나는 이야기는 소녀가 생각하는 것만큼 유쾌한 것이 아니었다. 바닥에 널브러진 많은 시체들을 바라볼수록 소녀는 그것이 이야기의 도중이 아니라 결말이라는 것을 깨닫고 말았기 때문이다. 그렇다면 그들은 자신들이 원하는 결말을 손에 잡았을까? 내가 원하는 결말은 무엇일까? 소녀는 분수 바로 옆에 있는 불타는 집 앞에서 생각을 하기 시작하였다.

하지만 그곳에 있던 백의의 사람들은 물론 시간 역시도 그녀를 기다려 주지 않았다. 소녀를 발견한 백의의 사람들이 소녀에게 검은 창을 던졌다. 그 창은 바람을 가르고 순식간에 소녀의 가슴을 관통한 것이었다. 순식간에 일어난 일에 소녀는 반응조차 하지 못했으며 고통을 느낄 틈도 없이 그대로 싸늘한 바닥으로 쓰러졌다.

바닥은 뜨겁던 마을의 공기와는 다르게 척추까지 한기가 돌아 반응이 올 정도로 차가웠다. 마치 얼음장 위에 누워있는 기분, 소녀는 바닥에 직접 누워서 쓰러져 있는 시체들의 기분을 이해하기 시작하였다. 이것이 바로 결말의 감정, 하지만 곧바로 소녀는 이 감정이 자신이 원하는 결말이 아니라고, 자신이 알고 싶어하는 감정은 이런 게 아니라고 뼈저리게 느끼게 되었다.

온몸이 바닥의 차가움에 익숙해질 무렵 방금까지 사람들의 고함 소리, 비명 소리, 불타는 소리로 시끄러웠던 세상은 지금까지 들리지 않았던 귀뚜라미 소리로 가득 차게 되었다.

"귀뚤 귀뚤 귀뚤."

새로운 소리를 찾은 소녀는 고요한 이 세상이 어두워질 때까지 기다렸다. 그 소리가 너무나도 자신을 침착하게 만들었기에 다른 소리는 듣지 않았다.

천천히 멀어져 가는 세상, 가슴팍에 흐르고 있는 새빨간 피를 보며 소녀는 생각한다. 세상은 이렇게도 다채롭구나. 새빨간 나의 피, 갈색의 오두막, 검 푸른색의 바닥 모든 것이 소녀에게는 새로운 감정⅗이다.

아른하게 밀려오는 고통이라는 새로운 감정을 소녀는 느긋하게, 천천히 음미한다. 그렇게 어두워져 가는 세상 앞에서 소녀는 오두막 의자에서 했던 것처럼 영원히 깨어나지 못할 꿈을 찾아서 눈을 감았다.

회사

"내 어릴 적 꿈이 뭔지 알아?"

"뭔데요?"

꽤 높은 층으로 보이는 건물 창가에 나란히 서 있는 두 명의 얼굴에 떠오른 것은 앞으로 달성해나갈 수많은 목적 들을 어린아이처럼 꿈꾸는 듯한 천진난만한 표정이었다. 모든 게 잘 풀릴 것 같은 그런 얼굴. 하지만 그것에 대한 믿음은 웬만한 것이 아니었다. 단단하게 묶인 감정 그 자체였다.

"내 어릴 적 꿈은 말이야. 아주 어린 아이 같은 꿈이었어. 영웅이 되는 것, 모두를 구하고 많은 사람에게 떠받들어지고 싶었어. 하지만 그게 쉽지 않지. 모두에게 존경받는 건 불가능하니까."

그의 이야기를 잠자코 듣고 있던 여성은 고개를 가로저으며 이렇게 말했다.

"모든 것을 사랑하긴 힘들죠. 그게 당신이나 다른 사람이라도요. 그렇지만 모든 사람에게 떠받들어질 필요는 없어요. 당신이 손에 닿는 사람들만이라도 사랑한다면 당신은 그 꿈을 이룰 수 있을 거예요. 당신은 그럴 자격이 있어요."

가볍게 고개를 끄덕인 남자는 창밖의 평화로운 마을 풍경으로 눈을 돌렸다. 이제부터 시작인 것이다.

나의 꿈의 한 걸음을 시작할 이 건물은 많은 사람을 구원하기 위해 만들어진 회사이다. 구원이라는 이념으로 뭉친 이 회사를 여기까지 성장시킨 것은 전부 내 옆에 있는 이 사랑스러운 여성, 류에이아의 덕분이었기 때문이다. 그녀는 숲속에 숨겨져 있던 어느 마을의 출신이며 그곳에 살며 구원의 천사라고 추앙받았다고 한다. 하지만 자신은 구원의 천사의 진실을 알게 되고 그 마을을 탈출하여 청소년기를 고아원에서 보내다가 여행을 다니기 시작했다.

그렇게 운명적인 만남을 이룬 우리는 서로의 이념을 지키기 위해 이 회사를 설립했다. 한때는 어린아이의 생 때라고 듣기도 하였다. 절대로 이룰 수 없다고까지 들었다. 당연한 것이다. 세상의 모든 사람을 구원하는 것은 불가능하니까 말이다. 하지만 그런 생각을 할 때마다 그녀는 이렇게 말한다.

"구원이라는 이념은 이루기 쉽지 않죠. 하지만 모두가 구원받는 세상을 바라는 것이 무엇이 나쁠까요? 만약 이것이 이루어지지 않는 꿈이라고 해도 그것을 이루기 위해 노력한 당신은 절대 거짓이 아니니까요."

항상 나에게 힘이 나는 말만 해주던 그녀를 나는 지금도 사랑한다. 그녀라면 왜인지 구원이라는 이념을 이룰 수 있을 것 같았다.

"우리가 처음 만난 날 기억나?"

"당연히 기억하죠. 그 날만큼은 잊지 못해요."

우리가 처음 만난 날, 그날의 만큼 하늘이 아름다웠던 날은 아마 내 인생에 평생 없겠지.

"오늘따라 하늘이 예쁘네."

라스, 23살 봄이었다.

유난히 덥거나 춥지도 않은, 봄의 계절에 딱 맞는 화창한 날씨 그 자체였다. 새파랗게 선명한 하늘에 새하얀 구름이 어우러지고 땅에서 솟아나 와 있는 벚나무에서는 꽃잎이 휘날려 만약 절경을 찾으라고 하면 바로 여기라고 할 수 있을 것이다.

하지만, 이렇게 아름다운 풍경도 전부 눈에 들어오지 않았다. 왜냐하면 주변을 보기에는 앞이 너무나도 깜깜했기 때문이었다.

딱히 하고 싶은 것은 없고 그렇다고 해서 누군가를 구원한다는 이념은 너무 공상적이고 어린애 같은 꿈이었기에 이룰 방법조차 보이지 않았다. 자원 단체에 들어갈까 같은 생각도 해 보았지만.

몇 번 해보곤 적성에 맞지 않아 그만두었다.

"자원봉사조차 못 하는 내가 무슨 구원이냐 구원은~"

그럼에도 라스는 포기할 수 없었는지 오늘도 일자리를 알아보며 꿈에 대해 현실적인 방안을 생각해 내기 위해 끊임없이 머리를 굴렸다.

"이렇게 생각만 해봤자 답이 나오지 않겠지. 산책이나 다녀오자."

그렇게 마음먹은 라스는 바로 자리에서 일어나 집을 나섰다.

마을을 거닐며 화창한 봄날을 만끽하고 있는 사람들을 본 라스는 자연스럽게 마음이 따뜻해졌다. 이렇게 평화로운 세상이라면 얼마나 좋을까. 구원이 필요 없는 세상이라면 이런 생각을 가질 필요조차 없어질 텐데. 물론 꿈을 포기한다는 선택지가 존재했지만 세상에 나도 모른 채로 구원을 바라는 사람들이 죽어 나간다고 생각한다면 라스는 절대 포기하지 못했다. 어린아이의 고집이라고 해도 라스는 절대 구원이라는 이념을 벗어 던지지 못한다.

공원을 천천히 거닐던 라스는 강가 위에 있는 다리 가운데에서 몸을 내밀고 풍경을 찍는 여성을 발견했다. 그녀의 얼굴이 너무나 행복해 보였기에 그는 시간이 가는지도 모르게 그녀를 바라보았다. 세상을 너무나도 즐겁게 살아가는 사람이라고 생각이 들자 저런 사람들을 위해서 라스는 구원이라는 이름을 쥐기로 결심 하였다. 매일 매일을 평범하지만 아름답게 살아가는 모든 사람들을 위해서 말이다.

그녀의 머리 바로 위에 햇빛이 쏟아졌고 그 덕분에 여성의 미모가 더욱더 아름다워 보였다. 이 기분은 무엇일까. 그녀를 왠지 모르게 의식하기 시작하였다.

하지만 세상은 그녀가 아름다운 상태로 있는 것을 용서하지 않는가 보다. 사진기를 들고 팔을 뻗어서 이곳저곳 찍고 있던 여성은 갑자기 세게 휘몰아친 바람에 몸의 중심을 잃어 휘청거리기 시작하였다. 아슬아슬하게 버티나 했지만 결국 앞으로 중심이 쏠린 여성은 그대로 강가에 빠져 버렸다.

그 순간 라스의 다리는 이미 강가 쪽으로 달리고 있었다. 시멘트 벽돌이 박혀 있는 바닥을 박차고 달리고 달려서 강가 주변에 있는 물풀들을 헤치고 그대로 물속으로 다이브 했다.

여성은 발버둥 치다가 이내 지쳤는지 축 늘어진 상태로 물 위에 떠 있었다. 그녀가 빠져나올 기미조차 보이지 않았기에 라스는 자신이 수영을 못한다는 걸 완전히 망각하고 헤엄쳐서 결국 여성에게 닿았다. 여성은 이미 실신한 상태였고 다행히 가라앉지 않고 물 위에 떠 있었기에 그나마 쉽게 데리고 강가에서 빠져나올 수 있었다. 그녀의 구조를 완료한 후 살아있는지 확인하고 나서는 구급차까지 부르는 것은 그리 오래 걸리지 않았다.

그녀가 병원으로 이송된 후 미련 없이 응급실에서 빠져나온 라스는, 사람을 구했다는 안도감과 함께 다시 천천히 밀려오는 막막함에 한숨이 나왔다.

"사람을 구한 건 구한 거고 앞으로 어떻게 살아가야 하나.."

구조는 당연하다 생각하는 그에겐 사람 구하기란 일상과 다름없는 것이었다. 지금까지 많은 사람을 당연하듯이 구해왔기에 이번 역시 망설이지 않았던 것이다. 라스는 그런 사람이었다. 자신이 위험하다 하더라도 망설이지 않고 뛰어들며 감사조차 바라지 않는 사람. 어린애 같은 꿈이라고는 해도 자신의 이념을 관철하고 있었던 것이다.

그렇게 구원을 꿈꾸던 라스라는 사람은 수없이 터져 나오는 인파속에 스며들어 천천히 사라졌다.

말하지 않는 소년

하늘에서 별이 떨어진다. 수없이 떨어지는 별에 사람들은 소원을 빌고 있다. 고개를 숙여 손을 모으는 사람, 그저 가만히 하늘을 쳐다보는 사람, 손을 가슴에 대고 눈을 감는 사람, 각각 기도하는 방법은 다르지만 그 사람들의 소원은 단 한 가지뿐이었다.

"배척받고 증오의 대상이 되어버린 우리에게 구원을."

그렇게 하늘에서 떨어지던 별들이 하나의 빛으로 뭉쳐 마을에 떨어졌다. 하늘을 가르고 땅으로 직격한 별은 추락하여 더 이상 운동을 멈췄음에도 불구하고 그 빛은 여전히 꺼지지 않고 빛나고 있었다.

눈을 뜨기 힘들 정도로 눈부시게 빛나던 빛 안에서 여성이 걸어 나와 사람들에게 이렇게 말했다.

"저는 신의 사자입니다. 신의 명을 받고 당신들을 구원하러 나타 난 성녀죠. 이제부터 당신들이 갈 길을 제시하겠습니다."

성녀는 손을 들어 어느 방향으로 손을 가리켰는데 그곳에는 이제 막 열 살이나 됐을까 싶은 너무나도 어린 소년이 서 있었다.

당연하게도 마을 사람들은 성녀의 행동을 이해하지 못했다. 그저 그가 우리가 가야 할 길이라고 말하는 것 인가라며 의문을 가질 뿐이었다. 하지만 성녀는 그런 사람들의 생각들을 전부 바꿀 만큼 엄청난 말을 소년에게 해버렸다.

"당신이 이제 제 말들을 글로 옮겨 쓰는 기록자가 될 것입니다. 당신은 제 옆에서 평생 제가 말한 이야기들을 옮겨 적고 제가 시 작한 이야기에서 퍼져 나갈 수많은 이야기들을 직접 기록하며 때 로는 조언자가 되고 때로는 나의 하나뿐인 말동무가 되어 주세요."

그렇게 소년은 성녀에게 선택받은 사람으로 떠받들어졌다. 그 소 년의 인생이 완전히 바뀌어 버린 것이다. 소년은 영문도 모른 채 성녀의 기록자가 되어 가죽, 양피지로 이루어진 책을 들고 그녀의 말을, 사람들의 이야기를 열심히 기록하기 시작하였다. 그렇게 며 칠, 몇 주, 몇 년이라는 시간이 지나며 소년의 노트에는 여러 사람 들의 이야기가 기록되었다.

소년은 자신의 노트가 채워질수록 사람들의 이야기를 모으는 것 이, 보는 것이, 기록하는 것이 점점 좋아졌다. 펜을 잡고 양피지의 부드러운 감촉을 느끼며 글을 써 내려가며 다른 사람들의 이야기 말고도 자신의 이야기를 적는 것은 어떨까 하는 생각이 소년의 머리에서 피어오르기 시작한 것이었다.

성녀의 지시대로 사람들은 움직이고 성녀의 말이라면 무엇이든 들어주던 마을 사람들은 실제로 여러 가지를 만들고 행하였다. 그중 하나는 부두를 정비하고 밖으로 나가는 길을 찾아 나서기 시작한 것이다. 그런 의미 없어 보이는 짓을 행하는 것을 보고는 마을 사람들 중 일부가 "이것이 구원이랑 어떤 관계가 있냐"라고 숙덕거렸지만 그 의견은 금방 묻혀 버렸다. 당시 성녀의 말을 의심하는 것은 대역죄였기 때문이었다.

하지만 그 작은 파문은 점점 나아지지 않는 생활과 안쪽 마을 사람들이 이단을 믿는다고 생각한 마을 바깥사람들의 박해로 인해 커다란 파장이 되었고 결국 타오르기 시작한 불꽃은 마을 전체를 뒤덮어 성녀의 몸을 태워버릴 정도로 커져 버리고 말았다.

"저 녀석은 민중의 마음을 어지럽히고 선동하는 마녀다!"

누가 그런 말을 시작했을까? 그 목소리는 바람을 타고 순식간에 마을 전체로 번졌다. 사람들은 자신들에게 놓인 이 모든 상황의 책임이 성녀에 있다고 판단해 버렸다. 이미 제대로 된 사고를 할 수 없게 된 사람들은 성녀를 잡아 죽이겠다는 말을 하기 시작하였고 그 말은 순식간에 실제 움직임이 되었다.

당연하게 순순히 마을 사람들에게 잡힌 성녀는 처형대 위로 올라갔다. 무엇을 위한 것인지는 모르겠지만, 성녀는 사람들이 자신이 있는 성당으로 찾아올 때까지 가만히 의자에 앉아서 기도를 하고 있었던 것이었다.

　나무 기둥에 매달리고 집행인들은 검은 창으로 그녀를 수십 번 찔러 댔다. 빨간 피가 공중에서 산화하고 사람들은 미친 듯이 소리를 질렀다. 하지만 몸에 기다란 쇠막대가 관통당하여도, 피가 사방에 쏟아져 나와도 그녀는 미소를 잃지 않았다. 누구보다 자애로운 미소를 지으며 사람들을 바라보았다.

　그런 와중에 비참하지만 아름다운 그녀의 모습을 소년도 보고 있었다. 민중들의 사이에 숨어 고통스러워하는 그녀를 그저 바라볼 수밖에 없었던 것이었다.

　처형이 있기 하루 전 성녀는 소년에게 변장을 하고 사람들 사이에 섞이라고 말했다. 끝까지 몸을 숨기고 자신의 정체를 들키지 말라고 말이다. 그녀는 사실 사람들의 창이 자신에게 향한다는 사실을 이미 알고 있음에도 도망치지 않은 것이었다.

　소년은 발끝부터 천천히 죄악감이 차오르는 것을 느꼈다. 사람들의 시선은 분명 처형이 집행되는 성녀를 향하고 있었지만 마치 "다음은 너야"라고 말하듯이 사방에서 검은색의 시선이 나를 바라보는 것 같았다. 금방이라도 주저앉아 버릴 것 같은 압박감에 소년은 그 자리를 떠나고 싶었지만 발이 움직이지 않았다.

　처형이 시작 한지 몇 분이나 지났을까. 이제 그녀는 고통조차 느끼지 않는 것인가. 라고 들어도 이상하지 않을 표정으로 웃는 성녀의 모습을 마주한 민중들은 '정말 그녀가 성녀가 맞는 것이 아닐까' 하고 술렁이기 시작하였다. 순식간에 처형장의 분위기가 바뀌어 버린 것이었다.

집행인은 동요하였다. 하지만 그 감정의 동요를 감추기 위해 "마녀의 속임수에 속지마!"라고 크게 소리쳤다. 소리칠 수밖에 없던 것이다. 만약 그녀가 진짜 성녀라면 신의 분노는 온전히 자신에게 향할 것이니까 말이다.

집행인은 기둥에 묶여 있던 성녀를 밑으로 내리고 머리를 잡은 채로 어디론가 끌고 가기 시작하였다. 집행인의 갑작스러운 행동에 민중들도 서둘러 그 집행인을 따라갔다. 그 집행인이 몇 시간 동안 걷고 걸어서 도착한 곳은 어떠한 절벽이었으며 그녀를 나무판자에 못과 밧줄로 고정시켜 놓은 상태 그대로 절벽 밑으로 밀어 버렸다. 사람들의 비명과 여러 외침들이 혼란스럽게 뒤섞인 상태로, 그렇게 처형은 끝이 났다.

처형이 끝나고 사람들이 전부 그 절벽에서 사라졌을 때 소년은 온몸에 힘이 쫙 빠진 듯이 휘청휘청 걸어서 절벽 끝자락에 다다랐다. 절벽은 떨어지면 뼈도 못 추릴 정도로 까마득했으며 그 밑에는 바다의 거센 파도가 강하게 휘몰아치고 있었다. 하늘이 어두워지고 밤이 찾아올 때까지 소년은 그곳에서 움직일 수 없었다. 눈물은 나오지 않았다. 하지만 무어라 할 수 없는 감정이 소년의 마음속에서 휘몰아쳤다. 이것은 뭐라 할까? 고독? 슬픔? 죄의식? 모든 것이 섞이고 섞여 한가지의 감정만이 소년 머릿속 안의 혼돈이라는 바다 안에서 천천히 떠올라왔다.

"절망."

그렇게 중얼거린 소년은 별이 가득한 하늘을 보았다.

별들이 하나하나 각자의 자리를 찾아 천천히 천상이라는 바다를 헤엄쳐 갔다. 그리고, 그것은 순식간에 일어난 일이었다. 밤하늘이라는 바다를 헤엄치던 별들은 그대로 수평선으로 낙하해 하늘에서 사라졌다.

"천고에서 절망이라는 '감정'을 말하는 자. 그 계단을 타고 천상에 도달하여라. 그 앞에는 심연이 있을지니."

누군가의 목소리에 소년은 다시 고개를 돌려 수평선이 아닌 하늘에 가득 찬 '공허'를 바라보았다. 그곳에는 자그마한 문과 계단이 서서히 생기고 있었다.

계단을 타고 올라오자 끝없이 펼쳐져 있는 공간과 그곳에 떠다니는 수많은 파편들, 조각들이 소년의 눈 안으로 들어왔다. 그리고 그 조각 안에는 각각 누군가의 이야기가 기록되어 있었다.

소년이 처음 보는 광경에 놀라움을 감추지 못했다. 수많은 이야기들을 접한 소년도 이렇게 많고 다양한 이야기는 처음이었던 것이었다.

소년이 그들의 이야기가 담겨 있는 조각들을 하나하나 구경하고 있을 무렵 누군가 그에게 말을 걸었다.

"안녕? 심연은 처음이지? 내 이름은 디스피어, 이 심연의 관리자야."

자신을 디스피어라고 소개한 여성은 소년에게 이렇게 말하였다.

"조각에는 사람들의 기억들, 추억들, 그리고 감정이 담겨 있어 그것을 자유자재로 꺼내거나 조정 하는 것이 이곳 심연에서 가능해 그것이 나의 권능이거든."

그녀의 말을 이해하지 못한 소년은 그저 끄덕이는 것밖에는 할 수 없었다. 당시 나이 11살, 아직 세상 물정 하나도 모르는 아이였기 때문이기도 했고, 애초에 그녀의 말 자체는 현세에서 받아들이기 힘든 내용이었기 때문이다. 하지만 그렇기에 소년은 그 말을 점차 믿기 시작했다. 왜냐하면 그에게 담길 이야기^{감정}들은 아직 노트에 담겨 있을 뿐이었고 자신에게는 없었기 때문이다. 그 말은 즉슨 소년은 무엇이든 받아들일 수밖에 없다. 결국 소년은 심연의 이야기들에 이끌려 디스피어와 함께 심연을 여행하기 시작하였다.

성녀를 잃고 난 후 심연 안에서도 그는 기록을 그만두지 않았다. 자연스럽게 디스피어와는 새로운 동반자가 되었고 그렇게 끊임없이 조각들을 엿보며 노트를 채워나갔다. 결국 여행의 끝에 다다랐을 때 어둠밖에 없던 심연과 상반되는 세상의 문이 소년 앞에 나타났다. 그것이 바로 심연에서 벗어나는 길. 이 여행의 종착지였다. 심연에서 벗어나 새로운 여행을 시작하기 전 디스피어는 소년에게 이렇게 말하였다.

"너는 이제 심연의 모든 이야기를 가지고 현세로 돌아가게 될 거야. 너에게 내려진 기록자라는 책무는 기억해? 너는 그것을 계속해야 할 책임이 있어. 아마 성녀 유페이아가 그것을 위해 너를 도망치게 해줬을 거야. 하지만 너에게 주어진 것은 그것이 다가 아니야. 나머지를 깨닫는 것은 꽤나 오래 걸리겠지만 반드시 찾길 바랄게."

그 말과 동시에 디스피어는 자신의 가슴팍에서 두 가지의 조각을 꺼내 소년의 얼굴 바로 앞으로 내밀었다.

"이것은 나의 권능, 조각과 그것을 활용해 누군가의 기억을 뽑아온 영원의 감정이야. 너는 이것을 가지고 현세로 돌아가. 이것이 두 번째 동반자로서 기나긴 여행을 떠나는 너를 위해 주는 자그마한 선물이야."

그녀가 준 힘을 손바닥 안으로 들이는 순간 소년은 그 힘의 존재를, 마음속에서 울리는 영원이라는 감정을 느꼈다.

소년은 어둡기만 한 심연에서 피어오르는 두 번째 빛을 향해 걸어갔다. 디스피어는 심연에서의 그의 마지막 모습을 바라보고 있었다. 고난과 시련이 가득한 여행에서 소년이 어떠한 감정을 담게 될까. 디스피어에게는 그것 또한 기대되는 이야기였다.

"소년, 절망의 천사의 이름으로 너에게 이름을 부여하리."

"그 이름은..."

섬광에 눈이 부셔 눈을 감은 그 순간 소년이 발을 딛고 있는 세상은 더 이상 심연이 아니었다. 발에 느껴지는 것은 풀의 감촉이었다.

새로운 이름이 부여된 순간 소년은 검은 숲 한복판에 앉아있었다. 오랜 시간 동안 어둠 속에서 여행했기 때문인지 어두워서 바로 앞까지 보이지 않는다고 유명한 검은 숲도 이상하게 밝고 아름다워 보였다.

소년은 일생 한 번도 놓지 않은 가죽표지 양피지의 책을 손으로 꽉 쥐고 일어나 검은 풀을 밟고 앞으로 나아갔다. 갈 곳은 없었지만 발은 자연스럽게 움직인 것이다. 그렇게 거짓말로 이루어진 소년의 새로운 책임의 여행이 시작되었다.

믿음의 마을 이나야.

말 그대로 믿음으로 만들어진 마을로 수많은 종교인들로 이뤄진 마을이었다. 이 마을에는 마을 신화가 존재하는데 그것이 바로 구원의 천사 신화이다.

검은 숲 깊은 곳에서 악마들이 내려와 마을 사람들을 괴롭히고 해치자, 하늘에서 신의 명을 받은 구원의 천사 유페이아가 내려와 악마들을 다시 숲으로 몰아내고 사람들을 지켰다는 흔하다면 흔한 내용인 신화였다. 왜인지는 몰라도 그런 신화들을 볼때 마다 소년은 이상한 감정에 휩싸인다. 신화라는 것이 단지 상징성을 부여하는 것이라고 하면 항상 이런 이야기일까. 다수의 범(凡)인들이 희생당하고 명확한 악이 존재하며 결국 어떤 한 존재가 모든 걸 구원하는 이야기.

세상은 그렇게 이루어져 있지 않기에 소년은 의문을 가졌다.

과연 악마들도 완벽한 악인가?

구원을 받기만 하는 사람들의 감정은 어떻게 되는가.

구원이라는 겉만 번지르르한 이름 아래 신의 사도가 된 사람 마낭 떠드는 사람들의 모습을 소년은 수없이 바라보았다. 그것은 결국 누군가를 도와주는 자신에 대한 우월감에 사로잡혀 버린 불쌍하고 어리석은 사람이라고 소년은 생각했다. 하지만 소년 자신이 그들과 다르다고 생각하지는 않았다. 단지 인류 존재 자체가 이해할 수 없는 모순덩어리라고 생각이 드는 것뿐이다.

그렇다. 소년 역시 같은 잘못을 저질렀기에, 그것이 자신이 저지른 거짓말의 정체였기에 소년은 오늘도 아무 말도 하지 않은 채 그저 공원에서 가만히 앉아 하늘을 바라볼 뿐이었다.

오래전 소년에게는 별다른 사고가 없었다. 하지만 여러 일을 거치다 보니 이 세상에 불만을 느끼게 되었던 것이었다. 모든 것이 불만이었다. 이 세상도 자신을 둘러싼 모든 것도, 자신도 말이다.

과거 소년에게 말을 거는 사람도 있었고 멀리서 지켜보는 사람도 존재했지만 지금에 들어선 아무도 남지 않았다. 소년 역시 더 이상 질문하기에 지쳤기에 그들에게 말을 걸지 않았다.

고요가 일상이 된 소년은 오늘도 공허한 눈으로 하늘을 바라보았다. 평소와 다름없는 풍경에 지쳐 공원 벤치에 앉아 휴식을 취함에도 소년의 마음에 진정한 안식이 내려올 일은 없었다. 모든 게 정체된 세상, 그런 세상에서 소년은 이상하리만큼 배경과 어울리지 않는 소녀를 발견하게 되었다.

이상하게 주변에 따뜻함이 감도는 것 같고 무채색이었던 세상이 그녀를 중심으로 천천히 형형색색 풍부한 색깔로 물들여지는 것 같았다. 이것을 소년은 몇 번이나 경험했고 이번에도 분명히 실망할 것이라고 체념하였을 터였다. 지금까지 다른 사람들과 다른 특별한 사람들이 자신의 앞에서 나타나고 수없이 사라졌다. 분명 이번에는 분명 자신의 길을 이끌어줄 사람이라고 소년은 몇 번이고 생각했지만 결국 그들은 전부 커다란 소용돌이에 휩쓸려 원하지 않는 결말을 맞이해 버렸다. 앞에서 말했듯이 결국은 체념해버린 것이었다. 아무리 끝없이 나온다 해도 결국 진실 된 성녀나 구원의 천사의 존재는 없다는 사실에 말이다.

소년은 소녀에게 다가가 물었다.

"아름다움이 하나도 없는 이 세상을 너는 어떤 눈으로 보고 있니?"

앞서 말했듯이 체념에 가까운 말이었다. 악착같은 이 세상에서 원하는 결말을 내기에는 불가능하다고 생각했기 때문이다.

그러자 소녀는 웃는 얼굴로 소년에게 고했다.

"아름다움은 어디든지 존재해. 아무것도 보이지 않는 어두운 밤도, 너무 눈부셔 쳐다볼 수조차 없는 태양도, 그 어떤 것도 나의 눈에는 아름답게 보여. 그것만이 나에게 허락된 감정이거든."

그 말을 들은 소년은 저 멀리 보이는 산을 손으로 가리키며 이렇게 말했다.

"너에겐 저 검은 숲이 어떻게 보여?"

그러자 소녀는 고개를 가로저으며 이렇게 말했다.

"나에겐 저 검은 숲이 보이지 않아. 사람들이 말하지, 저 산은 어둡고 깊어서 자칫하면 길을 잃을 수도 있다고 말이야. 하지만 나는 이해가 되지 않았어. 왜냐하면 내 눈에는 검은 숲이 보이지 않았거든, 단지 그곳에 있는 건 밝고 눈부신 빛뿐이었어."

"나와 다른 세상을 살고 있는 너는 지금 무엇을 위해 살아가는 거야?"

"나는 세상의 여러 사람들을 보고 싶어. 사람들의 마음속에 있는 수많은 감정들을 보며 나 역시 그들에게 물들고 싶어, 그들이 나에게 물들였으면 좋겠어, 상호에 의한 아름다움을 나는 보고 싶어 그러니까.."

그 말을 끝으로 그녀의 맑고 청아한 눈이 지금까지의 무채색이던 하늘로 향했다. 무언가 달랐다. 몇 번이나 느낀 감정임에도, 분명 체념해 버린 것임에도 소년의 심장은 또다시 뛰기 시작하였다. 이 사람이 분명했다. 소년의 다음 여행을 함께할 구원의 천사가 말이다. 똑같은 잘못을 저질러 버릴 수도 있다. 하지만 소년은 믿고 싶었다. 체념해버린 자신의 마음을 뛰어넘어 이 소녀는 내가 원하는 결말에 다다르게 해줄 것이라고.

그녀를 따라 천천히 올려다본 하늘은 이제까지 소년이 보던 하늘이 아닌 소녀에 의해서 물들여진 깊고 깨끗한 새파란 하늘이었다.

지하철 안인 듯한

 오전이 지나고 이미 오후가 됐을 무렵 지하철역 앞에 서 있는 나는 주머니 속에 있는 휴대폰을 꺼내 시간을 확인했다. 2시 30분, 약속시간까지는 한참 남았지만, 최대한 빨리 그를 만나고 싶었기 때문에 서둘러 집을 나와버린 것이었다. 특별하다고 하면 특별한 날이기 때문인지 지하철역 안에는 이미 엄청난 인파가 몰려와 있었다. 지금 시간대에는 대부분 출근이나 일하러 가는 사람들이 아니라 어딘가 놀러 가려는 사람들이 아닐까?

 휴대폰에 띄워져 있는 시간을 보며 수시로 지하철이 들어오길 그저 발발을 동동 구르며 기다리던 나는 내가 이렇게까지 참을성이 없었나? 라는 생각이 들을 정도로 초조하였다.

 빨리 그를 만나고 싶다. 그와 같이 있으면 온 세상에 존재하는 불안정한 것이 모두 안정적으로 변하는 것 같았다. 갑작스럽게 아니, 어쩌면 이미 정해진 수순이었을지도 모른다.

 그렇다 해도 나에게 자신과 함께하자는 말을 해준 것이 얼마나 기쁜지 모르겠다. 그의 앞에서는 아무렇지 않은 척을 했지만 사실 권유를 받은 당시 정말 깜짝 놀라 아무 말도 하지 못했다.

  결국 그 권유를 받아들인 후 집에 돌아와서는 주체할 수 없는 기쁨을 토해 내느라 죽는 줄 알았다. 지금 생각해서는 정말 누구에게도 보여지고 싶지 않은 흑역사지만 말이다.

  어느새 지하철이 도착했는지 안내음이 들리면서 승강장 문이 열렸다. 역시 지하철 안에도 사람이 너무 많았기에 지금 타기에는 조금 망설였지만 역시 그를 만나고 싶다는 마음이 그 망설임을 묵살하고 내 발을 움직이게 만들었다.

  다행히 앉아있을 수 있는 좌석이 눈에 띄어 주변을 둘러보며 천천히 걸어가 그곳에 앉았다. 다음 역을 알리는 안내음과 지하철의 움직이는 소리 만이 지하철 안에 울렸다. 조용한 지하철 때문인지 왠지 모르게 밀려오는 졸음에 고개를 빠르게 저었다. 아마 오늘 그를 만날 생각에 신나서 밤을 설친 게 원인일 것이다. 여기서 자면 안 된다는 생각을 해도 계속해서 밀려오는 잠을 이상하게 떨쳐낼 수 없었다. 그렇게 밀려오는 잠에 몸을 맡긴 나는 천천히 눈꺼풀이 감기는 것을 느꼈다.

  "일어나.... 일어나요! 일어나세요!"

  누군가의 말소리에 나는 닫혀있던 눈꺼풀을 어렵게 올렸다. 눈을 뜨고 난 후 세상은 당혹스러울 정도로 극단적으로 변해 있었다. 사람들의 비명 뿌연 시야 나의 어깨를 붙잡고 흔들고 있는 누군가. 이상하게 연기가 자욱하게 긴 지하철 안, 패닉에 빠진 사람들이 지하철 문을 두드렸지만 꼼짝도 하지 않았다.

"바보들아! 비상 개방 장치 버튼을 눌러!"

누군가 그렇게 소리쳤지만 그 소리는 패닉 속에 빠진 사람들의 비명으로 인해서 간단하게 묻혀버리고 말았다.

나의 어깨를 흔들며 나를 깨우던 사람은 간신히 눈을 뜬 내 얼굴을 보더니 나를 안아 들고 손쉽게 지하철 문을 열었다. 누군가가 비상개방장치를 누른 모양이었다.

"괜찮아? 걸어갈 수 있겠어?"

안개가 자욱하고 어두워서 그 사람의 얼굴이 보이지 않았지만 목소리로 추정하길 남자라는 것만을 알 수 있었다. 내가 작게 고개를 끄덕이자 그 사람은 나를 바닥에 내려주고 연기가 껴 앞이 보이지 않음에도 밝게 빛나고 있는 형광등을 손으로 가리켰다.

"저기 저 안내 등 보이지? 저걸 따라가면 밖으로 나갈 수 있을 거야, 어서 가봐."

당신은 어디 가는 건가요? 나를 두고 가지 마요. 라고 말하고 싶었지만 차마 그 말은 목 밖으로 나오지 못했다.

작게 고개를 끄덕인 것으로 답하자, 분명 연기가 껴서 보이지 않는데도, 환하게 웃는 그의 모습이 보이는 것 같았다. 그는 나의 승인의 표시에 고개를 끄덕이는 것으로 화답하고 그대로 등을 돌렸다. 더 많은 사람을 구하러 들어가는 것인가 연기가 자욱해서 빠져나오는 것조차도 힘들 텐데. 그렇게 나는 이상하게 힘이 들어가지 않는 몸을 이끌고 천천히 안내 등을 따라 걷기 시작했다. 속도 메스껍고 머리도 어지러웠기에 걷는 것이 너무나도 힘들었다. 얼마나 걸었을까 몸에 힘이 점점 빠지는 것이 느껴지더니 결국 바닥에 주저앉고 말았다.

아, 이렇게 기쁜 날에 왜 이런 일이 일어날까. 나는 항상 그랬다. 이렇게나 행복을 손에 넣으려 하면 순식간에 내 곁에서 빠져 나가 버린다. 역시 나는 저주받은 사람이었을까.

지금 당장 그 사람을 만나고 싶다. 그 사람의 품에 안겨 울고 싶다. 나의 새로운 삶의 의미인 그 사람에게 안겨 나 살아도 괜찮아? 라고 말하고 싶다. 무언가를 열중하며 진심을 다하는 그 사람의 모습이 좋았다. 그것은 살아가는 것에 이유가 있다는 것, 그렇게 나도 그 사람의 삶의 의미가 되고 싶었다. 하지만 나는 항상 이렇게 마지막에서 모든 것을 망쳐 버린다.

"미안해, 미안해."

흐려지는 의식 속에서 나는 그의 이름을 불렀다.

"정말 좋아했어. 너를 정말 사랑했었어."

제1장 개막

1

 이나야 고등학교, 그곳은 믿음이라는 이름의 마을에서 알아주는 명문고였다. 세워진 지는 그리 오래되지 않았지만 좋은 시설을 갖추고 짧은 시간 안에 많은 인재들을 양성해 냈다. 학생들에게도 인기가 좋은데 이곳에 입학하면 이 마을은 물론 세계에 영향력을 넓히고 있는 회사에 들어가기 유리해지기 때문이었다.

 "안녕? 라이, 이번에도 같은 학교네?"

 그 학교의 입학식 날 테라가 라이의 앞에서 한 말이었다.

 "오르트노 중학교? 오랜만이네. 이름이 테라였던가?"

 라이는 설마 테라가 친근하게 말을 걸어올 줄은 생각도 하지 못했다. 라이는 3학년 말, 졸업하기 얼마 안 남았을 때 전학을 왔으며 테라와는 같은 반이었긴 했지만 따로 이야기를 나눈 적도 없었기 때문이었기 때문이다.

 오르트노 중학교로 입학하면 거의 정석이라고 불릴 정도로, 이나야 고교에 진학할 확률이 높아진다. 그런 이유로 라이도 오르트노 중학교에 전학을 가서 이 학교로 온 것인데 그 짧은 시간을 이 테라라는 사람은 기억한 것이다. 라이라는 사람이 자신의 반에 있었다는 것을 말이다.

"그래, 라이~ 올해도 잘 지내보자"

그가 손을 뻗어 악수를 요청하기에 라이 역시 기꺼이 응했다.

"나야말로 잘 부탁한다."

그와 인사를 나눈 후 라이는 배정된 반으로 향했다. 반에는 이미 많은 학생들이 와 있었으며 그중 아는 얼굴도 조금 보였기에 인사라도 하려고 라이는 발을 움직였다. 하지만 반에 들어오자 느껴지는 것은 심각한 소음 그 자체였다. 한 자리에 라이의 반인 5반 소속 학생은 물론 5반이 아닌 사람들까지 모여있는 것이었다.   .

"어디 중학교에서 왔어?"

"학교 끝나고 뭐해?"

한 여학생을 많은 사람들이 둘러싸며 질문 공세를 퍼붓고 있었던 것이다.

"저 정도로 이목을 끈다는 건..."

"예쁘기 때문에? 그렇게 생각했지?"

갑작스럽게 뒤에서 목소리가 들리자 라이는 깜짝 놀라며 천천히 고개를 뒤로 돌려 보았다.

"왜 그렇게 놀라?"

그곳에는 처음 보는 사람이지만 어딘가 낯익은 얼굴이 서 있었다.

키는 라이 자신보다는 조금 작았지만 본인이 185쯤 되기 때문에 나름 큰 편일 것이다. 회색 머리에 적안, 누군가가 떠오르는 모습이었지만 역시 기분 탓으로 생각하고 머리를 붕붕 흔들었다.

"안녕 라이, 나는 란이라고 해 잘 부탁해~"

"어 안녕, 잘 지내보자.."

갑작스러운 그의 인사에 반사적으로 대답한 라이는 이내 바로 이상한 점을 깨닫고 말았다. 그것은 그가 어떻게 라이의 이름을 알고 있었냐였다. '구면인가?'라고 생각하며 라이는 자신의 기억 속을 헤집어 봤지만 역시 떠오르는 사람은 없었다. 라이는 곧바로 우리가 만난 적이 있나 물어보려 했지만 란의 외침에 막혀버리고 말았다.

"혹시 어디ㅅ...."

"린! 오늘 4교시만 하니까 끝나면 바로 정문으로 와! 점심 아리스랑 먹기로 했거든. 늦지 말고!"

교실은 순식간에 조용해졌고 학생들의 이목은 란이라는 학생에게 향했다. 교실 안에 침묵이 흐르고 방금까지 친구들의 이목을 끌고 있던 여학생이 란의 외침에 대답하였다.

"알았어, 란! 끝나고 보자!"

그 말이 끝나자 란은 다시 문을 열고 반을 나갔고 교실 안은 다시 시끄러워졌다. 학생들은 그 여학생에게 아까보다 더 적극적으로 질문하기 시작했고 라이는 그런 학생들을 지나서 자신의 자리를 찾아 앉았다.

라이가 자리에 앉자마자 바로 뒷자리에 있던 한 남학생이 말을 걸어왔다.

"반의 인기인이 있으면 이런 기분이구나 엄청 시끄럽네."

"인기인? 저 여자애가 누군데?"

"인기인이라고 해야 할까? 저 여학생이 아마 이 학교에서 가장 인기 많은 선배의 여동생이거든, 아리스 선배라고 알아?"

당연히 알 리가 없었기에 라이는 천천히 고개를 젓는 것으로 그 말에 부정했다.

"예쁘잖아? 성격도 좋고. 그래서 인기가 아주 많아 그런데 말이야 여동생이 그 언니와 아주 판박이잖아. 입학하기 전부터 말이 많았어, 그래서 저리 사람들이 모였고."

라이는 전혀 관심 없다는 듯이 "그렇구나"라는 미적지근한 대답을 하고 주변을 둘러봤다.

아마 아까 만난 테라는 다른 반, 아는 사람들은 몇 명 보였지만 말을 걸 분위기는 아니었다. 그도 그렇게 그 친구들도 모두 인기인을 향해 질문 공세를 펼치고 있었기 때문이다.

"방금 그 남자애랑 무슨 사이?"

"잘생겼던데 남친이야?"

질문 세례를 맞고 있는 저 여학생은 아직도 착실하게 하나하나 질문에 답해주고 있었다.

"남자친구는 아니고 소꿉친구 정도일까? 거의 남매에 가까운 사이야."

라이는 그 모습이 조금 불쌍하게 보이기도 했다. 저 정도로 물고 늘어지는 하이에나들이 있으면 여간 귀찮은 게 아닌데 말이다. 하지만 그 생각은 그녀의 얼굴을 바라본 순간 철저하게 부정당했다, 그녀의 표정은 너무나도 행복해 보였기 때문이다. 순수하게 사람과 상호작용 하는 상황이 좋은 그런 표정이었다.

세상에는 별의별 사람이 있구나. 라고 생각한 라이는 방금 떠올린 자신의 감상에 깊게 반성했다. 모든 사람은 같은 마음을 가지고 있지 않나니. 그 생각과 동시에 라이는 장난스럽게 손을 가운데로 모으고 기도하는 시늉을 했다. 뒤에 있던 남학생이 이상한 놈을 보는 것 같은 표정을 짓고 "이 녀석은 뭐야"라고 작게 중얼거리는 것도 모른 채로 말이다.

학교의 일정이 끝난 뒤 차례차례 하교하는 학생들, 라이 역시 그 사이에 껴서 하교하려 했다. 하지만 그 순간 친하게 다가오던 그 녀석, 테라가 라이의 뒤에서 갑자기 나타났다.

"여! 몇 반이야."

"어, 나는 5반 너는?"

"난 3반 아쉽게도 다른 반이네? 같은 중학교 나온 애랑 같은 반이었으면 좋았는데."

그 말에 라이는 고개를 갸웃거리며 "오르트노 중학교에서 온 애들은 많잖아."라고 말했다. 하지만 그는 미묘한 표정을 지으며 이렇게 답했다.

"같은 반이었거나 친했던 녀석들은 다 다른 고등학교로 진학했어.

그래서 이 학교에 아는 사람은 거의 없다는 말씀! 그나마 너라도 있어서 다행이라고 생각해."

그 말을 들은 라이는 아침부터 쭉 의문이었던 생각을 입 밖으로 내뱉었다.

"너는 나랑 별로 말을 나눈 적도 없었고 애초에 졸업 거의 직전에 전학 왔는데 용케 나를 기억했네? 같은 반이라고 해도 거의 접점도 없었고."

"그래서 더 기억이 나지 않았을까? 보통 전학을 온다 해도 졸업 직전에 오는 경우는 적잖아. 최소 졸업한 후에 오지 않아? 그랬기에 더 기억에 남았을지도? 그리고 너 되게 눈에 띄는 성격이었거든. 왠지 같이 있으면 재미있을 것 같아서 이번에 망설임 없이 말을 걸은 거지."

"보는 안목이 뛰어나시군요. 그럼 같이하는 한 지루하게는 하지 않게 해드리죠."

"하하, 너에게 말을 걸길 잘했어."

라이와 테라는 시답잖은 농담을 따먹으면서 나란히 정문을 나서려는 순간 정문에서 인기인 씨를 발견하였다. 린 이었던가?

"인기인 씨다. 우리 반에 온갖 관심을 받던 앤데 우리 학교에 가장 인기 많은 여 선배의 여동생이래. 보아하니 외모도 예쁘고 이목이 끌릴 수밖에."

웃는 표정으로 가만히 서서 천천히 주변을 둘러보고 있는 것을 보아 아침 그 남자애를 기다리는 것 같았다. 라이는 아까 있었던 일을 떠올리며 이야기를 이어갔다.

"란 이라고 알아? 그 녀석이 인기인 씨 소꿉친구라던데? 뭔가 느낌이 딱 오지 않아? 테라? 어? 테라?"

라이가 테라에게 일어난 이변을 깨달은 건, 그에게 말을 걸어도 대답하지 않아 고개를 테라에게로 돌렸을 때였다.

그녀를 보는 테라의 눈은 무언가 엄청난 것을 만난 듯한 반짝반짝 빛났다. 다만 단순히 눈부신 무언가를 발견한 눈만으로 보이지는 않았다. 그곳에 같이 혼재 되어 있는 것은 두려움과 연민, 동시에 공존할 수 없는 감정이었지만 그것은 보란 듯이 그의 얼굴에 떠올랐다.

그는 그녀에게서 무엇을 본 것일까?

이상한 기류가 흐르자 옆에서 가만히 보고 있던 라이는 테라에게 직접적으로 말을 걸었다.

"테라? 왜 그래?"

"응? 응 아니, 뭔 말 하던 중이었지?"

딱 봐도 당황하는 게 눈에 보이기에 라이는 곧바로 눈치를 챘다.

"설마?"

"아니야."

라이의 생각을 테라는 바로 알아차린 건지 누구보다 빠르게 부정하였다. 그 모습에서 라이의 생각은 확신으로 바뀌었지만 말이다. 이 녀석 진짜 한눈에 반했나? 어이없다는 표정과 함께 탄식이 라이의 입에서 흘러나왔다.

"린 기다렸지!"

하교하는 학생으로 꽉 찬 정문 사이에 눈에 띄는 또 다른 사람이 나타났다. 인기인 씨인 린에게 손을 위로 쭉 뻗어 흔드는 것으로 인사를 건네는 여학생, 그 여학생 옆에서 살짝 손을 들어 보이는 남학생. 그 모습으로 보아 아마 여학생 쪽이 그 유명한 아리스 선배일 것이고 남학생은 아까 봤던 그 란이라는 녀석일 것이다.

"란이라는 저 남자애는 아리스라는 선배와도 친한 건가? 소꿉친구라서 그럴 수도 있겠군"

혼자 질문하고 혼자 대답한 뒤 라이는 넋이 나간 테라를 향해 '힘내라'라는 말을 마음속으로 조용히 되뇌며 정문을 향해 천천히 걸어갔다.

문을 지나 하굣길에 오른 라이는 다시 학교 정문으로 시선을 돌렸다. 그곳에서 그들은 서로의 얼굴을 마주 보고 이야기를 나누고 있었다. 활기가 넘치는 그들의 얼굴에 라이 자신 역시 마음이 들뜨는 것 같았기에 그들에게 시선을 떼지 못했다. 그들의 감정이 라이 자신에게 천천히 다가와 가슴을 따뜻하게 만드는, 난생 한 번도 느끼지 못한 감정의 공유라는 것을 경험한 것이었다.

저, 린이라는 여자애는 보고만 있어도 자신의 감정을 전하는 능력이라도 있는 것일까? 그렇게 그녀의 얼굴을 뚫어져라 바라보고 있으니 그녀의 시선이 갑작스럽게 라이에게 향했다. 눈이 마주친 것에 당황한 라이는 빠르게 시선을 피하려 했지만 이상하게도 쉽사리 그녀에게 눈을 돌릴 수 없었고 라이를 보며 밝게 웃는 그녀의 얼굴을 봐버리고 말았다.

그것이 라이 본인에게 향한 것인지 잘은 모르겠지만 그녀의 미소를 보고 있으니 왠지 이 학교에 다니다 보면 라이 자신이 줄곧 찾던 정답을 찾을 수 있을 것 같았다

"앞으로 잘 지내보자."

라이는 멀리 있는 그녀는 절대 들을 수 없을 정도로 작게 속삭이며 고개를 돌리려 했지만 이상하게도 그녀는 자신의 말이 들리기라도 했는지 고개를 작게 끄덕였다. 그녀의 미소에 라이 역시 밝은 미소로 작게 고개를 끄덕이는 것으로 답했다. 그렇게 다시 돌아본 곳은 방금까지 라이의 눈에 비쳤던 평범하고 칙칙한 하굣길이 아닌, 벚꽃이 예쁘게 펴 꽃잎들이 휘날리는 따스한 봄 길이 자리하고 있었다.

학기가 반쯤 정도에 접어들었을 무렵 라이에게 먼저 다가온 것은 린이었다. 같은 반 이어도 인기가 많은 그녀와 이야기할 기회가 많이 없었고 그 덕분에 줄은 제대로 이야기조차 나눠 본 적이 없었다.

라이는 학생들이 하교하고 난 후, 교실 창가 쪽에 있는 자신의 자리에 앉아 최근에 자신의 머릿속에 휘몰아치는 고민들을 정리하는 와중이었다. 밖에 드러내진 않았지만 라이 본인에게도 나름의 고민들이 있던 것이었다.

"하아아"

라이가 그렇게 한숨을 내쉬며 창문 쪽을 바라보니 먹구름이 껴서 어두워진 하늘은 결국 빗물을 토해 내고 있었다. 그 순간 아무도 올 리 없는 조용한 교실에 누군가가 찾아 왔다. 천천히 문을 열고 들어온 여학생은 우리 학교의 인기인 린이었다.

"안녕! 라이 좋은 날씨네!"

"어.. 안녕? 여기는 웬일? 그보다 좋은 날씨인가?"

라이의 당황한 말투가 그대로 전해졌는지 그녀는 장난기가 살짝 섞인 얼굴로 이렇게 말했다.

"나에겐 이 날씨도 좋아 보이는걸? 어둑어둑한 저 하늘 역시 아름답지 않아? 누구보다 빠르게 그리고 꾸준하게 떨어지는 빗줄기의 소리를 듣다 보면 그 물줄기가 나의 마음속으로 그대로 떨어지고 천천히 스며들며 몸을 차분하게 만들어주거든."

그녀는 그 말과 동시에 라이가 앉아있는 책상 위로 올라와 앉으며 눈을 감았다. 라이는 그녀의 갑작스러운 행동에 그대로 일어나려 했지만 그녀의 얼굴을 보고서는 어쩔 수 없다는 듯이 일어나려던 엉덩이를 다시 의자에 붙였다.

린은 라이의 책상 위에 가만히 앉아 그대로 눈을 감았다. 천천히, 꾸준히 떨어지는 빗방울은 자기끼리 부딪치거나 바닥에 떨어지는 것으로 소음을 내고 있었고 그것을 듣는 린의 얼굴은 누구도 모르는 자신만의 공간에 가만히 앉아 음악을 감상하는 듯한 아주 평안한 표정이었다. 너무나도 평온한 얼굴이었기 때문에 같이 앉아있던 라이 역시 그녀를 따라 눈을 감았다.

"솨아아아, 촤아아아, 탁, 탁, 탁 촤아아"

빗소리가 거세지는 걸 느낀 라이는 더욱더 그 소리에 귀를 기울였고 그 빗방울이 바닥으로 떨어지는 순간 린의 말처럼 빗방울이 라이의 마음속에 천천히 스며들어 혼란스럽게 머리에 요동치던 잡생각과 고민이 전부 깨끗하게 씻겨 내려 가는 것 같았다.

그렇게 30분 정도 지났나. 천천히 눈을 떠 창밖을 바라보니 여전히 비는 멈출 기세조차 보이지 않았고 고개를 돌리니 그녀는 이미 자신만의 세상에서 돌아와 장난스러운 눈웃음으로 라이를 지긋이 바라보고 있었다.

"어때? 좋은 날씨지?"

"그러네 좋은 날씨야. 덕분에 마음이 차분해졌어."

그 말에 린은 무척이나 기뻤는지 지금까지 본 그녀의 어떤 표정보다 환한 미소를 지으며 사뿐히 책상에서 내려왔다.

"그래서 이 시간에 웬일로 교실에? 두고 온 것이라도 있어?"

그 말에 그녀는 고개를 저으면서 천천히 손으로 라이를 가리켰다.

"이번에는 너를 만나고 싶어서 왔어. 테라가 말해줬거든 라이라는 친구는 같이 하면 무척이나 재미있다고, 친해지면 나쁠 건 없다고, 그래서 바로 이렇게 달려왔지."

그렇군. 테라 녀석 내 얘기를 했다는 말이지.. 라이는 나중에 따질까 고민했지만 본인이 귀찮아질까 봐 금방 단념하였다.

입학식 날 그녀에게 한눈에 반했던 테라는 어떻게 한지는 모르겠지만 그녀와 친해지기에 성공했고, 린과 가까이 지내는 사이까지 되었다. 누구와도 친하게 지내려고 하는 린이라는 존재는 말 그대로 모두에게 사랑받는 사람이며 그와 동시에 그녀는 다른 사람에게 사랑을 주는 존재이기도 하다. 만약 신이 존재한다면 그녀의 설계 구성에 쓰인 건 절대적인 선과 아름다움뿐일 것이다. 그도 그럴 것이 너무나도 완벽해 보이는 존재이기 때문이다.

그녀는 자신에게 다가오는 사람들을 거부하지 않았고 그 덕분에 그녀의 주변에는 항상 사람들이 많았다. 그리고 그중 친구 이상을 바라는 사람 역시 존재할 것인데 그것을 쉽게 용서하지 않는 것은 많은 사람들의 공통된 생각일 것이다.

그러니까 이 말의 의미는 무엇이냐. 학교 대부분의 남학생이 테라의 라이벌이라는 것이다. 그중 가장 큰 벽이 될 것은 그 녀석, 린 옆에 항상 있는 소꿉친구라고 불리는 란이라는 녀석일 것이다. 그녀에게 다가오는 사람 중에 항상 선의를 가지고 다가오는 사람만 있는 것은 아닐 터, 하지만 린은 그런 사람들을 구별하지 못한다. 그렇기에 그 란이라는 녀석은 이상한 생각을 가지고 다가오는 사람으로부터 린을 지키는 역할을 맡고 있었다.

심각하게 그녀를 보호하려고 하는 특성 때문에 우리 반의 반장인 에시아라는 녀석에게서 보호자라는 별명으로 불릴 정도니까 말이다. 아무튼 그 린과 정말 가까워지려면 그 철벽을 뚫어야 할 텐데 그냥 친구로 생각하고 접근하면 모를까 테라가 그녀를 좋아하는 건 라이의 반은 물론이고 1학년 대부분이 아는 사실이기에 테라가 린과 친해지는 것은 그리 쉽지 않은 일이었다 물론 왠지 모르게 성공하긴 했지만 말이다. 이것을 보면 란은 테라를 인정했다는 건가? 이런 생각을 하다보니 란이라는 인간한테 보호자라는 별명은 타당하다는 생각이 들었다. 이쯤 되면 거의 장인어른 같은 존재이지 않은가.

라이가 그런 생각을 하고 있자 린은 순간적으로 온몸을 앞으로 숙이고 곧바로 위로 뻗는 듯한 동작으로 과장된 행동을 취하면서 책상에서 내려왔다. 그런 그녀를 빤히 바라보고 있던 라이는 또다시 보인 그녀의 얼굴을 본 순간 놀랄 수밖에 없었다. 방금까지의 싱글벙글하던 표정은 어디 갔는지, 그녀는 쳐다보고 있는 라이가 무안해질 정도로 진지한 표정을 지으며 지긋이 라이의 눈 안을 들여다보고 있었던 것이었다.

이렇게 표정을 인정사정없이 다채롭게 바꾸는 것은 그녀의 특징이니라. 그리고 그 표정에 따라서 주변의 색채 역시 화려하게 변화하는 것도 그녀의 넘쳐나는 매력 때문이라고 판단했다. 왜, 그런 사람 있지 않은가? 그저 같이 있는 것만으로 분위기가 좋아지는 사람들, 물론 린은 그 범주를 아득히 뛰어넘었지만 말이다.

그녀의 눈동자는 깨끗하고 맑아서, 자신은 아는지 모르는지, 항상 진실을 꿰뚫어 보는 듯한 기분이 든다. 단순히 쳐다만 보는 것으로 그 사람의 거짓말을 드러낸다. 라이도 똑바로 자신의 눈을 응시하는 그녀의 눈을 피할 수가 없었다. 무언가 켕기는 게 있었기에 더더욱 말이다.

그녀의 진지한 표정에서 왠지 모를 불안감이 라이의 목 안으로 들어가 불타올랐고 손은 이미 바들바들 떨리고 있었다. 식은땀까지 뺨을 타고 내려오자 그는 더 이상 이 침묵을 참을 수 없었는지 고 개를 고정해 놓은 상태로 눈만 돌려서 무언가 도망갈 수단이라도 있나 주변을 둘러보았다. 그제서야 진지한 표정을 지으며 가만히 라이를 지켜 보고 있던 그녀가 천천히 입을 뗐다.

"저기 우산 가져왔어?"

"?"

전혀 예상하지 못한 질문이 날아와서 라이는 방금까지 온갖 생각 에 몸을 떨고 있던 자신이 한심해졌다. 뭘 지레짐작하고 앉아있는 것인가. 린이 비밀을 알 리가 없잖아? 라이는 그런 생각을 하면서 온몸에 힘을 뺐다.

다시 본론으로 돌아와, 우산을 그녀가 챙겼다면 이런 질문을 할 이유는 없었다. 왜냐하면 우산이 있는데 하교하지 않고 굳이 교실 로 돌아와서 라이에게 말을 걸 필요가 없으니까 말이다. 만약 가져 왔다고 한다면 린은 굳이 현관에서 교실로 돌아와 라이에게 배려 를 베풀기 위해서 질문을 던졌다는 것이 되는데 아무리 그녀가 특 이한 사람이라도 그렇게까지 할 사람은 아닐 것이다. 그렇다면 결 론은 하나밖에 없을 것이다.

"너는?"

"안 가져왔지~"

역시나.

평소의 장난기 넘치는 목소리로 돌아온 린의 모습을 보니 라이는

'이런 친구도 있으면 괜찮지 않을까?' 같은 생각마저 들기 시작하였다. 부담스럽다는 핑계로 피해 다니던 경계심이 허물어지기 시작한 것이었다.

"생각보다 착실한 성격이네? 이런 장난들도 다 받아주고 반대로 장난도 자주 치는 재미있는 사람이라고 했는데."

"테라가 그런 이야기를 했어?"

라이는 '테라에게 비치는 나의 모습은 극단적으로 생각하자면 그저 광대에 불과했다는 것인가?' 같은 생각이 머리에 떠올랐지만 그렇게 생각하게끔 행동했기 때문에 딱히 틀린 말도 아닌 것 같아 아무 말도 하지 않았다. 테라의 의견은 타당하다. 의도를 가지고 행동하는 것은 인위적이지만 라이는 그것을 눈치채지 못하게 할 수 있다.

모두 단순한 연기에 불과하다. 모두에게 하는 연기, 거짓말, 라이는 그런 것으로 이루어져 있기 때문에 위화감을 한없이 줄일 수 있었다. 하지만 자신의 앞에 있는 이 여성한테는 통하지 않았다.

"미안, 오늘은 비가 내려서 나도 날씨를 탄 것 같아. 그런 거 있잖아? 날씨가 울적하면 나도 울적해지는 그런 날, 나도 그런 거야."

확실하게 날씨 때문도 있다. 하지만 그녀의 앞이기에 라이 자신의 거짓말이 벗겨지지 않았을까 생각이 들었다. 그녀의 순수함도 감정의 공유도 아닌 타인의 상호교류를 누구보다 중요하게 생각하는 그녀이기에, 그녀가 오직 진실로만 감싸져 있는 사람이기 때문에,

모든 걸 꿰뚫어 보는 것 같은 그녀의 눈 때문에 라이의 몸을 감싸고 절대 떨어지지 않는 거짓말들이 그녀의 주변에 도는 감정의 파도에 의해서 휩쓸려 떨어져 나간 것이다.

단순한 비유였지만 말 그대로 타인에게도 진실만을 강요한다는 것이다. 좋게 말하면 언제든지 본심을 이끌어내서 강한 척을 하는 사람을 위로할 수도 있지만 안 좋게 말하면 굳이 드러내지 않아도 되는 것을 드러나게 하여 타인에게 안 좋은 영향을 끼칠 수도 있는 것이었다. 본인이 자각이 없는 것으로 보아 아마 양날의 검이 되는 특성이겠지.

린은 라이가 미간을 좁히면서 생각에 빠진 모습을, 동물원의 동물이라도 관찰하는 것처럼 즐겁다는 표정으로 몇 초 동안 바라보더니 결국 감상평을 입에 담고야 말았다.

"이렇게 보니까 정말 닮았네?"

"닮았다니 누구를?"

"란 말이야"

라이는 그 말에 눈을 크게 뜨며 의아한 표정을 지었다. 란이랑 닮았다고? 이건 또 처음 들어보는 소리다. 누구보다 빛나는 그 녀석이 본인이랑 닮았다니. 납득할 수 없는 것이었다. 하지만 라이는 린이 한 말을 마음속으로 곱씹다 보니 학기 초, 반 친구 중 한 명이 했던 말이 떠올랐다.

"너 4반 란이랑 쌍둥이야? 엄청 닮았는데?"

라이는 그때 그 말에 아니라고 부정하며 이상하다고 생각했다. 그리고 그 말이 이렇게 린을 통해 돌아온 것이었다.

"내가 란이랑 닮았다고?"

그 말에 가볍게 고개를 끄덕인 린은 이렇게 말했다.

"테라에게 이야기를 듣고 란과 겉모습만 같은 사람인 줄 알았거든 근데 이렇게 대화를 나눠 보니 알 것 같아. 너는 란과 너무 비슷해."

라이는 아까 빗소리로 인해 정리된 머리가 다시 혼란스러워지려 하고 있었다. 그리고 그때 또 다른 누군가가 교실의 문을 열고 들어왔다.

"어?"

놀란 표정으로 딱, 한마디를 외친 또 다른 방문자는 우리 반의 마니아라는 여학생이었다. 평소에 조용해서 말을 나눌 기회도 없었기에 사실상 그녀의 목소리는 오늘 처음 듣는 것이었다.

"마니아! 오랜만이야! 교실은 웬일? 이 시간에는 오는 학생들이 없을 텐데."

그녀의 너무나도 거센 플러스 에너지에 기겁한 마니아는 두려운 표정으로 뒷걸음을 쳤다. 그녀의 표정으로 봐선 마니아에겐 조금 많이 버거운 상대일 것이다. 물론 라이 역시 그녀를 상대하긴 버겁지만 말이다.

"볼일이 있어서.. 그러고 보니 너희 둘도 이 시간에 여기 있었잖아? 그럼 내가 지금 여기에 온 것도 이상한 게 아니지 않아?"

"보편적으론 그렇겠지?"

"그럼.."

"아쉽게도 우리는 보편의 보 자도 모르는 사람들이라."

그 말에 마니아는 어이없는 표정으로 라이와 린을 번갈아 바라보았다. 물론 린이 독보적인 건 인정하지만 자신까지 포함시키는 건 조금 그런지 라이는 얼굴을 조금 찡그렸다. 결국 질문하기를 포기한 마니아는 교실에 들어와 자신의 책상을 찾아 앉았다.

"뭐 하는 거야?"

그런 마니아 옆에서 계속 질문하는 린과 그걸 귀찮다는 듯이 무시하는 마니아를 두고 라이는 자리에서 일어나 교실을 나서려고 했다. 나가는 걸 보고 인사를 건네는 린에게 라이 역시 인사를 건네고 교실 밖으로 걸어나갔다.

밖에 나와보니 그사이에 이미 비는 그쳤고 어둑어둑한 하늘만 남아 있었다. 피려던 우산을 다시 접고 정문으로 천천히 걸어가며 라이는 아까 린이 하던 이야기를 떠올렸다.

란이랑 자신이 닮았다고? 그건 1학기가 거의 끝나갈 때까지 신경도 쓰지 않은 사실이었다. 린 옆에 붙어서 많은 남학생의 원성을 사는 란은 린 만큼이나 사교성이 좋고 친구도 많은, 린 다음가는 인기인이었다. 라이는 그런 그가 자신과 닮았다는 것을 실감하지 못했다. 물론 라이 역시 본인 나름대로 친구를 많이 사귀었고 나름 사교성도 좋다고 생각하지만 란을 따라잡는 것은 하늘에 별따기 수준이었다. 라이는 그것을 아주 잘 알고 있다.

"참 신기하지..."

이상하게 라이는 그의 얼굴을 보고 있으면 누군가가 떠오르기도 했다. 그것이 자신이 아니라는 것을 라이는 잘 알고 있다, 그렇기에 라이는 란과 닮지 않았다. 본인은

"따리리리"

갑작스럽게 울린 자신의 전화벨 소리에 깊게 고뇌하던 라이는 다시 차가운 현실로 돌아왔다. 주머니 속에 있는 자신의 핸드폰이 울리자 라이는 그 전화를 받았다. 수신인을 확인해 보니 익숙한 이름이 적혀 있었다.

"트레지티."

첫 만남이 너무나도 강렬했기에 라이는 단 한 번도 그 이름을 잊은 적이 없었다. 라이는 천천히 착신 버튼을 눌러 휴대폰을 귀에다가 갖다 댔다.

"오랜만이네요, 아스타."

그녀의 가느다랗고 불안정한 목소리를 들을 때마다 라이는 그것에 대한 공포심보단 안타까움을 느꼈다. 그녀의 주변에 일어난 수많은 일이 그녀를 그렇게 만들었기 때문이다.

"무슨 일이죠?"

"저번에 얘기한 것에 대해서 답을 제대로 듣고 싶은데요."

조금 뜸을 들이던 트레지티는 라이가 계속 고민하던 것, 잠시 잊어버린 것을 또다시 앞에 내밀었다. 피해서는 답이 나오지 않는다는 건 이미 알고 있는 사실 이었기 때문에 라이는 또다시 고민했다. 하지만 시간은 언제나 우리를 기다려 주지 않기에 짧은 시간에

결단을 내려야만 했다.

라이는 이 마을에 두 번째로 돌아오던 날부터 계속하던 고민을 결국 이 전화와 함께 마무리 지었다.

"알겠습니다. 할 수밖에 없잖아요."

그 말에 트레지티라고 불리는 그 여자는 "다행이다"라고 중얼거리고는 그대로 전화를 끊었다. 이미 끊겨버린 휴대폰을 바라보며 라이는 지난날을 회상했다. 자신이 저질러 왔던 수많은 죄를, 그렇기에 자신은 이렇게 이 마을에 서 있음을. 믿음이라는 이름의 마을에.

정문을 빠져나오는 길 라이는 다시 한번 학교를 향해 고개를 돌렸다. 이 학교는 언제나 봐도 아름답구나. 커다랗고 하얀 3채의 건물이 나란히 서 있었고 그 중간중간에 심어져 있는 나무들 웬만한 경기장은 될 것 같은 커다란 운동장. 이 풍경을 보는 것도 이제 곧 끝이 난다. 지금 이 느낌의 학교를 눈에 깊게 새기기 위해 라이는 몇 분 동안 학교를 뚫어져라 쳐다보았다. 그리곤 다시 고개를 돌려 비가 온 후의 어두운 하늘로 시선을 돌렸지만 린과 함께 있을 때 든 평온한 감정은 이제 더 이상 들지 않았다. 그곳에 커다란 공허가 자리 잡고 있었기에.

"각자의 비극의 개막입니다."

저 공허 너머에 있는 관객에게 라이는 보잘것없는 어디에나 있는 흔한 비극의 개막을 고했다.

2

"비가 내리네?"

비가 내리는 것을 본 테라는 작게 한숨을 내쉬었다. 요즘 가장 바쁜 시즌인데 괜히 축 처지는 기분이 들었기 때문이다.

그때는 린, 란, 그리고 아리스 선배와 함께 하교하기 위해 교실을 나왔을 때였다. 입학식 날 말 그대로 린에게 한눈에 반해버린 테라는 그녀와 가까워지기 위해 많은 시도를 하였다. 이상하리만큼 본인답지 않은 집착이었지만 테라는 그것에 대한 이유를 왠지 모르게 짐작할 수 있었다.

그것은 아직 테라가 중학교에 다닐 때 좋아하던 여자애와 닮았기 때문이었다. 그렇기에 테라는 그녀와 가까워져야만 했다. 하지만 자신의 마음을 그녀에게 전할 일은 없을 것이다. 그저 친구로서의 거리만 유지하며 중학교 때 그녀에게 못 해준 걸 린에게 하는 것으로 테라 본인의 마음이 조금은 편해질 것 같기 때문이다. 그저 자신의 만족감을 위한 일이라고 말해도 상관없다. 그렇게 해서라도 그녀에게 속죄를 할 수 있다면….

"테라!"

갑작스럽게 들려온 목소리에 테라는 허겁지겁 뒤를 돌아봤다. 그곳에는 린이 빠르게 손을 흔들며 달려오고 있었다.

"테라, 갑자기 미안한데 혹시 우산 가져왔니? 아리스 언니랑 란의 우산을 빌려 쓰려고 했는데 둘 다 학교에 할 일이 남아 있다고 해서 먼저 집에 가야 하는데 만약 있으면 같이 쓰고 갈래?"

물론 테라는 우산을 가져 왔기에 그녀의 요청을 수락하려 했지만 문득 어떤 가능성을 떠올리게 됐다. 남녀가 우산을 같이 쓴다는 건 그 이상의 의미가 있다는 것. 아니 일단 본인들이 어떻게 생각하든 다른 사람들은 과 해석을 할 가능성이 크다는 것이다. 자신이 린을 좋아하는 건 많은 사람이 알고 있기에 더욱더 안된다. 그래서 결국 테라가 생각해 낸 해결책은 실로 어이없는 것이었다.

"미안한데 그럼 린이 내 우산 혼자 쓰고 가줘 부탁이야!"

테라가 머리를 힘껏 돌려 짜낸 방안이 마음에 들지 않았는지 그녀는 미간을 좁히며 이해할 수 없다는 표정을 지었다.

"어째서 그렇게 되는 거야?"

"미안 그것이 나의 최선이야!"

"그럼 내가 미안해서 못 가. 다른 사람 찾아봐야지."

다른 사람? 본인 이외의 사람 중 빌리는데 그것이 남자다? 자신이 그녀와 함께 우산을 쓰는 건 안 되지만 본인 이외의 남자도 안된다. 테라 본인이 생각해도 참으로 이기적인 생각이 아닐 수 없었다.

"란이나 아리스 선배에게 빌리는 건 어때?"

테라의 두 번째 명안에 린은 고개를 젓는 것으로 부정당했다.

"란이나 아리스 언니는 무조건 빌려준다고 그럼 안돼, 나에게 빌려주면 본인들은 뭘 쓰고 가냐고! 그래서 일부러 안 물어봤어."

정론이다. 그렇지만 그러면 먼저 갔다가 나중에 마중을 나오거나 같이 가면 되는 거 아닌가?

"그럼 그냥 내 것 빌려, 내가 라이에게 빌려 달라고 하면 되지."

그 말에 바로 반응한 린은 눈을 반짝이며 단숨에 테라의 코앞까지 다가왔다.

"라이? 테라 네가 맨날 말하는 그 애지? 우리 반 애 아니야? 지금까지 말 못 걸었는데 이 기회에 이야기 좀 나눠야지!"

"어?"

그 말과 린은 동시에 재빠르게 교실을 달려나갔다. 테라는 말리려고 손을 뻗었지만, 그녀는 이미 복도 저 멀리로 사라진 후였다.

그녀가 사라진 후 테라는 몇 분 동안 학교 현관에서 그녀를 기다렸지만 결국 린은 돌아오지 않았고 비가 점점 얕아지며 그치는 걸 확인한 후에야 안심하고 하굣길을 나서게 되었다.

비가 그친 직후라 바닥에는 수많은 물웅덩이가 형성되어 있었다. 테라는 발을 이리저리 구르며 그 웅덩이들을 요리조리 피해 다녔다. 더이상 학교의 모습이 육안으로 보이지 않을 정도로 멀리 왔다고 인식하기 시작했을 때 그제야 테라는 라이한테 간 린이 신경 쓰이기 시작했다.

라이랑 무슨 이야기를 나누고 있는 것일까? 아까 린의 말로 추정해 보자면 아마 같은 반 임에도 한 번도 대화를 나눠 보지 못한 것 같았다. 자신이 라이 이야기를 많이 했음에도 말이다.

지금까지 얘기조차 나눠 보지 못했던 이유는 조금만 생각해도 바로 알 수 있었다. 그녀는 친하지 않은 사람에게는 무조건 다가가는 성격이기에 말을 한마디도 안 나눠 볼 수는 없었다. 아마 라이가 그녀를, 은근슬쩍 들키지 않게 기피 하고 있다는 것이 답일 것이다. 그렇다면 왜 라이는 그녀를 피하는 것일까? 단순히 인기가 많은 그녀가 부담스러워서? 하지만 그의 성격에 그럴 리가 없다. 라이 역시 먼저 다가가 친해지려고 노력하는 타입이기 때문이다. 그렇다면 왜….

그 순간 갑자기 세게 분 바람이 뺨을 때리고 가자 테라의 머릿속에서 끊임없이 나오던 의문들이 단 한 개도 남김없이 날아가 버렸다. 테라는 '내가 이런 생각 해봤자 뭐하나!'라며 외치는 것으로 의문들을 마음속 한편의 구석에 밀어 넣어 정리해 버렸다.

그 직후 문득 볼일이 생각 난 테라는 손목에 있는 시계를 보며 시간을 확인했다.

"5시? 아슬아슬한데?"

서둘러야 한다는 생각이 들자 곧바로 테라의 발은 아직 물기가 마르지 않은 아스팔트 바닥을 박차고 나아갔다.

진료실에 도착하자마자 오늘도 어느 때와 사촌 형의 잔소리가 들려왔다, 이미 익숙해져 버린 테라는 "이번에도냐…." 같은 말을 중얼거리며 한 귀로 흘리고 있었지만 말이다.

자주 만날 일이, 병원에 아프면 가는 것 빼곤 거의 없기에 얼굴도 볼 겸 하고 약속을 잡았다. 하지만 학교에서 늦춰진 시간 때문에 딱 1분 지각을 한 것이었다.

"딱 1분인데 그것 가지고 왜 그래"

"의사는 그 1분 하나하나가 중요하다고"

사촌 관계인 네스 형은 이 넓은 마을에 하나밖에 없는 대형 병원에서 근무하고 있는 의사다. 형제가 없었던 테라에게는 어릴 때부터 친형과 다름이 없었고 지금도 이렇게 가끔 만나서 이야기도 나누고 밥도 먹고 했다. 물론 의사이기 때문에 건강에 관해서는 자주 잔소리를 들었다.

"비는 그쳤나? 하루 종일 병실 안에서 업무를 보느라 밖을 못 봤는데."

"의사가 웬 회사원 같은 말을 한데? 오늘의 진료 같은 거 안 했어?"

그 말에 네스형은 천천히 고개를 저으면서 한숨을 쉬었다.

"한 명한테 시간을 다 써버렸거든, 치료가 방안에서 긴 시간을 요하는 환자야."

"그렇구나…. 어떤 환자였는데?"

"매일 매일 휠체어를 이끌면서 다니는 환자야. 병원에 처음 올 때는 괜찮았는데 점점 걷는 것도 힘들어졌어. 신체 근육조직 퇴행성 질환인 듯한데 난생처음 보는 증상들 많아서 환자의 병을 확실히 하기 위해 여러 가지 검사를 해봤거든. 그러다 보니까 시간이 훌쩍 지나가 버리더라."

이렇게 말이 많은 것 보니 어지간히 힘들었나 보다. 테라는 수고한 사촌 형을 위해 오늘은 맛있는 걸 먹어야겠다는 생각이 들었다.

물론 안 그랬어도 먹었겠지만.

"그런 사촌 형을 위해서! 오늘은 맛있는 거로 스트레스를 풀자."

"아니어도 사 먹을 거잖아, 근데 오늘 갑자기 약속이 생겼어. 한 30분 정도만 있으면 되는데 조금 기다려 줄래?"

"그럼 일찍 부르지 말지. 알았어, 기다려 줄게."

테라는 미안한 표정으로 손을 흔드는 네스형을 뒤로하고 진료실을 나와 복도를 여유롭게 걸어갔다. 기다리는 것은 괜찮다만 30분 동안 어디서 기다릴지에 대한 사소한 고민이 테라의 머리를 지나갔다. 그 후 병원 건물을 빠져나가기 위해 지나간 로비에서 테라는 익숙한 얼굴을 발견했다.

"마니아?"

옅은 갈색에 웨이브가 살짝 들어가 있는 긴 머리카락을 가지고 있고 멀리서 보면 조금 차가운 인상으로 느껴지는 여자, 다시 봐도 분명히 5반의 마니아였다. 다른 반이기 때문에 잘 몰랐지만 항상 교실에서 조용히 혼자 있었기에 존재감이 그다지 없는 여학생이었다. 당연히 테라 본인은 말 한 번도 나눠 본 적도 없었고 접점도 하나도 없었기 때문에 그냥 얼굴만 아는 사이였다. 물론 이 생각도 테라 자신의 일방적인 생각이고 저쪽에서는 본인을 어떻게 생각할지는 테라도 모른다.

실제로 친하지도 않고 그녀에 대해서 아무것도 모르지만 왠지 모르게 눈이 가는 것은 왜일까. 오히려 조용한 것이 신경이 쓰이는 것일까. 그녀의 모습을 눈으로 좇으면서도 테라는 왠지 점점 그녀가 병원에 방문한 이유에 대해서 흥미가 생기기 시작하였다.

하지만 친하지도 않은 사람한테 가서 꼬치꼬치 캐묻기에도 조금 그렇고 별 큰일도 아니라고 생각이 들었기 때문에 테라는 결국 로비에서 절차를 밟고 있는 그녀를 뒤로 하고 로비 정문을 향해 천천히 걸어갔다.

병원 건물 밖, 바로 앞에는 커다란 공원이 있으며 그곳에는 병원 관리자들과 환자들, 그 외에도 많은 사람들이 산책을 즐기거나 쉬고 있었다. 비가 내린 직후라 사람들은 생각보다 많이 있지 않았고 그나마 있는 사람도 잠시 병원에 들른 사람들이나 다른 곳으로 가기 위해 지나가는 사람뿐이었다.

딱히 할 것도 없던 테라는 공원 길 중간마다 배치되어있는 벤치에 앉아 평화로운 병원의 풍경을 눈에 새겼다. 보면 볼수록 정말 아름다운 병원이다. 하얀색 석양이나 대리석 벽으로 이루어져 있는 건물과 녹색으로 물들어 있는 공원의 조화가 세련미 있어 보이기까지 하였다.

이나야 공원 말고도 이쪽 공원을 사용하는 사람이 많은 이유도 아마 이 풍경이 눈에 익숙해졌기 때문이겠지. 테라는 그 사람들의 기분을 잘 알았다. 이 물웅덩이로 가득 찬 공원 길을 가만히 쳐다보는 것만으로도 마음이 정화되는 기분이었으니 말이다.

"하아.. 이런 날씨도 나쁘지 않네.."

아까는 축 처진다고 말한 주제에, 테라는 그렇게 중얼거리며 걸어다니는 사람들에게로 시선을 돌렸다. 다양한 사람들이 공원을 걷고 있었는데 그 중 유난히 테라의 눈에 들어온 것은 휠체어에 타고 있는 소녀였다. 10대 중후반은 될 것 같은 외모에 청아한 하늘색 긴 머리카락 가졌고 보라색 눈동자가 앳된 그녀의 얼굴에 비해 차분하고 성숙한 느낌을 주었다. 그리고 그 소녀의 휠체어를 밀어주고 있는 판박이의 여성을 보는 순간 테라는 대충 이 둘이 자매 사이일 것이라고 짐작하였다.

웃으면서 자신의 언니와 이야기를 나누는 소녀의 머리에는 붕대가 감겨 있었다. 머리를 다친 것인가. 하지만 그것만은 아닌 것 같았다. 왜냐하면 옷 밖으로 빠져나와 있는 얇은 팔에도 붕대가 칭칭 감겨 있기 때문이었다. 테라는 저 정도로 붕대 투성이면 화상이 아닐까 하는 생각이 들기도 하였다.

하지만 그런 생각을 하며 그녀의 상황을 추측하던 와중 테라는 자신에게도 의문을 품는 것은 그리 오래 걸리지 않았다. 자신이 이렇게 타인에게 관심을 가지던 사람인가? 앞에서 말했듯이 병원에 있어도 전혀 이상하지 않는 흔한 자매의 모습이었지만 왜 테라 자신은 그 둘에게 눈이 간 걸까? 이상하게 왜 흥미가 생기는 걸까? 단순하게 그녀들의 모습이 아름다워 보여서인가. 이유는 모른다. 하지만 하나 확실한 것은 자신이 그런 생각을 하고있는 틈에 누군가가 자신의 옆자리에 앉았다는 사실이다.

"화목한 자매죠?"

테라 바로 옆에 앉은 누군가가 갑작스럽게 그리 질문하였다. 당연하게도 테라는 자매를 훔쳐보고 있었다는 이상한 죄책감이 머리를 휘저었기 때문에 아무 말도 못 하고 그대로 굳어 버렸다. 몇 초였을까. 테라는 자신의 옆에 있는 이 사람의 얼굴을 확인하자는 생각이 들었고, 그제야 자신의 목을 오른쪽으로 움직일 수 있었다.

테라의 바로 옆에 앉아 말을 건 남자는 남색 머리를 하고 있었으며 남자치곤 조금 긴 머리를 하고있는 차가운 인상의 남자였다. .

"누구세요?"

"당신이 쳐다보고 있던 자매의 보호자 격 되는 사람이죠, 이름은 아렌 레이아스라고 합니다. 잘 부탁드려요"

악수를 요청하길래 얼떨결에 테라도 한 손을 내밀어 그의 손을 잡고 위아래로 조금씩 흔들었다. 꽤 모양새가 있는 악수였다.

"휠체어에 앉아있는 여자애는요, 아린이라고 하는 앤데요 안타깝게도 불치병에 걸려서요. 아직은 저렇게 말도 나눌 수 있지만 앞으로는 어떻게 될지는 모르겠습니다. 치료법을 계속해서 찾고 있지만 소용이 없어서요."

테라는 처음 보는 사람한테 신세 한탄을 하고있는 이 사람을 이상하게 생각하며 고개를 갸웃거렸다. 이 사람도 참 특이하다. 내가 어떤 사람인지는 알고 이런 이야기를 하는 것일까? 하지만 그의 이야기를 듣다 보니 테라는 저절로 저 아린이라는 여자아이가 사촌 형이 맡고 있는 환자라는 사실을 알게 되었다.

아렌이라는 사람의 말을 빌려서 말하자면 지금 아린이 걸린 병은 몸의 근육조직들은 비활성화되는 병이라고 했다. 천천히 몸의 기능들이 하나하나 정지하여 결국 심장까지 멈출 수도 있는 아주 무서운 병이라고. 지금은 다리는 완전히 마비되었다. 뇌 쪽에도 이상이 점점 보였고 지금 와서는 시력도 그 병에게 빼앗겼다. 그 덕분에 최근에는 정밀 검사까지 했다고 한다. 물론 이유는 모른다. 회복의 가망조차 보이지 않았기에 아직은 말을 할 수 있었지만 아린이 더이상 말도 못 하게 될 그 날을 그녀의 언니와 그는 각오하고 있었다.

"원래 우리는 여행을 하고 있었어요. 아린과 저 둘이서요. 하지만 그녀의 언니인 아이비 씨가 이 마을에서 살고 있어서 잠시동안 이 마을에서 지내기로 했었거든요. 그런데 이 마을에 온 뒤부터 점점 두통에 시달리더니 결국 하체부터 천천히 마비되었고 이유는 모르겠지만 시력까지 잃게 되어 보시는 상태가 되었습니다."

마치 저주처럼, 이 마을에 오자 갑작스럽게 몸에 이상이 생겼다. 정말 지금까지 아무 일도 없었는데 갑자기 말이다. 저주 같다고 아린 씨는 이야기하였지만 정말 이 마을에 어울리지 않는 이야기라는 생각이 들었다. 수많은 종교의 성지인 이곳에 저주라니, 정말 이렇게까지 매치가 안되는 이야기는 처음 듣는다. 이곳은 오히려 이곳은 종교인들의 관점으로 보자면 성역이다. 단 한 개의 저주도 존재하지 않는 낙원, 그래야만 한다.

하지만 테라에게는 짐작 가는 것이 있긴 하였다. 실제로 이나야, 즉 믿음에서 저주 관련 신화가 없는 것도 아니니까 말이다. 어렸을 때는 할아버지에게 많이 들은 이야기도 있고 말이다.

계속해서 그의 이야기를 듣다 보니 어느새 30분이 지나 있었다.

아예 모르는 타인의 이야기를 이렇게까지 열심히 들었던 건 난생처음이었다. 테라는 아렌이라고 소개한 남자에게 이만 가봐야 한다는 말과 함께 벤치에서 일어나면서 아까부터 생각했던 의문을 입 밖으로 꺼냈다.

"생각해 보니 왜 처음 보는 사람에게 그렇게까지 말할 수 있는 거예요?"

테라의 질문에 남자는 슬며시 미소를 지으며 이렇게 말했다.

"당신이 네스 선생님의 사촌 동생이죠? 보아하니 아린과 또래인 것 같은데 만나면 친하게 지내줬으면 해서요. 무리한 부탁일까요?"

"....."

저 아이가 네스 형의 환자라는 사실을 테라는 아까 이미 알아차렸다. 알아차렸기 때문에 그의 이야기를 계속해서 들은 것이었다. 그들의 이야기를 들으면 들을수록 점점 그 이야기에 빠져드는 것 같았으며 저 휠체어에 앉아있는 아린이라는 아이에게 친근감까지 느껴졌다. 그렇기에 테라는 부탁을 들어줄 수밖에 없었다. 거절할 이유가 없거니와 자신 역시 그들과 친해지고 싶었기 때문이다.

"저야말로 잘 부탁드려요. 아렌 씨, 병원에 자주 들르니까 만나면 꼭 이야기를 나눠 볼게요"

나의 힘찬 대답에 남자는 만족하였는지 고개를 끄덕이며 다시 한번 손을 내밀었다.

"그런데 제가 네스 형의 사촌 동생인 건 어떻게 알았어요?"

"네스 선생님께서 사촌 동생분이 있다는 건 얼핏 들어서 알고 있었어요. 하지만 정확히 누구인지는 몰랐죠. 오늘 볼일이 있어서 네스 선생님을 뵈러 진료실로 갔는데 당신이 거기서 나오는 걸 봤어요. 그래서 확신했습니다. 당신, 네스 선생님과 꽤 닮았거든요."

그의 말에 테라는 알 것 같다는 표정을 지으면서 고개를 끄덕였다. 그도 그럴 것이 정말 자주 듣는 이야기였다. 실제로 자신과 형이 같이 다니면 많은 사람들이 형제냐고 물어볼 정도니까 말이다.

"그러고 보니 성함을 안 여쭤봤는데, 성함이?"

"테라입니다, 테라 오스마."

그 말을 끝으로 테라는 잡고 있던 손을 내려놓고 인사를 건네며 병원 건물로 달려갔다. 왠지 병원 생활이 조금은 달라질 것 같은 예감이 들었다.

"친구가 생기는 건 나쁘지 않지."

다음에 아린이라는 여자애도 만나면 인사를 건네자. 그렇게 이야기를 나누다 보면 친해지겠지. 물웅덩이로 가득 차 있었던 바닥은 그새 전부 말라 물기 하나도 남아 있지 않았다.

3

　수업이 전부 끝난 조용한 방과 후 비가 많이 와서 인지 동아리 활동을 하는 학생들은 대부분 특활실이 모여있는 특활 동에 모여 있거나 하교하였기 때문에 반 교실들이 모여있는 이 건물은 쥐 죽은 듯이 조용했다. 만약에 이 시간에 이 건물에 있는 사람은 기껏해야 교실에 볼일이 있는 마니아 같은 사람뿐일 것이다.

　마니아가 아무도 없는 이 건물 복도를 걷고 있는 이유는 오늘 꼭 해야만 하는 숙제를 실수로 반에 놓고 왔기 때문이었다. 정말 그것 뿐이었다.

　5층으로 구성된 이 건물은 2층에 1학년, 3층에 2학년, 4층에 3학년의 교실들이 모여있었고 반은 8반까지로 구성되어 있었다. 1학년인 마니아는 2층으로 가기 위해서 정문 바로 앞에 있는 중앙 계단을 타고 올라갔다. 아무도 없는 조용한 복도에 마니아의 발걸음 소리와 비가 떨어지는 소리만이 울렸다. 너무나도 적막이었기에 오히려 발소리를 내는 마니아 자신이 당황스러울 정도였다.

　그렇게 길고 긴 복도를 지나서 천천히 5반 교실 앞까지 걸어간 마니아는 안의 상황도 확인조차 하지 않고 복도 끝까지 울릴 정도로 큰 소리가 나게 문을 열고 말았다. 순간 아차 싶었지만 그런 창피함을 덮을 만큼 더더욱 커다란 부끄러움이 마니아에게 밀려왔다.

이상하게도 아무도 없을 교실의 불은 켜져 있었고 그곳에는 두 학생이 서로 마주 보며 앉아서 이야기를 나누고 있었는데 마니아 자신의 행동이 어쩌다 보니 그 둘의 관심을 이끌어냈기 때문이다.

마니아의 갑작스러운 등장에 그곳에 있던 둘은 놀랐는지 몇 초동안 그녀를 가만히 쳐다보았다. 마니아는 금방이라도 그대로 몸을 돌려 학교 밖으로 도망가고 싶었지만 아직 목표를 달성하지 않았기에 어쩔 수 없이 그 자리에 굳어 버렸다. 하지만 이내 마니아는 이때 도망쳤어야 했다고 생각해 버리고 만다. 오른쪽에 있던 여학생이 큰 목소리로 마니아의 이름을 부르며 다가왔는데 하필이면 그 사람이 린이었던 것이었다.

"마니아! 오랜만이야! 이 시간에 여긴 웬일로?"

이 학교에서 그녀를 모르는 사람은 아마 없을 것이다. 그렇기 때문에 마니아도 그녀를 알았다. 남녀 불문하고 모두가 그녀와 친해지고 싶어 한다는 것도 말이다. 그렇기에 마니아는 계속해서 린을 피했다. 모두에게 사랑받는 그녀랑 친해질 자격은 자신에겐 없다고 생각했기 때문이었다. 마니아는 그녀의 활기차고 청아한 목소리를 듣기만 하면 몸이 자동으로 거부 반응이 일어났고 타인과 이야기를 나눠도 될 것 같은 생각마저 들었기에 그녀의 모습을 보는 것조차 힘들었다. 솔직히 말해서 그녀의 성격 때문에 부담스러운 것도 없지 않아 있기도 하였다.

물론 마니아와 린은 초면이 아니다. 예전 학기 초, 린이 마니아에게 말을 건 적이 있었다. 친하게 지내자는 말에 마니아는 거절했지만 그녀는 이상하게 끈질기게 따라붙었고 지금에 이른 것이다.

거의 덮칠 듯이 다가오는 린의 모습을 보고 기겁한 마니아는 서둘러 몸을 피했지만 결국 손을 붙잡히고 말았다. 당연히 잡힌 손을 뿌리치려고 바둥거리며 애썼지만 어디서 나온 힘인지 전혀 떨어지지 않았고 어이없다는 표정을 지으면서 이렇게 말했다.

"볼일이 있어서 들렀어, 너희들은 왜 여기 있는데? 보통은 특활실이나 다 집으로 돌아갔잖아!"

"아쉽게도 우리 둘은 보통에서 벗어난 사람이라서~"

그 말에 자신을 포함하지 말라는 듯이, 고개를 가로저으면서 옆에 있던 남학생은 자리에서 가방을 챙기고 일어났다.

"어? 벌써 가게?"

린의 말에 그 남학생은 고개를 끄덕이고 마니아의 옆을 가로질러서 밖으로 나갔다. 그리고 그 남학생이 나가는 걸 확인한 린은 그제서야 잡고 있던 마니아의 손을 천천히 풀었다.

"그래서 무슨 볼일?"

"숙제를 두고 가서."

다행히 그 말에 그녀는 납득했는지 고개를 천천히 끄덕였다. 전에는 적당히 둘러댄 말이 납득이 안 되었는지 끈질기게 물어뜯었던 과거도 있었는데 말이다. 그 직후 린은 아련한 표정으로 창문을 바라보았는데 그 분위기로 보아 분명 장난을 칠 게 분명했다.

"비가 많이 오네…."

"거의 그쳤는데?"

"그러네…. 그런 김에 우산 같이 쓰고 갈래? 우산을 안 들고 와서"

그녀의 알 수 없는 요청에 마니아는 또다시 어이없는 표정을 지으며 교실을 나가려 했지만 바로 린에게 저지당했다.

"어디가~"

"곧 있으면 그치니까 좀 기다렸다가 집에 가! 나 오늘 약속 있어서 빨리 가야 해."

마니아 나름대로 강하게 말한 것일 텐데 이상하게도 그녀는 기죽은 낌새조차 보여주지 않고 방금 한 말 속에서 대화 주제를 캐치해냈다. 정말 둔해 보이면서도 의외로 날카로운 녀석이었다.

"약속? 누구랑? 친구? 아님, 남자친구라도 있었어? 나도 한번 소개해 줘라!"

그녀의 질문 공세에 순간 나갈 뻔한 정신을 겨우 부여잡은 마니아는 그녀에게서 벗어날 방법들을 생각하기 시작했다.

"어? 창문에 저거…."

마니아가 이 말을 입 밖으로 던지며 창문으로 손을 가리키니 린 역시 그곳을 바라보았고 그 틈을 놓치지 않은 마니아는 빠르게 교실 밖으로 달리기 시작하였다. 정말 날카로운 녀석이지만 이럴 때 보면 바보가 아닐까 라는 생각이 들었다.

린은 속았다는 것을 바로 눈치챘지만 달려가는 마니아를 쫓아가지 않고 그저 멀리서 손을 흔들고 있을 뿐이었다. "다음에 또 이야기하자"라는 아주 여유로운 말을 내뱉으며 말이다.

"무서운 녀석이야."

마니아는 단 한 줌의 미련도 없이 뒤도 돌아보지 않고 계단 쪽으로 계속해서 달렸다. 달려가는 자신이 민망할 정도로 건물 안이 너무 조용했기에 조금 창피하기는 했지만 지금은 그것을 생각할 틈이 없었다.

"도대체 무엇 때문에 나에게 흥미가 생긴 것인지…. 그만 좀 쫓아오면 좋겠는데."

숨이 찰 정도로, 자신의 다리에 피로가 느껴지지 않을 정도로 달리는 것도 이제 익숙하다. 왜냐하면 린이라는 사람에게서 벗어나기 위해서 수도 없이 뛰었기 때문이다. 물론 그 덕분에 지금 자신의 체력이 가끔 쓰러질 정도로 안 좋다는 것을 잊어버렸다. 그리고 그 생각이 머리 안에서 떠오르기 시작했을 때 마니아는 그대로 계단에서 넘어져서 굴러떨어질 뻔하였다.

겨우 계단을 지나 신발장으로 내려가 살아가면서 마니아는 어떤 때보다 빠르게 신발을 갈아 신고 밖으로 뛰어나갔다. 다행히 하교할 사람들은 전부 다 하교한 뒤라 정문에는 아무도 없었다. 만약 미친 듯이 달려가는 모습을 누군가가 목격한다면 창피한 것은 둘째치고 이상한 관심을 끌게 되는 것이기에 곤란했을 것이다. 정말 다행이었다.

학교를 벗어난 후 앞으로 쭉 걷다 보면 믿음의 명소 중 하나인 믿음 공원이 나온다. 대형 공원인 이곳은 마을 사람들의 쉼터이자 중요한 상징성을 가진 장소 중 하나였다. 아침은 물론 저녁까지,

마을 사람이면 누구나 한 번이라도 지나가게 되는 마을의 중심이기도 했다. 그리고 그 공원 가운데에는 커다란 비석이 세워져 있는데 그곳에는 이 마을을 위해 헌신한 수많은 사람들의 이름이 적혀 있었다. 그들의 이야기를 절대 잊지 않으려고 마을 중앙이라고 할 수 있는 이 공원의 비석에 그들의 이름을 하나하나 정성스럽게 새겨 놓은 것이었다.

"언니….."

마니아는 이 공원을 매일 지나갈 때마다 언니가 떠올랐다. 떠올릴 수밖에 없다. 이 비석에는 마니아의 언니인 축복받은 이름, 이나야가 새겨져 있기 때문이었다.

이제 더이상 이 세상에 없는 언니의 이름을 아마 마을 사람이라면 누구든 알 것이었다. 그 유명한 20명의 학생 중 한 명으로서 가장 앞에선 우리들의 구세주니까.

비석 앞에서 서 있으니 지난날들이 떠오르는 것 같았다. 자신에게 용기를 주던 언니, 그런 언니가 결국 마니아를 배신하고 닿을 수 없는 저 세상으로 사라졌다. 누구 때문도 아닌 마니아 자신 때문에 말이다. 과거의 죄책감에 다시 사로잡힌 마니아는 몇 분 동안 그곳에서 발을 뗄 수가 없었다. 언니의 이름이 자신의 눈에 들어올 때마다 마니아는 항상 과거를 바라보는 듯한 기분에 들었기 때문이다.

얼마나 시간이 지났을까 마니아는 오늘 누군가와 만날 약속을 잡았다는 걸 깨달았다. 황급히 핸드폰을 열어 시간을 확인하였는데 여기저기 기스가 나고 금까지 가 있는 상처투성이 액정 화면 안의 시계에는 5시 30분이라는 시간이 나타나 있었다.

"약속은 6시였던가? 서둘러야겠다."

약속의 장소는 이나야 병원, 마니아가 요즘 신세 지고 있는 곳이다. 최근 안 좋은 일이 자신에게 연속으로 일어나고 작년 이상한 화재사고에까지 휘말려 입원까지 했으며 정신적으로도 몸으로도 많이 힘들어하는 마니아에게 부모님께서 한번 가보라고 권유하셨기에 매일 매일 그곳에 다니고 있었다.

현재 마니아의 주치의를 맡고 있는 사람은 예전부터 이 병원에 정신과 의사로 계셨던 사람으로, 이 마을 출신이고 그전부터 부모님이랑 잘 아는 사이였다. 물론 마니아 자신도 그를 신뢰할 정도로 정말 좋은 의사 선생님이셨다.

공원을 지나 슬슬 보이는 병원의 건물의 모습에 오늘도 마니아는 감탄을 금치 못했다. 누가 지었는지는 모르겠지만 그 병원의 외관은 많은 사람들의 머릿속에 있는 이상적인 병원의 모습을 그대로 가져왔다고 말할 수 있을 만큼 매력적인 모습이었기 때문이다. 산책을 할 수 있는 커다란 공원에 백색 벽으로 이루어져 있는 건물과 공원까지 어우러진 규모는 웬만한 대학 병원은 넘어설 만큼의 위엄이 느껴졌다.

"누가 디자인을 한 지는 모르겠지만 분명 그 사람은 천재겠지."

천재적인 디자인의 병원 공원을 지나 정문으로 쭉 들어가면 바로 웅장한 로비가 펼쳐졌다. 예술적인 디자인은 이곳을 지나게 하는 환자는 물론이고 병원 관계자까지 자연스럽게 입을 벌리고 구경하게 만들기에는 충분하였다. 여기가 정말 병원인가? 라고 말이 나올 정도니까 말이다. 이미 몇 개월간 이 병원에 신세 진 마니아조차 아직 이곳만큼은 익숙해지지 않았다. 봐도 봐도 질리지 않는다는 말은 이런 곳에 쓰이는 것일까?

로비 창구에서 많이 익숙한 얼굴의 안내원의 모습을 확인한 마니아는 그곳으로 천천히 걸어갔다. 매일 매일 자신이 올 때마다 절차를 밟아주는 안내원이셨기 때문이다. 그녀의 얼굴을 보니 내심 참 오랫동안 여기를 다녔다는 생각이 들기도 하였다.

"안녕하세요? 오늘도 네스 선생님을 만나러 왔는데요?"

"아 마니아씨, 어서 오세요! 6시 약속이었죠? 들어가세요. 선생님께서 기다리고 계세요"

그 말과 동시에 그녀는 무언가를 컴퓨터에 입력하더니 네스 선생님의 위치를 마니아에게 알려주었다. 선생님이 있는 곳은 역시나 진료실, 매일 그가 업무는 물론 환자들을 받는 곳이었다. 마니아는 곧바로 그녀에게 감사 인사를 전하고 시간을 확인해 보니 시계는 5시 50분을 가리키고 있었다. 남은 시간은 겨우 10분, 충분하다고 작게 중얼거렸지만 이곳에서 농땡이를 피울 시간은 아니었다. 그렇기 때문에 마니아의 다리는 이미 움직이고 있었다.

5시 55분, 약속시간까지 5분 남은 상황에 겨우 진료실 앞까지 도착한 마니아는 문에다가 손을 올려 노크를 하였다. 곧 들어오라는 말이 들려오고 나서야 마니아는 천천히 문을 열고 진료실 안으로 들어갔다.

"어서 오세요. 오늘 비가 많이 내렸죠?"

"네, 많이 내렸었죠, 지금은 거의 그쳤어요"

"그렇군요, 앉으세요, 저번에 하던 이야기부터 시작할까요?"

마니아가 이곳에 와서 하는 일은 그저 네스 선생님과 여러 이야기를 나누는 것 밖에 없었다. 카운슬링의 일환이라고는 해도 솔직히 이게 치료가 되는지는 잘 모르겠지만 말이다. 하지만 자신이 아직 네스 선생님에게 신뢰라는 감정을 가지고 있지 않을 때는 이렇게 대화를 나눈다는 미래는 절대 생각하지 않았을 것이다.

네스 라는 이름의 의사를 처음 만난 날, 마니아가 아직 그에게 경계심이 많을 시절. 여느 때와 같이 아무 말도 하지 않았다. 누군가와 말하는 것 자체가 자신에게 용서되지 않는다고 생각했기 때문이다. 마니아가 아무 말도 하지 않자 그 역시 아무 말도 하지 않았다. 단순히 시간 낭비라고 생각했을까? 직업 특성상 이런 일은 익숙한 듯이 의사는 그저 가만히 앉아 마니아 앞에서 책을 읽기 시작했다.

그런 무심한듯한 행동은 오히려 마니아를 초조하게 만들기에는 충분하였다. 자신에게서 무언가 끌어내리려고 한 사람은 있어도 이렇게 금방 포기해 버린 것 같은 행동을 하는 것은 이 사람이 처음이었기 때문이었다. 도대체 왜 이러는 건지 무슨 생각으로 그런 행동을 하는지, 마니아는 전부 다 이해가 가지 않았다. 하지만 이해가 가지 않는 그 상황도 결국 익숙해져 버렸고 아무 말도 하지 않고 시간을 보내다가 시간을 때우기 위해 책을 가져오기 시작하였다. 독서는 좋아했다. 아무와도 접점이 없어도 혼자서 할 수 있으니 말이다.

"무슨 책 읽어?"

그 말이 며칠 동안 입을 열지 않았던 네스 선생님의 첫 한마디였다.

"소설…. 읽는데요…?"

조심스러운 마니아의 목소리에, 네스 선생님은 지금까지 봐온 누구보다도 가장 따스한 미소를 지으며 이렇게 말했다.

"소설 제목을 물어봐도 좋을까?"

그의 너무나도 따뜻한 목소리에 마니아는 자신도 모르게 그의 물음에 이끌려 말하기 시작했다. 너무 쉽게 말이다.

마니아가 읽고 있던 소설은 자그마한 방 안에서만 활동할 수밖에 없는 병약한 여자 주인공이 책으로만 본 바깥세상을 동경하는 이야기였다. 걷기도 힘든 몸을 이끌고 밖으로 나가 사람들을 만나 그들의 이야기를 직접 목격하는 그런. 이 소설의 특징은 주인공이 만난 사람들은 항상 비극적인 결말을 맞이한다는 것이었다. 후반부에 가서는 어떤 사람이 주인공에게 이런 말을 했다.

"사람들이 절망하는 이유는 당신이 그들을 만났기 때문이에요, 당신과 함께해서, 그들의 이야기에 당신이 끼어들어서 그렇게 된 것이랍니다."

그 말을 들은 주인공은 충격에 빠져 자신을 자책하고 사람의 발

길이 닿지 않는, 원래 그녀가 있던 곳으로 돌아가며 다신 밖으로 나오지 않았다. 그렇게 결국 그곳에서 평생을 혼자 살아갔다는 쓸쓸한 결말로 이야기는 끝났다.

이 불쾌하기만 한 소설을 마니아는 끊임없이 몇 번이곤 계속해서 질릴 때까지 읽었다. 그 정도로 매력이 넘치는 책인가 하면 솔직히 그렇지도 않았다. 앞에서 말했듯이 이 소설에는 교훈도 감동을 주는 스토리도 아무것도 없다. 그렇다면 왜 마니아는 그렇게까지 이 책을 읽었을까? 그것은 책의 내용이 지금 마니아 자신의 상황과 소름 돋을 정도로 똑같았기 때문이다.

의사의 질문에 마니아는 소설의 제목을 입에 담았다.

"증오"

작가 이름은 트레가디아. 아마 본명이 아니라 필명으로 추정된다. 소설 이름이 왜 증오인지는 모른다. 소설 속 주인공이 만난 사람 중 증오를 다룬 이야기가 있었다. 다만 소설의 제목으로 정할 만큼 커다란 비중을 가진 것도 아니었다.

그렇지만 그 제목이 마니아의 이목을 끌어 이 책을 보게 만들었다. 이런 우연이 있을까? 증오의 마녀인 마니아에게 이런 책이 찾아왔다는 건 이상했다. 신의 장난인지 무엇인지.

소설의 제목을 들은 의사는 아주 잠깐 표정이 흐트러졌지만 이내 다시 아까의 따뜻한 표정으로 돌아와 이렇게 말했다.

"그럼 나랑 책을 바꿔 읽는 건 어때? 책은 여러 개 읽을수록 좋잖아. 서로의 책을 읽고 그 책에 대해서 이야기하는 것만큼 재미있는 것이 없다니까?"

그의 제안에 평소라면 거절했을 마니아는 이상하게도 그 날만큼은, 아니 그 사람 만큼은 거절할 수 없었다. 왜였을까? 본인도 알 수가 없었다. 그가 누구보다도 따뜻한 표정을 짓고 있어서일까. 아니면 마니아 자신이 아는 누군가와 겹쳐 보여서 그랬던 것일까.

마니아는 그의 제안을 받아들이고 며칠 동안 그의 책을 읽었다. 책의 이름은 <소생>, 작가 이름은 이스토. 죽을병에 걸린 주인공이 자신을 돌아보며 여행을 떠나는 흔하다면 흔한 이야기이다. 주인공은 죽기까지 얼마 남지 않은 시간을 여행에 썼다. 자신이 살아온 의미를 찾기 위해서다. 마지막에는 결국 주인공은 아무도 없는 조용한 집에 돌아와 천천히 눈을 감았다.

이 소설 역시 주인공의 '여행'을 담은 이야기이다. 분명 흔한 이야기에 불과 하지만 작가의 필력 때문인지, 주인공의 캐릭터성 때문인지 하나도 지루하지 않았고 자극적이지 않은 내용만으로 마니아의 눈을 책의 종이와 검은 글씨에 붙들어 놓았던 것이다.

책을 다 읽었을 때는 병원을 다닌 지 1주가 지났을 때였다. 평소라면 2일 만에 다 읽었을 길이지만 이상하게도 이 책은 빠르게 읽을 수 없었다. 내용의 템포가 느려서 그런가, 마치 책을 읽는 본인이 주인공과 함께 여행하는 듯한 느낌을 주는 신기한 책이었다. 이 책의 작가는 어떤 사람일까 하는 생각까지 들 정도로 소설의 내용에 빠져들어 읽은 것은 이번이 처음 이었다.

의사는 이미 3일 전에 <증오>를 전부 읽어서 마니아가 <소생>

을 다 읽을 때까지 기다려 주었다. 그리고 그녀가 다 읽었을 때쯤에는 서로 다시 책을 돌려줬고 책에 대한 이야기를 시작했다.

마니아는 책을 읽고 든 생각을 있는 그대로 의사에게 들려줬다. 의사는 기쁜 듯이 마니아의 말에 격하게 동의했다. 자신도 같은 생각이라고, 그러곤 책의 작가가 자신의 지인이라는 사실을 알려줬다. 이름은…. 분명 립터였나. 의사 역시 마니아의 책을 읽고 난 뒤의 감상평을 늘어놓았다.

"처음 읽었을 때는 이해가 잘되지 않았어. 작가가 도대체 무엇을 말하고 싶은지 그걸 이해를 못 했거든 다만 다 읽고 주인공에게 든 생각은 도대체 정체도 모르는 사람의 말을 왜 그렇게 믿고 자신을 책망했냐 이거야."

"그저 행인에 불과한 사람의 말을 왜 믿었냐는 것이지. 진실은 아무도 모르는 거잖아."

그의 말에 마니아는 어이없다는 표정으로 고개를 저으며 이렇게 말했다.

"그 행인의 말은 그저 작가가 주인공의 상황을 알려주기 위한 도구에 불과하잖아요. 그런 거로 뭐라 하는 건…."

"개연성이라는 게 중요하잖아. 아무도 없는 곳에서 나온 뒤 얼마 안 됐으면 이해가 되지만 이미 수많은 사람들은 만난 그녀가 그 말을 철석같이 믿었다는 게 이해가 되지 않는 거지."

마니아는 그의 생각이 이해가 되지 않았다. 그저 이야기의 흐름에 의해서 그녀는 납득을 했을 뿐인데…. 왜 그렇게 인물에 이입하는 것인가….

당시 마니아는 자신과는 맞지 않는 의사 선생님이라고만 생각했었다. 그런 마니아가 그 의사에게 마음을 연 계기는 생각보다 더욱 더 터무니없는 이유였다.

비가 한참 내리던 날 마니아는 여느 때와 같이 병원으로 향하고 있었다. 우산을 들고 병원 정문을 지나 공원에 들어서려 할 때 마니아는 진지한 표정으로 비를 맞으며 공원 옆으로 달리는 그 의사 선생님을 목격하게 되었다. 대충 보고 짐작하기엔 갑작스럽게 생긴 중요한 일 때문에 서둘러 달려가는 것 같았다. 하지만 중요한 것은 그것이 아니었다. 이미 익숙해질 대로 익숙해진 공원과 병원 건물의 사이를 달리는 그의 모습을 보니 마니아는 왠지 뭐라고 형용할 수 없는 감정이 마음속에 솟구쳤다. 그 감정은 당시에 자신도 제대로 설명할 수 없었고 지금에 와서도 아직까지 무엇인지 의문으로 남아 있었다. 그것이 존경인지, 무엇인지 아직도 확실하게 할 수 없었다. 도대체 어느 부분에서 나온 건지도 모르는 느낌이었기에 당시에는 엄청 혼란스러웠다. 다만 이것 하나만은 말할 수 있을 것 같았다. 그의 한없이 진지하고 진심이 가득 찬 표정이 지금까지 그에게서 찾아볼 수 있던 무엇보다 더욱 독보적이고 아름다운 모습이었다.

그 일을 겪고 나서 다시 방문한 병원에서 마니아가 본 그의 모습은 왠지 지금까지의 의사의 모습이 아니었다. 콩깍지가 벗겨졌다고 해야 할까, 씌워졌다고 해야 할까, 자신도 자신을 이해하지 못했지만 자연스럽게 그에게 마음을 열기 시작했다.

그 후 마니아는 병원에 와서 의사를 만나 학교에서 있었던 일, 집에서 있었던 일, 책 이야기 등 여러 이야기를 나누며 시간을 보내게 되었다. 그저 지루할 뿐이었던 의사 선생님과의 대화는 이제 일상에서 가장 즐거운 시간으로 바뀌었고 매주, 아니 거의 매일 그와 대화를 하러 이 병원에 방문했다.

"네스 선생님은 자신 때문에 누군가 죽었으면 어떻게 할 거예요?"

마니아의 질문에 그는 난감하듯이 머리를 긁적였다. 당연하게 가정이지만 사람을 살리는 일을 하는 의사에게 부적절한 질문이었기 때문이었다. 하지만 마니아는 그의 대답을 들어야만 했다.

"그건, 살인을 이야기하는 것인가요…? 아님….""

"그런 직접적인 이야기를 하는 건 아니에요…. 의도하지 않았을 때를 말하는 거죠."

네스 선생님은 몇 초 동안 고민하더니 이렇게 말하였다.

"저는 일단 의사니까요. 지금은 정신과를 담당하고 있지만 저 역시 수술을 해본 적이 있어요. 그것 말고도 여러 가지를 해보았죠. 의사를 하다 보면 자신이 살리지 못한 환자도 수없이 보게 되죠. 물론 죄책감이 아예 없다고는 할 수가 없어요…. 하지만 자책하고 있어봤자 아무것도 안 되는 건 사실이잖아요. 결국 내가 할 수 있는 건 그들을 기억하는 것밖에 없더라고요."

그의 말은 정론일 것이다. 자신을 자책하기만 해선 아무것도 안 되기에 마니아는 혼자가 되려고 했다. 혼자가 되면 아무도 상처 입지 않아도 된다, 그렇게 믿으며 마니아는 어리석게도 오늘, 네스 선생님과 이야기를 하기 찾아왔다. 이 커다란 병원에 말이다. 그와 오늘도 이야기했다. 이 생활이 익숙해지면 질수록 점점 자신과의 각오와 멀어진다는 사실을 깨닫지 못한 채 말이다.

4

6월이 지나고 벌써 7월에 접어들어 강렬한 햇살이 지면을 비추고 나무 사이사이 매미 소리가 들리는 시기가 찾아왔다. 바로 2학년 여름방학이 시작된 지 일주일 정도 지났을 때였다.

그때 란은 린을 위해 최근에 산 자전거를 타고 있었다.

"상당히 더워졌네."

빠르게 달려나가는 자전거 위에서 느껴지는 것은 상쾌하고 기분 좋은 바람이라고 하기에는 너무나도 뜨거웠다. 란은 누가 보면 한 대 맞은 것 같이 얼굴을 잔뜩 찡그리며 불쾌함을 온몸으로 표현하고 있었다. 햇빛에 잔뜩 익어 아지랑이가 올라오는 아스팔트 도로를 지나 공원에 들어서자 아까까지의 불쾌하던 바람이 말끔하게 사라지는 것이 느껴졌다. 울창하게 조성된 나무가 길옆마다 마다 심어있어서 그런지 자전거를 타고 나아가는 길에 전부 그늘이 깔려있던 것이었다.

"살았다."

열사병으로 죽을뻔한 자신에게 내려온 축복에 란은 마음속으로 깊이 감사를 표하며 페달을 열심히 밟았다. 그리고 그렇게 밟고 나아가니 서서히 저 멀리서 학교의 모습이 보이기 시작하였다.

천국과도 다름이 없던 시원한 공원을 빠져나오자 다시 죽을듯한 열기가 란의 몸을 덮쳤다. 그 열기를 강한 정신력으로 버티는 것도 이 날씨에 외출한 란이 감수해야 하는 것이다. 살인 더위에 겨우겨우 버텨서 도착한 학교 안에는 방학인데도 수많은 학생들이 운동장에서 동아리 활동을 하고 있었다. 이 더위에도 밖에서 운동을 한다니 란은 운동장 옆을 지나가면서 그들에게 존경의 눈빛을 보내는 것을 잊지 않았다.

여름방학을 시작한 지는 꽤 됐지만 그럼에도 란이 학교에 방문한 이유는 열심히 동아리 활동을 하는 린을 위해서였다. 여행 기획부라는 난생처음 보는 동아리에 들어간 린은 평소에도 여행을 좋아했기에 동아리 홍보지를 본 직후 "나에게 딱 맞는 동아리야!"를 연신 외치며 바로 신청서를 작성하였다. 본인의 말로는 본인과 천생연분인 동아리라고 했으니 말이다. 그렇게 린은 자연스럽게 동아리 활동에 심취하게 된 것이다. 방학인데도 나와서 할 정도니까 말이다.

물론 앞에서 봤듯이 방학인데도 학교에 나와 동아리 활동을 하는 학생들은 린 말고도 아주 많기 때문에 오늘도 학교 안에서는 날씨에 어울리게 뜨거운 활기가 돌고 있었다.

더위에 기겁하며 빠르게 운동장을 지난 란은 3채의 커다란 건물 중 정문에서 가장 끝에 있는 특활실이 모여있는 특활동으로 향했다. 아마 지금 가장 사람들이 많이 몰려있을 동일 것이다. 동아리 부실은 대부분 특활동에 모여있으니까 말이다.

2층으로 향하기 위해 계단을 오르고 있던 란은 반대편에서 걸어오는 여학생을 보곤 발걸음을 멈췄다. 같은 반의 여학생 마니아였다. 몇 번 말을 나누긴 했지만 란이 그녀를 기억하는 이유는 다른 것에 있었다. 바로 린이 관심을 주고 있던 친구였기 때문이다. 계단을 내려오고 있던 마니아 역시 란을 발견했는지 발걸음을 멈추고 인사를 건넸다.

"안녕 란, 방학에는 웬일이래."

"아시다시피 린 관련 일이지, 너는 웬일? 동아리 활동도 따로 안 하고 요 일주일 동안은 안 나왔잖아."

란의 질문에 "그냥 오늘 들를 일이 있어서."라고 대답한 마니아는 가벼운 인사를 건네고 란의 옆을 지나쳐 계단을 내려갔다.

"각자의 사정이란 게 존재하니깐." 같은 말을 내뱉으며 란 역시 계단을 타고 2층으로 향했다.

란은 이상하게 생각했다. 마니아는 다른 사람에게는 말조차 안 거는 것 같은데 왜 자신이나 린 한테는 잘만 말하는 것일까. 말로 들어선 테라의 인사에도 무시하는 것 같았다. 란은 의문에 고개를 잠시동안 기울인 채로 서 있다가 이내 자신이 여기 온 이유가 다시 떠올라서인지 올라가던 계단을 마저 올라갔다. 2층의 길고 긴 복도를 지나 계단 기준으로 오른쪽 끝에 있는 특활실로 걸어가 가볍게 노크를 하자 린의 청아하고 예쁜 목소리가 부실 안에서 들려왔다.

"잠시만 기다려 주세요!"

그 말과 함께 부실 문이 열리며 린이 오늘도 활기찬 표정으로 문 앞에 서있는 란에게 인사를 건넸다.

"란, 어서 와 고생이 많아, 매일 안 와도 되는데."

"아니야 내가 하고 싶어서 하는 거야. 아직 일 다 안 끝난 것 같으니까 밖에서 잠시 기다릴게."

란은 다시 특활실 문을 열고 복도로 나왔다. 물론 복도 반대쪽에서 누군가가 걸어오고 있다는 것을 눈치채기까지는 시간이 어느 정도 걸렸지만 말이다. 걸어오던 사람은 란을 발견하자마자 손을 흔들며 달려왔다.

"란! 오랜만!"

익숙한 목소리에 란은 그의 얼굴을 자세히 바라보았다. 그 남자의 정체는 테라의 소개로 친해진 라이였다. 뜨거운 날씨인데도 검은색 긴팔 옷에 모자를 깊게 눌러썼기 때문에 바로 알아보지 못했다. 무슨 범죄자 룩인가?

저 녀석은 더위를 모르는 것이 분명하다. 살인적인 더위에 저런 옷을 입다니. 열사병으로 죽고 말 것이다,

라이는 그런 란의 걱정은 아는지 모르는지 누구보다도 해맑은

표정으로 다가왔다.

"란! 여름방학인데 고생이네, 재미있는 걸 찾았는데 같이 갈래?"

"또 뭘 찾았길래?"

란의 말에 라이는 손으로 자신이 온 쪽에 있는 창문 없는 교실을 가리켰다. 아마 저곳을 들어가자는 의미일 것이다.

"진심이냐…."

저 교실은 특활실로 이루어져 있는 이 건물에서 가장 사람의 손이 안 닿는 교실이다. 한마디로 말하면 안 쓰고 방치되어있는 교실이라는 것이다. 애초에 함부로 들어가도 되는 교실인지조차 확실하지 않다.

"갑자기 저 교실은 왜 들어가 보려고 하는 거야?"

란의 말에 라이는 지금까지의 경위를 설명하기 시작했다.

"오늘 집 밖으로 외출을 하니까 날씨가 너무 좋은 거야. 그래서 믿음 공원에 가서 따뜻한 햇볕을 받으며 자고 있었거든? 그런데 자고 일어나니까 공원을 꽃다발을 들고 가는 마니아를 발견한 거야. 그래서 호기심에 여기까지 따라왔지."

잔 거냐! 그것도 공원에 햇빛이 가장 잘 드는 곳에서?! 이 녀석 구워지지는 않았을까? 열사병은 물론 구워져서 죽을 만큼의 날씨인데 누가 봐도 더워 보이는 옷차림으로 태양 빛을 직선으로 받다니…. 신종 자살법인가? 하지만 란의 어이없어하는 얼굴을 보고도 라이는 개의치 않게 계속해서 말을 이어 나갔다.

"꽃다발 중에서 물망초 꽃도 있어서 더욱 흥미가 돋았어. 마니아

의 목적지가 저 교실인데. 궁금하지 않아? 나라면 궁금해서 들어가

볼 것 같은데."

"너, 물망초 꽃 좋아하냐? 아니 그게 아니라 너 마니아의 스토커

냐?"

미행이라니…. 누가 봐도 스토커의 행동 그 자체이다

"물론 좋아해. 그리고 평소에는 안 그러거든."

"기다렸지 란? 미안해. 할 일이 좀 많았어서…. 어라, 라이?"

뒤를 돌아보니 이미 할 일을 전부 끝낸 린이 문을 열고 복도 밖

으로 나와 있었다.

"린, 수고가 많네, 이런 날씨에 학교에 나오다니."

죽을듯한 날씨라는 건 자각하고 있는 것인가?

"라이 안녕! 너는 웬일? 방학이라 평소에 학교로는 잘 안 오잖아."

라이는 곧바로 아까 란에게 했던 이야기를 다시 린에게 들려줬다.

평소 마니아를 끈질기게 쫓아다니던 린은 그 이야기에 대해서 흥

미가 생긴 것 같았지만, 금방 표정을 바꾸며 고개를 저었다. 그 이

유는 란 역시 짐작이 갔다.

"타인의 사정을 그렇게까지 파고드는 건 별로 좋은 건 아닌 것

같아…. 우리는 마니아가 지금 어디에 사는지도 모르잖아. 함부로

파고들면 무례한 거야."

란은 린의 말에 란은 고개를 끄덕이면서도 내심 기뻤다. 사람과의

관계에서 무조건 들이대려고 하던 린이 저런 말을 하다니, 최근 들

어서는 마니아에게 다가가는 것도 자중하는 것 같았다. 전에 란이

했던 말을 기억하고 있는 것이다.

란은 그녀를 학교에 입학시켜서 다행이라는 생각이 들었다. 그녀가 이대로 성장하고 사람들에게 섞여서, 평범하지만 아름다운 삶을 보낸다면…. 더할 나위 없이 정말 기쁠 것 같았다.

린의 말에 라이는 아쉽다는 표정을 지으며 창문 없는 교실로 시선을 옮겼다. 아무리 막무가내라곤 해도 어느 정도 선은 지키려 하는 라이였기 때문에 결국 우리의 말을 수긍할 것이다.

하지만 그 순간 선명하게 복도에서 울려 퍼진 문소리가 우리의 발걸음을 멈추게 했다. 아무도 안 쓸 것 같은 교실에서 누군가가 나온 것이었다.

교실에서 나온 건 키가 작은 여학생이었으며 겉모습으로만 봐서는 우리와 같은 학년은 아닌 것 같았다. 그 여학생은 교실 문 앞에서 서 있는 우리를 보곤 조금 의아한 표정을 짓더니 이내 무언가를 깨달았다는 듯이 표정을 풀고 우리 쪽으로 걸어왔다.

"안녕하세요? 저는 메타티아라고 하는데요 2학년 선배들이시죠? 여러분들도 조문하러 왔나요? 기다리게 해서 죄송합니다. 이제 들어가셔도 돼요."

조문? 그녀의 말에 란은 상상치도 못한 가능성이 머리를 스쳐 가는 것을 느꼈다. 조문이라니? 학교에 무덤이라도 있는 것인가?

"가족분들이? 아니면 지인?"

"뭔 소리 하는 거야? 조문이라니? 여기서 누군가가 죽은 거야?"

라이의 질문에 메타티아라고 자신을 소개한 여학생이 어리둥절한 표정으로 이렇게 말했다.

"20명의 학생들을 찾아온 게 아닌가요?"

"20명의 학생들? 그게 뭔데? 자세하게 알려 줄 수 있어?"

란이 내뱉은 말에 메타티아는 곧바로 설명을 시작하였다.

20명의 인질극, 그 사건은 6년 전에 일어났다. 산속에서 내려온 정체불명의 사람들, 그 사람들은 학교를 점거하고 교정에 있던 학생들을 인질로 삼아 무언가를 요구했다. 그들이 요구한 것은 구원의 천사, 참으로도 터무니없는 요청에 경찰들은 손을 쓸 방법이 없었고 그렇게 반나절이 지나 버렸다. 존재하는지도 모르는 구원의 천사를 찾으라고 인질범들은 계속해서 외쳤지만 그것은 당연하게 이루어질 리가 없는 허무한 외침에 불과했다.

그렇게 하루가 지날 무렵 그 인질범들은 인질들을 죽이고 학교를 뜨려 했고, 그들의 논의를 들은 한 학생이 자신이 구원의 천사라고 나왔다. 당연하게도 그녀는 구원의 천사가 아니었고 그저 자신을 희생하기 위해서 내세운 거짓말에 불과했지만 말이다.

하지만 어째서인지 그 말을 믿은 인질범들은 그녀를 데려가려 했고 그녀는 자신은 맘대로 해도 좋으니까 인질들은 죽이지 말라고 호소하였다. 그녀의 말에 인질범들은 그 호소를 수용해 주며 조건을 내걸었다. 20명로 인질을 데리고 가겠다고 말이다. 그 조건이 발표되는 순간 많은 사람들이 자진하여 자신들이 인질이 되겠다고 하였고 그중 가장 그녀와 가까웠던 학생 20명이 그들을 따라나서게 되었다. 결국 인질범들을 따라간 20명의 학생들은 그대로 행방불명이 되어 결국 사망 처리를 하게 되었다.

잔인한 이야기이다. 고작 6년 전인데도 이런 말도 안 되는 사건이 일어나다니 정말 상상도 할 수 없었다. 그리고 더욱 잔인한 사실이 우리 앞에 내려졌다. 마니아 자신도 그 사건의 피해자라는 이야기가 되는 것이었다. 분명 20명의 학생들 중 지인이 있었겠지. 그렇지 않으면 그 꽃들을 들고 여기에 방문할 이유가 없기 때문이다.

이야기를 끝마치고 메타티아는 간단한 인사를 건네며 계단으로 내려갔다. 그녀가 내려간 후 그들은 숙연한 분위기로 어색하게 복도에 서 있었다.

"………………………"

침묵이 몇 분 동안 지속되자 결국 먼저 움직인 것은 다름 아닌 린이었다. 린은 그대로 몸을 돌려 아직 닫히지 않은 문을 향해 빠르게 걸어갔다. 그녀의 돌발 행동에 란과 라이도 허둥지둥 그 뒤를 따라 교실 안으로 들어갔다.

교실 내부는 이 건물과 어울리지 않게 책상과 의자가 나열되어있는 평범한 교실의 모습이었다. 다만 평범한 교실과는 다른 것이 딱 하나 있었는데, 그것은 20개의 책상 위에 각각 액자에 껴 있는 사진들이 올라가 있었고 그 앞에는 수많은 국화가 놓여 있었다. 그 광경을 보곤 란은 곧바로 짐작이 갔다.

"20명의 학생을 추모하기 위해서 만들어진 공간…."

란의 말이 끝나기 무섭게 린은 한 걸음 한 걸음 영정 사진 속 사람들의 얼굴을 하나하나 확인하며 나아갔다. 그리고 한 줄을 돌았을 때쯤 린은 걸음을 멈췄다. 슬퍼하는 건지 충격을 받은 건지 무어라 형용할 수 없는 표정으로 사진을 손으로 가리켰고 수많은 흰색 국화가 놓여 저 있는 사진 안에는 한 여학생이 린과 버금갈 정도로 아름답게 미소를 짓고 있었다.

 그녀의 사진 앞에 올려져 있는 명찰에 적혀 있는 이름은 이나야. 이 마을을 지칭하는 이름이면서도 이 마을에 존재하는 모든 것에게 축복을 받는 이름, 이나야. 누구도 함부로 쓸 수 없는 이름을 그녀는 가지고 있었다.

 그녀의 이름을 보자마자 란은 그녀가 말한 구원의 천사가 자신이라는 거짓말에 인질범들이 왜 넘어갔는지 이해가 됐다. 이 마을에서 이나야를 지칭하는 사람은 무조건 특별할 수밖에 없다. 아무나 쓸 수 있는 이름이 아니었기 때문이다. 이나야가 자신이 구원의 천사라고 말하면 믿을 수밖에 없다. 그것이 이 마을의 룰이기 때문이다. 그렇게 생각하며 란은 린의 얼굴을 들여다보았지만 그녀의 머릿속이 전혀 읽히지 않았다.

 그녀는 지금 무슨 생각을 하고 있을까? 아까 메타티아라는 후배 여학생이 구원의 천사라는 말을 꺼낼 때부터 그녀의 표정은 어두워져 있었다. 자칫하면 다시 옛날로 돌아갈 수도 있기 때문에 란은 조마조마한 마음으로 그녀를 지켜보았다.

 "이나야라는 사람 마니아랑 닮지 않았어?"

 라이의 말에 란이 다시 그 사진을 자세히 보자 정말로 닮아 보였다. 그렇다면 가족인가? 나잇대로 보자면 마니아의……

"마니아의 언니야."

"그렇다면…. 마니아의 언니가 숲속에서 나온 사람들에게 당했다는 건데…."

불쾌한 결론이 란의 머리 안에서 찰칵하고 맞춰졌다. 숲속…. 사람들……. 그 숲은 검은 숲이 분명하다. 젠장. 오래전 자신이 두고 온 모든 것이 이렇게 들이밀어 지는 것인가. 이것이 운명인가.

"오늘 일은 마니아에게 말하지 않는 게 좋을 것 같아."

라이의 말에 란과 린은 고개를 끄덕이는 것으로 동의하며 교실 밖으로 나가서 계단으로 걸어갔다. 복도를 걸으며 시선을 돌린 창문 밖에선 벌써 석양이 지고 있었다.

공원에서 라이와 헤어진 후, 란은 해가 져서 이미 어두워 진 도로를 자전거 뒷자리에 린을 태운 채로 빠르게 달려나가고 있었다. 린은 뒤에서 무슨 생각을 하고 있는지 모르겠지만 평소와 다르게 굉장히 입을 다문 채로 아무 말도 하지 않고 있었다.

그녀와 더불어 란 역시 복잡해진 마음에 한숨을 쉬었다. 무엇이 그녀를 힘들게 했고 무엇이 그녀를 죽게 했는가. 천천히 올라오는 죄책감에 란은 손 사리를 쳤다. 지금까지 몰랐던, 아니, 따뜻하고 즐거웠던 지금까지의 생활 덕분에 어둠 속에 가려져 있던 진실들을 보지 못한 것이었다. 알지 못했다는 것은 그저 변명일 뿐, 하지만 자책해봤자 의미가 없다는 걸 란은 누구보다 잘 알고 있었다. 그렇기에 란이 취할 그저 행동은 나아가는 것이다.

죽을 듯이 뜨거웠던 공기가 식어서 앞에서 불어오는 바람은 반팔 차림 덕분에 그대로 드러난 팔에 부딪혀 여름에 어울리지 않는 한기를 뿜어냈다. 날이 저문 지도 1시간은 지났을까? 세상에 깊은 어둠이 도사리기 전에 집에 도착해야 한다는 조바심 덕분에 란의 다리는 피로 따윈 느낄 틈도 없이 페달을 밟을 수밖에 없었다. 그렇게 열심히 달린 자전거가 도착한 곳은 도심에서 조금 떨어져 있는 어느 커다란 저택, 바로 린 과 아리스의 집이었다.

숲 바로 밑에 홀로 서 있는 이 커다란 저택은 중세 유럽의 귀족들이 살았던 저택 그 자체로 고풍스러운 분위기를 풍기는 건물이었다. 듣기로는 오래전부터 존재했던 건물로 아리스의 부모님이 이 건물을 사면서 리모델링이 되었다고 들었다.

아리스의 부모님은 한 회사를 가지고 있었다고 들었는데 그 회사 덕분에 수많은 부를 누렸다고 하고 이 저택을 이리스에게 물려줬다. 이 정도의 규모의 저택을 사려면 어느 정도의 돈이 필요한 것일까? 란은 상상조차 할 수 없었다.

자전거에서 내린 린을 확인한 후 란은 천천히 자전거를 끌고 정문 앞으로 걸어갔다.

"란, 린 왔어? 고생이 많아. 어서 들어와."

아리스의 목소리가 들리고 정문이 느리게 움직이며 열리는 것을 란은 몇 초 동안 바라보다, 문이 완전히 열리자 정문 안으로 천천히 걸어 들어갔다. 정문에서 본 건물까지는 3분 정도 걸릴 정도로 조금 길었고 그사이에 커다란 정원이 조성되어 있었으며 정원에는 작은 연못이 있었다. 그 연못 앞에 있는 테라스에서 앉아서 이야기를 나누는 일도 많았다. 이 저택은 린과 아리스, 그리고 란에게는 수많은 추억이 쌓여있는 집이며, 아리스와 린의 집이기도 하다. 원래는 아리스랑 린이 같이 살던 집이었지만 어떤 계기로 란 역시 이곳에 들어와서 살게 된 것이라 물론 평소에 란은 이곳에 와서 생활하지만 자신의 집은 따로 존재하였다.

옛날에는 이 커다란 저택을 관리해 주는 사람들이 있었고 그 사람들로 인해서 저택이 북적였다고 한다. 물론 이제 이 저택에 생활하는 사람은 린과 아리스와 란뿐이었지만 말이다. 정말 3명뿐인 이 커다란 저택은 얼마나 조용하려나. 이곳에서 생활하기 전에는 란역시 그렇게 생각했었다. 하지만 지금은 생각이 바뀌었다. 단 3명뿐이라도 아리스와 린이 있으면 이 넓은 저택도 가득 차는 듯한 느낌이 들었기 때문이다.

"란, 린! 어서 와!"

그에 응해서 저택과 정문 사이 몇십 미터는 될 것 같은 거리에 맑고 청아한 목소리가 울려 퍼졌다.

"다녀왔습니다!"

누구보다 공허했던 저택은 단 3명의 사람으로 인해 가득 차게 된다. 넓고 넓은 저택을 가득 메우는 그들의 감정으로 인해.

저택에 마련되어있는 자신의 방 안으로 들어간 란은 곧바로 책상 위에 놓여 있는 컴퓨터의 전원 버튼을 눌렀다. 검색엔진에 들어가 검색 창에 "20명의 학생 사건"이라는 키워드를 빠른 타자로 순식간에 적어나갔다. 검색 결과 나오는 것은 그에 관련된 여러 기사들뿐이었다.

20명의 학생 사건, 종교의 마을 이나야를 떠들썩하게 한 사건. 20명의 희생. 사건의 내용은 앞서서 메타티아가 말한 사실과 다름이 없었다. 숲속에서 내려온 사람들, 그리고 그 사람들의 인질극, 그로 인해 희생된 20명의 학생. 지금 와서 드는 생각이지만 과연 그들이 희생할 필요가 있었나 싶기도 하다.

숲속에서 내려온 사람들의 인원이라 해봤자 수십 명, 최소 권총이라도 무장 했으면 몰라도 제대로 된 흉기조차 가지고 있지 않던 범인들에게 너무 관대했던 게 아닌가? 물론 인질에게 위해를 가하는 일이 생길 수도 있어서 신중을 가했던 건 이해가 된다. 하지만 학생들이 자신을 희생할 때까지 경찰은, 정부는 무엇을 했던 것인가? 사건에 관한 기사나 정보를 찾아보면 경찰이나 정부가 너무나도 무능하게 그려진다. 반나절 동안 아무런 조치조차 하지 않은 것이 이상하게 느껴졌다. 하지만 란의 이목을 끈 것은 이렇게 의문뿐인 음모론 같은 내용이 아닌 단 한 문장, "인질범들은 종교인이 아닌가?"라는 문구였다.

"인질범은 종교인이 아닌가." 어떻게 보면 아무 문제도 없을 말이었다. 이나야는 종교인의 마을로 알려져 있고 마을의 절반이 종교인이라고 해도 과언이 아니었다. 그 사람들이 이나야 마을 사람들이라면 종교를 가지고 있다 해도 문제 될 것은 없다.

 하지만 그 사람들은 '숲속'에서 내려왔다. 그 검은 숲에서 말이다. 종교인에 숲속이라면 단 한 가지의 가능성만이 존재한다.

 숲속의 고립된 마을.

 오래전에 자신이 돌아가지 않은 마을, 끝을 보지 못하고 방치해 둔 마을. 계속해서 피하고 피했던, 아물지 않은 상처에 계속해서 흐르던 피가 잠시동안 봉하기 위해 꽁꽁 싸맨 붕대를 뚫고 거세게 쏟아져 나온다.

 란의 마음속 안에 지금까지 억눌러 왔던 부정적인 감정이, 믿음이 혼돈에 휩싸여 저 멀리에 있는 공허 속으로 사라지는 것을 느꼈다. 야심한 밤, 저택의 밖에는 그저 칠흑만이 남았다. 도심에서 떨어져 있어 유난히 더 어두워 보이는 것은 어쩔 수 없지만 말이다….

 걱정스러운 것은 린 이었다. 아무것도 모르는 린이 모든 진실을 알면 어떤 모습을 보일지 뻔한 것이었다. 이제는 솔직히 어느 것이 옳은지도 잘 모르겠다. 그저 그곳에는 암흑만이 있었을 뿐이었다.

 옛날 그녀가 란에게 갑작스럽게 한 말이 있었다. 너무나도 갑작스럽게 한 말이라 그때 당시에 꽤 당황했던 것 같기도 하다.

"내가 만약 죽는다면 너는 어떻게 할 거야?"

 란은 무심하듯이 그 말에 대답하였다.

"슬프지, 그것 이상으로 할 수 있는 것이 없기 때문에 그저 슬플 뿐인 거야. 그럼 내가 죽으면 너는 어떻게 할 건데?"

"나는 말이야….."

그녀의 대답은 상상치도 못한 것이었다. 그렇기에 지금까지도 란의 마음속 안에 남아 있었다. 그렇기에 이렇게 말하고 싶다.

"아무도 슬퍼하지 않는 세상을 위하여."

그것은 이뤄질 리 없는 소원이었다. 그렇지만 만약에, 정말 만약에 이뤄진다면 얼마나 아름다울까? 란은 그녀라는 아름다움에 매료되어 도피라는 안개에 휩싸여 빠져나오지 못한 10여 년을 회상한다. 그때는 정말 하루하루가 행복했었지, 그녀와 그녀의 주변 사람들과 생활 하는 것은, 그때 그녀가 란에게 말을 걸어오지 않았다면 영원히 주어지지 않았을 시간이다.

"20명의 학생 사건에 대해서 더 자세히 조사해 볼까?"

그렇게 란은 하얀색으로 빛을 내는 모니터로 시선을 돌렸다.

오늘은 길고 긴 밤이 될 것 같았다.

5

빨간 노을이 지던 때 교실 안, 테라는 어떤 여학생과 책상에 앉아 마주 보고 앉아있었다. 서로의 눈을 바라보고 있었지만 이상하게도 이야기를 나누고 있지는 않았다. 그저 그렇게 바라볼 뿐이었다. 그렇게 몇 시간이나 지났을까. 이미 깜깜해진 세상은 끊임없이 변한다. 계속해서 변하지만 두 사람만큼은 변하지 않았다. 그리고 테라는 겨우 깨닫고 말았다. 자신 앞에 있는 그녀의 얼굴이 짙은 안개가 낀 것 같이 전혀 보이지 않는다는 사실을 말이다.

"또 그 꿈인가?"

이상하리만큼 선명한 꿈. 그중 무엇보다 두려운 것은 자신의 앞에 앉아있는 여학생의 얼굴이 보이지 않는다는 것이었다. 무언가로부터 도망치고 있는 자신의 마음을 꿰뚫어 보듯이 매일 매일 꿈에서 똑같은 장소 똑같은 시간에 나타났다.

"기분 나쁜 꿈이야."

그렇게 중얼거린 테라는 곧바로 침대에서 일어나 바로 옆에 있는 책상에 널브러져 있는 휴대폰의 화면을 켜서 시간을 확인했다. 8시 20분, 등교할 시간은 한참 지났지만 여름방학이 한창이었기 때문에 평소에는 적어도 늦은 시간은 아니었다. 여름방학에는 항상 9시는 넘겨서 일어났지만 오늘은 이상한 꿈을 꿔서 그런지, 아니면 단순한 변덕인지 평소와는 다르게 일어날 시간에서 1시간 정도 더 일찍 일어난 것이었다.

"테라! 벌써 일어났어? 일어났으면 얼른 내려와!"

귀신같이 테라의 기상을 알아챈 엄마가 테라의 이름을 부르는 소리가 아래층에서 들려왔다. 그 목소리를 들은 테라는 엄마의 부름에 응답하기 위해서 곧바로 방문을 열고 계단을 타며 1층에 있는 거실로 내려갔다. 거실에는 주방에서 열심히 무언가를 만들고 있는 엄마 만 보였고 아빠는 이미 출근했는지 안보였다.

"테라, 오늘 별 일정 없으면 너네 사촌 형한테 가봐라. 저번에 주려다가 못 준 게 있어서."

엄마의 시선 끝에는 탁자 위에 있는 쇼핑백이 있었다. 무슨 선물 같아 보이는데 테라는 엄마한테 내용물을 물어봤지만 비밀이라는 이야기만 돌아왔다. 안에 뭐가 들어가 있는지 테라는 궁금했지만 굳이 캐묻기는 귀찮고 예의가 아니라고 생각해서 그만두었다. 한 손으로 드니 생각보다 많이 느껴지는 중량감에 테라의 몸이 휘청거렸다. 못 들을 정도는 아니지만 생각보다는 무거웠던 것이었다. 도대체 무엇이 들었길래 이렇게 무거운 것인가? 테라의 의문점이 더해질 뿐이었다.

빠르게 아침을 해치운 테라는 나가는 김에 라이 집에 한번 가볼까 하는 생각이 들었다. 여름방학 동안 안 만나기도 했고 저번에 빌린 책이 있어 때문에 돌려줘야 했기 때문이었다.

그렇게 테라는 이 더운 날씨에 밖으로 나오게 되었다. 여느 때와 같이 경쾌한 발걸음으로 단숨에 걸어간 병원은 평소와 다를 거 없이 평화로웠다. 이번에도 물건을 네스 형한테 전해 준 후 공원 중간에서 누워서 이 날씨를 즐길까 하는 생각까지 들기도 했다. 건물 안으로 들어가려는 찰나 공원 끝에서 어떤 여자애와 걸어가는 네스 형을 발견한 테라는 고개를 갸우뚱하며 의문을 표했다.

"환자? 아니면 그냥 지인? 아님…"

온갖 억측들이 자신의 머리에 올라오는 것을 간신히 억누른 테라는 그들 쪽으로 발을 떼었다. 어느 정도 거리가 좁혀지며 여자의 얼굴이 점차 보이기 시작하자 테라의 의문은 더 커다란 의문과 충격으로 바뀌었다. 그 여자는 자신이 아는 얼굴이었기 때문이다. 테라는 급하게 바로 옆에 있는 커다란 기둥 뒤에 숨어서 그 둘이 지나가는 모습을 지켜보았다.

"마니아⋯."

5반의 마니아, 그녀가 왜 네스 형과 함께 걸어가고 있는 것인가? 아는 사이인가? 그 순간 테라는 예전에 네스 형을 만나러 병원에 갔을 때 마니아를 봤었다는 사실이 떠올랐다.

"환자인가? 아니면 그저 친해서 만나는 건가?"

의문만이 남은 이 상황을 타파하기 위해 테라는 이미 저 멀리 까지 걸어간 둘을 향해 뛰어갔다. 단 1m 정도 되는 거리까지 다가갔지만 여전히 따라오는 인기척 같은 것은 눈치를 못 챘는지 둘은 즐겁게 이야기를 나누고 있었다. 테라는 말을 걸기가 망설여졌다. 마음속 은연중에 자신의 호기심보다 네스 형과 이야기를 나누고 있는, 지금까지 보지 못한 마니아의 얼굴이 우선되었기 때문이다. 테라는 둘만의 시간을 빼앗고 싶지 않았다. 테라는 손을 뻗으면 닿을 거리까지 걸어갔지만 결국 물어보기를 포기하고 뒤로 돌아 옆에 있던 건물 안으로 들어갔다.

"너무나도 분위기가 달랐지⋯ 평소의 마니아랑⋯."

반에서 항상 조용히 자리에 앉아있던 마니아. 누구와도 이야기하지 않으며 누구도 그녀와 이야기 하지 않았다. 그 모습을 보면 마치 무언가의 부조리함을 자기 자신에게 강요하는 것 같은 느낌이 들었다. 이유는 모르겠지만 '나는 이것을 하면 안 돼,' '나에겐 그럴 권리가 없어.' 라고 말하듯이 본인의 행동에 제한을 두는 것 같았다.

"항상 무표정인 마니아가 저렇게 웃을 수 있다니…."

무관심인 척하며 신경이 쓰이지만 모른 척 해오던 친구의 의외의 면모를 보니 테라는 이상한 기분이 들었다. 사람마다 숨기고 있거나 보여주지 않는 모습이란 게 각각 존재한다는 사실을 한 번 더 깨닫게 되는 일이었다.

하지만 테라는 자신의 마음속에 피어오르는 또 다른 감정이 무엇인지 알 수 없었다. 무언가 분하다고 생각이 드는 이유는 무엇일까. 본인은 단순한 착각이라고 되뇌었다. 자신이 그녀에 대해서 생각하는 것은 그저 조금 신경 쓰이는 같은 반 친구 그 이상도 이하도 아니었기 때문이다.

"나중에 네스 형에게 슬쩍 물어볼까? 마니아는 어떤 애인지."

방학이 끝나면 말을 한번 걸어보자. 새로운 친구를 만드는 셈 치고 말이다. 그녀가 어떻게 반응할지는 모르겠지만 오늘 그녀의 표정을 보면 분명 친해질 수 있을 것 같았다. 테라는 그렇게 마음속으로 되뇌이며 몇 분 동안 그 둘이 병원 공원에서 사라지는 것을 기다렸다. 그 후 로비 정문으로 둘이 들어가는 것을 보고 난 후에야 테라는 숨어있던 건물에서 빠져나왔다.

둘이 가는 방향을 봐선 아마 네스형이 매일 있는 진료실로 향하는 것으로 보였다. 뭔지도 정확히 모르는 전해줘야 할 물건을 테라는 잠시동안 뚫어져라 쳐다보다가 결국 짧은 한숨을 내쉬면서 바지 주머니에서 핸드폰을 꺼냈다.

화면에 표시된 시각은 11시. 곧 점심시간이기에 그 틈을 타 물건만 전달해 주고 나와야겠다고 다짐한 테라는 촉박한 발걸음으로 방금 네스 형과 마니아가 사라진 로비 정문으로 향했다. 2층 병동 오른편에 있는 100~190호 병실 앞 복도를 지나서 병원 가장 오른쪽 계단 바로 옆에 있는 진료실의 앞에 선 테라는 손을 들어 문을 살살 두드렸다.

마니아가 있을 것 같아 조금 긴장한 테라였지만 예상과는 다르게 안에는 아무런 인기척이 느껴지지 않았다.

"이쪽으로 왔다고 생각했는데 아닌가?"

"들어갑니다."라는 말을 안에서 들릴 정도로 크게 외치며 문고리 잡고 세게 밀자 어이없을 정도로 문은 쉽게 열려 버렸다. 물론 평소에도 진료실 문을 잘 잠가두는 편은 아니었기에 그냥 그러려니 하고 넘어갔다.

곧바로 테라는 책상 위에 놓여 있는 포스트잇 한 장을 뜯어 "엄마가 전하라는 물건이야 -테라-"라는 간략한 문장을 남기고 진료실을 나왔다.

그대로 커다란 병원 부지를 벗어난 테라는 의기양양하게 도로를 걸어 나왔지만, 쪄 죽을듯한 날씨 때문에 의뢰를 성취해서 상쾌했던 기분은 얼마 가지 않아 불쾌함으로 바뀌었다.

"오늘 왜 이렇게 더워…."

정말로 10분만 땡볕에 있어도 열사병으로 쓰러질 수 있을 것 같은 날씨였다. "이런 날에 비라도 쏟아지지 않으려나." 하고 테라는 작은 소망을 말해 봤지만 오늘 일기예보에 비 소식은 같은 건 없었다. 엎친 데 덮친 격으로 탁 트인 조경이 좋다는 게 디자이너의 취향이었는지 병원에서 이어지는 길 몇 미터는 가로수 한 그루도 놓아져 있지 않았기에 그늘이 없었다.

"바닥에 누우면 그대로 구워지는 거 아닌가 몰라."

병원으로 가는 오르막길을 반대로 내려오자마자 바로 믿음 공원의 모습이 보였다. 공원 옆으로 도로가 놓아있는데 왼쪽으로 가면 믿음 마을에서 관광지로 유명한 이나야 성당과 공동묘지가 있으며 오른쪽으로 쭉 가면 테라가 재학 중인 이나야 고등학교가 나온다. 이번에 테라가 향하는 곳은 주택가 쪽이기에 공원을 가로질러 반대쪽으로 향했다.

화창하다고 하기에는 너무나도 더운 날씨지만 그럼에도 공원에는 사람이 많았다. 그늘에서 쉬는 사람들, 조깅을 하거나 운동 기구에서 운동하고 있는 사람들 등 여러 사람이 모여서 이야기를 나누거나 자신의 일을 집중하는 모습이 과연 믿음의 중심지라고 불릴 만한 풍경이었다. 공원에 중간에 다다랐을 때 공원 길을 걷고 있던 어떤 남자가 테라를 알아봤는지 손을 흔들며 다가왔다.

"테라!"

익숙한 목소리에 얼굴을 자세히 보니 2반의 반장이자 전교 부회장인 에시아였다. 잘생겼고, 운동도 공부도 잘하고 심지어 리더십도 좋아서 많은 학생들의 선망을 한몸에 받는 인물이었다. 당연하게도 선생님께도 인기가 넘쳐 주변이 인망으로 둘러 싸여있는 엄친아다.

테라와는 란이 소개해 줘서 안 사이인데, 란이랑은 이미 예전부터 알고 지낸 사이여서 그런지 가장 친해 보였다. 보호자라는 별명도 에시아가 지어준 것이다.

"테라, 오랜만이야. 어디 가길래 그렇게 서둘러?"

"라이 집 가는 중이야. 책 빌린 것 좀 돌려주는 김에 얼굴 한번 보게."

테라의 대답에 에시아는 기쁜 표정을 지으며 자신이 들고 있던 가방에서 어떤 낡은 책을 꺼내 테라의 앞에 보여줬다. 그 책은 한 손으로 잡고 읽을 수 있을 정도의 사이즈였고 두께는 꽤 돼 보였다. 낡은 가죽 소재의 책 표지에는 무엇으로 새긴 지는 모를 날개 달린 아름다운 여성의 모습이 그려져 있었다.

"나도 라이한테 빌린 책 돌려줘야 하거든. 같이 갈래?"

"나야 좋지. 근데 그건 무슨 책?"

테라의 질문에 에시아는 기쁜 표정으로 이렇게 대답했다.

"성서 비극이라는 책이야."

분명 뜨거운 날씨였지만 왠지 모를 서늘한 바람이 왠지 모르게 테라의 등 뒤로 스쳐 지나가는 것 같았다.

6

지금 이 마음속에 있는 것은 단 한 가지의 바람뿐이다.

그것이 무엇인지 깨닫기까지는 그렇게 오래 걸리지 않았다.

단순하게 생각해서는 단지 그녀가 행복하길 바랄 뿐이다. 그 이상 그 이하의 무언가도 바라지 않는다. 다만 세상은, 천사들은 그녀가 평범하게 살아가는 것을 거부한다.

무엇이 적인가? 무엇을 탓해야 하는가? 열심히 생각해 봤지만 답은 나오지 않는다. 왜냐하면 이것은 서로가 서로에게 상처를 주는 무한의 굴레의 이야기이기 때문이다.

어디에나 있으면서도 누구에게 이해받지 못할 수많은 이야기 중 하나일 뿐인 나의 이야기는 곧 피날레를 향해 갈 것이다.

내가 행복해질 일은 이제 존재하지 않는다. 내가 가장 사랑하는 그녀의 행복조차도 빌 수가 없다. 그렇다면 나에게 내려진 사명은 단 한 가지뿐이다. 이 모든 것을 시작한 사람으로서 그 책임을 다한다. 하지만 정말 내가 생각하는 것은 책무 뿐일까?

하나하나 바닥으로 떨어져 가는 별들이 넓고 검푸른 하늘을 미끄러지듯이 헤엄쳐서 나의 가슴팍으로 스며든다. 모든 별이 하늘에서 사라지고 그저 공허만이 남았을 때 나는 소원을 빌었다. 그곳이 심연이라는 것을 알면서도 말이다.

구원이라는 이름은 나는 믿지 않는다. 그것이 초래해 올 수많은 저주도 말이다. 내가 직접 조작할 수 있으면 얼마나 좋을까.

오랫동안 수많은 사람들을 보았다. 구원이라는 이념이 뭉쳐서 만들어 낸 조직은 결국 그 의도가 변질되어 증오와 혐오로 바뀌었고, 자신들이 신에게 선택받은 사람들이라며 말하던 사람들은 거센 파도에 휩쓸려 저 멀리 망망대해로 사라졌다.

그곳에 이야기가 있기에 그들은 존재하고, 그들이 존재하기에 이야기가 있다. 나는 그 이야기들을 엮어서 책으로 만드는 자. 그것이 나의 의무, 요 근래 10여 년 동안 내팽개치고 도망친 책무이다.

물론 나의 새로운 여행은 더 이상 기록자의 삶이 아니라고 생각했지만 결국 다를 바가 없다는 것을 이제 와서야 깨달았지만 말이다.

약 10여 년 전 고아원을 떠나 몇 년 동안 성서를 찾아 여행했던 기억이 떠올랐다. 그래, 나는 항상 무언가를 찾아 떠돌아다녔었지, 한 번도 무언가를 찾은 적이 있던가?

길고 긴 나의 회상은 고요한 밤과 함께 계속되었다. 별이 전부 다 사라지고 칠흑 같은 밤하늘에 나는 천천히 빠져들어 갔다. 머리에서부터 천천히 밀려오는 졸음에 간신히 정신을 부여잡고 하늘에 시선을 고정했다.

열리고 있던 문은 이제 거의 개방이 되었다. 그 하늘의 높이_{천고}의 문이 열린 것이다.

나는 아직 그곳으로 걸어가지 않았다. 오래전 심연에서 여행하던 때도 나의 새로운 동반자를 만났을 때도 나는 이미 버린 권능을 다시 돌아보지 않았다. 영원의 생명을 얻었음에도, 모두를 속일 수 있는 거짓말을 얻었음에도, 조각을 마주할 수 있는 절망을 얻었음에도 나는 망설이지 않고 버렸다.

　하지만 이미 상황은 내가 생각하는 범위를 벗어났다. 감정축복은 필요 없다고 내팽개쳤지만 그것을 다시 주워들 수밖에 없어진 것이다. 만약 그 날 밤 무엇이든 마주하지 않고 안식을 찾았다면 과연 내가 원하는 결말에 다다랐을까.

제2장

보이지 않는 내일

7

만약 그 날로 다시 돌아간다면, 다시 돌아갈 수 있으면 나는 언니에게 무슨 말을 할 수 있을까? 나도 언니처럼 되고 싶다고 자랑스럽게 이야기할 수 있을까? 다시 돌아오지 않을 그때를 회상하며 한 방울 흘러나온 눈물이 천천히 마니아의 뺨을 타고 내려와 그대로 지면으로 떨어진다.

흐르는 눈물을 손으로 닦았지만 이상하게도 지면에 떨어지는 눈물은 멈추지 않았고 점점 그 빈도가 높아지며 비가 되었다. 갑작스러운 소나기였던 것이었다. 먹구름 하늘에도 비 소식은 없었기에 당황한 마니아는 온몸이 젖는 감각을 느끼며 서둘러 인근 건물로 몸을 피했다.

적당히 따뜻한 날씨였기 때문에 갑작스러운 비는 모두에게 좋은 손님은 아니었다. 막 내리기 시작한 비로 습해진 공기가 따뜻한 공기와 만나 마니아에게 불쾌한 기분을 들게 하기에는 충분하였다. 거리에는 갑작스러운 비에 당황했는지 가방을 머리에 쓰고 달려가는 회사원과 이미 예상을 했는지 우산을 들고 걸어가는 여자들이 보였다.

젖은 머리와 옷을 털며 마니아는 하늘을 바라봤지만 비가 금방

그칠 것 같진 않았다. 젖을 것을 각오하고 우산 파는 가게로 달려갈까 라며 고민을 하고 있던 마니아는 익숙한 얼굴이 우산을 쓰고 자신 쪽으로 걸어오는 것을 발견하였다.

"란……."

그의 얼굴을 본 순간 마니아는 아무도 들리지 않을 만큼 나지막하게 그 사람의 이름을 입 밖으로 꺼냈다. 왜 이 시간에 외출하여 이 길을 걷고 있을까? 누구를 만나는 것일까? 같은 작은 의문점부터, 왜 하필 여기를 지나가는 것일까 같은 원망 아닌 원망이 마니아의 머릿속을 빠르게 지나갔다.

몇 초 동안 그의 얼굴을 직시하고 있자, 그쪽에서도 자신을 보고 있는 시선을 알아차렸는지 마니아 쪽으로 고개를 돌렸다. 마니아는 갑작스럽게 마주친 눈을 놀라며 잽싸게 피했지만 안타깝게도 저쪽에선 이미 마니아의 모습을 발견한 것 같았다.

"왜 하필이면 이 시간, 이곳에서 길을 걷고 있는 거야…"

마니아가 피하고 싶은 순위를 정하라고 한다면 단연코 1위라고 할 수 있는 사람, 바로 란이 이쪽으로 걸어오고 있다. 린이 1위가 아니라 저 남자다. 이유는 마니아도 잘 모르겠다. 왠지 그의 얼굴을 보고 있으면 눈을 뗄 수 없고, 그렇다고 해서 그쪽에서 눈을 내 쪽으로 돌려 버리면 마니아는 피해버린다. 눈을 마주칠 용기 같은 건 마니아에게는 없기 때문이다. 아무리 신경 쓰지 않으려 해도 신경이 쓰이며 아무리 모른 척하려 해도 자꾸 보게 되었다.

린은 마니아에게 그저 불편하고 피곤한 사람이라고 한다면 란은 뭔가 달랐다. 몸이 경계하는 것인가. 마니아는 그의 모습을 보면 이상하게 맥박이 빨라지는 것 같았다.

그런 위험한 녀석이 우산을 들고 마니아를 향해 걸어온다. 피할 곳도 없는 이곳으로 말이다. 더욱 분한 건 왜 하필 지금이냐는 것이다. 머리카락은 젖어 엉망이 되었고 옷은 축축해서 마침 기분도 안 좋은데 이렇게 꼴사나운 모습을 하고 있을 때 자신을 발견한 것이지. 이 녀석에게는 약점을 보여주면 안 된다는 마니아의 이상한 각오가 깨지는 순간이었다.

"안녕? 마니아, 우산 안 챙기고 나왔어? 나랑 같이 쓰고 갈래?"

마니아는 억울하면서도 비참한 마음을 다잡으며 고개를 끄덕였다. 어쩔 수 없다. 자신은 위기에 봉착했고 그 위기를 해결해준 구세주가 나타났으니 마니아는 그것에 순응할 수밖에.

앞에서 말한 것 치고는 너무 빨리 납득 한 것 아니냐고 할 수 있지만 생각보다 마니아는 란이랑 이야기를 많이 나눴고 이 정도 호의는 받을 정도로 친해졌다. 물론 지금도 마니아는 그가 불편하였다.

그의 우산 안은 생각보단 커서 둘이서 쓰기에는 충분했다.

건물을 빠져나오니 밖은 이미 비로 인해 기온이 확 떨어져 쌀쌀하게 느껴졌다. 노출되어있는 허벅지에 바람이 스쳐 지나가자 마니아의 온몸에 한기가 돌았다. 옷도 다 젖었기에 더욱더 추웠던 것이었다. 이런 날에 감기에 조심해야 한다는 말은 들었지만 마니아는 왠지 모르게 얼굴이 뜨거워지는 것을 느꼈다. 정말 여름에 감기라도 걸린 것일까.

"마니아, 어쩌다가 거기에서 다 젖은 몸으로 떨고 있었던 거야?"

란이 말하는 와중에도 이상하게 마니아는 머리가 어지러웠지만 간신히 정신을 붙잡고 이렇게 말하였다.

"병원에 들를 일이 있어서…."

"병원? 어디 아파?"

그의 말에 마니아는 천천히 고개를 가로저었다. 그도 그럴 게 오늘 병원을 방문한 이유는 아파서가 아니라 네스 선생님을 만나러 갔기 때문이었다. 당연하게 네스 선생님의 이야기를 란에게 하기에는 조금 거북해서 그런지 마니아는 최대한 얼버무리는 식으로 대답했다.

"아는 사람을 만날 약속이 있어서."

마니아의 대답에 란은 이해할 수 없는 반응을 보였다, 처음에는 살짝 고개를 갸우뚱하며 기울이다가 이내 무엇이 생각났는지 고개를 끄덕인 것이었다.

이번에는 란의 반응에 마니아가 고개를 갸우뚱할 차례였다. 무엇으로 납득 했는지는 신경이 쓰였지만 아까부터 머리도 어지럽고 뜨거워서 더 이상 무언가를 생각하기도 힘들었기에, 마니아는 그냥 어떻게든 납득 했을거라 믿고 물어보기를 포기했다.

그렇게 침묵의 우산 속에서 남녀는 걸었다. 거니는 사람들과 차들의 소리, 가게 안에서 울려 퍼지는 노랫소리가 시내에 가득 찼지만 우산 속의 두 사람의 세계는 고요했다.

비가 더 거세지고 바닥에는 수많은 빗방울이 떨어지며 강렬한 소음을 냈고, 둘의 다리까지 튀어 올랐다. 그렇게 계속되던 두 사람의 침묵을 깬 것은 다름 아닌 란의 제안이었다.

 자신을 집까지 바래다준다고 말한 것이다. 마니아는 거절하려고 했지만 그러지 못했다. 비가 너무 거세졌고 이유는 모르겠지만 몸에 힘이 빠져서 말할 기력조차 남아 있지 않았기 때문이다. 시야 역시 점점 흐려지는 것 같았다. 마니아가 계속 조용하니 이상함을 눈치챈 란은 마니아의 이름을 계속 불렀지만 그녀는 대답할 기력조차 남아 있지 않았다. 그렇게 점점 다급해지는 란의 목소리를 마지막으로 마니아의 세상은 하얗게 변해 버렸다.

 마니아에게는 단 하나뿐인 언니가 있었다. 누구보다 눈부신 언니가 말이다. 그리고 모두에게 사랑받으며 살아가던 언니는 어느 날 행방불명 되었다. 그것도 마니아 자신 때문에.

 어렸을 때 마니아에게도 친구라는 게 있었다. 버팀목이 있었다. 류에이 아스타, 베베니아. 지금은 이 세상에 존재하지 않는 사람들의 이름이다. 마니아가 가장 좋아하던 사촌 오빠도, 친언니도, 친한 친구도, 지금은 하나도 곁에 남아 있지 않다.

 언니는 예쁘고 똑똑하고 운동도 잘하고 말 그대로 모든 것을 잘하는 사람이었다. 심지어 마음씨도 좋아서 많은 사람의 관심과 사랑을 받았다. 마니아는 그런 언니 같은 사람이 되고 싶어서 이렇게 말하곤 했다.

"나도 언니같이 모두에게 사랑받는 사람이 되고 싶어. 될 수 있을까?"

그 말에 항상 언니는 누구보다 밝은 미소를 지으며 이렇게 대답하였다.

"당연하지, 마니아는 예쁘고 마음씨도 고운걸, 분명 모두가 너를 좋아할 거야."

마니아는 언니의 말을 믿으며 계속해서 살아왔다. 하지만 불행은 갑작스럽게 다가오는 것. 그렇다. 아무도 알지 못한 채 누구 잘못이라고 말할 수도 없을 만큼 너무나도 갑작스럽게 닥친 것이었다.

처음으로 마니아에게 닥친 불행은 바로 사촌오빠의 죽음이었다. 매일 자신과 놀아주던 사촌 오빠가 어느 날 쥐도 새도 모르게 죽어버린 것이었다. 마니아가 오빠의 죽음을 알게 된 것은 장례식 때문이었다. 당시 어른들은 어린 마니아에게 사촌 오빠가 잠깐 일 때문에 타지로 출장 갔다고만 말했고 마니아도 그렇게 믿고 있었다. 그렇기에 장례식에서 사진 속 무표정으로 앞을 응시 하고 있는 오빠의 얼굴과 마주했을 때는 그녀는 혼란스러울 수밖에 없었다. 사람들이 왜 울고 있는지 어린 마니아는 이해하지 못했다. 슬픈 일이 있는가 보다 하고 그리 간단하게 생각해 버린 것이다. 그리고 장례식이 끝난 후 마니아는 머리에 떠오른 순수한 질문을 아빠에게 건넸다.

"왜 사람들이 류에이 오빠의 사진을 보면서 우는 거야?"

아빠의 이마에 식은땀이 흘러내렸다. 마니아의 너무나도 순수하고 곤란한 질문 덕분에 아빠는 고민하고 있는 것이었다. 어떻게 대답을 해야 하는지, 어떻게 대답해야 마니아가 상처를 덜 받을지 아빠는 계속해서 생각했다. 하지만 결국 아빠는 돌려서 말하기에 실패했다. 아니 누군가가 뱉은 말 덕분에 더 이상 돌려서 말할 수 없게 된 것이었다.

"류에이 안타깝지…. 젊은 나이에 그렇게 되다니…."

"사망 원인이 뭐라 그러더라."

"사고사라고 하던데?"

사망, 마니아는 그 의미를 알았다. 옛날 텔레비전에서 본 그 단어. 이나야 최대의 화재. 숲이 전부 불타 버려서 사상자는 54명. 사망자 23명, 부상자 31명, 원인 모를 화재에 검은 숲이라고 불리는 큰 숲이 불타버렸다는 뉴스였다.

당시 어린 마니아는 사망자가 뭐냐고 아빠에게 물었고 아빠는 죽은 사람이라고 대답하였다. 그때를 마니아는 아직도 기억한다. 어린 그녀에게는 엄청난 충격이었을 것이다. 자신의 주변 사람이, 그것도 가장 가까이 지냈던 사람 중 한 명이 죽다니, 상상조차 해본 적이 없었다. 사촌오빠의 사망 원인은 사고사로 차로 갓길을 운전하다가 추락하였다고 한다.

분명 마니아가 마지막으로 본 사촌오빠의 모습은 분명 무엇을 사러 번화가로 향하는 것이었는데. 금방 돌아온다고 이야기했는데 그 말을 마지막으로 사라져 버린 것이었다.

친하던 사람이 사라지는 것도 슬펐지만 더욱더 마니아를 힘들게
한 것은 바로 어른들의 반응이었다. 어른들 사이에서 이상한 말들
이 오간 것이었다. 어른들은 류에이 아스타의 존재를 없애려 하는
것인지 사촌오빠의 언급을 집 안 내에서도 물론 바깥에서도 꺼내
지 말라고 마니아에게 당부하였다. 집안 친척 중 어떤 사람은 류에
이 아스타라는 사촌오빠의 존재를 잊어버려라, 라고 말하기까지 하
였다.

마니아는 사촌오빠의 죽음에 상심하긴 했지만 그것은 곧 시간이
해결해줄 문제였다. 마니아는 슬픔을 어떻게든 언니의 도움으로 극
복하였고 다시 일상생활로 돌아올 수 있었다. 그렇게 어른들의 말
처럼 오빠의 존재를 천천히 잊어 갔다.

오빠의 부재가 익숙해질 무렵 마니아에게 두 번째 불행이 찾아왔
다. 항상 학교에도 같이 다니며 누구보다 친하게 지내던 절친인 베
베니아가 병으로 인해 죽은 것이었다. 두 번째 죽음 역시 마니아에
게 커다란 충격을 가져다주었다. 아마 처음부터 질병을 지니고 있
진 않았을 것이다. 친구의 부모님의 말씀으로는 중학교에 들어가고
난 후부터 갑자기 원인불명의 병에 걸렸다고 한다. 또다시 주변 사
람을 잃고 마니아는 절망했다. 그리고 떠올리고 말았다. 몇 년 전
에 일어난 사촌오빠의 죽음을 말이다.

연속으로 일어난 불행, 그 당시에도 마니아는 그럴 수도 있다고
자신을 타일렀다. 그도 그럴 것이 두 번밖에 일어나지 않았는가.
이것은 어쩔 수 없이 내려진, 자신의 잘못이 아닌 '불행'이라서 여

겄다. 그렇게 생각하는 것은 당연한 것이다.

하지만 3번째로 닥쳐온 불행이 마니아에게 깊고 커다란 상처 자국을 남기고야 말았다. 그것은 중학교 2학년 때 같은 반 친구로부터 일어났다.

베베니아만큼은 아니었지만 중학교 2학년이 되고 나서 마니아 나름대로 사귄 친구들이 있었다. 그중 가장 친하다고 할 수 있는 여학생이 있었는데 이름은…. 이미 잊어버렸다.

그녀는 반에서는 물론 학교에서 베베니아와 같이 친하게 지내던 친구였다. 분명히 베베니아 만큼 마음이 맞는 사이였는데 그것이 틀어진 것은 그 친구의 변덕 때문이었다. 어느 날부터 인가 그녀가 갑자기 마니아에게 화를 내기 시작한 것이었다. 무엇 때문에 화가 났는지 모르겠지만 그녀는 계속해서 이상한 말을 하며 마니아를 책망했다. 결국 끝까지 자신이 화 난 이유를 알려주지 않은 그녀를 마니아는 자연스럽게 피하게 되었고 결국 일은 벌어지고야 말았다.

방과 후, 학생들은 학교 하던 때 마니아 역시 집으로 돌아가려고 가방을 메고 교문을 나왔다. 학교 정문 앞은 하교하는 학생으로 붐비는 평소와는 다르게 다들 빠르게 학교를 빠져나갔는지 학생이 한 명도 보이지 않았다.

그렇게 건물 현관을 나와 바로 학교 정문으로 직행하던 마니아를 뒤에서 들려오는 익숙한 목소리가 불러 세웠다. 이제 듣기만 해도 거부감이 느껴지는 목소리, 마니아에게 화를 내던 그녀였다. 목소리를 듣고 바로 자신의 뒤에 있는 사람의 정체를 알아차린 마니아는 곧장 학교 밖으로 도망가고 싶었지만 섣불리 행동하면 괜히 더 안 좋은 결과가 나올 것 같았다.

마니아는 각오를 다지고 식은땀을 흘리며 뒤를 돌아봤는데 그곳 에는 그 친구가 분노가 가득 찬 얼굴로 서 있었다. 눈은 이미 사람 의 것이 아니라고 생각이 들 정도로 일그러져 있었고 한 손으로는 커터칼의 날 부분을 부러질 정도로 세게 잡고 있었다. 그 덕분에 날에 베인 손에서 피가 거침없이 흐르고 있었다.

"너 때문이야! 모두가 죽은 것은 전부 너 때문이라고! 이 증오의 마녀야!"

그렇게 외친 그 친구는 피가 흐르는 손으로 커터칼을 돌려 바로 잡고 마니아의 방향으로 맹렬하게 뛰어왔다. 몇 미터는 될 것 같은 거리를 지금까지는 본 적도 없는 속도로 달려오는 것이었다. 하지 만 그 기세는 얼마 지나지 않아 몸의 힘이 무언가에게 빼앗긴 것 처럼 빠르게 사그라들었다. 바쁘게 움직이던 그녀의 다리가 멈추고 눈동자는 어디를 보고 있는지도 모를 정도로 초점이 망가지고 이 내 흐트러졌다. 그리고 그 눈은 천천히 움직여 피가 흐르는 자신의 손으로 향했다.

몇 분 동안 아무 말도 없이 자신의 손을 보고 있던 그 친구는 다 시 시선을 천천히 다시 마니아에게로 돌리며 들리지 않을 정도로 작은 목소리로 이렇게 말하였다.

"죽어 증오의 마녀."

그와 동시에 그녀는 힘이 다했는지 가느다란 손에 쥐어있는 커터칼을 손에서 놓았고 그대로 빨간 지면으로 쓰러졌다. 바닥은 그녀의 손에서 나온 피로 흥건했고 그 모습을 본 마니아는 그 자리를 도망치듯이 떠났다.

그 뒤로는 그 친구는 학교에 나오지 않았다. 선생님께 물어봐도 알려줄 수 없다는 답만 돌아왔기에 마니아는 점점 불안해졌다. 혹시 그때 자신이 그 친구를 그 자리에 두고 가서 그대로 죽은 것 아닌가 하는 최악의 상황까지 마니아의 머리에 떠올랐다. 결국 전학을 간 것인지 그녀의 소식은 끊겼고, 자연스럽게 긴 시간이 흘러 아무도 그녀에 대해서 이야기를 꺼내지 않게 되었다.

시간은 흘렀지만 그 날, 마니아는 그녀에게 들은 말을 가슴 깊이 새겨버렸다. 모두가 죽은 이유, 증오의 마녀, 입에 담기도 살벌한 말들이 이내 날카로운 칼날이 되어 그녀의 뇌리에 깊게 박혀버린 것이었다.

"증오의 마녀…."

그 이름을 곱씹을수록 쓰다 못해 고통이 느껴질 정도의 아픔이 마니아의 입안 구석구석까지 퍼져 나갔다. 그 말은 자신이 가슴에 품고 있던 꿈과는 너무나도 상반되는 말이었기 때문이다.

그렇게 그 증오의 마녀라는 이름은 마치 저주처럼 마니아를 계속해서 따라다니며 괴롭혔다. 그 누구도 마니아를 증오의 마녀라고 부르지 않았지만 "나는 증오의 마녀다."라며 그것이 되려 하고 있다는 것을 마니아 본인도 깨달았다.

사촌 오빠의 죽음, 절친 베베니아의 죽음, 그리고 갑자기 사라진 친구. 이러한 연속성이 무언가를 알려주고 있는 것 같지 않은가? 3번의 불행에 결국 마니아는 무너지고 말았다. 그도 그럴 것이 이번은 타인에게 직접 들었지 않은가. '모두가 죽은 것은 니 탓이다.'라고.

마니아가 자신이 정말 증오의 마녀 일수도 있겠다는 생각이 든 것은 그 사건이 일어난 당일이 아닌 친구가 사라진 지 며칠이 지나고 전에 죽은 사촌오빠의 생각이 났을 때였다. 이상하지 않은가? 아무리 우연이라고 해도 자신 주변 사람들이 하나하나 사라지고 있다는 것이?

우연이 반복되면 그것은 필연이 된다. 너무나도 간단한 이치에 마니아는 자신에게 구역질이 났다. 무언가가 잘못됐다는 사실을 더 일찍 눈치챘어야 했는데 자신은 그러지 못했다. 그저 우연이라고 생각하며 넘어가 버려서 이런 일이 생긴 것이다. 그렇다, 모두가 죽은 이유는 마니아, 자신 때문일 것이다. 그래야만 그녀는 납득할 수 있었다.

무너질 때로 무너져 버린 마니아는 더 이상 학교를 나갈 기운도, 용기도 잃어버렸다. 그저 침대에 누워서 하루 종일 숨만 쉬며 매일 돌아오는 내일이라는 절망에 몸을 맡기기로 마음을 먹은 것이었다. 그것이 아무와도 함께 할 수 없다고 자각해 버린 마니아의 일생일대의 각오였다.

그런 상황의 마니아에게 살아갈 의미를 준 것은 다름 아닌 친언니였다. 등교를 거부하고 방에만 틀어박혀 나오지 않는 마니아가

걱정스러웠는지 부모님도 매일 매일 음식을 갖다 주며 위로를 해
줬고, 언니는 매일 학교가 끝나고 집에 돌아와 마니아에게 바같에
서 무슨 일이 있었는지 이야기해주며 돌봐주었다.

그렇게 지낸 지 몇 주가 지났을까 문득 마니아는 언니에게 이런
말을 했다.

"나는 증오의 마녀야."

몇 주 동안 마니아는 증오의 마녀는 물론 자신에게 무슨 일이 있
었는지조차 아무에게도 말하지 않았기 때문에 친언니는 처음 듣는
이야기였다.

"그게 무슨 말이니?"

마니아의 갑작스러운 말에 당황스러웠는지 언니는 미간을 좁히며
질문을 던졌다.

몇 주 동안 지쳐서 그랬는지 마니아는 지금까지 있었던 이야기를
언니에게 했다. 하나하나 자신의 입에서 나올 때마다 이미 메말라
버렸다고 생각한 감정들이 천천히 마니아의 얼굴에 떠올랐다. 고통
스러운 기억들을 한껏 풀어내자 마니아의 뺨에는 눈물이 흐르고
있었다.

"전부 내 탓이야."

그 말을 끝내자 결국 마니아는 또다시 무너졌다. 너무나도 힘들었
다. 힘들어서 그냥 편해지고 싶었다. 그래서 그녀는 언니에게 이야
기한 것이다. 마니아의 이야기를 들은 언니는 누구보다 자애로운
목소리로 이렇게 말했다.

"마니아, 전부 너의 탓이 아니야. 사람들은 언젠가 죽게 되어있고 그것이 자연의 섭리야. 그 사라진 친구도 신경 쓸 필요 없어. 언니가 보장할게. 넌 절대로 증오의 마녀가 아니야."

"그렇다면 나 이제 살아도 돼? 밖으로 나가서 모두에게 사랑받아도 되는 거야?"

"그럼, 마니아는 예쁘고 마음씨가 고운걸. 분명 모두에게 사랑받을 거야."

언니의 말은 그저 논리 따윈 없는 위로에 불과했다. 하지만 그것으로 마니아는 또다시 희망을 얻었다. 자신의 우상이며 자신이 되고 싶은 사람, 세상에서 마니아가 가장 믿는 사람, 그런 사람이 괜찮다고 이야기했다. 그렇다면 그걸로 충분하다. 왜냐하면 언니는 배신하지 않을 것이라고 마니아는 믿었기 때문이다. 그날 밤, 이상하게도 매일 매일 공허하고 차갑게 느껴지던 밤이 따뜻하게 바뀌었다. 항상 별이 하나도 없던 창밖의 밤하늘에는 오늘따라 수많은 별들이 모여서 별 바다를 만들고 있었다.

한번 주저앉았고, 그것이 마지막일 것이라고 마니아는 믿었다. 언니가 자신의 꿈을 응원했기에, 자신에게 살아도 된다고 했기 때문에. 하지만 4번째 불행이 일어나자 그 모든 것이 부정당해 버렸다. 언니가 죽어버렸다. 마니아의 삶의 버팀목이자 가장 신뢰하던 사람이 '20인 학생 사건'이라는 어이없는 일로 마니아의 곁을 떠났다.

결국 마니아는 자신이 믿고자 한 마지막 사람에게도 배신당했다. 더이상 마니아에게 나쁜 일이 일어나지 않는다고, 사랑받는 사람이 된다고. 그녀의 입에서 뱉은 모든 말들이 전부 의미가 없어졌다.

　모두에게 사랑받는 사람이었던 언니였기에 장례식장에는 수많은 사람들이 왔다. 언니를 칭찬하는 사람, 안타까움을 표하는 사람, 마니아에게 사과를 하는 학생, 얼굴을 손으로 가리고 울고 있는 사람 등을 보니 마니아는 정말로 언니는 많은 사람들에게 사랑받았다는 게 느껴졌다.

　이제는 마니아의 눈에서는 눈물조차 나오지 않게 되었다. 너무 많이 운 것 때문도 있었지만 마니아는 느껴버린 것이다. 자신은 이런 결말조차 바랄 수 없다는 사실을 말이다. 마니아는 사방에서 들려오는 수많은 통곡 소리에도 눈 한번 깜빡이지 않고 그저 활짝 웃고 있는 언니 사진을 바라보았다. 그것뿐이었다. 마니아가 장례식에서 보인 행동은 말이다.

　장례식 당일 밤, 집안 방에서 느껴지는 밤은 지금까지와는 완전히 달랐다. 하늘에는 검은 공허가 가득 찼고 그것이 천천히 마니아에게 다가오는 것 같았다.

　언니는 죽었다. 마지막까지 모두를 지키다 죽었다. 마니아는 자신의 마음속에 느껴지는 새로운 감정을 눈치챘다. 검고 차가운 물이 천천히 차올라 하얗게 식어 사라졌다. 그렇다, 그것의 정체는 증오다. 자신은 배신하고 사라진 언니에 대한, 그런 언니를 가만히 놔둔 세상에 대한 증오.

그 순간 마니아는 영정 사진 안에서 환하게 웃고 있던 언니의 모습이 자신의 얼굴과 오버랩 되었다. 그리고 마니아는 깨달았다. 자신은 그렇게 될 수 없다는 것을. 그녀의 언니는 틀렸던 것이다. 마니아는 아무와도 친해질 수 없다. 아무도 그녀를 사랑하지 않는다. 그녀는 아무도 사랑할 수 없다.

"나는 언니랑 달라. 나는 증오의 마녀니까."

8

"미안, 라이. 비가 갑자기 와서 좀 늦었어."

"괜찮아, 늦게 오든 빨리 오든 별로 상관없어. 어서 와. 테라."

아직 방학이 한창일 때 테라는 또다시 라이의 집에 방문했다. 라이의 집은 공원을 기점으로 왼쪽으로 쭉 가면 나오는 주택가에 위치한 전원주택이었는데 그 규모는 평범한 2층 주택보다는 조금 커보였다. 라이의 집은 분명히 주택들이 빽빽이 붙어 있는 곳에 있을 텐데, 주택가에서 외곽이라 그런지 둘이서 배드민턴을 쳐도 문제없을 정도로 앞마당이 상당히 컸다. 마당을 지나 우산을 털며 현관에 입성한 테라는 집안도 상당히 넓다는 사실에 처음에는 조금 놀랐다.

거실은 밖에서 분명 보이지 않았는데 사방이 유리로 되어있었고 거실 안에서도 층이 나눠져 있었다. 2층이 바로 보이는 구조로, 사실상 1.5층인 곳에는 TV나 소파 말고도 여러 장식품들이 전시되어 있었고 책장은 물론 천장에 특이한 전구도 눈에 띄었다. 1.5층 바로 밑에는 주방과 접대석이 또 마련되어 있었고 소파 가운데 테이블에서 이상한 빛이 나오는 것을 처음 발견한 테라는 감탄을 금치 못했었다. 처음 왔을 때 테라는 '이것이 바로 미래식 모던 이라는 것인가!' 그런 말을 마음속으로 연발하였으니 말이다.

신속하게 라이의 방으로 안내된 테라는 방구석에 있는 의자에 앉아서 천천히 방의 구조를 살펴보기 시작하였다. 방의 크기는 침대가 들어가고 커다란 책상과 책장이 들어가도 한참 남을 정도로 컸고 한 벽면을 전부 다 차지하는 책장이 인상 깊었다. 그곳에 끼워져 있는 책은 고서라고 불릴 수 있을 정도로 오래되어 보이는 책들과 신화, 오컬트적인 것을 다루는 책들이었다. 집의 크기를 보아 부모님이 같이 산다고 해도 쓸데없이 컸기 때문에 형제가 있는 것인가 생각이 들기도 하였다.

"라이, 부모님은?"

"두 분 다 출장 가셔서 집을 비우셨어."

"형제는 있어? 동생이라던가."

정말 아무 생각 없이 던진 말이었지만 순간 라이는 책을 찾던 손을 멈추었다. 너무나도 타이밍 좋게 멈춘 손은 이내 다시 움직이고 라이는 태연하듯이 이렇게 말하였다.

"형제는 없어. 하지만 친한 사촌 동생은 있었지. 사정이 있어서 지금은 얼굴을 볼 수도 없지만 말이야."

무언가 건들면 안 되는 것을 건드리기라도 하였는지 라이는 사촌 동생 이야기를 하면서도 왠지 쓸쓸한 표정을 보였다. 처음 보는 표정에 당황한 테라는 '라이도 저런 표정을 짓는구나' 같은 무례한 생각이 떠오르기 시작하였다.

테라는 일단 갑자기 어색해진 분위기를 풀어보고자 서둘러 화제를 돌렸다. 자신이 들고 왔던 <성서 비극>을 가방에서 꺼내고 라이 바로 앞으로 들이미는 것으로 말이다.

테라의 손에 들려 있는 책을 확인한 그는 순식간에 표정을 바꾸며 <성서 비극>을 받아 들었다. 이것으로 이야기 주제가 바뀌겠지. 자신의 행동에 우쭐해진 테라였다.

며칠 전 에시아가 보여줬던 <성서 비극>의 내용에 흥미가 생긴 테라는 <성서 비극>을 다시 라이한테 빌렸다. 에시아의 말로는 진실 인지 아닌지 모를, 이 마을에 있는 여러 전설이라던가 신화 같은 것이 접목되어 정리되어있는 책이라고 한다

테라 본인은 기본적으로 유령이나 신 같은 것은 믿지 않았다. 종교에도 관심이 없고 귀신 같은 그런 것은 더욱 믿지 않았다. 그런 테라가 오컬트적인 책에 갑자기 관심이 생긴 이유는 에시아가 직접 이야기해준 4대 저주 때문이었다.

거짓말의 저주, 증오의 저주, 침식의 저주, 망각의 저주. 이것은 이 믿음이라는 마을에 존재하는 4대 저주의 이름이며 신의 신벌이다. 종교인들의 성지이며 수많은 종교인들이 활동하는 이곳에 그런

뒤숭숭한 전설이 존재한다는 사실이 테라는 믿기지 않았지만 생각을 해보니 오히려 그렇기 때문에 있을 법한 이야기이기도 했다. 그 뒤 저주의 내용을 듣고서는 의심이 흥미, 아니 관심으로 바뀌었다. 그 이유는 바로 4대 저주 중 하나인 망각의 저주의 내용을 들어 버렸기 때문이었다.

망각의 저주, 자신의 마음속 가장 소중한 사람의 얼굴이나 목소리, 이름들이 기억에서 잊히지만 그 존재가 있었다는 것만큼은 사라지지 않아 계속해서 당사자를 괴롭힌다는 저주였다.

그 내용을 듣고서는 테라는 너무나도 놀랐다. 왜냐하면 자신이 지금 겪고 있는 상황과 너무 맞아 떨어져서였다.

테라의 마음속에 누군가가 있지만 그 사람의 얼굴이랑 목소리가 떠오르지 않는다. 이름조차 떠오르지 않았다. 하지만 이상하게도 '그런 사람이 있었다.'라는 이 사실 만큼은 기억에서 사라지지 않았다.

빌린 후 읽어본 책 내용에는 정말 여러 신화나 전설들이 적혀 있었다. 천고 절벽의 이야기라던가, 구원의 천사 이야기 말이다. 특히 구원의 천사라면, 이 마을 사람이라면 누구라도 알고 있는 신화 속 주인공을 가리키는 이름이었다. 옛날 옛적에 검은 숲에서 사람의 모습을 한 악마들이 마을로 걸어 내려와 사람들을 죽이고 식량까지 약탈해 갔다고 한다. 그러자 하늘에 있던 신이 노해서 구원의 천사인 유페이아를 보내 악마들을 숲 안으로 다시 몰아내 영원히 못 나오게 했다는 이야기이다.

어릴 적 주변 어른들이 테라에게 많이 했던 이야기여서 본인은 반가웠지만 거기에는 그가 알고 있지 않은 내용까지 적혀 있었다.

"구원의 천사는 마을에서 선별된다?"

자신과 아는 내용과 다른 정보들이 그 책에는 넘쳐났다. 구원의 천사는 단명한다, 구원의 천사는 정해진다. 같은 의미를 알 수 없는 말부터 성녀의 죽음, 천고 절벽 같은 어디선가 들어 본 것 같은 내용들이 섞여 있었다. 테라는 오히려 너무나도 많은 정보 덕분에 뇌에 과부하가 와서 더이상 읽기 어렵다고 판단하였고 어쩔 수 없이 이렇게 책을 돌려주려고 라이의 집에 재방문한 것이었다.

"어땠어?"

"어땠긴, 하나도 이해하지 못했지."

테라의 말에 라이는 고개를 끄떡이며 책장에 다시 그 책을 꽂아 넣었다.

"이 책, 학교 도서관에도 있으니까 한번 찾아봐."

만약 도서관에 있다면 왜 에시아가 굳이 라이의 집까지 와서 빌린 것인가 하는 사소한 의문이 테라의 머리를 스쳐 지나갔다. 하지만 테라는 결국 그냥 그 생각이 지나가게 놔두었다. 굳이 자신이 파헤칠 이야기조차 아니었기 때문이다.

"에시아가 빌려 달라고 한 것도 적잖이 놀랐는데 너까지 빌려 달라 할 줄이야. 세상일은 어떻게 될 줄 모르겠다니까."

"그렇게 의외였어?"

"그래, 이 책의 존재를 아는 사람이 많지 않거든."

테라 역시 에시아 덕분에 이 책의 존재를 알게 되었으니 그 말에 동의하였다. 하지만 반대로 생각해 보니 에시아는 어떻게 그 책의 존재를 알았고 소유자가 라이라는 것을 알게 되었을 까?

테라가 그대로 라이한테 물어보자 라이의 대답은 '정확히는 모른다'였다. 집이 어디인지 어떻게 알았는지 에시아가 방학 중에 집으로 찾아와 빌려달라고 하길래 어쩔 수 없이 빌려줬다고 했다. 그가 빌린 이유에 흥미가 생겼다. 단 한마디 뿐이었다.

"너도 같은 이유로 빌려 갔잖아. 넌 어떤 흥미가 생겨서 빌려 간 걸 까나."

테라는 라이의 질문에 조금 뜸을 들이며 고민했다. 굳이 숨길 일도 아니고 혹시 라이가 자신이 잊어버린 사람의 존재를 떠오르게 할 수 있는 열쇠라도 가지고 있을까 싶어서, 자신이 망각의 저주가 걸린 것이 아닐까 하는 이야기를 라이에게 들려줬다.

테라의 이야기를 한참 듣던 라이는 심각한 표정으로 언제부터 그런 증상이 있었는지 물었다. 테라는 그 사람이 사라지고 며칠이 지나면서 서서히 잊혔다고 말했다. 언제 그 사람이 사라졌냐고 물어봤을 때는 그의 표정이 한층 더 심각해진 것 같았다.

"역시 망각의 저주인가? 혹시 푸는 방법도 알고 있는 거야?"

라이는 자신의 차갑게 굳은 얼굴로 테라를 가만히 쳐다보다가 이내 포기한 듯이 얼굴을 천천히 풀었다. 그 후 무어라 중얼거리는 것 같더니 다시 평소의 장난스러운 라이의 표정으로 돌아왔다.

"미안, 그 말에 대답할 수 있는 권한은 이제 나에게 없어."

그 말을 끝으로 라이는 그것에 대해서는 더이상 아무 말도 하지 않았다.

"테라, 동아리는 잘 다녀?"

"물론 잘 다니지, 이번에 돌아오는 문화재에 유명 소설가까지 초청했으니까 기대해."

"기대되네."

책을 만드는 테라의 동아리는 매년 문화재마다 도서전을 열었다. 그곳에서 이나야 고등학교를 나온 유명 소설가들을 초청하기도 했다.

"라이는 소설 같은 거 안 읽어?"

"안타깝게도 읽은 건 많이 없어. 그나마 소장하고 있는 소설이 있긴 한데.."

라이는 그 말과 동시에 자신의 책장을 뒤기 시작하였다. 여기저기 책을 손으로 짚으면서 돌아다니다가 이내 원하는 책을 찾았는지 하얀 표지의 책을 꺼냈다. 한 손으로 잡을 수 있을 정도의 크기에 하얀색 겉표지로 이루어진 책으로 두께도 그리 두껍지 않았다. 책의 제목은 <소생>으로 작가는 이스토라는 사람이었다.

"<소생>? 라이 너도 이거 알아?"

"테라 너도 아는 소설이야?"

테라는 놀랄 수밖에 없었다. 라이가 이 소설을 알고 있다는 사실은 그렇다 쳐도 그 소설의 작가가 자신이 알고 있는 사람이었기 때문이다.

"내가 유일하게 재미있게 읽은 소설 중 하나야. 테라 너도 알고 있었구나?"

테라는 그 말에 고개를 끄덕이며 이렇게 말하였다.

"설마 라이가 이 책을 알고 있을 줄이야. 내가 아는 사람들은 전부 모르는 것 같던데."

"마니아도 이 책 알아. 전에 보니까 학교에서 읽는 것 같던데? 물론 내가 너도 그 소설 읽냐고 말을 걸었는데 바로 무시 당했지만."

"마니아가?"

테라는 라이의 입에서 전혀 나올 리가 없을 것이라고 생각한 마니아의 이름이 나오자 적잖이 당황하였다. 너무 뜬금없는 것은 물론, 지금까지 그녀에게 쌓아온 수많은 의문 덕분에 몸이 무언가 마주하면 안 되는 것이라도 만난 듯이 반사적으로 반응한 것이었다. 테라는 마니아의 이름을 듣고는 눈을 크게 뜨며, 한순간이었지만, 몸을 움찔하며 떨었다.

그 모습을 라이는 포착이라도 했는지 눈을 가늘게 뜨며 장난스러운 표정으로 입꼬리를 올리고 턱에 손을 갖다 댔다. 그러곤 이렇게 말하였다.

"테라, 설마 린도 모자라서 마니아까지 신경 쓰이기 시작한 거야? 그 반응 분명 무언가 있을 것 같은데 말이지~?"

정말 눈치 빠른 녀석이다. 자신이 그녀를 신경 쓰고 있다는 것을 바로 알아차리는 것을 보아 그에게는 독심술이라도 있는 것인가.

테라는 그리 생각하며 어깨를 으쓱했다.

다만 테라 자신이 마니아에게 느끼는 감정과 린에게 느끼는 감정은 같은 것이 아니었다. 분명하게 다르다. 테라가 마니아에게 느끼는 감정은 약간의 의문이었고 린에게 느낀 감정은 사모다. 명확하게 다르기에 구분 지어서 이야기해야만 했다. 그것이, 테라 본인은, 마니아와 린을 위한 것이라고 생각했기 때문이다.

"라이, 마니아에 대한 여러 의문점들이 있는데 들어줄래?"

"들어는 줄게 그것에 대한 해답은 잘 모르겠지만 말이야."

"마니아가 왜 내 말을 무시하는지 모르겠어. 근데 란이나 린의 말을 들어보면 그 둘에게는 잘 이야기를 해준단 말이지. 나한테만 쌀쌀맞게 구는 줄 알았는데, 라이 너에게도 차갑게 군다고 들으니 조금 안심되긴 하지만, 그래도 내가 뭐가 문제여서 마니아는 나를 무시하는 것일까?"

테라는 그렇게 자신에게 든 의문들을 하나하나 입 밖으로 내뱉었다. 머릿속에 있는 것들을 단순하게 밖으로 배출하는 것만으로도 자신의 기분이 나아지는 것을 느낀 테라는 마지막 말을 덧붙이고 상쾌한 표정으로 입을 닫았다.

"답답함은 다 풀렸어? 내 생각에는 그저 그녀의 행동 법칙이라고 생각하는데? 누군가가 미워서라기보다는, 단순히 자신은 '누군가와 이야기하면 안 된다!' 같은 규칙을 정해서 그대로 이행하는 것 같은 느낌이었어. 마니아가 린과 란에게만 입을 여는 이유는 아마 그 둘의 특성 때문이 아닐까?"

"둘의 특성?"

"린을 보면 바로 알 수 있는데 혹시 린을 마주하면 뭔가 거짓말을 할 수 없다는 느낌이 들지 않아?"

"어, 너도 그런 느낌이 들었구나? 나만 그런 줄 알았는데."

테라가 잘 안다는 듯이 고개를 까딱까딱하니 라이는 그런 모습을 보고 웃음을 터트리며 말을 이었다.

"그렇지? 그게 아마 그녀가 모든 진실을 꿰뚫기 때문이야. 그녀 특유의 백치미 알지? 근데 묘하게 날카롭게 이야기할 때가 있지 않아? 의외로 눈치도 빠르고. 그게 아마 사람의 감정을 파악하는데에는 아마 그녀가 가장 익숙하면서도 서투른 탓이 아닐까?"

"익숙하면서 서투르다는 것이 뭔 의미?"

"감정을 알아차리는 것은 익숙하지만 그것의 진위를 파악하기에는 아직 접하지 못한 감정이 많다는 이야기야. 음.. 조금 어려운 말을 했나?"

"뭐냐 그 나를 무시하는 듯한 말은?"

"하핫, 눈치챘네."

즐겁다는 듯이 웃는 라이를 보며 테라 역시 따라 웃었다. 방금까지 마니아에 대해서 생각하느라 머리가 아팠던 테라는 그것조차 잊어버리고 웃었다. 역시 테라는 라이와 이야기하는 것이 즐거웠다.

"테라, 기분은 괜찮아졌어?"

"덕분에."

테라는 그 후 라이와 몇 시간 동안 이야기를 나눈 뒤 라이의 집에서 나왔다. 주택가 골목을 걷다 보니 하늘에는 어느새 해가 나와 있었다. 얕아지던 비가 완전히 그친 것이다.

테라는 주택가를 외곽 길을 걸었다. 보통은 주택가를 가로질러서 바로 이나야 공원으로 향하는 것이 정석이었지만 테라의 집으로 향하는 길은 외곽으로 도는 것이 더 빨랐기 때문이었다.

외곽을 돌다 보니 테라는 자연스럽게 산 바로 밑에 있는 공동묘지를 지나가게 되었다. 마을에서 죽게 되면 무조건 묻힌다는 믿음이나야 마을의 공동묘지, 이상하게 비가 오고 산 바로 밑에 있음에도 음산한 기운은 돌지 않았고 편안한 기운마저 느껴졌다. 묘지에 어울리지 않는 분위기라고 생각이 들지만 어쩌면 그런 곳이라 무덤을 세웠을 수도 있다. 슬픔을 잊고 편하게 쉬라는 망자에 대한 산 사람의 배려로 말이다.

테라는 그런 생각을 하니 괜히 흐뭇한 표정이 되었다. 좋은 이야기 아닌가? 산자가 죽은 자의 안녕을 위해 좋은 터에 묘지를 지은 것이 말이다. 오래전 테라의 곁을 떠났던 외할아버지가 생각나기도 했다.

하자만 그런 생각도 잠시, 테라는 이내 곧바로 자신의 뇌에 작렬한 생각에 표정이 굳어졌다. 갑자기 왜 그런 생각이 들었는지 모르겠지만 묘지에 세워져 있는 묘비들의 행렬을 보다 보니, 테라는 망각의 저주로 인해 사라진 그 사람이 떠오른 것이었다.

테라는 항상 묘지를 볼 때마다 항상 '그 사람이 이 묘의 한자리를 차지하고 있는 것이 아닌가' 하는 불안한 생각이 들었다. 물론 이름도 얼굴도 기억하고 있지 않았지만 왠지 모를 불안감에 항상 휩싸였다.

그렇다고 테라의 기억에는 그 사람과의 추억이 아예 없진 않았다. 그저 그 사람이 누군지 특정할 수 없어서 그렇지, 그 사람과 무엇을 했는지는 기억에 남아 있었다. 남아 있을 수밖에 없었다. 그 사람이, 아니 그녀가 바로 테라의 첫사랑이었으니까.

그녀를 처음 만난 곳은 석양이 지는 어느 교실이었다. 당시 테라는 동아리 활동을 다른 사람이 말릴 정도로 열심히 했다. 무엇에 꽂힌지는 모르겠지만 말이다. 그렇게 동아리 활동을 노을이 지고 있는 시간까지 하고 나서 테라는 교실에 들렀다. 성큼성큼 발소리를 내면서까지 말이다. 도착한 교실에는 어떤 여학생이 책상에 꽃병을 올려놓고 가만히 앉아있었다.

노을이 지는 교실, 꽃병과 여학생, 너무나도 신기한 광경에 테라는 몇 분 동안 넋을 잃고 그 광경을 바라보고 말았다.

그렇게 몇 분이 지났을까 그녀에게 흥미가 생긴 테라는 가까이 다가가 말을 걸었다.

"안녕? 난 테라인데. 여기서 뭐 해?"

가까이 가서야 알아차린 것인데 테라는 그녀가 지금까지 눈을 감고 창문을 바라보고 있었다는 사실을 깨달았다.

그녀가 그 상태로 아무 말도 하지 않자 테라는 그녀의 반대편 의자에 앉아 그녀의 얼굴을 바라보았다. 지금은 그녀의 얼굴이 정확히 기억나지는 않았지만 한 가지 확실한 것은 그날 테라는 그녀에게 한눈에 반했다는 것이다.

그 이후로 그 시간마다 테라는 교실로 와서 그녀와 함께했다.

테라도 본인을 이상한 사람 취급하였다. 사정도 모르는 여자아이와 아무 말도 하지 않고 가만히 앉아 시간을 보내다니. 아무리 봐도 정상인이 할 짓은 아니었기 때문이다.

그녀가 테라에게 처음으로 말을 건 것은 테라가 그녀와 함께한지 2주가 지났을 때였다. 그녀가 "테라"라고 자신의 이름을 불러주자 테라는 정말 기뻤다. 드디어 자신을 봐준다고 생각했기 때문이었다. 그 날 둘 사이에서 흐른 것은 더이상 침묵이 아니었다. 각자의 이름, 왜 여기서 이러고 있는지 등등 서로 궁금한 것을 물어봤다.

"소중한 사람이 죽었거든."

그렇게 말한 그녀의 표정에는 일체 변화가 없었다. 변화가 없었기에 그녀는 이미 고인의 죽음을 받아들인 것 같았다.

"그 사람은 어떤 사람이었어?"

테라는 자신의 말에 자신도 놀랐다. 테라 자신이 타인에게 이렇게 관심을 가져 본 게 없었던 것도 있었지만 안 그래도 이야기를 꺼내기조차 무거운 사자의 이야기를 눈앞의 소녀에게 강요한 자신이 평소의 본인과 다르다는 것을 알아차려 버렸기 때문이다. 그렇다. 그녀 때문에 테라는 자신을 인식하는 범위를 한 번 건너뛴 것이다.

자그마한 후회와 그것을 묻혀 버릴 정도로 커다란 호기심이 휩쓸려 오는 것을 테라는 느꼈다. 난생처음 느껴보는 감정, 이것은 무엇일까? 이 사람을 알고 싶다, 이 사람과 함께 하고 싶다. 이것이 사랑 이란 건가. 적어도 테라는 그렇게 느꼈다. 단 며칠 밖에 만나지 않은 사람에게 말이다.

죽은 사람은 말이 없다. 하지만 테라는 그 사람과 앞에 있는 이 소녀의 이야기를 듣고 싶었다. 무례할지도 모르고 그녀에겐 죽은 사람의 기억을 떠오르게 해 괴롭게 하거나 슬프게 할 수도 있었다. 하지만 그 모든 것은 테라에게는 중요하지 않았다. 자신에게 남아 있는 것은 단 하나의 호기심뿐이었으니까.

그녀는 망설이지 않았다. 아마 그 사람과의 관계는 꽤나 좋았던 것이겠지. 이야기가 길어지며, 그 길이는 그녀와 고인의 유대를 테라에게 느끼게 해주었다. 고인의 이름은 기억나지 않는다. 망각의 저주 덕인지 그 당시 그녀와 했던 이야기에서 나오는 이름들은 전부 기억나지 않는다.

이야기를 계속하자면 죽은 사람은 한 명이 아니었다. 자신의 친언니부터 오빠, 그리고 친구들. 생각보다 수많은 사람들을 떠나 보낸 그녀는 매일 이렇게 교실에 앉아 그들을 기리고 추모하는 것이다.

그녀의 마음에 자리 잡고 있던 수많은 사람들.

자신도 그녀의 마음 한자리를 차지할 수 있을까.

그날 테라는 결심했다. 이 사람의 마음을 열고 그 안으로 들어가 겠다고. 자신도 그녀의 소중한 사람이 되겠다고 말이다. 일단 테라는 그 날 그녀와의 대화 이후 학교에서 말을 걸 수 있을 정도로 친해졌다. 이것이 테라 자신의 목표에 다가가기 위한 한 발짝이었다.

그 후 테라는 그녀의 마음을 얻기 위해 대부분의 시간을 그녀에게 할애했다. 이야기를 걸어 본다던가. 알게 모르게 데이트 신청도 했었다. 그렇게 많은 시간이 흐르고 그녀의 마음을 확인하기 위해 테라는 드디어 결의를 다졌다.

"졸업하기 전에 고백을 해야겠어!"

그렇게 다짐한 테라는 계획을 짜기 시작했다. 학교를 갈 때도 집에 올 때도 오직 테라의 머릿속에는 그녀에게 어떻게 고백을 할까 하는 생각으로만 가득했고 중간에 아는 사람에게 조언을 얻으면서 시간을 보내다가 드디어 실행일이 정해졌다.

12월 24일, 크리스마스이브. 완벽한 계획에 완벽한 날짜. '이것이 자신의 운명에 커다란 전환점을 줄 것이다.' 라고 테라는 그렇게 믿었다. 그녀를 처음 만났을 때부터 쭉 말이다.

겨울방학이 시작하기까지 몇 달 정도 남았을 때 테라는 학교에서 데이트 신청을 하기 위해 그녀의 반에 들렀다. 다행히 반 안은 쉬는 시간이라 떠들썩했고 테라는 그 혼란을 틈타 그녀만 데리고 교실에서 빠져나왔다.

사람이 적은 학교 뒤편에 그녀를 데리고 온 테라는 자신이 세운 계획대로 말을 시작하였다. 그녀가 일단 사심 가득한 데이트 요청에 ok사인을 날려줄 것인지, 그것이 문제였다. 테라는 잔뜩 긴장하고 일정을 물어보았고 그녀는 조금 고민하는 것 같더니 없다고 대답하였다.

"12월 24일 날 만날래?"

"좋아."

누가 봐도 흑심이 있는 듯한 권유였지만 테라의 예상과는 다르게 그녀는 너무 쉽게 승낙하였다. 그녀의 ok 사인에 테라는 환호성이 나오려는 것을 간신히 참고 그녀에게 다시 만나자는 말과 함께 그녀를 놔두고 학교 뒤편을 벗어났다.

그녀가 승인했다는 것은 거의 다 됐다는 의미. 누가 봐도 뭔가 꿍꿍이가 있을 것 같은 날짜. 조건들이 전부 맞아 떨어졌는데도 좋다고 말하는 것은 이미 그녀도 테라 자신에게 마음이 있다는 의미일 것이다. 그렇게 테라는 12월이 될 때까지 설레는 마음으로 기다려왔다. 테라는 너무나도 행복했다. 다시는 없을 것 같은 그런 때를 보내왔다. 그리고 그 행복은 가장 절정에 치달아야 할 때 차갑게 식어 버리고 말았다.

12월 24일, 비극이 일어나고 만 것이다.

그녀와의 약속장소에서 테라는 계속 기다렸지만 결국 그녀는 끝까지 나오지 않았다. 영원히 말이다.

약속을 지키기 위해 외출한 그녀가 지하철 화재에 휘말려 버린 것이었다. 테라는 영원히 나오지 않을 그녀를 계속해서 기다리다가 결국 집에 돌아오게 되었다. 그리고 TV에서 나오고 있는 뉴스를 보았다. 자신이 사는 이 믿음 마을에서 일어난 대규모 화재라 테라는 더욱더 인상 깊게 보았다. 특히 크리스마스이브 많은 사람들이 몰려있던 상황이라 피해가 꽤 컸다. 그녀가 그 화재에 휘말린 지도 모른 채 테라는 그저 바람맞았다고 생각하며 내일 어떻게 그녀의 얼굴을 봐야 할지 고민만 하고 있었다.

그렇게 아침이 밝아오고 나서야 테라는 그녀의 부재의 이유를 알게 되었다. 그녀가 지하철 화재 때문에 의식 불명 상태가 되었던 것이었다.

그 소식을 알게 된 후 테라는 바로 그녀가 입원한 병원으로 향하려 했다. 향하려 했는데…. 이상하게 여기서부터 잘 기억이 나지 않았다. 실제로 병문안을 갔는지 그녀의 상태가 어땠는지 등 하나도 기억나는 것이 없었다. 학교에 등교한 후 그녀의 입원 소식을 들은 직후부터 졸업식 때까지 하루하루가 너무나도 빠르게 스쳐 지나간 것 같았다. 안 좋았던 기억을 잊으려고 그런 건지 지금 와서는 그때의 테라는 어떤 생각을 했는지 전부 잊어버렸다. 기억이 나지 않는다 해도 확실한 건 그 이후 그녀는 학교를 나오지 않았다는 것이다. 그 이후 행방을 알 수 없다는 것만큼은 테라의 뇌리 지겨울 정도로 선명하게 박혀 있었다. 또다시 만날 수 없다는 것도 말이다.

테라가 그녀의 새로운 소식을 듣게 된 것은 중학교 졸업식 때였다. 나중에서야 알게 된 것이지만 사실 그녀는 크리스마스이브 당일 날 외출을 하지 않고 가족들끼리 파티를 하기로 했다고 한다. 하지만 왜인지는 모르겠지만 그 약속을 취소하고 외출을 했다는 것이었다. 그녀의 말로 인하면 친구와 만날 약속이 있었다고, 그 약속을 지키기 위해서 외출을 해서 그 봉변을 당했다고 하였다.

어디서부터 시작된 소문은 몰랐지만 학급 친구들은 약속을 잡은 친구는 누구 인가라는 이야기로 들끓었다. 반 친구들이 속닥속닥 거리는 목소리를 들으면 들을수록 테라는 점점 멈출 수 없는 죄책 감에 휩싸였다. 본인이 직접 적으로 일으킨 일은 아니었지만 결국 테라의 선택으로 인해서 그녀가 그 사고에 휘말린 것이다. 그리고 무엇보다 테라의 마음을 옥죄어온 것은 그들의 속삭임에 자신은 아무 말도 하지 못했다는 사실과 그녀의 불행을 재미있다는 듯이 이야기하는 친구들에 의한 불쾌함이었다.

테라는 아무것도 못 해준 자신을 자책하면서도 평소에는 말조차 걸지 않는 학급 친구에 대해서 아무렇지 않게 이야기하는 친구들 이 미웠다.

졸업식이 끝난 후 테라는 도망치듯이 집으로 돌아와 주머니에서 잠자고 있던 휴대폰을 꺼내 걸기 망설여 왔던 그녀의 전화번호를 휴대폰 화면 위에 띄웠다. 몇 초간의 고민을 뒤로하고 결국 테라는 통화 버튼을 눌렀다. 하지만 그 뒤 들려오는 것은 "연결이 되지 않 아……."로 시작하는 짧은 안내 멘트였다."

테라의 마음을 대변이라도 하는 듯이 휴대폰에서는 불규칙하고 빠른 신호음이 울렸다. 테라는 괜히 신경질적으로 휴대폰을 침대 위로 던진 후 그 위에 뛰어들어 눈을 감았다. 불쾌한 이 현실을 도 피라도 하고 싶은 듯이 말이다..

조용한 방 안 이었지만 테라의 마음은 전혀 고요하지 않았다. 정 체를 모르겠지만 자신의 안에 무언가가 부글부글 끓어오르는 것 같았다. 몇 시간이나 흘렀을까, 테라는 해가 질 때쯤 겨우 침대에서 일어나, 요동치며 진정되지 않는 마음을 애써 끌어안고 방을 나왔다.

테라의 부모 두 분 다 아직 돌아오지 않았는지 집 안은 여전히 조용했다. 그 덕분에 오히려 테라의 심상은 거센 바람에 흩날려 금방이라도 꺼질 불꽃처럼 불안정하게 흔들리고 있었다. 해가 다 지고 저녁을 지나 깊은 밤이 찾아왔다. 분명 졸업이라는 축하해야 할 일이 있었지만 테라는 기쁘지도 신나지도 않았다. 그저 이 밤이 빨리 지나가길 바랐다.

그렇게 수십 일이 지나고 테라는 이나야 고등학교, 그녀가 가고 싶어 했던 고등학교의 정문 앞에 서게 되었다. 그녀가 죽기 전 진학할 고등학교를 물어봤었고 이야기가 나왔던 게 이 고등학교였기 때문에 당연히 테라 역시 이나야 고등학교를 1지망으로 선택했었다. 테라는 그녀와 이 고등학교 생활을 꿈에 그리며 이나야 고등학교를 선택했던 것이었다. 하지만 테라가 꿈에 그리던 그녀와의 고등학교 생활을 즐길 일은 이제 없을 것이다.

그나마 다행인 건 테라가 온 이 학교에는 중학교 시절 친했던 애들은 거의 이쪽으로 진학하지 않았다는 것이었다. 졸업식 날 반 친구 언행을 들은 테라는 더이상 제정신으로 그들의 얼굴을 볼 자신이 없었기 때문이다.

테라는 정문에 많은 사람들을 둘러 보았다. 앞에서 말했듯이 테라가 아는 얼굴은 역시 아무도 없었다. 하지만 이내 테라는 모여있는 학생들 사이에 익숙한 얼굴을 찾아버렸다.

"라이…."

오르트노 중학교에 같은 반에 재학 중이었던 사람이었다. 학기 말에 전학 와서 테라는 그와 제대로 이야기조차 나눠 보진 않았지만 이상하게 친근감이 느껴졌다. 그 이유는 그녀가 그에 대해서 관심을 가졌기 때문이었다.

잊힌 그녀가 테라에게 전학 온 라이를 보고 죽은 자신의 오빠를 닮았다는 이야기를 하며 친해지고 싶다고 하였다. 그 말을 들은 순간 테라는 라이가 새로운 라이벌 인가라며 어이없는 생각을 하였지만 그것이 아니었다는 것을 금방 깨달았다. 테라는 그것이 단순히 자신이 알던 사람과 닮았다는 것에 대해서의 호기심이라는 것을 알게 된 것이다. 그것이 이성으로서의 사랑이 아닌 단순히 동경심이라는 것을 말이다. 그녀가 친해지고 싶어 했던 사람이기 때문에 테라 역시 어쩔 수 없이 라이에게 호의를 느끼게 되었다. 그렇기에 그녀가 못하게 된 것을 자신이 대신하자는 생각으로 테라는 라이에게 친근하게 말을 걸었다.

"라이 아니야?, 안녕 나 테라야."

그리고 고개를 돌린 라이의 얼굴을 본 순간 테라는 자신 안에 무언가가 빠져나가는 것을 느꼈다. 절대 잊으면 안 되는 무언가가 내 인식 범위를 벗어나 저 멀리 학교 뒷산으로 날아간 것 같았다. 그것이 무언이지 생각하려고 얼굴을 살짝 찡그린 순간 테라는 무언가를 깨닫게 되었다.

그녀의 이름이 뭐였지?

서서히 잊혀 간다. 그녀의 이름도 얼굴도 말이다. 결국에 남는 것은 그녀와의 추억뿐이었다. 아름답고 찬란한, 즐겁기만 했었던 기억, 그 기억이 테라 자신을 괴롭혀 왔다. 그리고 그 추억에 대한 죄책감을 조금은 덜어줄 구원자가 입학식 날 첫 등교 날 테라의 앞에 나타났다. 그 당시에는 이름은 몰랐지만 이것 만큼은 확실하게 말할 수 있었다. 그 사람, 린은 내가 좋아하던 그녀와 닮았다는 것과 그리고 테라는 어이없게도 또다시 사랑에 빠졌다는 것이다.

린과 그녀를 겹쳐 보자 어지러웠던 테라의 마음이 한순간에 정리되는 기분이었다. 그녀의 얼굴을 처음으로 바라본 순간 테라는 그런 느낌이 들었던 것이었다. 쓸데없는 잡생각이 사라지며 그녀만을 보게 된다. 그녀만을 생각하게 된다.

하지만 그런 생각이 든 것은 단 몇 초뿐 천천히 밀려오는 죄책감에 테라는 그녀의 얼굴에서 눈을 돌려 버렸다. 아무것도 못 한 본인이 그녀의 얼굴을 볼 자격이 있을까. 그녀와 닮았다는 이유로 린을 좋아하게 된 자신의 마음이 용서가 되지 않았다. 그렇기에 린과 친해지는 것까지는 좋으나 테라는 그녀에게 자신의 마음을 고백하지 않기로 했다. 그것이 자신이 그녀를 위해 할 수 있는 마지막 배려라고 생각했기 때문이다.

집으로 돌아온 후 테라는 들고 있던 가방을 그대로 바닥에 던져놓고 그대로 다시 방을 나왔다. 휴대폰에 찍혀 있는 아빠에게서의 부재중 전화를 확인했기 때문이다. 분명 무슨 일이 있는 게 분명하다. 왜냐하면 지금 아빠가 테라에게 전화할 일이 없기 때문이다. 테라는 곧바로 전화번호를 누르고 전화를 걸었다.

"여보세요? 아빠, 웬일이래 지금쯤이면 회사에서 일할 시간 아니야? 평소에도 전화를 잘 안 거는데."

"테라야 미안한데 회사에 잠깐 올 수 있어? 급한 일이라서."

다급하다고는 이야기했지만 전혀 그런 김새가 느껴지지 않는 것은 테라의 아빠가 말하는 말투나 성격 때문일 것이다. 방금 집에 들어와 바로 쉬고 싶었으나 테라는 딱히 아빠의 요청을 거부할 만한 변명도 마음도 들지 않았기에 요청을 승인하고 바로 집을 나섰다.

분명 집에 들어올 때까지 비가 왔었는데 금세 그쳐 해가 나오고 있었다. 테라는 괜히 짐이 될 것 같은 우산은 그대로 집에 두고 나왔다. 최근 장마철이라 그런가 쓸데없이 비가 자주 오면서도 이렇게 날씨가 오락가락하는 것 같았다. 하나만 하면 안 되냐고 테라는 나지막하게 하늘에게 불만을 던졌지만 돌아온 것은 묵묵부답이었다.

테라의 아빠가 다니는 회사는 이 마을에서 커다란 영향을 끼치고 있는 대기업이다. 정확히 무엇을 하는지는 모르겠지만 그 영향력은 현재 전 세계까지 뻗어있었다. 그 대단한 회사의 본사가 이 마을 번화가 옆에 세워져 있는 커다란 빌딩이다.

그 높이가 어마 무시해서 처음 그 빌딩을 본 사람이라면 그 모습에 압도당할 것이다. 물론 테라 역시 그 빌딩 밑에 처음 섰을 때 웅장함을 넘어서 경외스러움 마저 느꼈다.

회사의 이미지는 '많은 사람이 들어가고 싶어 하는 꿈의 직장!'이라는 느낌이었는데 이 회사에 들어올 수 있는 루트라고 불리는 이나야 고등학교가 항상 신입생이 많고 인기가 많다는 것으로 그 말은 사실이라는 것이 증명되었다.

물론 테라는 아빠가 다니는 회사라곤 해도 왠지 모르게 너무나도 수상한 느낌이 들었다. 정확히 무엇을 하는지는 제대로 공표되지 않았는데 들어가고 싶어하는 사람들이 많다는 것은 딱 봐도 이상하지 않은가? 물론 대외적으로 여러 일을 하는 것 같았다. 그 일이 일관적으로 보이지 않아 회사의 본연의 목적이 아니라고 생각할 뿐이지만 말이다.

일단 믿음이 급속도로 발전한 이유도 회사 덕분이다. 회사의 역사가 그리 오래되지는 않았지만 마을의 교통편과 편의 시설들도 대부분 그 회사가 만든 것이고 거의 도시처럼 발전하게 된 것도 그 회사 덕분이었다. 테라는 곰곰이 생각해보니 사익을 생각해야 하는 회사가 마치 국가 단위의 힘을 행사하고 있었다. 이래선 마치 이 마을이 하나의 국가가 되지 않는가.

테라는 생각하면 생각할수록 의심이 깊어지는 것을 깨닫고 일단은 생각하는 것을 멈췄다. 고개를 양쪽으로 돌리면서 양쪽 손으로 자신의 뺨을 약하게 쳤다. 지금은 그런 생각을 할 때가 아니었다.

 테라는 주택가로 돌아가지 않고 바로 옆길로 빠져 번화가로 직행했다. 번화가는 오늘도 역시 활기가 넘쳐 보였다. 테라는 자주 들르는 가게 직원이나 주인이 보이는 족족 인사를 걸었다. 테라의 그들 역시 기분 좋은 듯이 손을 흔들었다. 비가 그친 뒤라 날씨도 좋았기에 번화가에 있는 모든 사람들이 기분이 좋은 듯이 웃고 있었다. 이게 평소의 번화가의 분위기지 라며 고개를 끄덕이고 있던 테라는 속도를 내서 순식간에 번화가 끝자락에 다다랐다. 테라는 자주 들리는 빵집을 지나서 그대로 번화가 밖으로 벗어나려 했지만 린이 생긴 지 얼마 되지 않았다고 관심을 보인 꽃집에서 앞에서 발걸음을 멈추게 되었다.

"..... 그 꽃이 있나?"

 테라는 꽃집 앞에 전시되어있는 꽃들을 하나하나 살펴보다가 안에서 누군가 나오는 것 같아 재빠르게 그곳을 벗어났다.

"무슨 바보 같은 생각이야…."

 무슨 바람이 불었는지 모르겠지만 테라는 방금 자신의 머리에 떠오른 생각에 몸서리를 치며 꽃집을 뒤로하고 걸었다.

 어느 정도 걸었을까, 저 멀리에 보라는 듯이 꼿꼿이 서 있는 건물이 바로 회사의 건물, 본사다. 아까도 말했지만 무엇을 하는지는 모르지만 이 마을에서 그 회사의 이름을 모르는 사람은 없을 것이다.

 테라는 능숙한 발걸음으로 정문으로 들어섰다. 이번이 테라에게는

3번째 방문이기 때문이다. 로비에는 회사라는 이름에 어울리듯이 수많은 사람들이 여기저기 돌아다니며 바쁘게 움직이고 있었고 그 사이에서 테라는 아버지의 모습을 찾기가 어려웠다. 눈을 살짝 찡 그리고 이곳저곳 돌아본 테라는 무언가 회사가 평소와 다르게 좀 더 바쁘게 움직이고 움직이고 있다는 사실을 눈치챘다. 무슨 큰일 이라도 났나 로비를 걸어 다니는 직원들의 모습에 묘한 서두름이 느껴졌기 때문이다.

심지어 평소에는 보지도 못한 백의를 입은 연구원이나 하얀색 코 트를 입은 채로 이상한 검은 막대를 들고 가면을 쓴 특이한 복장 을 한 사람들까지 로비에 나와 있었다. 회사치고는 신기한 광경에 입을 벌리고 있던 테라는 이내 로비에 배치된 손님 석 쪽에서 무 언가 중요한 이야기를 나누고 있던 여성이 자신의 이름을 부르자 그곳으로 고개를 돌렸다.

"테라! 여기야!"

테라는 이 여성의 얼굴을 보는 것도 이제 3번째다. 자신의 아버지 는 직접 나오지 않는 것인가 같은 생각을 하며 테라는 그 여성이 앉아있는 손님 석으로 걸어갔다.

그녀는 아버지의 부서의 직원으로 자주 부려 먹히는 것 같았다. 무언가 전달할 일이 있거나 테라에게 회사 관련 심부름을 시킬 때 마다 얼굴을 마주했기 때문에 테라의 의지와 상관없이 자연스럽게 안면이 트게 되었다. 일 하나만큼은 엄격한 아버지라는 것을 잘 아 는 테라였기에 밑에서 일하는 그녀가 테라에게는 참으로 불쌍하면서도 대단해 보였다. 테라가 만약 자신이 이 회사에 입사하면 절대 아버지의 밑에서 일하지 않겠다고 다짐한 것도 자신의 앞에 있는 에리타라는 사람의 말을 들었기 때문이었다.

"테라, 또 오스마 부장님 때문에 온 거지? 너도 참 고생이 많다~"

"에리타 씨야 말로 고생이죠."

물론 둘 다 아빠를 존경하고 있다. 누구보다 일을 열심히 하며 조금은 엄격하더라도 주변 인물들을 잘 챙겨주는 테라의 아버지를 싫어할 사람은 많이 없을 것이기 때문이다. 실제로 직장에서의 평판도 그리 나쁘지는 않은 듯하다.

"네가 테라니? 부장님께 이야기 많이 들었어. 이거 사모님께 전달해 줘."

에리타 씨의 옆에 있던 안경 쓴 남자가 갑작스럽게 말을 걸자 테라는 조금 당황하였지만 애매모호한 표정을 지으면서 잠자코 그 물건을 받아 들었다. 물건은 어떠한 서류 봉투였으며 다행히 어느 매체에서 나오는 것처럼 봉투에 '극비사항' 같은 것은 적혀 있지 않았다.

"아이키 씨, 그 봉투는 뭐야?"

그 말에 아이키 씨라고 불린 남자는 어이없다는 표정으로 에리타 씨를 쳐다보았다.

"방금까지 이야기 나눴잖아요? 기억력이 어떻게 된 거예요?"

"아 그랬었지? 미안, 제대로 안 들었어."

그는 방금까지도 충분히 어이가 없는 표정이었지만 그녀의 발언이 더욱더 그의 머리를 어지럽게 만들었는지 허리 밑으로 내려놓았던 손을 올려 자신의 머리를 짚었다. 상당히 골치 아픈 직장 동료를 만났다는 것이 바로 이런 것일까. 테라는 뼈저리게 느꼈다. 만약 자신의 상사가 생긴다면 이 사람만 아니면 된다! 에서 1위는 찍고 남을 정도로 골치 아픈 발언이었기 때문이었다.

"그것보다 테라, 이왕 온 거 회사 견학하고 갈래? 전부터 무슨 회사인지 궁금해했잖아."

회사 견학, 테라에게 그리 나쁜 제안은 아니었다. 평소에도 이 회사에 대해서 궁금한 것도 많았고 무엇보다 자신의 아버지가 다니고 있는 회사이기에 알아두면 좋을 것 같았고 또 고등학교 졸업 후 대학을 다니다가 이 회사에 취업할까, 라는 생각도 해봤으니 놓치면 안 되는 기회다. 하지만 문제가 되는 것은 너무나도 갑작스럽게 권유당했다는 것이다.

"너무나도 갑작스러운 거 아니에요? 이 서류도 전달해 줘야 하고, 애초에 견학이라는 게 그냥 아무 때나 아무렇게 되는 거였어요? 회사 측에서도 절차라는 게 있을 텐데."

"괜찮아! 서류는 이 친구가 전달해 줄 거야!"

에리타 씨랑 같이 있던 사람 중 마지막, 에리타 바로 옆에서 가만히 듣고만 있던 여성이 갑작스럽게 지목당해 당황스러웠는지 허겁지겁 고개를 돌렸지만 에리타 씨의 요청을 거부하지 못했는지 결국 곤란한 표정으로 내 앞으로 두 손을 뻗었다.

어이없는 상황이 연속으로 일어나니 말문이 막혀 버린 테라는 몇 초 동안 그대로 굳어버렸고 그 여성은 빨리 넘겨달라는 듯이 고개를 끄덕였다. 몇 초가 지나서야 겨우 이 상황을 이해한 테라는 급하게 손을 저으면서 그녀의 호의를 거절했다. 이유는 말 안 해도 알 것이다.

"괜찮아요. 제가 갈게요 견학은 나중에, 저 갑니다."

아쉽다는 표정을 짓는 에리타 씨와 표정이 풀어지는 여성, 두 명의 희비 교차라고 하기에는 조금 지나치지만 상반되는 감정이 두 사람의 얼굴에 동시에 떠오르자 테라에게는 웃긴 광경이었다. 마치 콩트 같았기 때문이다.

그 직후 에리타 씨가 또다시 입을 열려고 하자 테라는 급하게 그들에게 인사를 건네고 허겁지겁 회사 건물 밖으로 나왔다.

밖으로 나온 뒤 돌아본 곳에는 여전히 꼿꼿이 하늘을 향해 서 있는 건물이 있었다. '이런 회사에서 근무하는 것도 나름 좋겠지라는 생각이 든 테라는 진지하게. 아빠에게 직접 상담해서 견학이라는 것을 해보기로 마음을 먹었다..

"그전에 나에게 내려진 임무나 완료할까."

테라는 손에 들려진 서류를 나머지 한 손으로 쓸어내리며 그렇게 중얼거렸다. 바쁜 하루는 아직 끝나지 않은 것 같았다.

회사부지를 벗어나 다시 왔던 길로 돌아가는 길, 테라는 회사로 향할 때 봤던 꽃집이 눈에 밟혔다. 꽃집 앞에는 아까와 같이 꽃이 전시되어 있었는데 테라는 다시 한번 앞에 전시해 놓은 꽃들을 하나하나 확인해 보았다.

 하얀색, 빨간색, 파란색. 형형색색 나열 되어있는 꽃들 중에 테라는 그 꽃을 찾아 눈을 이리저리 돌렸다. 꽃의 종류가 너무나도 많았기에 찾을 기미가 보이지 않아서 테라는 결국 한숨을 내쉬고 포기하려고 하였다. 하지만 그 순간 잔잔한 말소리가 테라의 등 뒤에서 들려왔다. 언제 왔는지 모르겠지만 가게의 주인으로 보이는 여성이 테라의 바로 뒤에 함박웃음을 띄운 채로 있던 것이었다.

 "찾으시는 꽃이라도 있으신가요?"

 테라는 몰래 보고 있던 것이 들켜서 그런지 뻘쭘한 표정으로 여성의 얼굴을 뚫어지라 바라보다가 이내 자신의 행동이 부끄러워져서 그대로 시선을 돌렸다.

 "찾으시는 꽃이라도?"

 똑같은 질문이 반복하자 테라는 일단 뭐라도 이야기해야겠다 싶어 결국 물어보길 계속해서 망설이던 말을 그녀에게 꺼냈다.

 "저 혹시…. 물망초는 없나요?"

 테라의 말이 끝나자 그녀는 환하게 웃으면서 "잠시만 기다려 주세요."라는 말과 함께 가게 안으로 들어갔다. 몇 분 후 그녀가 들고 온 것은 물망초 꽃다발이었다. 오랜만에 보는 꽃의 모습에 심란한 감상을 느낀 테라는 결국 그 꽃을 사고 말았다. 아니 살 수밖에 없었다.

 "누구에게 바치는 꽃일까요? 제가 이래 봐도 사람의 사연에 관심이 많거든요~"

그녀의 세 번째 질문에 테라는 대충 얼버무리려 했지만, 이상 하게도 거짓말을 할 기분이 들지 않았다. 괜히 아무것도 모르는 사람의 마음을 불편하게 할 수도 있지만 얼버무릴 말도 생각이 나지 않았고 왠지 환한 얼굴에 조금은 당혹감이라는 감정이 떠오르는 것을 보고 싶다는 얄궂은 마음도 들었기에 테라는 있는 그대로 이렇게 말하였다.

"소중한 사람이 죽었거든요."

"그렇다면 그 꽃은 그 사람이 좋아하는 꽃일까요?"

"……!"

당혹감이 얼굴에 떠오른 것은 그녀의 얼굴이 아니라 테라의 얼굴이었다. 너무나도 예상하지 못한 대답이었기 때문이다. 고개를 돌려 다시 본 그녀의 얼굴은 테라가 처음 봤던 얼굴과 전혀 달라지지 않았다. 여전히 가게에 있는 꽃처럼 화려하고 예쁜 미소 그대로였다.

"당신의 소중한 사람이 분명 좋은 곳에 갔기를."

그녀의 아름다운 미소에 테라는 괜스럽게 마음이 편안해졌다. 정말 이 꽃집과 잘 어울리는 사람이었다.

그녀의 미소에 답해서 테라가 보여줘야 하는 것은 당혹스럽거나 어이없어하는 얼굴이 아니었다. 그녀의 말과 꽃처럼 밝은 얼굴에 보답하기 위해서 테라 역시 밝은 미소로 대답했다.

"네, 감사합니다. 자주 올게요, 꽃집."

테라의 환한 미소를 본 그녀는 만족했는지 "또 꽃 사러 와요."라는 말을 남긴 채 다시 가게 안으로 들어갔다.

이제야 테라는 린이 왜 이 꽃집에 관심을 가졌는지 알 것 같았다. 꽃을 받는 사람은 물론, 꽃을 주는 사람마저도 기쁘게 만드는 그녀가 있기에 이 꽃집은 더욱더 빛나 보이는 거겠지.

아까까지의 테라는 곁에 사라진 그녀에 대해서 생각하느라 한껏 기분이 가라앉았었다. 그러나 테라의 기분은 이제 꽃집 가게를 운영하는 그 여성 덕분에 다시 좋아졌다.

"집으로 가자. 집으로 가서 이 꽃을 화분에 꽂아 넣어 기도하자. 옛날 교실에서 그녀와 내가 했던 것처럼."

테라의 하늘은 아직도 끝나지 않았다. 오늘도 긴 하루가 될 것 같았기 때문이다.

9

고요한 방안, 마니아는 어째서인지 침대 위에 누워있었다. 어이없게도 온몸에 힘이 들어가지 않았다. 갑작스럽게 몰려오는 두려움에 마니아는 손끝을 움직이려고 손에 힘을 줬지만 허무하게도 손가락은 꼼짝도 하지 않았다. 식은땀이 머리에서 뺨을 타고 내려왔다.

설마, 아니겠지…. 옛날의 악몽이 불현듯이 마니아의 머릿속을 스쳐 지나갔다. 의식은 깨어 있지만 움직일 수 없었던 그날의 기억. 하지만 그 악몽은 갑자기 열린 문소리와 함께 먼지가 되어 사라졌다. 깜깜했던 방에 불빛이 들어왔다. 자신의 부모님이었다.

"마니아 깼니? 몸은 괜찮아?"

부모님의 말씀이 들려오고 아까까지 느껴지지 않던 몸의 감각이 돌아오는 것 같았다. 서서히 몰려오는 고통, 어지러움과 메스꺼움. 덕분에 마니아는 그대로 침대에 토할 뻔했다. 시야도 흐리고 온몸이 누가 때린 듯이 아팠다. 무슨 일이 있었는지 마니아는 계속해서 생각했지만 곧바로 몰려오는 어지러움 때문에 생각하는 것을 그만둘 수밖에 없었다.

"마니아, 괜찮은 거 맞아?"

목소리가 나오지 않았다. 자신의 몸에 무슨 일이 일어난 것인지 마니아는 아무리 생각해 봤지만 떠오르지 않았다. 아니, 그것보다 어쩌다가 자신의 침대에 누워있는 것이지? 그렇게 마니아는 자신이 쓰러지기 전 상황의 기억을 천천히 거슬러 올라가 보았다. 그리곤 떠올렸다. 자신이 란이랑 우산을 같이 쓰고 집으로 가고 있었다는 사실을 말이다. 하지만 자신이 왜 침대에 누워있는지 마니아는 여전히 알 수가 없었다.

마니아가 아무 말도 안 하자 걱정이 됐는지 부모님 두 분은 의사를 불러온다는 말을 하고 방을 나갔다. 하지만 분명 두 분 다 방을 나가셨지만 이상하게 인기척이 남아 있었다.

"마니아 몸은 괜찮아?"

그 목소리가 들려오고 한 남성이 마니아의 앞으로 걸어왔다.

그렇지, 그렇겠지. 이 패턴으로 보자면 분명 그 사람의 정체는 한 명밖에 없을 것이다. 마니아가 약점을 보이고 싶지 않아 하는 녀석, 바로 란이었다.

"열이라도 나는 것인가?"

그렇게 란은 침대 바로 앞까지 다가와 마니아의 머리에 손을 갖다 댔다.

이 녀석? 수치심도 없는 것인가? 이게 무슨 짓이야? 마니아는 그 말들을 입 밖으로 내고 싶었지만 온몸에 힘이 들어가지 않았기에 가만히 누워있을 수밖에 없었다. 무언가를 말할 수 있을 만큼의 힘이 지금의 마니아에겐 없는 것이다.

자신을 걱정스럽게 바라보는 란의 얼굴을 보니 마니아는 열이 더욱더 오르는 것 같았다.

'제발 내 건강이 돌아오길 바란다면 이 녀석을 내 앞에서 치워줘! 제발! 엄마, 아빠! 어디 갔어?' 그렇게 마니아는 속으로 외쳤지만 당연하게 그 마음이 란에게 전해질리는 없었다.

그렇게 몇 분이 지났을까. 마니아에게 다른 의미로 고통의 시간이 지나고 부모님께서 의사를 불러 왔다. 당연하게 예상했겠지만 마니아의 집까지 출장을 온 의사는 역시 네스 선생님이었다.

네스 선생님은 마니아의 몸을 진찰하시더니 단순한 감기몸살이라고 진단을 내렸다. 큰 병이 아니라서 안심하는 부모님 옆에서 고개를 끄덕이는 란을 보니 마니아는 더욱더 열이 오르는 것 같았다.

뭐냐 저 녀석은 왜 여기에 끼어 있는 거야… . 마니아가 그런 생각을 하고 있을 때쯤 엄마가 란에게 감사 인사를 전했다.

"란이라고 했던가? 우리 마니아를 집까지 데리고 와줘서 고마워.

역시 들은 대로 착실한 친구 구나?"

잠시만, 엄마?

"아 이 친구가 마니아가 말하던 친구? 그렇구나, 마니아랑 친하게 지내줘서 고맙다."

아니 잠시만, 아빠?

"'들은 대로' 요?"

안돼, 그 말 만큼은.

"응. 우리 딸이 네 얘기 많이 하던데."

....

조용해진 방안, 마니아는 숨을 수 있는 곳이라면 쥐구멍에라도 들어가고 싶었다. 이 침묵 어쩔 거냐고.

"제 얘기를 마니아가요?"

아아아아아아아아아아아아아아아아아아아아아

마니아의 안에 있는 모든 것이 터져 나갔다.

"그렇군요. 네. 제가 더 잘 챙겨 줘야 하죠."

죽이고 싶다. 지금 당장 저 녀석을.

몸은 아프고 란은 자신을 짜증 나게 하고, 오늘은 정말 최악의 날이라고 생각한 마니아였다.

모두가 방을 나간 뒤. 방안에서 혼자 누워있는 마니아는 아픔도 잊어버릴 정도의 부끄러움이 몰려왔다. 하필이면 란이라니. 마니아의 오늘은 란에게 약점만 보여주는 하루였다. 하지만 쓰러진 자신을 란이 여기까지 데리고 온 것도 사실이기에 마니아는 란에게 고마움을 느꼈다. 왠지 그러면 약점을 들켜도 나쁘지 않을 것이라고 마니아는 생각해 버린 것이다.

하지만 마니아는 곧바로 자신의 생각을 부정했다. 약점을 들켜도 좋은 사람은 없다. 나는 란을 경계해야 한다. 그 조그마한 경계마저 풀어 버리면 자신은 란과 친구가 되어 버릴 것이다. 그것만큼은 절대 안 된다고 마음을 다잡은 마니아는 진정되지 않는 마음을 억지로 추스르고 이불을 얼굴까지 덮어 버렸다.

이제 학교에서 어떤 얼굴로 만나냐…. 라는 생각까지 들어버린 마니아는 내일이 신경 쓰이기 시작하였다. 보이지 않을 내일이 말이다. 어두운 밤은 이제 시작했을 뿐이다.

가끔 마니아는 꿈을 꿨다. 사실 이 모든 것이 자신의 환상이고 사실 아무도 죽지 않았다는 마니아의 희망을 담은 꿈을 말이다. 항상 그 꿈의 마지막에 사촌 오빠가 나와 마니아에게 말을 걸었다. 마니아는 사촌 오빠와 대화하는 것이 항상 즐거웠기에 꿈에서 깨어나기 싫어했다. 하지만 오빠는 그런 마니아를 타이르며 꿈에서 깨어나길 재촉했다. 분명 깨어나면 좋은 일이 있을 것이라고, 내일은 분명 밝은 아침이 올 것이라고 계속해서 마니아를 설득했다. 내일에 대한 희망을 잃은 마니아는 그 말을 부정했지만 결국 사촌오빠의 떠밀림에 못 이겨 내일을 향해 걸어갔다. 하지만 잃어버린 작은 희망을 느끼기 위해 일어난 아침은 항상 마니아의 눈앞에 나타나지 않았다. 보이지 않는 내일이 반복될 뿐이었다.

또 그 꿈이었다. 아침에 일어나면 선명하게 남는 그 꿈.

눈을 뜬 순간 그 꿈의 기억은 잊지 말라는 사촌 오빠의 말이 무색하게 기억이 조금씩 옅어지는 것 같았다. 어제 분명 온몸에 힘이 안 들어갈 정도로 아팠지만, 마니아에게 찾아온 새 아침은 약간의 현기증이 있는 것 말고는 정말로 평온했다.

마니아는 방안을 쭉 둘러보곤 침대에 누군가 기대서 자고 있는 것을 알아차렸다. 자세히 보니……. 바로 그 녀석, 란이었다. 란의 얼굴을 본 순간 마니아는 어제의 울분과 하룻밤 동안 계속 그 녀석과 있었다는 사실에 수치심이 미친 듯이 밀려왔다. 침대에서 일어난 후 마니아의 행동은 상상에 맡기길 바란다. 안 봐도 비디오였지만 말이다.

한바탕 난리를 일으킨 후 겨우 마음을 진정시킨 마니아는 태연하게 상에 앉아 아침밥을 먹고 있는 란을 쏘아보았다. 이 녀석, 집까지 오는 것으로 모자라 아침 식사까지 얻어먹고 있어.

하지만 부모님 두 분이 란과 즐겁게 대화를 나누고 있었기에 마니아는 괜히 초 치는 말을 삼갔다. 그도 그럴 것이 마니아가 집에 친구를 데리고 온 것은 정말 오랜만이었으니까. 물론 반강제이긴 했지만 말이다.

마니아의 엄마는 정말 신난 듯이 마니아의 어린 시절 이야기를 란에게 들려주고 있었다. 이것은 마니아의 실책이기도 했다. 비가 내리던 어제 마니아는 어떻게든 란의 요청을 거절했어야 했다. 전에 마니아가 다짐했던 '약점은 절대 보여주지 않겠다!'라는 다짐이 이틀 연속으로 처참하게 깨져 버렸다.

'아, 이 자리에서 울어버리면 엄마는 말을 그만하실까?' 같은 생각이 마니아의 머릿속에 떠올랐지만 그것은 자신의 약점을 란에게 더욱더 드러내는 것이기도 하고, 더는 부모님에게 걱정을 끼치기 싫어서 그만두었다.

아침 식사가 끝난 후 나갈 준비를 하는 란을 보며 마니아는 말이라도 걸까 했지만 녀석의 얼굴을 보면 열이 오르는 것 같아 그냥 침묵으로 일관했다. 현관에 서서 란을 배웅하는 부모님의 뒷모습을 그저 쳐다보고 있을 뿐이었다.

"또 놀러 와, 란. 우리 마니아 잘 챙겨 주고."

"네, 저한테 맡겨주세요. 마니아, 방학 끝나고 학교에서 보자."

마니아는 째려보는 것으로 질문에 답했지만 그 녀석은 뭐가 그리 기분이 좋은지 웃으면서 고개를 끄덕였다. 이상한 녀석이다.

그렇게 란이 집을 나서고 난 후에야 마니아의 마음이 편해졌다. 물론 그냥 친구나 지인이 집에 와있다고 하더라도 마음이 편하지는 않겠지만 저 녀석은 그것의 배로 불편했다. 다시 놀러 오겠다는 말이 신경 쓰였지만 다신 안 왔으면 좋겠다고 생각했다.

란이 간 후 방으로 돌아온 마니아는 다시 침대에 앉았다. 분명 아픔은 싹 사라졌지만 감기의 후유증인지 여전히 머리가 조금 어지러웠다. 생각해 보면 비에 맞아서라곤 하지만 너무 빨리 나은 감이 있긴 하다. 평소에도 몸이 강한 편이 아니라 이 저런 가벼운 질병에 걸리기에 별로 대수롭지 않게 생각하지 않았지만, 확실히 이상하긴 하다. 면역력 상승인가?

잠에 들고 싶지 않았지만, 침대에 앉으려던 몸은 그대로 누워버렸다. 큰일이다. 또다시 잠이 몰려온다. 하지만 괜찮다. 조금은 자도 나쁠 것 없을 것이다. 절망스러운 현실보단 나으니까.

10

갑자기 마니아가 쓰러진 것은 전혀 예상치도 못한 상황이었다. 란이 그녀의 집을 찾을 수 있던 이유는 단순하다. 우연히 린에게 딱 마침 전화가 왔고, 그녀가 마니아의 집 전화번호를 알고 있었기 때문이다.

마니아의 부모님께서 이야기하시길, 이런 일이 많았다고 마니아를 집으로 데리고 와달라고 부탁하였다.

그렇게 란은 그녀를 집으로 데리고 와 침대에 눕혔다. 그 후 란은 그녀의 상황을 조금은 알 수 있었는데, 마니아는 몇 개월 전 몸을 제대로 움직일 수 없는 상황에 놓여 면역력이 엄청나게 떨어지고 몸 상태도 정말 나빠져서 여러 잡병이 많이 걸렸다고 한다. 그것도 최근에야 조금 안정이 되었고 그나마 학교도 다닐 수 있었는데 이렇게 혼자 쓰러지는 경우가 많다고 했다. 그러고 보니 란은 마니아가 입학 후 한 달 동안 학교에 안 나왔던 것이 기억이 났다.

"의지할 수 있는 의사분이 있으시거든. 그분을 부를 건데, 네 이름이 뭐라고 했지?"

마니아 어머니의 질문에 란은 고개를 살짝 끄덕이면서 란이라고 대답하였다.

"네가 란이구나? 마니아가 걱정되면 의사 선생님께서 올 때까지 기다려 줄래?"

그 말에 란은 고개를 끄덕이는 것으로 대답했다.

란은 소파에 앉아 생각을 시작하였다. 자신이 확인해야 할 것, 그것은 그녀에게 남아 버린 '감정'이었다. 그녀가 지금 어떻게 살아가고 있고 앞으로 어떻게 살아갈 것인가. 그것을 확인하지 않으면 안 되었다. 그것이 란에게 남겨진 책무니까 말이다.

몇 분이 지났을까. 연락을 받자마자 바로 달려온 의사는 마니아의 상태를 확인하고 단순한 감기몸살이라는 결론을 내었다. 가슴팍을 쓸어내리는 마니아 어머니의 모습을 보자 란 역시 안심이 되는 것 같았다.

소식을 듣고 한걸음에 찾아와준 네스 선생님이라고 불리는 의사는 그녀의 주치의였다고 하며 지금도 심리치료를 위해 그를 만나러 마니아가 병원에 자주 들른다고 했다. 란은 바로 눈치를 챘다. 의사 선생님의 이야기가 중요해 보였다. 실제로 현재 가장 마니아가 의지하는 사람이기도 하고 심리치료도 맡고 있었기 때문이다.

"아 당신이 란이시군요. 마니아에게 많이 들었습니다."

마니아 이 녀석. 나에 대해 얼마나 말하고 다닌 거야. 만나는 사람마다 다 나를 알고 있어. 란은 그렇게 마음속으로는 투덜거리면서도 조금 의외라는 생각이 들었다. 마니아와 가까워지려고 열중인 린이 아닌 란의 이야기라니. 란, 본인은 그것을 납득 하기가 힘들었다. 물론 그 린이랑 매일 같이 다니는 란이기 때문에 자주 린 이야기를 하며 등장할 뿐일 수도 있지만 말이다.

"마니아에게 과거에 무슨 일이 있었나요?"

너무나도 돌직구 같은 질문이었기에 조금 배려가 부족한 느낌이라고 본인도 생각했지만, 이렇게라도 하지 않으면 다음 단계로 갈 수가 없으므로 란은 침을 삼키며 긴장을 풀었다.

부모님 두 분은 말하기를 조금 망설이는 것 같았는지 입을 꾹 닫아 버리셨다. 그들의 마음을 충분히 이해할 수 있던 란 역시 입을 닫는 것으로 대답을 하였다. 침묵이 몇 분 동안 지속이 되었고 그 침묵을 깬 것은 다름 아닌 의사 선생님이었다.

"당신은 그러니까, 란 씨. 마니아를 도와줄 수 있나요? 아뇨, 질문을 잘못했네요. 솔직히 저도 정확히 그녀가 무슨 생각을 하고 있는지는 모르겠습니다. 사실 처음 봤을 때 그렇게 느껴졌거든요. 분명 속마음에 무언가를 꽁꽁 숨기고 있는데 전혀 알려주지 않는다는 것을 말이죠."

갑자기 끊어진 말에 란이 의아해하는 표정을 지으면서 쳐다보니 네스 선생님은 앞에 놓여 있던 컵을 들어 목을 축이곤 말을 이어 갔다.

"마니아는 저와 대화하는 것이 즐겁다고 했습니다. 하지만 일상생활에서는 어떨까 하는 생각을 계속해서 했어요."

"마니아는……. 학교생활을 어떻게 보내나요?"

"……."

이번에는 란도 부모님 두 분과 같이 침묵을 선택했다.

란의 표정을 확인한 의사는 어색한 얼굴로 이야기를 이어 나갔다. 그것은 그가 의사로서, 마니아의 곁에 있는 어른으로서, 고뇌한 이야기였다.

"몇 년 전 제가 처음 그녀를 봤을 때는 상담실에 오는 다른 애들이랑 크게 다를 게 없었어요. 무언가를 숨기고 경계하는 어린아이, 딱 그 정도의 인상이었죠. 하지만 무슨 계기인지는 모르겠지만 어느 날부터 저에게 마음을 열었고 급속도로 전 그녀가 '의지할 수 있는 어른'이 되어있었습니다. 하지만 이렇게 즐거워하는 그녀가 과연 다른 곳에서도 같은 마음을 가지고 생활을 할 수 있을지 그것이 너무나도 신경이 쓰였어요. 그녀는 당신에게 어떤 사람이에요?"

그에게서 란이 받은 두 번째 질문, 그것은 란에게는 몹시 어려운 이야기였다. 정확한 상황도 모르고 이렇게 '도와주겠다'며 찾아온 란의 마음을 날카롭게 찌르는 말인 것이다.

하지만 란은 자신이 하는 일들이 단순한 동정심으로 인한 행동이 아니라는 것을 잘 알고 있었다. 근본이 다른 것, 타인에게 부여하는 것이 아닌, 란 자신에게 부여하는 것. 책임과 책무. 자신이 해야만 하는 일이기 때문에 란은 이 집으로 온 것이다. 물론 그 과정은 우연으로 이루어져 있었지만 말이다. 물론, 언젠간 도달할 길을 린을 통해 지름길을 찾은 것 뿐이었다.

란에게 그녀는 어떤 사람인 것인가. 그것에 대한 대답은 너무나도 별것 아닌 거였다. 그렇기에 란은 단순히 잘 보이기 위한 입바른 말을 하기를 여기에선 거부했다. 그것이 자신에게 정보를 줄, 그녀 곁을 지켜온 사람들에게 표할 수 있는 자그마한 성의라고 생각했기 때문이다.

"저한테 마니아는 그저 친한 친구일 뿐이에요 같은 반에 있는 친한 친구. 그저 평범하게 이야기를 나누고 서로 호의를 주고받는 그런 친구."

란의 말에 의사는 안심했는지 옅은 미소를 띠며 컵을 들었다. 부모님 두 분은 여전히 아무 말도 하시지 않았지만 표정을 보면 만족스러운 결과였던 것 같았다. 기쁜 듯, 마음이 벅차셨는지 어머니께서는 입을 손으로 가리고 계셨기 때문이었다.

"이야기를 계속하죠. 몇 개월 전, 마니아가 장기적으로 입원한 적이 있어요. 어떠한 사고에 휘말려서 말이죠. 그로 인해 몸도 마음도 많이 힘들어졌을 거예요. 하지만 조금은 안정된 것 같았죠. 제 앞에서는 말이에요. 그럼 아까 말했듯이 학교에서 마니아는 친구들에게 말을 걸고 누구라도 가까워지려고 하나요?"

란이 천천히 고개를 젓자 의사는 예상했다는 반응이었는지 그도 고개를 끄덕이는 것으로 대답하였다. 그 반대편 소파에 앉아있던 마니아의 어머니는 언제부터인지는 모르겠지만 흐르는 눈물을 손으로 닦고 있었다.

"저도 입원 전 이야기는 잘 모르겠습니다. 하지만 아무래도 그 전부터 무슨 일이 있었던 것은 확실하죠. 그렇죠? 두 분."

울고 있는 어머니를 위로하듯이 토닥여 주던 마니아의 아버지께서 드디어 입을 여셨다.

"딸이, 오래전부터 자신이 저주에 걸렸다는 둥 아무도 자신이랑 함께할 수 없다는 둥 부정적인 이야기만 해왔어요. 어렸을 때는 한때 방에서 나오지도 않고 저희에게는 아무 말도 하지 않으려 하니 마니아의 언니에게 케어를 맡기기로 하였죠. 단순하게 정신 관련 문제로 생각해서 의사를 고용해 카운슬링도 받고 자신 언니의 격려를 받으니 금방 괜찮아지는 것 같았습니다. 하지만 말이죠. 그 이나야…. 그러니까 언니마저 죽어버리니 더 돌이킬 수가 없었어요."

당시 마니아의 언니가 죽은 뒤 상황은 극단적이게 되었다. 하지만 며칠 정도만 방에 틀어박혔다가 다시 밖으로 나와 평범하게 학교도 다니기 시작했기에, 언니의 죽음으로 잠시 충격을 받고 다시 일어난 것이라고 부모 두 분은 생각하였다고 했다.

"저희한테는 좀처럼 말을 하지 않으니까요."

그 후 태생이 그런지는 모르겠지만 병원에 들르는 일이 많아졌고 불안 불안한 일상을 보내다가 결국 커다란 일에 휘말리고 말았다.

"몇 개월 전, 정확하게 말하자면 작년 12월에 일어난 대화재는 기억하고 계실지요? 그 날, 그 지하철에 마니아가 타 있었어요. 그리고 자연스럽게 화재에 휘말렸죠."

"마니아가 화재에…."

지하철 대화재…. 이나야의 역사에 남을 엄청난 재난이었다. 사람
들이 엄청 다치거나 죽어 나갔고 아직도 원인을 규명하지 못해 여
러 가지 음모론이 돌기까지 했다. 그러니 그 파급력이 어느 정도인
지 상상이나 가는가.

그 화재에서 마니아가 살아남을 수 있었던 건, 어떤 일이 있었는
지는 모르겠지만, 다행히 마니아가 발견된 곳이 입구 근처였고 현
장에 도착한 소방관들이 바로 그녀를 발견할 수 있어서였다.

"하지만 병원에 온 마니아는 혼수상태에 빠졌어요. 유독 가스를
많이 들이마셔서 뇌가 몇 분 동안 활성화가 안 되었으니까요. 저희
는 뇌사까지 각오하고 있었죠."

하지만 다행히 마니아는 깨어났다. 하지만 마니아의 각성에 기뻐
하는 것도 잠시, 그녀의 상태가 조금 이상하였다. 근래 몇 달 동안
의 기억이 전부 사라져 버린 것이다.

"처음에는 아내와 저의 얼굴도 기억하지 못하는 듯하더니 천천히
기억이 돌아오는 것 같았어요. 무슨 원리인지는 모르겠지만 충격으
로 잠깐 소거된 기억이 다시 돌아오는 과정이라고 의사는 이야기
했죠."

그렇게 기억을 하나하나 다시 떠올렸지만, 이상하게도 근래 몇 달
치 기억은 끝까지 떠올리지 못하였다고 한다.

"예전에 입원한 이유가 화재 때문이었군요…."

네스 선생님의 꺼질 듯한 목소리가 지나가자 다시 돌아온 것은 당연하게도 침묵이었다.

그 후 란은 바로 집에 돌아가려 했지만 시간이 늦어 마니아의 부모님께서 먼저 자고 가라고 권유하셨다. 란은 좀 더 정보를 얻을 수 있을 것이라고 생각해서 그 말을 수용했지만, 아리스와 린에게 어떻게 둘러댈지 조금은 고민이 되었다. 특히 린은 "내가 먼저 대시 했는데 나도 아직 안 한 것을!"이라며 귀여운 질투를 내뱉을까 봐 걱정이 되었다. 뭐 대충 나중에 같이 오자는 말로 꼬시면 넘어가 주겠지. 제발 그렇길 빈다.

다행히 별말 없던 린 덕분에 란은 안심하고 이 집에서 잘 수 있게 되었다. 만약 질투하는 말을 한 번이라도 했으면 후환이 두려웠기 때문이다. 하지만 본심을 말하자면 자신에게 그런 말을 한 번이라도 해줬으면 하는 바람 역시 란에게는 존재한다. 그녀도 평범한 사람이니까, 그래야만 하니까.

란이 잘 방은 손님방으로 마련되어 있는 곳이었다. 이런 것까지 마련되어 있는 것은 이 집에 머무르는 사람이 많다는 의미인가. 적어도 란의 집에는 그런 게 없어서 신기했다.

침대 위에 누워서 몇 초 동안 천장을 바라보다 결국 결심이 선 란은 행동을 게시하였다.

마니아의 마음속을 우선 란은 알 수가 없다. 린이라도 해도 평범한 방법으로는 마니아의 깊숙이 있는 본심까지는 꺼낼 수 없을 것이다. 거짓이라는 안개를 전부 걷히게 만드는 린 앞에서조차 그녀는 도망칠 수 있었으니 말이다.

죄책감이 드는 것은 어쩔 수 없다. 그렇지만 방법은 이것 뿐이기에 망설일 수도 없는 것이다. 란은 그런 생각을 하며 손님방을 빠져나왔다.

란은 긴장되어 떨리는 마음으로 조용해진 복도를 한 걸음, 한 걸음 걸어가서 바로 옆방인 마니아의 방문을 두드렸다.

아무런 반응이 없자 란은 방 안에 있는 마니아가 들릴 정도의 소리로 "마니아, 일어났니."라고 말했지만 역시 안쪽에서 돌아오는 것은 허전한 침묵뿐이었다.

결국, 대답을 듣지 못한 란은 침을 한번 삼키고는 문고리를 잡고 슬며시 문을 열었다. 문이 안 잠겨있네? 같은 혼잣말을 하면서 안으로 들어온 란은 친구의 방을 이렇게 허락도 없이 들어가는 것이 잘못됐다는 것을 알고 있었지만 그럼에도 여기서 멈출 수는 없었다. 그저 천천히 침대에 누워있는 마니아에게로 다가갔다.

침대 위에 누워있는 마니아는 여전히 새근새근 잠을 청하고 있었다. 얼굴이 여전히 상기되어 있는 것으로 봐선 열은 여전하며 들려오는 숨소리, 신음소리 덕분에 그녀가 지금 얼마나 힘든 상태인지 더욱이 체감되는 것 같았다. 단순한 감기몸살치고는 너무나도 힘들어하는 것이 아닌가. 물론 감기몸살은 충분히 괴로워할 병이긴 하지만 말이다.

그러나 그녀에 대한 감상에 젖어 있을 때가 아니었다. 남의 기억을 함부로 보는 것은 정말 하면 안 되는 일이지만 이것 역시 어쩔 수 없는 일이었다. 그렇게 생각하며 란은 자신을 합리화하였다.

"이런 짓까진 하고 싶지 않았는데…."

그렇다. 이 일은 그녀의 입에서 직접 들어야만 의미가 있는 것이다. 왜냐하면, 모든 것을 받아들이기 위해서는 먼저 자신이 납득해야 하기 때문이다.

하지만 그 단계까지 가기 위해선 란은 그녀의 사정을 알 필요가 있었다. 그렇게 란이 그녀의 <조각>에 다다르기 위해 머리에 손을 올린 순간, 고통의 잠에 빠져있던 그녀의 입이 움직이기 시작했다. 천천히, 아주 천천히 움직인 입은 불안정한, 아니 어린애 같은 소리를 내며 이렇게 말했다.

"어서 와 오빠. 이번에는 어떤 이야기를 해줄 거야?"

그녀의 그 한마디와 함께 세계는 차갑게 식었다. 아니 적어도 란 자신은 그렇게 느꼈다. 새까만 밤 '허공' 이였던 방은 '검은 공허' 로 점점 차올라 란의 머리를 적셨다. 그리고 란은 본 것이다. 그녀를 집어삼키려는 '그것'의 모습을.

"오빠, 나는 말이야. 커서 언니가 되고 싶었어. 근데…. 세상 사람들은 나를 마녀라고 부르는 거야. 나는 어떻게 하면 그들과 함께할 수 있을까?"

란은 피부로 느껴지는 중압감이 장난이 아니라는 것을 느꼈다. 분명 겉으로 보는 것이 전부가 아니라고 각오를 했지만 이 정도로 심각했을지는 몰랐던 것이었다.

"그래, 나도 얄팍한 각오로만 이곳으로 온 게 아니지."

그 말과 동시에 란은 방금까지 멈추었던 '의식'을 집중해 그녀의 머리에서 <조각>을 뽑아냈다. 그녀의 조각 안에는 수많은 거울들이 겹쳐 커다란 원을 만들며 돌고 있었다. 마치 무언가를 비추려고 하는데 막상 들어오는 것은 아무것도 없고, 그 무언가를 찾으려고 계속해서 돌기만 하는 것으로 보였다.

그렇게 계속 돌던 거울은 단 한 사람의 모습을 비추었다.

한 남자가 이곳을 바라보며 환하게 웃고 있는 것으로 보아 아마 그녀의 마음속에 아주 중요한 사람으로 보였다. 그 모습은 형태를 바꾸어 창문이 없는 교실의 영정 사진 안에서 환하게 웃고 있던 20학생의 피해자, 즉 그녀의 언니가 되었다. 금세 그 형태는 또다시 바뀌어 중학생 정도로 보이는 여자아이가 되었다. 그 여자아이는 교복을 입고 있었으며 란은 그 교복이 어느 학교의 것인지 잘 알고 있었다. 그 교복은 바로 오르트노 중학교의 교복이었다.

중학교를 나오지 않고 바로 고등학교로 진학한 란이 오르트노 중학교의 교복을 알고 있었던 이유는 간단하다. 아리스와 린도 그 중학교를 다녔었기 때문이다.

이 흐름으로 가자면 마니아도 오르트노 중학교를 다녔다는 이야기가 된다. 왜냐하면 다음으로 나타난 형태는 란에겐 너무나도 익숙한 사람이었기 때문이다.

"네가…. 왜..."

당황한 란의 마음이 조각에도 영향을 미쳤는지 조각 세계가 약간의 일렁임과 함께 불안정하게 흔들렸다.

하지만 그것도 잠시, 다시 마음을 다잡은 란은 다시 조각들을 조정하기 시작했다. 그렇게 거울의 형태가 마지막으로 다다른 곳은 바로 환하게 웃으면서 이야기를 나누고 있는 란과 린, 그리고 아리스의 모습이었다. 그 조각들이 흩뿌려져 있는 공간은 사방이 검은색 공허로 감싸져 있었지만, 그에 대비되게 바닥만큼은 아름다운 파란색 꽃으로 장식되어 있었다. 또한 하늘색의 꽃과 공허의 경계에 수많은 파편들, 즉 조각들이 널브러져 공중을 자유롭게 떠다녔다.

"아직 멀었어."

란은 돌고 있는 거울을 두 손으로 끌고 자신 눈의 바로 앞까지 가지고 와 그곳에 담겨 있는 기억을 보았다. 그것은 길고 긴 이야기. 그녀가 일생동안 생각하여 답을 찾아 헤매는 그런, 보는 사람도, 이야기의 주인공도 그저 고통에 몸부림칠 수밖에 없는 비극이었다. 결국 그녀는 몰려오는 시련을 겪으면서 합리적이면서도 고독하며 절망뿐인 증오의 답을 선택하였다. 그에 상응하는 잔인한 대가를 치르면서 말이다.

그럼에도 그녀는 계속해서 살아가고 있다. 그런 그녀의 신념을 존중한다. 만약 그녀의 신념이 한치라도 망설임이 없으면 더이상 란은 관여하지 않으려 했다. 괴롭고 슬픈 길이라 해도 본인이 새로운 길을 개척할 것이라고 믿을 수 있었기 때문이다. 하지만 그녀의 신념에는 망설임이 존재했다. 그도 그럴 것이 신념이 자신의 꿈과 너무나도 상반되는 것이었기 때문이다. 그녀는 신념으로 인해 무너지기 바로 직전이었다. 이제는 무엇이라도 할 수밖에 없었다.

"중요한 조각은 어디 있지?"

몇 년 만에 쓴 힘이라 란은 중요한 부분을 찾아내는 것도 꽤 힘들었다. 그것의 요령을 익히기까지 몇십 년이 걸렸으니 경험이 있다 해도 너무 오랫동안 해보지 않았기에 바로 감을 잡기에는 힘들었다.

두 번째로 나타난 공간. 바닥은 꽃밭이었고 그 사이에 꽃처럼 핀 조각들이 여기저기 퍼져 있었다. 란은 다시 정신을 집중해 그녀의 기억 중 일생에서 '감정'이 가장 고양된 시점을 찾았다. 몇 분 동안 찾아 헤맸는지는 모르겠지만 결국 가장 중요한 조각을 찾아내 품속으로 끌고 왔고 목표를 달성한 란은 하늘에서 계속해서 반짝이고 있는 빛을 향해 헤엄쳐 올라갔다.

"사촌 오빠, 오늘 친구를 만났어요. 빗속에서 불안해하는 저를 구해줬어요. 저는 그 사람이랑 함께할 수 있을까요?"

잠꼬대 같이 말하였다. 하지만 조각을 들여다본 란은 안다. 이것은 잠꼬대가 아닌 그녀의 내면 그 자체일 것이다. 혼자가 된다고 결심했지만, 누군가와 친구가 되고 싶다고, 교류하고 싶다고 호소하는 그녀의 내면 말이다.

란은 그녀에게서 추출한 조각을 자신의 가슴팍에 집어넣고 심연이 준 세 번째 선물을 사용하기로 마음먹었다.

"처음 써보는 것이라 조금 긴장되네."

그녀의 기억을 완전히 장악한 란은 그녀의 오빠가 되었다.

"그에게 말을 걸어보면 어때? 사실 나도 함께하고 싶다고."

"안돼요. 그러면 또다시 그 사람들을 잃게 될까 봐 두려워요."

"그들을 믿는 것은 어떠니?"

"저는 이미 믿을 만큼 믿었어요. 그 믿음에 몇 번이나 배신당한 것은 오빠가 잘 알잖아요."

"네가 그들을 믿느냐 아니냐에 따라 너의 인생이 달라질 거야. 너는 그들을 증오하니?"

"……."

"그럼 다음에 다시 봐. 마니아."

"응, 류에이 오빠."

세상은 원상태로 돌아오고 불안정했던 그녀의 숨소리는 다시 반복적인 패턴이 되었다. 확실하게 아까보다는 많이 진정된 것 같았고, 무엇보다 다행이었던 것은 허공을 채우던 '공허'가 한 발자국 물러나 심연 속으로 사라졌다는 것이다

란은 이미 정보를 충분히 얻었고 그녀가 동요하고 있다는 것도 알았기에 자신의 자아로 돌아왔다. 란이 조각을 가지고 나와 활성화하는 것으로 그녀가 보는 세상이 조금은 달라지지 않았을까 하는 희망 사항이 란의 머리에 떠올랐지만, 이 정도로 깨질까? 같은 생각 역시 그만둘 수 없었다.

"오늘 밤은 여기까지, 좋은 꿈 꿔, 마니아."

그렇게 자리에서 일어나려는 순간 란은 갑작스럽게 몰려오는 어지러움에 몸을 제대로 가누지 못하고 침대 밑으로 쓰러졌다.

아마 처음으로 썼던 능력 덕분에 몸에 반감이 찾아왔나 보다.

"안돼 일어나야 해. 제발…."

담지 못한 그릇의 한계라는 것인가.

결국, 몰려오는 잠의 기운에 벗어나지 못하고 란은 침대 바로 옆에 기대어 눈을 감아 버리고 말았다.

11

"오랜만이야, 테라! 몇 년 만이지?"

귀가 울릴 정도로 쩌렁쩌렁한 목소리로 소리치며 어떤 남자가 테라의 앞으로 달려왔다. 이 목소리에, 이런 행동을 하는 녀석은 한 명밖에 없다.

"라이, 정말 오랜만이네? 빌려 간 책 돌려준 후로 한 번도 연락이 없어서 죽은 줄로만 알았지."

"죽을 뻔했지. 그 살인적인 더위 때문에."

"너 공원에서 검고 긴 소매 옷 입고 일광욕 즐겼다는 거, 란한테다 들었다."

"가끔은 광합성 하는 것도 나쁘지 않더라고."

방학이 끝나고 개학이 찾아왔다. 테라는 등굣길에 만난 이 녀석은 여전히 기운이 넘쳐 흐르는 것 같아서 다행이라고 생각했다. 아니 오히려 너무 넘쳐서 문제인가?

테라는 라이와 등하굣길이 겹쳐 등교하면서 만나는 일이 많았다. 그래서 테라는 이 재회도 예상했던 것이다.

"그나저나 테라, 너 저번에 다 같이 변화가 갔을 때 린이 말해준 꽃집에 많이 출몰한다는 린의 증언이 있었는데. 무슨 바람이라도 불은 거야? 린에게 고백이라도 하게? 몰래 하려고 그런 거면 이미 들켰는데."

아차, 방학 동안 물병의 꽃을 더 채워주려고 몇 번 들렀던 것이 들킨 것인가. 테라는 몇 번 꽃집에 들러서 꽃을 사다 보니 자연스럽게 꽃가게 주인과 친해졌다. 그리고 린이 그 꽃집을 맘에 들어 했다는 것을 잊어버리고 계속 방문했던 것이었다.

"그래 용기를 내서 잘 해봐! 이 형님은 응원한다!"

"그런 거 아니야! 그리고 누가 형이래!"

방금 라이의 발언으로 인해 테라는 그 꽃집에 가는 것을 조금 신중하게 해야겠다고 마음을 먹었다. 만약 꽃집에서 린을 마주치기라도 한다면…. 상상만 해도 끔찍했다. 그녀의 특성상 분명 목적을 물을 것이고 어쩔 수 없이 란은 자신의 사정을 말할 수밖에 없을 것이다. 왜냐하면 그녀의 앞에 서면 이상하게 거짓말을 할 수 없기 때문이다. 이유는 모르지만, 그녀의 눈을 바라보면 마치 고해성사를 하는 것처럼 자신은 거짓을 말함으로써 속죄하고 싶은 충동이 들었다. 그렇기에 다른 의미로 정말 어려운 상대이다. 그 거짓 없는 모습에 란이 반한 것이지만 말이다.

테라와 라이가 주택가를 거의 벗어났을 즈음, 바로 공원이 이어져 있는 큰 길이 나왔을 때 테라는 신호등을 기다리는 마니아를 발견했다.

마니아 역시 등굣길이 겹쳐서 만나는 경우가 많았다. 인사를 나누려고 테라가 손을 들면 마니아는 대부분 무시하고 갔지만 말이다.

테라에게는 마니아는 그저 다른 반에 있는 여학생일 뿐이었다. 하지만 이상하게도 테라는 그녀와 친해지고 싶었다. 린의 영향일까? 하지만 저쪽에서는 테라를 거들떠보지 않았다. 분명 그 이유도 린 때문일 것이다. 그렇게 멋대로 판단한 테라는 마니아가 린에게는 잘만 말한다는 사실을 다시 간과하였다.

물론 친해지고 싶은 것은 사실이었지만 이상하게 그녀에게 거부감이 드는 것도 사실이었다. 그녀를 보고 있으면, 테라는 자신의 마음속에 잠들어있는 역겨운 감정들이 식도를 타고 올라오는 기분이 들었다. 이것 역시 이유 모를 감정이었다. 친해지고 싶으면서도 가까이하기 싫다. 두 가지의 모순된 감정이 테라의 안에서 부딪혀 작은 망설임이 생기기에, 직접 말을 걸어 본 적은 한 번도 없었다.

이번에도 테라는 인사를 한번 해보려고 손을 들었지만 마니아는 오늘도 역시 무시로 일관했다. 그 모습을 가만히 쳐다만 보던 라이는 한숨을 쉬며 테라의 등을 두드렸다.

"제대로 전해야지."

"… 이대로도 좋아."

학교 앞으로 쭉 이어져 있는 도로 옆 인도를 걷자 학생들이 점차 보이기 시작했다. 하지만 평소보다 훨씬 일찍 등교해서 그런지 교정 자체에 사람들은 많이 없었다.

다른 반인 라이와 복도에서 헤어지고 난 후 테라는 먼저 자신의 반 교실로 갔다. 교실에는 이른 시간이라 그런지 한두 명 정도 자리에 앉아있었다. 테라는 바로 간단한 인사를 건네고 시간을 확인했다. 조례까지는 아직 많이 남은 시간, 테라는 가방을 자리에 던져 놓고 그대로 교실 문을 열고 나가 5반으로 향했다.

5반 교실도 역시 같은 상황이었다. 있어봤자 세네 명, 예상했던 대로 라이를 포함해서 란과 아리스, 린, 이 네 명은 와 있었다. 의외였던 건 반에 마니아가 없었다. 교실에 들렀다가 딴 곳으로 간 것인가? 아니면 학교에 아직 안 오고 다른 곳으로 간 것인가. 그런 생각이 들자 테라는 마니아의 행방에 대해 반에 있는 4명에게 물었다. 그들의 말로는 아직 교실에 들어오지 않은 것 같다고 했다. 그렇다면 학교 오기 전에 어디를 들렀다는 말인데….

"뭐, 내가 신경 쓸 일이 아닌가?"

그렇게 테라는 조그맣게 중얼거렸다.

매일 같이 노는 5명이 모이자 교실 안에 이야기꽃이 활짝 폈다. 방학 동안 있었던 일, 학업 이야기나 진로 관련 이야기, 소문 같은 잡스러운 이야기가 지나가고 결국 올 것이 오고야 말았다. 바로 꽃집에 관한 이야기였다.

먼저 화제를 꺼낸 것은 린 이었다.

"내가 말했던 꽃집 주인분이 엄청 예쁘시고 말도 잘하셔서 금방 친해졌어. 너희들도 가보는 게 어때?"

"이미 한 분은 가보신 것 같은데요?"

라이가 음흉한 눈으로 테라의 얼굴을 쳐다보면서 말했다.

"그러고 보니 테라, 내 추천으로 한번 간 거야? 그런거면 나 기쁠 것 같아."

젠장 라이 녀석 언젠간 복수해주지. 테라는 그런 생각을 하면서 서둘러 거짓말이라는 것을 열심히 얼굴에 덧씌우며 얇은 미소로 대답했다.

"당연하지."

다행히 테라의 거짓말이 들키지 않았는지 린은 그 정도로 납득하고 더이상 이 일에 대해서 캐묻거나 하지 않았다.

"확실하게 주인분이 좋으신 분 같긴 하더라. 저번에 린이랑 같이 가봤는데 너무 친절하셔서 꽃을 상자째로 사버렸어."

그건 조금 과한 거 아닌가? 테라의 머릿속에 주인분의 곤란해하는 얼굴이 떠올랐다. 과연 아리스인가.

"당황하신 표정이 정말 귀여우셨다니까?"

"나는 아직 안 가봤는데 그 정도야?"

"란, 너도 한번 그분이랑 이야기 나누면 한눈에 반할걸?"

"나 너무 쉬운 거 아니야? 그 정도로 매력적이면 한번 만나보고 싶긴 한데."

"다음에 다 같이 가자!"

잠시만, 이야기가 이상한 방향으로 흘러가고 있다. 분명 같이 가게 되면 테라는 모른 척을 할 수 없고, 테라의 사정을 아주 조금이지만 알고 있는 꽃집 주인은 분명 테라에 대해서 이야기하게 분명했다. 거기까지 생각을 마친 테라는 빨리 화제를 돌리기 위해 머리를 굴렸다.

"그러고 보니, 너희 천고 절벽 알아?"

테라는 자신의 말에 조용해진 주변이 신경 쓰였지만 빨리 다른 화제로 돌리기 위해서 말을 이어갔다.

"우리 마을 끝에 정말 높은 절벽이 있는데 거기에서 별이 없는 밤에 소원을 빌면 이뤄진다는 소문이 돈다나 봐."

테라가 라이에게 책을 빌린 이후 따로 조사해본 것이 있었다. 우리 마을에 관련 전설, 신화 같은 것이 궁금해 여러 가지를 검색해 보다가 이러한 소문들이 젊은 사람 사이에 전해지고 있다는 사실을 알게 된 것이다.

"그 천고 절벽은 어디에 있는데?"

아리스의 물음에 테라는 저번에 봤던 자료에 딸려 있던 마을 지도를 머릿속으로 그리면서 대답했다.

"이나야 성당 뒤에 있는 검은 숲 너머에 있대. 근데 어느 순간 부터 봉쇄되어서 출입 금지 구역이 됐어. 이유는 모르겠지만."

그렇게 갑작스럽게 출입 금지 구역이 된 검은 숲, 원래도 그리 들어가고 싶은 숲은 아니었지만 갑자기 공표도 없이 봉쇄된 것이라 그에 따른 괴담이나 음모론들이 세워지기 마련이었다.

검은 숲에 괴물들이 살고 있어서 행방불명된 사람들이 많아지자 못 들어가게 한 것이다, 어떤 조직이 비밀 연구소로 쓰기 위해서 봉쇄한 것이다 등 여러 의견들이 인터넷에서 떠들어지고 있었지만 결국은 모두 가설일 뿐이었다.

흥미로워하는 표정을 짓는 아리스와 상반되게 란은 왜인지는 모르겠지만 표정이 굳어 있었다. 그 표정이 마음에 걸린 테라는 곧바로 왜 그러냐고 물어보려 했지만, 라이의 말이 테라의 앞을 가로막았다.

"그 천고 절벽은 말이야. 별로 좋은 이미지는 아니야. 이나야 마을의 전설이나 신화를 보면 그곳은 성녀의 최후가 이뤄지는 곳이거든. 그곳이 죽음의 경계라는 해석 역시 존재해. 그렇게 소원을 들어준다는 희망찬 이야기는 아니라는 것이지. 오히려 피투성이 과거의 증거물인 셈이야. 그러니까 그 소문들은 사실이 아니라는 거지."

라이의 너무나도 명쾌하면서, 잘 알고 있다는 듯이 이야기하는 말투 덕분에 다른 사람은 몰라도 테라는 납득 할 수 있었다. 그런 정보가 담겨 있는 성서 <비극>이라는 책도 가지고 있으니 라이는 그 분야에선 빠삭하다고 느꼈기 때문이었다.

라이의 답에 아리스는 납득 못하겠다는 표정으로 라이를 쳐다보고 있었고, 린은 금방 흥미를 잃은 것인지 고개를 숙이고 가만히 책상을 뚫어져라 보고 있었다.

"뭐, 믿든 말든 자유인데, 왜 검은 숲이 봉쇄됐는지는 나도 잘 몰라. 여러 가지 의견들이 있는데 어느 쪽도 찬성하기에는 정보가 부족하지."

열심히 말하던 라이는 잠깐 무언가를 생각하는 것 같더니 다시 입을 뗐다.

"그러고 보니 검은 숲 봉쇄에 관해서 여러 목격담이 있는데, 바로 흰색 모자가 달린 코트를 입은 사람들이 모여서 무언가 하고 있었다는 목격담이 다수 발견됐어. 비밀조직 연구론은 그래서 나오게 된 거야."

거기까지 말한 라이는 슬슬 교실 안에 학생들이 들어오는 것을 보고, 돌아가야겠다며 자리에서 일어나 그대로 교실 문 앞까지 걸어갔다.

"점심시간 때 만나자."

"그래 잘 가."

테라의 인사말에 그 역시 손을 흔드는 것으로 답하며 교실을 나갔다. 방금까지 엄청난 이야기를 들은 것 같은 기분이 든 테라는 , 그 이야기를 머릿속으로 정리하던 와중 무언가 퍼즐이 맞춰지는 느낌이 들었다.

"하얀색 모자 달린 코트…."

테라는 설마 아니겠지하며 부정했지만, 아빠의 회사에 방문했을 때 로비에 있던 집단 중 하얀색 코트를 입고 있던 사람들이 기억났다. 단순한 우연으로 치부하고 싶었지만 이상하게 테라의 머리에서 그들의 모습이 떨어지지 않았다.

"조례 하자!"

선생님이 교실 안으로 들어오면서 그렇게 외치자, 테라는 서둘러 교실 밖으로 나갔다.

방과 후, 테라는 오늘도 동아리 활동을 하기 위해 특활실로 향하고 있었다. 특활실이 모여있는 옆 건물로 가기 위해서는 건물 사이를 잇는 길을 지나야만 했다.

그곳을 지나서 4층에 있는 복도 가장 오른쪽에 있는 교실, 테라가 동아리 활동을 하는 교실 앞까지 걸어왔다. 항상 동아리 활동을 할 때는 테라가 제일 먼저 왔다. 그 덕분에 항상 잠겨있는 문을 여는 역할도 테라의 것이었다. 물론 가끔 부장이 더 일찍 올 때도 있었기에 열쇠가 누가 이미 가지고 갔으면 그냥 오면 되는 것이었다.

테라가 하는 동아리는 책을 만드는 활동을 했다. 책을 완성하고 출판하는 것까지가 이 동아리 활동에서 하는 것이며, 이나야 고등학교에서 소설가가 되고 싶은 사람은 무조건 거쳐 가는 곳이었다. 그리 오래되진 않았지만 꽤 유명한 작가들을 만들어낸 동아리여서 이나야 고등학교 안에서도 꽤 근본이 있는 동아리였다.

하지만 테라는 소설가가 되고 싶은 것이 아니었다. 테라가 그곳에서 맡은 것은 출판사와 직접적으로 연락하는, 더불어 단순히 출판사와 이야기를 나누는 것만이 아닌 일종의 편집자도 겸임해서 소설가를 보조해주는 역할 그 자체였다. 보통은 그 동아리의 고문 선생님께서 맡는 역할이지만 쓰는 사람뿐만 아니라 출판사나 편집부쪽의 진로를 지닌 사람도 있어서 그쪽으로도 부원을 몇 명을 뽑았었다.

실제로 1학기 때 여러 출품작을 기획하고 출간 허가를 받기 위해 선생님과 함께 출판사 미팅을 함께 들어간 적이 있었다. 테라는 중학교 때도 이것과 비슷한 동아리를 했기에 이쪽 관련 일에 익숙했다. 선생님도 1학년 치고는 예사롭지 않다고 얘기할 정도로 말이다.

생각해보면 테라는 중학교 때부터 이쪽 계열 동아리에 꽂혀 있었다. 왜 이 일에 그렇게까지 꽂혀서 지금까지 열심히 하고 있었는지, 솔직히 테라 자신은 잘 기억이 나지 않았다. 그도 그렇게 너무 옛날의 이야기였기 때문이었다. 누군가의 권유로 시작한 것이지만 테라 자신도 이런 동아리에 들어오게 될지 상상도 못했으니 정말 사람의 인생은 기구한 것 같다.

말은 이렇게 해도 테라는 꽤나 즐겁게 일을 하고 있었다. 중학교 시절에는 소설가 역할을 맡은 사람들에게 서류를 나눠주려고 복도 사이 사이를 전력 질주했을 정도였으니까 말이다. 지금 생각해도 그건 조금 과했다고 생각한다. 하지만 그때 당시 테라에게는 그렇게 해야만 자신의 적성이 풀리는 것 같았었다.

교실 문을 여니 당연하게도 안에는 아무도 없었다. 교실 가운데에는 여러 책상들을 붙여놔 하나의 커다란 테이블로 만든 것이 있었고, 그 위에는 여러 필기구, 자료, 노트들이 엉망진창으로 널브러져 있었다.

"저번에 정리 안 하고 그대로 갔나 보네."

테라는 한숨을 내쉬면서도 책상 위에 놓여 있는 것들을 익숙한 손놀림으로 치워 나갔다. 1학년에, 소설가가 아니라 서포트 역할을 맡고 있으니 사실상 잡무는 테라 본인의 영역이긴 했다. 실제로 동아리 활동을 할 때도 잡무를 많이 하는 편이었고, 그에 대해 딱히 불평도 하지 않았다.

테라가 책상 위를 전부 치웠을 때쯤 동아리 부장이 나타났다. 부장이라는 작자가 일개 부원보다 늦게 오면 어쩌자는 건가. 물론 그렇다고 해서 크게 문제가 될 것은 없긴 하다.

"여어, 테라. 오랜만. 방학 때도 꽤 바빴었지?"

"오랜만이네요, 시즈 선배. 선배도 많이 바쁘시죠? 소설 쓰느라, 출판사랑 의견 조율 하느라. 학기 말 문화제에서는 도서전도 여신다면서요."

"너도 마찬가지잖아. 작가들 서포트도 해야 하고."

그렇게 이야기를 나누던 테라는 선배의 손에 들려 있는 책 하나를 발견하였다. 참고용 책인가? 궁금증이 생긴 테라가 그대로 질문하자 선배는 웃으면서 이렇게 말했다.

"그것도 맞긴 한데, 솔직히 재미있는 소설을 찾은 것 같아서 소개라도 해줄 겸 가지고 왔어."

"그래요? 소설 이름이 뭔데요?"

그러자 선배는 한 손으로도 들 수 있을 정도로 작은 책을 테라의 앞으로 들이밀듯이 보여주었다. 책 정중앙에 쓰여 있는 소설의 제목은 바로 <소생>이었다.

"소생이라니, 선배도 이런 소설 좋아하시나요?"

테라의 알 수 없는 반응에 시즈 선배는 고개를 갸웃거렸다.

"테라, 아는 소설이야?"

"물론이죠. 제 사촌 형이 좋아하는 책이에요."

"오호라."

물론 작가까지 아는 사람이었지만 테라는 그것을 말하지 않았다. 선배는 흥미롭다는 표정으로 몇 초 동안 테라 얼굴을 쳐다보더니 무언가 생각하듯이 머리를 기울였다. 그 순간 교실로 뒤늦게 도착한 부원들 덕분에 이 이야기는 일단락되었다.

동아리 활동이 끝난 후 테라는 교무실에 가기 위해 복도를 걷고 있었다. 그 순간 테라는 의외의 장면을 발견하였다. 2층 계단 바로 앞에 있는 특활실 문 앞 복도에 마니아와 린이 이야기를 나누고 있던 것이다. 아니 어쩌면 일방적으로 린이 마니아를 잡고 있는 것일지도 모른다.

"마니아, 몸은 괜찮아? 길에서 쓰러졌다며?"

린의 질문에 마니아는 계속 머뭇거리며 주변을 이리저리 눈치를 살피듯 쳐다보고 있었다. 지금까지의 상태를 보자면 빨리 도망치고 싶어 하는 듯한 눈치였다.

'그러고 보니 마니아는 린을 싫어하는 듯하면서도, 이상하게 왜 린에게 직접적으로 단호하게 거부하는 듯한 의사를 표현한 적이 없는 것 같지? 린에게는 그것이 가까이 오지 못하게 하는 가장 좋은 방법일 텐데. 저렇게 곤란해할 거면 딱 잘라서 거부하면 되는데. 내가 잘못 알고 있는 것인가?' 테라는 그런 의문으로 자신의 머리를 채웠다.

 아니, 오늘의 마니아는 평소와는 조금 달랐다. 원래는 딱 잘라 거절하진 않았지만 그래도 까칠하게 대하는 경향이 조금은 있었다. 그래도 항상 린의 질문에 성실하게 대답하니 그냥 성격이 그런 것이라고 넘어갈 수 있지만, 마니아는 사실 린과 이야기를 하고 싶었던 게 아닐까 하는 생각이 테라의 머릿속에 떠올랐다. 하지만 오늘은 마니아의 평소의 까칠한 성격조차 보이지 않았다. 무언가에 겁을 먹고 두려워하는 것 같이 보였기 때문이었다.

 마니아가 아무 말도 하지 않자 린은 다시 이야기를 시작했다.

 "그러고 보니 란이 너희 집에서 하룻밤 자고 갔던데? 나도 초대해주라. 나도 놀러 가고 싶어. 나도 너의 친구니까."

 그 순간, 마니아의 움직임이 멈췄다. 이유는 모르겠지만 그대로 표정이 굳어 버린 마니아를 보고 린은 고개를 갸웃거리더니 코앞까지 얼굴을 들이밀었다. 갑작스럽게 코앞에서 튀어나온 린의 얼굴에 놀랐는지 뒷걸음을 치던 마니아는 바로 뒤에 나타난 새로운 인물에 의해서 그 걸음조차 막혀 버렸다.

 "마니아 오랜만, 할 말이 있어서 그런데 따라올래?"

 마니아의 표정은 도망치고 싶었지만 도망치지 못하는 궁지에 몰린 사람의 얼굴을 하고 있었다. 왠지 멀리서 보면 마니아가 괴롭힘 당하는 것 같이 보이기도 했다. 아니 그것은 다른 의미로는 틀리지 않았나?

 마니아의 손을 잡고 끌고 가는 란과 어리둥절한 표정으로 따라가

는 린을 보자 테라 역시 따라가고 싶었지만, 교무실에 급하게 들릴
일이 있어서 포기했다.

"다음에 따로 물어봐야지."

그렇게 몸을 돌린 테라는 계단을 타고 1층으로 내려갔다.

12

며칠 전 그가 자신의 집에 한번 왔다가 간 것을 마니아는 대수롭
지 않게 생각하지 않았다. 그저 자신이 그에게 도움을 받았고 그것
덕분에 자신의 집에 도달했다는, 딱 그것뿐이라고 생각했기 때문이
었다.

그에게 약점을 들키지 않는다는 마니아의 작은 각오가 무너지긴
했지만 그것은 너무나도 별것 아니며 란도 별로 신경을 쓰지 않을
것이라고 마니아는 생각했다. 하지만 왠지 모르게 란이 온 날부터
꿈의 내용이 바뀌고, 부모님의 계속되는 란에 대한 언급, 그리고
마지막으로 네스 선생님이 란을 만났다는 말을 들었을 때 마니아
의 마음속에는 왠지 모를 불안감이 싹트였다.

그날로부터 마니아는 자신의 무언가가 변한 것 같은 기분이 들었
다. 분명 같은 세상이었지만 평소와는 다르게 밝아 보였다. 분명
보이지 않던 내일이 더이상 검지 않았다. 투명했다.

매일 한 번씩 읽던, 자신이 가장 좋아하던 소설의 내용도 조금 달라진 기분이었다. 증오라는 제목을 가진 소설의 주인공은 분명 작가에 의해서 강요된 삶이라고 마니아는 생각했다. 하지만 조금 인상이 달라졌다. 주인공은 무엇을 위해 이 여행을 시작했고 무엇을 위해 원래 있던 곳으로 돌아간 것인가. 마니아는 그녀의 행동이 점점 이해가 되지 않았다. 분명 다른 길이 있지 않았을까? 라는 어이없을 정도로 정론인 생각이 떠올랐을 정도였으니.

하지만 그 소설의 주인공을 부정하는 것은 자신을 부정하는 것과 다름이 없었다. 자신을 자신이 부정하는 것은 결국 자기 혐오, 자아분열 그 이상의 결과를 낼 수 있는 것. 자신이 지켜오던 모든 것이 무너지는 기분에 마니아는 머릿속이 혼란스러웠다. 이것은 새로운 저주인가? 마니아의 머릿속에는 온통 웃으며 이야기하는 린과 란, 그리고 아리스 선배의 모습으로 가득 찼다.

"내 머리가 이상해졌어…."

그리고 그 불안감의 정체를 마니아는 왠지 모르게 알아차려 버렸다. 단순히 자신의 약점을 보여주지 않는다는 한 가지의 각오가 깨진 것을 시작으로 하나하나 자신의 신념이 전부 깨져 버릴 것 같은 기분이 들기 시작한 것이었다.

그렇게 하루하루가 지나고 결국 다가온 개학식 날, 마니아는 같은 반에서 만난 란의 모습을 보고 얼굴을 들 수 없었다. 만약 자신이 지금 그들의 얼굴을 본다면 분명 이 방황하는 마음이 밖으로 새어 나갈 것 같았기 때문이었다.

수업이 끝나고 혼란스러운 마음을 진정시키기 위해 마니아는 이나야 고등학교에 단 하나 있는 도서관으로 향했다. 다른 책을 본다면 마음이 조금 진정이 될까 하고 생각 한 것이다. 초조한 마음 덕분인지 도서관까지 가는 길이 마니아에게는 너무 멀게만 느껴졌다. 특활실을 지나려는 그때, 마니아는 결국 복도에서 익숙한 얼굴의 사람을 만나고야 말았다. 그것은 린으로, 하필이면 지금 상황에서 가장 만나기 싫다고 여긴, 2순위의 사람이었다.

린은 멀리서도 어떻게 마니아를 발견했는지 웃는 얼굴로 달려왔다. 그런 그녀를 바라보는 마니아는 이상하게 발도 입도 움직이지 않았다. 그저 멀리서 다가오는 그녀를 가만히 지켜볼 수밖에 없었다.

"몸은 괜찮아? 길에서 쓰러졌다며?"

마니아는 아무 말도 하지 못했다. 한 번이라도 본인이 입을 열면 자신 안에 꽁꽁 싸맨 신념이 무너져서 밖으로 빠져나올 것 같았기 때문이다.

"……"

마니아가 아무 말도 안 하자 역시나 그녀는 이것저것 말을 하기 시작했다.

"란이 너희 집에 왔다 갔다며? 나도 초대해주라."

그리고 그 뒤에 올 말이 마니아를 절벽 끝자락까지 밀어 버렸다.

"우린 친구잖아."

온 세상이 무너지는 기분이었다. 몇 년 동안 참고 참았던 마니아의 안에 있는 커다란 폭탄이 터지기 직전이었다. 지금, 이곳에서 말이다.

그 순간 마니아의 뒤에서 누군가 다가왔다. 마니아는 누구라도 좋았다. 제발 이 상황을 타개해야 한다. 그렇게 마니아는 작은 희망을 붙잡기 위해서 뒤로 돌아 봤지만 그곳에 서 있었던 것은 다름 아닌 란이었다.

"마니아, 할 말이 있는데 따라와 줄래?"

그 말과 동시에 란은 마니아의 손을 잡고 끌었다. 갑작스러운 행동에 마니아는 결국 제대로 된 저항조차 하지 못하고 그대로 끌려 갔다. 끌려가는 외중에도 마니아는 생각하였다. 그리고 깨달았다. 계속 피하던 란의 얼굴에서 자신이 눈을 뗄 수 없다는 사실을 말이다. 자신은 오늘 어떻게 되는 것인가. 마니아는 도저히 예상이 되지 않았다.

란이 마니아를 데리고 간 곳은 제3의 상담실이었다. 너무 외진 곳에 있었기에 학생들도 잘 오지 않아 거의 방치된 교실이었다. 가끔 학생들이 모여서 노는 장소가 되기도 했는데 가령 마니아 앞에 있는 이 학생들처럼 말이다.

린네 애들이 여기서 모여서 노는 것은 린에게 관심을 가져본 사람이라면 누구라도 알았다. 특히 학기 초에는 이곳에서 그들이 모여서 논다는 소문이 학교 전체에 돌아서, 린을 만나기 위해 많은 사람들이 제3의 상담실을 방문하기도 할 정도였다.

상담실 안에는 책들이 꽂혀 있는 책장 몇 개와 무려 보건실에나 있어야 할 침대 한 개, 그리고 커다란 책상 하나와 작은 책상 한

개가 놓여 있었다. 가운데 책상, 아니, 테이블이라고 불러야 할 원형 탁자에는 6개 정도의 의자가 빙 둘려 놓여 있었고 작은 테이블에는 1인 상담용인지 의자가 마주 보고 있었다.

란은 커다란 테이블 중 한 곳에 마니아를 앉히고 그 반대쪽에는 자신과 린이 앉았다.

"마니아, 너의 언니에 대해서 이야기 하고 싶어."

그의 목소리가 들려왔다. 마니아는 도망치고 싶었다. 하지만 도망칠 수 없었다. 언니에 대한 이야기라니. 그에게 언니에 대해서 이야기를 했던 적이 있던가? 마니아의 머리가 빠르게 회전했지만 아무리 머릿속 이곳저곳을 찾아봐도 답은 나오지 않았다.

"이런 이야기는 미안하지만, 사실 네가 언니에게 헌화하는 모습을 본 적이 있어서 알게 되었어."

헌화? 어디? 묘지? 아니면….

"너의 언니가 20명의 학생의 피해자라는 것도, 네가 그것으로 인해 어떠한 저주에 사로잡혔다는 것도 다 알아."

그것도 언제 안 거지?

"네가 혼자가 되겠다는 신념도 잘 알겠어."

마니아는 약점을 들키지 않겠다는 마음도, 아무에게도 자신의 마음을 전하지 않고 혼자가 되겠다는 각오도 전부 허무로 돌아갔다는 사실을 눈치챘다. 자신의 마음에 차오르는 것은 무엇일까? 이 벅참은 무엇일까? 마니아는 자신이 느끼는 이 감정이 거짓일 리는 없다고 계속해서 생각하였다. 증오, 그것은 자신의 분명한 생각, 그렇기에 린과 처음으로 마주해도 무너질 리가 없었다. 하지만 지금 와서 도대체 무엇이 달라진 것일까. 그것은 바로 마니아가 란에게 자신의 흐트러진 모습을 보여줬다고 인식했다는 것이다.

"너에게는 행복해질 권한이 있어."

마니아에게 편해지라고, 마니아에게 꿈을 이루라고, 마니아 자신이 되고 싶어 하던 풍경 안에 있는 사람이 말했다.

"그러니까 그 저주를 벗어 던지고."

이번째가 5번째다.

"우리와 함께하자."

마니아는 생각했다. 자신은 행복해지면 안 된다고. 지금까지 나에게 다가왔던 수많은 증오들이 그렇게 말했다. 자신은 누구와 함께 할 자격이 없다고, 이번에도 속으면 안 된다고, 계속해서 외치고 있는 것이다. 하지만 마니아에게는 더이상 증오라는 감정은 진실이 아니었다. 그녀의 신념이 하나 깨지는 순간, 그 안에 있는 것들도 린과 란에게 닿아 거짓말이 되어버렸다.

"니가···. 니가 뭘 안다고 나보고 행복해지라는 거야!"

터져 나갈 것 같은 마니아의 마음은, 자신의 신념이 깨지기 직전에 마지막 방어 장치를 발동했다. 그저 남일 뿐인 사람에게 본인의 신념을 가늠하는 것인가? 라는 마지막 발악 말이다.

"나는 혼자가 될 수밖에 없어! 혼자가 되어서 아무에게도 피해를 주지 않고 혼자 고독하게 죽을 거야! 나와 함께한 사람은 전부 그랬어! 나와 함께 하면 모두들 사라진다고. 그렇기 때문에 나는 계속해서 혼자가 되어야만 해!"

자신의 외침에도 전혀 흔들리지 않는 란의 눈을 본 마니아는 자신 안에 넘쳐흐르던 증오라는 감정이 서서히 사라져 가는 것을 느꼈다.

"나는 충분히 힘내고 있는데, 충분히 고통받고 있는데, 세상은, 너희는 나에게 왜 그러는 거야…"

"너의 그 신념에는 단 한치라도 망설임이 없니?"

"-!"

마니아의 사고는 멈췄다. 사실은 알고 있었다. 자신의 행동에는 한가지 모순이 있었다고. 그것은 혼자가 되려 하지만 누군가와 함께할 여지는 남겼다는 것이었다.

함께하기 싫다면서 린과 친해지고 싶었다. 함께하기 싫다면서 란과 이야기를 했다. 그들의 호의를 거절하지 않고 그들이 자신에게 관심을 가질 수밖에 없도록 만들었다. 마니아는 자신이 신념을 지킨다고 생각했지만 사실 누구보다 이기적인 일을 하고 있었던 것이다. 자신은 고독하다며, 자신 혼자 숭고한 희생인 마냥 생각해왔다. 자신의 꿈을 이룰 수 없다고 머리로는 이해했지만 결국 꿈을 꾸기 위해서 그들을 끌어들였다.

마니아의 눈에서 뜨겁게 끓어 오르던 눈물이 결국 참지 못하고 넘쳐 흘렀다. 지금 당장 동경하던 그녀의 품에 안겨 자신의 안에 있던 모든 것을 하나하나 토로하고 싶었다. 나, 이만큼 노력했으니 위로해 달라고 이야기 하고 싶었다. 언니와 닮은 그녀와 아리스 선배, 그리고 자신의 안에 있는 또 다른 누군가. 그래 생각났다. 바로 사촌 오빠와 닮은 란. 나도 그들처럼 될 수 있을까? 나도 모두에게 사랑받는 사람이 될 수 있을까? 언니, 대답해줘. 나 살아도 되는 거야?

"물론이지. 마니아는 예쁘고 마음씨가 고운걸? 분명 모두가 너를 좋아하게 될 거야."

그 말을 누가 입에 담았는지 모른다. 확실한 것은 이제 더이상 마니아의 눈에는 세상은 어둡고 공허로만 가득 차지 않았다는 것이다.

천고 절벽

아무도 발을 들이지 않는 검은 숲.
어두운 밤에 누군가는 울며 그곳으로 향했다.
소원이 이뤄진다는 별이 없는 밤
피로 물들인 과거를 비추고 있는 바다 너머
하늘로 향하는 절벽에서 누군가가 울고 있다.
절벽 위에서 우는 누군가를 발견한 또 다른 우는 사람은
눈물을 그치고 절벽 위의 사람을 두 팔을 벌려 안아줬다.
그의 따뜻하지만 거짓말로 가득 차 있는 포옹에도
절벽 위의 사람은 눈물을 그치지 않았다.
눈물을 그치지 않자 두 팔을 벌려 앉고 있는 그 사람은 울고 있
는 사람을 놔두고 검붉은 바다를 향해 몸을 던졌다.
그것으로 누군가 울지 않는다면….

제3장 시련

계기는 어디서부터였을까? 마니아의 신념이 무너지는 그 작은 계기가 말이다. 란이 하룻밤 자고 간 날. 마니아에게는 어떠한 변화가 있었다. 분명 마니아에게 꿈에서 깨어나길 재촉만 하던 사촌오빠가 처음으로 밖의 사람에 대해서 언급하였다. 그저 마니아의 꿈 속에 갇혀 한정된 말밖에 못 하던 존재가 처음으로 그들에게 친구가 되어달라고 이야기했다. 그렇게 새롭게 눈을 뜬 아침, 무언가 크게 변해 버렸다. 마니아를 감싸던 안개가 걷히며 검은 공허들이 전부 사라진 것이었다.

마니아가 세상을, 란을 믿기로 한 날 마니아는 하염없이 울었다. 린의 품에 뛰어들어서 어린아이처럼 희망적인 미래를 상상했다. 어느새 제3의 상담실 문은 열려있었고 언제 나타났는지 아리스와 라이, 그리고 테라가 그곳에 서 있었다.

마니아가 얼마나 힘들어했을지 가늠이라도 한 것일까. 아리스가 천천히 걸어와 울고 있는 마니아를 린과 함께 안아주었다.

"그래 마니아, 혼자 짊어지려 하지 않아도 돼. 우리는 언제나 너의 편이야. 그 마음 나도 잘 아니까…."

울고 소리치고, 마음에 쌓여있던 모든 것을 토해내자 마니아의 마음에 남은 것은 내일을 제대로 직면할 수 있는 용기뿐이었다.

그 일이 있었던 후부터 마니아는 그들과 함께했으며 몇 달이나 걸렸던 린과의 실랑이도 막을 내렸다. 그들과 함께 지내는 시간은 왜 지금까지 같이 하지 않았나 하는 생각이 들 정도로 마니아는 너무나도 즐거웠다. 마니아가 밝아지니 자연스럽게 부모님께서도 안심하신 것 같았다. 폐를 많이 끼친 네스 선생님께도 마니아는 사과와 감사 인사를 전했다. 네스 선생님께서는 심리상담은 이제 필요 없을 것 같으니 굳이 올 필요는 없고 가끔 놀러 오라고 했다. 새로 사귄 친구들과 같이 말이다.

어둡기만 하던 밤에도 언젠가는 아침이 찾아온다. 자신의 미래에는 그저 어둠만이 존재할 줄 알았지만 주변 사람들 덕분에 이렇게 마니아의 인생에 빛이 찾아왔다. 함께 하는 이들만 있으면 마니아는 자신의 꿈도 분명 이뤄질 것이라고 믿었다.

아리스 선배에게는 조금 부끄럽지만 마니아는 수치심을 무릅쓰고 무언가를 요청했다. 그것은 바로 언니라고 불러도 되냐는 요청이었다. 당연하게도 웃으면서 승인해준 아리스 선배 덕분에, 아리스 선배에 대한 마니아의 호칭은 자연스레 언니가 되었다.

그러고 보니 아리스 선배는 분명 다른 애들보다 나이가 한 살 더 많은데도 이상하게 아리스라는 이름으로 불렸다. 따로 존칭을 나타내는 호칭도 있는데 말이다.

란이 말하길 "아리스는 아리스니까. 존칭으로 부르는 것도 익숙하지 않고, 나이에 맞지 않는 행동을 한다는 인상도 있기에 그렇게 부르게 된 것 같아."라고 하였다.

그렇게 해서 언니나, 선배라고 부르는 것은 마니아랑 린 밖에 없다. 물론 존칭까지 쓰는 것은 자신밖에 없으니 마니아는 아리스 선배의 입장도 참 불쌍하다고 생각하였다.

그렇게 1학년 2학기가 지나고 2학년이 되었지만 우리들의 생활은 그리 변하지 않았다. 변한 것은 반과 아리스 언니의 부재가 조금 많아졌다는 것. 3학년이니 그럴 수도 있다고 생각했다. 입시 준비라던가, 여러 가지 준비할 게 많겠지. 마니아는 그것이 자신의 미래라고 생각을 하니 조금은 두려웠다. 아직 명확한 꿈도 없는 데다, 무엇을 할지도 모른 채 5년을 그저 아무것도 하지 않고 보냈으니 말이다.

그렇게 고민한 결과 2학년이 되어서야 마니아는 자신이 들어갈 동아리를 정했다. 사실 1학년 때부터 고민하던 동아리였다. 바로 책을 만드는 동아리였다. 마니아가 다니던 오르트노 중학교에서 넘어온 학생들이 연계하여 세운 동아리이며 짧은 역사지만 꽤 많은 소설가들을 배출한 근본 있는 동아리이기도 했다.

사실 마니아는 직접 책을 만들어보고 싶다는 꿈을 오래전부터 간직하고 있었다. 아무와도 함께 하지 않는 마니아에게 남아 있는 것은 그것밖에 없었기 때문에 더욱더 각별했던 것 같다. 마니아가 동아리 이야기를 테라에게 하자, 테라가 눈을 크게 뜨며 놀라는 표정을 지었다. 아마 테라는 의외라고 생각한 것 같았다. 그 후에 테라는 약간 흥분한 듯이 말들을 쏟아부었다.

마니아는 이미 테라가 그 동아리에 들어가 있는 것은 알고 있었다. 1학년 2학기 문화제 때 이곳저곳을 열심히 뛰어다니며 도서전 홍보를 하고 다니는 테라를 목격했기 때문이다. 하지만 그가 오르트노 중학교에서 이어서 쭉 이쪽 계열 동아리를 하고 있었다는 것은 몰랐다.

"테라, 너도 오르트노 중학교였어?"

그 말에 테라는 움찔하면서도 약간 어색한 미소를 지으면서 고개를 끄덕였다. 왠지 중학교 이야기는 하기 싫어하는 것처럼 보이기도 하여서 마니아는 고개를 갸웃거렸다.

"마니아도 혹시?"

마니아가 고개를 끄덕이는 것으로 대답하자 테라는 더욱더 놀라는 표정으로 마니아의 코앞까지 다가왔다.

"혹시 너도 연계야?"

"그건 아니야."

그 말을 하면서 마니아는 고개를 저었다. 마니아는 그가 이렇게 꼬치꼬치 캐묻는 것이 이해가 잘 가진 않았지만 '같은 학교 출신에 같은 동아리를 가입했다면 궁금한 것도 당연한 것인가.' 하고 대충 납득하였다.

마니아의 인적 사항을 확인한 테라는 자연스럽게 무엇 때문에 이 동아리에 들어왔고 어떤 역할을 맡을 것인지 등등 면접관 같은 표정을 지으면서 마니아에게 물었다.

"제일 좋아하는 소설은?"

"<증오>…. 근데 너가 면접관이야?"

얼마나 시간이 흘렀을까. 면접같이 되어버린 테라의 질문을 일일이 다 대답한 마니아는 왠지 모를 기시감을 느꼈다. 오래전 마니아가 이렇게 누군가와 단둘이서 마주하고 질문과 대답을 반복했던 것 같은 기분이 든 것이다. 하지만 마니아는 단순한 착각이라고 치부하며 이 기분을 바로 머릿속에서 지웠다.

수만 가지 질문이 끝나고, 앞으로 잘 부탁한다는 말과 함께 테라는 자신의 손을 마니아 앞으로 내밀었다. 악수에 응한 마니아는 분명 처음 잡아보는 손이었지만 이상하게도 익숙하게 느껴졌다. 하지만 마니아는 이것 역시 착각이라고 넘어갔다.

"테라 저번 문화제도 그렇고 정말 열심히 하네? 너는 작가들 서포트 역할이라며? 진로가 그쪽?"

마니아의 말에 테라는 조금 아련한 듯한 표정을 지으면서 말했다.

"솔직히 잘 모르겠어. 누군가의 부탁이었던 것 같은데 지금은 잊어버렸어."

전화벨이 울리자 테라는 전화를 들어 전화 너머 누군가에게 이런저런 이야기를 하더니 고개를 끄덕이고 전화를 끊었다.

"미안 마니아, 더 이야기해주고 싶은데 급한 일이 생겨서."

"그래, 이야기 잘 들었어. 다음에 또 보자."

그렇게 테라는 손을 흔들고 교실을 나갔다.

"나도 슬슬 가야겠다."

오늘 학교가 끝나고는 린과의 약속이 있었기 때문이다. 그렇게 마니아는 문을 열고 교실을 나왔는데 바로 앞에 사람이 서 있어서 깜짝 놀랐다. 그 덕분에 마니아는 뒤로 넘어질 뻔했지만 겨우 손을 뻗어 벽을 짚는 것으로 버텼다.

교실 문 앞에 있던 것은 라이였으며 막 문을 열기 위해 손을 뻗은 것으로 보였다.

"라이, 이 시간에 웬일? 아니지, 같은 반이니까 올 수도 있는 건가?"

지금까지 마니아와 테라가 이야기를 나누고 있던 곳은 4반으로, 다행히 2학년이 돼서는 한 명도 빠짐없이 같은 반이 되었다. 물론 마니아보다 한 학년 많은 상급생인 아리스 언니는 제외지만 말이다.

"왜 밖에서 기다리고 있었어? 그냥 들어오지."

"정말 기억나지 않는 거야?"

정말 갑작스럽게 날아온 그의 의미심장한 말을 들은 마니아는 어리둥절한 표정을 지으면서 라이에게 되물었다.

"기억나지 않는다니, 뭘?"

되돌아온 말에 라이는 조금 고민하는 듯한 표정을 짓더니 이내 고개를 빠르게 저으면서 마니아에게 등을 돌렸다.

"아니야, 먼저 간다."

그렇게 등을 돌려 복도 끝으로 걸어가는 라이의 모습을 마니아는 그저 가만히 지켜볼 수밖에 없었다.

마니아는 린과의 약속을 지키기 위해 번화가로 나왔다. 핸드폰 시계를 확인하니 약속시간까지는 조금 여유가 있었다.

"어디에서 시간이라도 때워야 하나."

마니아가 그렇게 중얼거리고 있을 때 린이 나타났다. 약속시간까지는 꽤 남았는데 말이다.

하늘하늘한 하얀색 원피스에 리본을 머리에 묶어 뒤로 올린 포니테일의 모습은 웬만한 아이돌보다도 아름답고 예쁘다는 인상을 주었다. 그것은 그녀의 빼어난 미모 덕도 있었지만, 그녀에게만 뿜어져 나오는 기운이 한몫한 덕분일 것이다.

마니아가 그녀와 약속을 잡은 이유는 린이 요청을 했기 때문이었다. 곧 언니의 기일이기도 하고 자기가 좋은 꽃집을 안다고 헌화할 꽃을 함께 사자는 요청이었다.

그 덕분에 이렇게 번화가에 나온 것인데, 마니아는 갑작스럽게 밀려온 궁금증에 마니아는 입을 열었다.

"혹시, 그 차림 란이나 테라에게 보여준 적 있어?"

"아니, 왜? 잘 어울려?"

"응, 엄청 잘 어울려."

마니아의 부담감 넘치는 눈길에도 린은 아랑곳하지 않고 목적지를 외치며 앞으로 나아갔다. 멀어져 가는 그녀를 놓칠 수 없었기에 마니아 역시 허겁지겁 그녀를 따라 걷기 시작했다.

몇 분이나 걸었을까. 드디어 린이 말한 꽃집이 눈에 보였다. 밖에 전시되어 있는 꽃이 너무나도 화려하고 아름다웠기에 분명 지나가

는 사람들도 한 번쯤은 멈춰 서서 꽃들을 구경할 것이라고 마니아
는 짐작하였다.

린은 마니아에게 잠시 밖에서 기다리라고 말한 뒤 가게 안으로
들어갔다. 마니아는 들어가는 린을 보고 난 후 그녀가 나올 때까지
꽃이나 구경할까 싶어 왔다 갔다 하며 꽃들을 구경했다.

꽃집은 번화가에 있는데도 규모가 꽤 되어 보였다. 일단 밖에 전
시되어 있는 꽃만 해도 몇백 종은 되어 보였다.

"그러고 보니 사촌 오빠 기일도 얼마 안 남았지?"

챙겨야 할 사람이 많은 것은 쓸쓸했다. 그만큼 자신의 곁을 떠난
사람이 많다는 의미니까 말이다. 사촌 오빠에게 헌화하는 꽃은 거
의 정해져 있었다. 옛날부터 오빠가 좋아하던 꽃이 따로 있었기 때
문이다.

"언니에게 해주는 꽃은 화려한 꽃이면 되겠지. 지금까지도 여러
개의 꽃을 묶어 헌화했으니까."

그렇게 마니아가 무슨 꽃을 살까 고민하고 있을 때 린이 꽃가게
주인을 데리고 건물 안에서 나왔다. 그리고 마니아는 그녀의 얼굴
을 보자마자 놀랄 수밖에 없었다. 너무 린과 닮았다. 분위기는 물
론 미모 역시 린과 빰쳤다. 심지어 그 특유의 밝은 미소까지 닮아
있었다.

아리스나 린이 어른이 되면 이런 느낌이려나. 사실 아리스와 린의
세 번째 자매라던가? 그런 가능성을 떠올릴 정도로 너무 닮은 모
습에 마니아의 입이 벌어졌다.

"둘이 너무 닮았는데 혹시 세 번째 자매?"

그 말에 마니아의 앞에 있는 두 명의 쌍둥이가 똑같이 웃기 시작했다. 그 행동 하나하나도 너무 똑같았기에 마니아의 머리는 더욱더 혼란스러워졌다.

"정말 그래요."

"그렇다니까."

거의 동시에 들려온 목소리. 알고 보니 둘은 아무런 관련도 없었고, 그저 너무 닮았을 뿐이었다.

번화가를 자주 오는 린은 웬만한 가게는 다 가보았고 그 친화력 덕분에 번화가에서 그녀를 모르는 사람이 없었다. 그러다 어느 날 린은 새로운 꽃집이 들어왔다는 것을 알고 바로 어떤 가게인지 확인하러 갔는데….

"글쎄, 나랑 똑같은 사람이 가게에서 나오는 거야! 그래서 바로 관심이 생겨서 그 가게 주인과 이야기를 나눴지. 실제로 이야기를 나눠 보니 꽤 잘 맞아서 이 집 단골이 되었단 말씀!"

"네 저도 린씨를 만났을 때 정말 놀랐어요. 마치 도플갱어가 온 줄 알고 도망칠 뻔했다니까요."

린은 한참은 웃고 나서 꽃집 가게 주인분을 소개해 주었다.

"이 분은 에로스 플라워 꽃가게의 주인 에로스 씨야"

"잘 부탁드립니다. 마니아 씨 이야기는 많이 들었습니다."

에로스 씨가 손을 내밀어 악수를 요청하자 마니아도 그녀의 손을 잡으며 힘차게 흔들었다.

"저야말로 잘 부탁드립니다."

린이 대충 상황을 설명했다고 이야기하자 마니아는 밖에 전시된 꽃들로 시선을 돌렸다. 계속해서 찾아 봤지만 아까부터 보이지 않았던 꽃이 있었기 때문이다.

"혹시 찾으시는 꽃이 있을까요?"

에로스 씨의 물음에 나는 고개를 끄덕이면서 입을 열었다. 사촌 오빠, 류에이 오빠가 좋아하는 그 꽃.

"혹시 물망초 꽃은 없나요?"

14

마냥 좋던 하루는 모두 다 지난 것 같았다. 진학 준비, 취업 준비, 미래를 위해 수많은 준비를 해야 하는 시기. 여기저기 바쁘게 왔다 갔다 하는 것도 이젠 3년이다.

부모님이 사라진 후 혼자 남겨진 아리스에게는 어두운 미래만이 남았다고 생각하였다. 아무리 많은 재산을 물려받아도, 미래를 약속 받아도 아리스에겐 하나도 와 닿지 않았다. 왜냐하면 아리스는 아무도 남지 않은 세상에서 그냥 살아갈 뿐인 자신을 미래에서 발견 했기 때문이다. 그렇기에 아리스는 어떻게든 밝은 내일을 잡으려 열심히 살아왔다. 분명 아무것도 하지 않아도 문제없이 살아갈 수 있었지만 그럼에도 최선을 다해서 오늘을, 그리고 내일을, 더욱더 먼 미래를 그려 나가며 살아갔다. 분명 자신에게도 빛이 보일 것이라고, 구원이 내려질 것이라고 그렇게 믿으면서 말이다.

그렇게 많은 시간이 흐르고 린과 함께 하던 즐거운 시간은 지났다. 마냥 생각만 하던 미래에 대해서 진지하게 선택해야만 하는 시간이 다가왔다.

솔직히 앞에서 말했듯이 아리스는 딱히 진학하거나 취업 같은 것은 안 해도 사는 데는 분명 문제가 없었다. 하지만 그렇게 되면 왠지 혼자 남겨질 것 같은 알 수 없는 기분이 들었다. 무언가 하지 않으면 사라져 버린 사람에게 제대로 얼굴을 들 수 없을 것 같았다. 무언가를 하지 않으면 남겨진 사람들은 자신을 버릴 것 같았다. 그렇기에 오늘도 아리스는 열심히 살아야 했다. 사라지거나 남겨진 사람을 위해서라도 말이다.

학교 수업이 전부 끝난 후, 동아리 활동을 하는 학생 덕분에 교내는 꽤나 시끄러웠다. 날씨가 너무나도 좋았기에 운동장에는 대부분의 운동 동아리가 나와 있을 정도였으니 말이다.

"다들 열심히 하네…."

그들의 열기가 넘치는 모습을 보면 아리스는 왜인지 위축이 되는 느낌이었다. 그들과 비교해서 자신은 오늘도 열심히 살고 있는가? 하는 생각이 머리에서 떠나지 않았기 때문이다.

아리스는 운동장에서 뛰고 있는 학생들을 몇 초 동안 멍하니 보다 이내 고개를 저으면서 시선을 돌렸다. 그들을 계속해서 볼 만큼

한가하진 않았기 때문이다.

교실에 앉아 무언가를 정리하고 있을 즈음에 주머니에 있던 휴대폰이 울렸다.

"린?"

이 시간에 린의 전화라니, 지금쯤이면 동아리 활동에 열중하고 있을 시간이었기에 갑작스럽게 전화를 걸 리가 없었다.

"그러고 보니 오늘 마니아랑 약속이 있다고 했었지? 둘이서 뭐 하려나. 나도 끼고 싶은데."

하지만 눈앞에 쌓여있는 책과 노트를 보니 그 마음은 곧바로 나온 한숨과 함께 사라져 버렸다.

"여보세요? 언니, 지금 바빠?"

린의 청아한 목소리가 귓가에 울려 퍼지자 아까까지의 근심 걱정이 사라지는 것 같았다. 이것이 목소리만 들어도 치유가 되는 기분인가. 매일매일 느끼는 것 같아도 항상 신선한 기분이었다.

"미안 린, 지금은 조금 바빠."

"아 그렇구나. 미안 언니, 바쁜데 방해해서."

"아니야 방해는 무슨. 그런데 오늘 마니아랑 약속 있다며. 지금 같이 있는 거야?"

"응, 바꿔줄까?"

"아니, 괜찮아 마니아한테 안부 인사 전해줘."

그 말을 끝으로 아리스는 통화종료 버튼에 손을 올렸다. 자그마한 한숨을 한 번 더 내쉬면서 말이다.

"다음에 언니도 같이-"

마지막 말은 제대로 들리지 않았다. 들려오는 것은 통화가 끊어진 후 들려오는 자그마한 신호음뿐 이었다.

"그럼 이제 나도 열심히 해야지."

손을 위로 쭉 뻗어 기지개를 피고 나서야 아리스는 방금까지 하던 작업에 돌아올 수 있었다.

몇 시간이 지났을까. 아슬아슬하게 저녁까지는 하던 일을 끝내고 하굣길에 오르게 된 아리스는 어두워지기 직전에 학교를 빠져 나왔다.

마니아와 린은 따로 저녁을 먹는다는 이야기를 들었고, 란은 무언가 할 일이 있다면서 오늘은 자신의 집에서 잔다는 말과 함께 사라져 버렸다. 때문에 혼자 집으로 가는 것은 아리스에게는 정말 오랜만이었다. 평소에는 적어도 린 아니면 란과 함께였는데, 이렇게 혼자 걸으니 조금은 허전한 느낌이 없지 않아 있는 것 같았다.

"어두워지기 전에 집에 돌아갈 수 있을까나."

조금은 쓸쓸한 길을 아리스는 혼자서 걸어갔다. 분명 오후 4시까지 푹푹 찔 정도로 더웠던 날씨였지만 태양은 언제 그랬냐는 듯이 몸을 숨겼고 서늘한 바람이 날아와 아리스의 이마팍에 부딪혀 산란했다. 열정이 넘치고 활발했던 날씨를 지나 아리스의 마음속의 공허함을 대변하듯이 세상은 차갑게 식어 버렸다.

그렇다. 아리스의 마음도, 이 아름다운 세상도, 열기가 넘치던 여름이 지나가고 가을이 찾아온 것이었다.

조용한 주택가를 지나서 사람이 잘 오지 않는 숲속 바로 앞까지 가서야 아리스가 살고있는 저택에 도착할 수 있었다. 커다란 현관문 앞에 선 아리스는 담장과 연결되어있는 기둥에 덩그러니 붙어있는 도어락을 열어 익숙한 손놀림으로 비밀번호를 입력했다.

경쾌한 효과음이 들리면서 사람의 맨손으로는 절대 열 수 없을 정도로 크고 무거운 문이 서서히 오른쪽으로 움직이며 열렸다. 평소와는 다를 바 없는 저택이었지만 오늘은 단 하나 다른 것이 있었는데 그것은 너무나도 조용하다는 것이었다. 들어와 있는 것도 단둘, 아니면 세 명뿐인 집이었는데 이상하게 넓은 저택을 전부 커버할 수 있을 정도로 항상 떠들썩했다. 분명 린의 영향 덕분일 것이다.

"하지만…. 린이 없는 저택은 그저 어둡고 차가울 뿐이야."

그것을 잘 알고 있는 것은 아리스 자신이었다. 이 커다랗고 넓기만 한 이 저택에서 혼자 사는 것은 무엇보다 쓸쓸하고 외로운 것이라는 것을 아리스는 잘 알고 있었다. 왜냐하면 이 넓은 저택을 혼자 살던 때도 있었으니 말이다.

아직 린과 만나기 전, 부모님이 남긴 이 저택에 혼자 살던 나날을 떠올리면 아리스는 외로움에, 고독함에 잡아 먹힐 것 같았다. 그 이유는 분명 이곳에 깔린 슬프고 고독한 분위기 때문이겠지.

옛날 아리스가 아직 중학교도 다니기 전, 부모님 양쪽은 모두 아리스의 곁을 떠났다. 그렇게 혼자 남은 아리스에게 주어진 것은 부모님의 넘쳐나는 재산과 이 저택 뿐이었다. 부모님은 어떠한 회사를 이끌었던 사람으로서 막대한 부를 가지고 있었고 그 재산이 자연스럽게 아리스에게 넘어왔다. 물론 당시 아리스가 너무 어려서 그랬는지 회사에 관련된 이야기는 아리스의 앞으로 떨어지지 않았다. 회사 사람들과의 연락은 점점 끊겼고 그렇게 수많은 사람들이 살던 이 저택도 한명 한명 떠나기 시작해, 결국 아리스 혼자만 남게 되었다. 항상 이 넓기만 한 집에서 혼자 일어나 혼자 아침을 준비해 혼자 학교길로 향하는 그런 일상이 찾아왔다.

그런 일상을 송두리째 바꿔버린 것이 린, 그녀였다. 사실 그녀와 아리스는 혈연관계가 아니었다. 주변에선 닮은 자매라고들 많이 이야기 하지만 그녀와 아리스의 용모가 닮은 것은 그저 우연이었다.

지금으로부터 약 5년 전, 아리스가 아직 중학생이던 시절. 외로운 시간을 보내던 아리스가 이것저것으로 고민에 빠져있을 때였다.

부모님이 돌아가신지 이제 2년째, 저택에 남아 있던 관리인들도 모두 떠나고 아리스만이 저택에 남아서 그곳을 지키고 있었다. 하지만 아직 14살인 아리스에게는 외로움이란 것은 견디기 힘든 것이었고 이 상황을 벗어날 방법을 생각하며 고민하던 때였다.

"집이 아주 넓으니 하숙할 사람을 찾아보는 거 어때? 공고를 올리면 꽤 많은 사람들이 올 것 같은데 말이야."

친구의 조언이었다. 많은 사람과 같이 생활하는 것은 좋았다. 너무나도 좋아서, 저택의 수많은 사람들이 각자의 일을 하기 위해 이곳저곳 움직이는 것을 그저 쳐다보기만 해도 기분이 좋아졌을 정도니까.

하지만 반대로 지금의 상황은 최악 그 자체였다. 아무도 없는 저택이라니, 차라리 좁으면 모를까 너무 넓어서 그 공허함이 배가 되는 것 같았다.

그럼 그냥 혼자 살 집을 새로 찾으면 되는 것 아닌가 할 수도 있지만 아리스에게는 이 저택을 떠날 수 없는 이유가 있었다.

"하아…. 나에게는 가족이 필요한데. 함께 웃고 함께 슬픔을 나눌 수 있는 그런 가족이…."

하지만 그런 가족을 어떻게 만들어야 할까. 아리스는 상상조차 되지 않았다. 친구가 말해준 방법도 뭔가 탐탁지 않았다. 그것이 진정한 가족인가는 아주 옛날에 누군가가 해준 말 덕분에 이미 결론이 지어졌는데도 말이다.

"피가 이어지지 않았어도…. 같은 한 지붕에서 살며 감정을 나누면 가족인가……."

그렇게 고민만 하던 나날이 지나고 어느 날 그녀와 만나게 되었다. 아리스의 사랑스러운 동생 린을 말이다.

그녀와 아리스의 만남은 완전히 우연이었다. 어느 날 학교에서 봉사활동 차원으로 간 고아원에서 유난히 아리스의 눈에 띄는 여자아이가 있었다, 예쁘고 목소리도 청아하고 심성도 착해서 모두에게 사랑받는 아이였다. 나이가 많든 적든 고아원의 아이들은 마치 약속이라도 한 듯이 그녀 주변으로 모여들었고 그녀의 주도 아래 활동하였다. 그도 그렇게 그녀의 행동 하나하나가 전부 다 사랑스러워 보였던 것이었다.

한눈에 그녀에게 사로잡혀 버린 아리스는 고아원에서 봉사활동을 하는 동안 그녀에게서 눈을 뗄 수 없었다. 머리는 온통 그녀에 대한 생각으로 가득 찼다. 그 아이의 이름은 무엇일까? 그 아이는 어떤 아이일까? 그 모든 것이 신경 쓰여 고아원에서 돌아왔음에도 아리스는 그녀에 대한 생각을 떨쳐 낼 수 없었다.

그녀와 이야기 하고 싶다. 그녀와 만나고 싶다. 그런 생각이 차례차례 머리를 지배하여 결국 그녀와 한 번 더 만나기 위해 아리스는 그 고아원이 있는 이나야 성당을 방문하고 말았다.

"오, 봉사활동 하러 오셨던 학생분이시군요. 그때는 와 주셔서 감사했습니다. 그런데 여긴 어쩐 일로…."

봉사활동 당시 인솔을 담당했던 사람, 에리아라는 여성의 이름을 부른 아리스는 응접실에서 그녀와 마주 앉았다.

20대 중반쯤일까, 긴 갈색 생머리가 예쁜 여성이었다. 고아원에서 일하기에는 아주 딱 맞는 분위기의 사람이라고 한다면 조금 실례일까. 아직 젊음이 넘치는 얼굴에 당혹스러운 표정이 올라오는 것을 확인한 아리스는 재빨리 자신의 마음을 그녀에게 전했다. 그녀와 만나고 싶다고. 너무나도 솔직한 요청이었지만 아리스는 자신의 마음을 속이고 싶지 않았다.

당연하게 거절당할 줄 알았지만 이상하게도 그 사람은 순순히 아리스와 그 아이의 만남을 허락해 주었다. 무슨 바람이 불었는지 아니면 원래 그렇게 간단한 건지 알 수는 없었지만, 봉사활동으로 왔던 사람이라고는 해도 딱 한 번밖에 만나지 않았던 사람을 바로 아무 절차 없이 그녀와 만나게 한 것은 당시에는 정말 이해하기 힘들었다. 하지만 그 덕분에 아리스가 그녀를 만날 수 있었으니 아리스는 그걸로 좋은 것이었다.

그녀를 처음으로 마주한 그 날은 아리스가 그녀를 처음 본 날만큼이나 기억에 강렬하게 남아 있다.

고아원에서 가장 사람들이 많이 오가는 곳인 거실에, 다른 아이들은 어디 갔는지 그녀 혼자 중간에 자리 잡고 앉아 무언가에 열중하고 있었다. 손안에 무언가를 쥐고 이리저리 돌려보고 있었는데 그것은 정체는 바로 모래시계였다. 두 손으로 들어야 겨우 다 잡히는 모래시계 안에는 분홍색 모래가 움직이고 있었고 그것을 신기한 듯이 소녀는 이리저리 흔들고 있었던 것이었다.

그런 그녀를 향해 아리스가 천천히 다가가자 인기척을 느낀 그녀는 모래시계에 고정해 둔 시선을 천천히 아리스 쪽으로 돌렸다. 아리스를 발견한 그녀의 눈은 어떠한 하늘보다 밝고 반짝반짝 빛나는 것 같았다. 그렇다. 단순히 쳐다보는 것만으로도 사람을 빨려들게 하는 그런 마법 같은 것이 그녀에게는 존재했던 것이었다.

그녀와 단 1m 정도의 거리였을까. 그녀는 굳게 닫고 있던 입을 천천히 열어 이렇게 말했다.

"그때 봤던 언니다!"

"?"

전혀 예상하지 못한 말이 들려오자 아리스는 놀랐다. 몇 달 전에 봉사활동에 왔던 아리스를 그녀는 기억하는 것이었다. 대화는커녕 인사조차 나누지 않았는데 말이다.

"나를 기억하니?"

"물론이지! 언니를 처음 본 순간 나는 언니랑 한번 이야기를 나눠 보고 싶었어!"

"그래? 언니도 마찬가지야. 우리 마음이 잘 통하네."

깨끗하고 아름다운 미소를 내보이는 그녀를 보고 결국 참지 못한 아리스는 바로 그녀의 바로 앞으로 다가가 하얗고 작은 두 손을 자신의 양손으로 잡았다. 그리고 그녀가 보여준 미소에 상응할 정 도로 환한 미소를 지었다.

"내 이름은 아리스, 류에이아 아리스야. 잘 부탁해!"

"나는 린이야, 만나서 반가워요. 언니!"

그녀와 인사를 나눈 순간 아리스는 직감했다. 자신이 이 고아원에 봉사활동을 온 이유는 이 여자아이를 만나기 위해서라고. 이 아이 를 만나기 위해 자신은 이곳에 오게 된 것이라고. 그렇지 않으면 어떻게 이런 운명 같은 만남이 이뤄지는가? 그래, 이것은 운명이 분명하다. 고독에 몸부림치던 자신에게 내려진 신의 선물. 그렇게밖 에 설명이 되지 않았다.

그녀와의 만남 이후 고아원을 나온 아리스는 각오를 굳혔다. 사실 은 그녀의 소망에 가까운 것이지만 아리스는 그 여자아이와 친구 가 되고 싶었다. 가족이 되고 싶었다. 그녀를 여동생으로 삼고 싶 었다. 아니 삼아야만 했다. 그녀를 놓치면 더이상 자신에게 찾아올 인연 같은 것은 없었다고 생각했기에 아리스는 신이 준 이 기회를 놓칠 수 없었다.

그녀와 함께하려면 어떻게 해야 할까? 그렇게 열심히 머리를 굴린 아리스는 한 가지의 방법을 떠올렸다.

잘 떨어지지 않는 발걸음으로 고아원 입구까지 다다른 아리스는 그 상태에서 몸을 돌려 고아원 본 건물을 향해 이렇게 말했다.

"또 보자, 린."

그 후 아리스는 고아원에 문의해 그곳에서 일할 수 있냐고 물어보았다. 고아원에서는 어른들의 역할도 중요하다. 하지만 아이와 가장 잘 통하는 것은 아이. 아직 어린 자신이라도 할 수 있는 게 있을 거라고 아리스는 생각했다. 아니, 어리기에 더 잘 할 수 있는 것이 존재한다는 것을 아리스는 잘 알았다. 관련 정보를 조사해 본 결과 고아원에서 근무하고 있는 학생들도 꽤 있는 것 같았다.

그곳에서 일하게 된다면 자연스럽게 아리스는 집에 있는 시간이 줄어들 것이다. 하지만 아리스에겐 집이란 그저 아무도 없는 외로운 공간이기에 자신의 공허함을 채워줄 수 있다면 오히려 이쪽이 더 나은 것이었다.

"저도 이곳에서 일하고 싶어요!"

3번째로 찾은 고아원에서 아리스는 자신의 의사를 밝혔다. 아리스의 세 번째 방문에 갈색 머리 그녀는 전과는 다르게 전혀 당황하지 않았다. 아리스의 의사를 확인한 그녀는 처음 보는 미소를 지으며 자신을 따라오라 손짓했다. 그렇게 다다른 곳은 원장실, 아리스는 설마 원장님과 직접 이야기해야 한다고는 생각하지 못해서 조금 떨렸지만 이번엔 용기를 내야 한다고 생각했기에 애써 태연한 척 문을 열고 들어갔다.

원장실 가운데는 테이블과 소파가 놓여 있었고 그 뒤에 누군가의 사진이 끼워져 있는 커다란 액자와 내용이 예상조차 되지 않는 책이 잔뜩 놓여 있는 책장이 있었다. 가장 안쪽, 커다란 창문 앞에 1~2m는 되어 보이는 책상과 의자가 이곳이 원장석이라고 말하는 것처럼 고귀한 자태를 내뿜고 있었다. 손님용으로 있는 소파에는 5~60대 정도 되어 보이는 노인이 차분한 표정으로 앉아있었는데 그 사람이 아마 원장으로 보였다.

각오는 했지만 긴장이 되는 것은 어쩔 수 없는지 아리스는 침을 한번 삼킨 후 손님석으로 마련 되어있는 소파에 천천히 걸어가 앉았다.

"우리 고아원에서 일하고 싶다고요?"

들려오는 차분한 목소리가 고아원 원장이라는 직책에 딱 맞을 정도로 온화하였다. 하지만 오히려 그런 목소리였기에 아리스는 긴장을 풀 수 없었다.

고아원에서 일하기 위해서는 여러 서류가 필요하고 면접을 거쳐야 한다는 것도 아리스는 알고 있었다. 전부 다 철저하게 준비했고 뭐든지 해 보일 각오로 고아원에 찾아왔다. 자신도 할 수 있을 것이라고 그렇게 되뇌며 아리스는 그의 다음 말을 기다렸다.

하지만 아리스가 열심히 준비했던 서류도 면접도 끝내 내세워 보이는 일은 없었다. 왜냐하면 원장님은 너무나도 쉽게 아리스가 고아원에서 일하는 것을 승낙해버렸기 때문이었다.

"아리스 양, 우리 고아원에서 일하고 싶다는 마음을 저는 너무 잘 알겠어요. 사실 3번이나 당신이 이곳을 찾았다고 해서 어느 정도 예상을 했거든요. 당신처럼 고아원을 방문했다가 이곳에 취직하는 일도 적지 않았죠. 그 사람들도 전부 면접을 보고 서류를 제출했지만 당신에게는 그럴 필요가 없을 것 같네요."

"네? 면접도 안 본다고요? 도대체 왜….."

"왜냐하면 당신을 신경 쓰는 사람이 이 고아원에 있기 때문이에요. 당신을 만난 그 순간부터 당신과 함께하고 싶어 하는 사람이 말이에요."

"그게 누구….."

"린이에요."

그렇다. 다름 아닌 그 아이가 아리스를 원하고 있었다. 저번에도 말하지 않았는가. 그녀가 아리스를 계속 신경 쓰고 있었다고. 아리스와 이야기 하고 싶었다고. 하지만 아리스는 단순히 그런 이유로도 이 절차가 쉽게 통과 되는지 조금 의아해했다.

"린이 사실 당신을 처음 발견한 날부터 당신 이야기를 계속했어요. 그 언니와 이야기를 나누고 싶다, 그 언니와 함께 살고 싶다 라고 말이에요. 과연 고아원의 천사라고 불리는 린을 반하게 한 것은 누구인가 하고 궁금해하던 찰나 당신이 이곳에 두 번째로 방문했고, 그때 딱 눈치를 채고 말았어요. 에리아씨가 나에게 고아원을 찾아온 여학생이 있다는 말을 듣고, 린이 말하는 사람이 당신이구나 하고 말이에요. 그래서 둘이 만나는 것을 곧바로 허락했죠."

그렇다. 그녀와 만나는 절차가 존재하지 않았던 이유가 바로 그것이었다. 단순한 우연만은 아니었던 것이다.

"그래서 이번에 찾아온 당신을 만나면 확실하게 할 수 있을 것 같았어요. 당신이 이곳에 적합한 사람인지 아닌지 말이에요. 그리고 당신을 마주한 순간 바로 알아챘죠. 당신은 좋은 사람이라는 것을요."

그렇구나. 린이 나와 만나고 싶어 했구나. 벅차오르는 눈물을 애써 참고 있자 원장은 그것을 눈치챘는지 재빠르게 다음 말을 이어 나갔다. 아리스가 눈물을 흘리기 전에 무언가 꼭 해야만 하는 말이 있다는 듯이 말이다.

"아리스 양, 사실 린의 말만이 아닌 당신을 이곳에 들이는 것을 결정한 이유가 하나 더 있습니다. 아리스 양한테는 조금 미안하지만 당신에 대해서 알아봤거든요. 그런데 당신, 최근 양친 두 분 다 잃어 힘들어하고 있다는 이야기를 들었습니다. 혹시 혼자 집에 돌아가시지 않나요? 그렇죠?"

아리스의 굳어지는 표정 변화에서 긍정의 의미를 찾은 원장은 이렇게 말했다. 혼자 남겨지는 기분을 자신도 잘 알고 그 고독함이 얼마나 고통스러운지 자신도 잘 안다고. 그렇기에 함께 할 누군가가 필요한 시점에서 린이라는 소녀를 찾아버린 것이라고 말이다.

"당신에게 도움이 될지는 모르겠지만 그 이야기를 들은 직후 저는 당신을 이 고아원에 들이기로 결정 했거든요. 애초에 이곳에 자발적으로 일하겠다는 사람을 어떻게 거부하겠습니까. 이곳, 이나야 성당 고아원은 언제나 당신을 환영합니다. 당신이 돌아갈 곳이 없을 때, 당신이 힘들어할 때, 부족할지는 모르겠지만 언제나 당신의 곁에서 가족이 되어 드리겠습니다."

눈물이 아리스의 뺨을 타고 천천히 흘렀다. 터져 나올 것 같은 눈물이 쏟아지기 직전, 아리스의 눈물은 터진 댐에서 차분하게 흐르는 빗방울이 되어있었다. 가족이라는 이름. 그것은 한 지붕 아래 서로의 감정을 공유하는 사이. 어릴 적 부모님이 돌아가신 직후 자신과 함께한 사람들, 파니타 할머니께 들은 이야기였다.

고아원 사람들이 나의 가족? 그래, 아리스는 아직 혼자가 아니다. 아니, 이제는 혼자가 아니다. 아리스에게도 이 고독을 같이 이겨낼 수 있는 새로운 가족이 생긴 것이다.

"고마워 린…."

아리스는 그렇게 아무에게도 들리지 않을 정도로 작게 중얼거렸다.

그 이후 아리스는 학교가 끝나면 무조건 고아원에 들러서 아이들과 놀아주거나 어른들을 도와주는 잡다한 일을 시작했다. 함께 하는 사람이 있다면 아리스는 두려울 게 없었다.

밝고 아름다웠던 시절, 그 시절이 이제 점점 옅게 변하는 것 같았다. 점점 검은색으로 칠해지는 것 같았다.

차가운 침대에 누워 린과 만나기 전으로 돌아간 커다란 저택에서 아리스는 바로 옆에 있는 창밖의 정원으로 시선을 돌렸다. 정원에는 수많은 꽃, 풀들이 바람에 조금씩 흔들리고 있었다. 커다란 연못 위에 있는 정자로 눈을 돌리는 순간 아리스는 숨이 턱 막히며 식은땀이 흐르기 시작했다.

몇 년 동안 아리스의 앞에서 사라졌던 검은 것이 그곳에서 형용할 수 없는 모습으로 꿈틀거리고 있었다.

침을 삼키고 감기지 않는 눈을 천천히 억지로 감은 아리스는 두 손을 모으고 침대 속에서 이렇게 중얼거렸다.

"엄마…. 도와줘."

15

마니아가 물망초 꽃을 사 들고 향한 곳은 사촌오빠의 묘였다. 공동묘지에 잠들어있는 오빠를 보기 위해 마니아는 항상 이날이 되면 꽃을 들고 이곳에 왔다. 물론 마니아의 언니도 이곳에 잠들어있기 때문에 생각보다 마니아가 자주 오는 곳이기도 했다.

항상 부모님은 바쁘셔서 마니아 혼자 오는 경우가 많았지만 오늘만큼은 같이 가는 사람이 있었다.

"거의 다 도착했어."

사촌오빠 류에이의 묘 앞에는 이미 누군가 헌화한 꽃이 몇 개 놓여 있었다. 마니아 자신이 성묘를 할 때부터 항상 이날, 이곳에 들르는 사람이 또 있다는 것이다.

사실 마니아는 그 사람이 누구인지 알아보려고 잠복한 적도 있었다. 물론 끝까지 나타나지 않다가 잠깐 자리를 비운 사이에 놓고 가버렸지만 말이다.

 마니아는 들고 있던 꽃 중 절반을 묘 앞에 놓고 합장하였다. 뒤에서 있던 린도 따라 합장하는 것 같았다. 그렇게 몇 초가 흐른 뒤 웃는 표정으로 마니아는 린이 있는 방향으로 몸을 돌렸다. 린 역시 웃는 얼굴로 마니아의 얼굴을 바라보았다.

 "자, 그럼 가볼까!"

 이 공동묘지에서 몇 년 만에 처음으로 마니아의 힘찬 목소리가 울렸다. 그 목소리는 같이 있는 사람은 고사하고 잠들어있는 사람마저 기분을 좋게 만드는 활기찬 외침이었다.

 "근데 아까 사진을 보니까 느낀 건데 마니아의 사촌 오빠, 라이와 닮지 않았어?"

 "너도 그런 생각 했구나! 그것의 연장선으로 라이와 란도 닮았잖아. 물론 성격은 완전히 다르지만."

 "주변에 닮은 사람이 많네! 마니아."

 "그러게 말이야."

 공동묘지를 빠져나온 마니아와 린은 마을 외곽에 있는 도로를 걸어가기 시작하였다. 도로 바로 옆에는 풀과 나무들이 깔려있었고 산이 바로 옆에 있었기에 음산한 분위기를 풍기기에는 충분했지만, 마니아는 린과 함께 있었기에 그런 기분은 하나도 들지 않았다. 시간은 벌써 저녁을 향해 가고 있었고 해는 이미 져서 어두워진 길을 가로등만이 밝게 비추어 주고 있었다. 상당히 추워진 날씨에 얼마 전까지 들리던 풀벌레들의 울음소리는 들리지 않았고 지금 마니아와 린이 걷는 길이 산으로 가는 길이었기에 차는 한 대도 지나가지 않았다. 이 시간에 산으로 가는 사람 역시 없었기에 이 어둡고 고요한 길에는 마니아와 린, 단둘만이 걷고 있었다. 마니아는 원래는 조금 더 일찍 오려고 하였지만 꽃집 주인인 에로스라는 분과 이야기를 나누다 보니 늦어진 것이었다.

"근데 마니-"

갑자기 말이 끊기자 마니아는 앞으로 향하던 시선을 자신의 옆에서 이것저것 말하던 린에게로 돌렸다.

방금까지 열심히 입을 움직이며 이야기를 하고 있었던 린이 갑자기 무슨 일인지 입을 꾹 닫아 버린 것이었다. 보통은 린이 이야기의 소재를 먼저 꺼냈기 때문에 그녀가 입을 다무니 자연스럽게 둘 사이에는 어색한 침묵이 흐를 뿐이었다.

바람이 세게 불었다. 차가운 바람이 마니아의 온몸을 때리고 지나갔다. 벌써 겨울이 찾아온 듯한 차갑고 거센 바람이었다.

바람 때문에 마니아의 머리카락이 휘날리자 그 차가운 바람이 온몸에 스며드는 기분이 들었다. 옷을 더 두껍게 입고 올 걸, 하는 자그마한 후회가 마니아의 머리에 지나갈 때가 되어서야 계속 입을 닫고 있던 린이 입을 열었다.

"춥네, 옷을 더 두껍게 입어야겠어."

"그러게 말이야. 이 정도면 겨울 아닐까?"

"……"

몇 초 정도의 침묵이 지나고 린은 걱정된다는 표정으로 마을 쪽을 바라보았다.

"언니, 괜찮으려나."

"?"

그녀의 표정은 마치 어린아이를 집에 혼자 두고 온 엄마 같은 표정이었다. 린이 아리스 언니를 걱정하는 표정이 말이다.

그녀는 무엇을 걱정하는 것일까. 나이는 아리스 언니가 더 많았고 장난기가 많긴 해도 성숙하고 어른스러운 언니다. 반대는 있을지 몰라도 그녀의 걱정은 조금 이해가 되지 않았다.

"너는….."

"그러고 보니 마니아, 너의 사촌 오빠는 어떤 사람이었어?"

마니아는 이해되지 않는 방금의 상황에 대해서 질문을 하려고 했지만 린의 말이 그것을 막아버렸다. 갑작스럽게 날아온 질문 때문에 당황한 마니아는 머리를 좌우로 돌린 뒤 양손으로 뺨을 가볍게 치고는 린에게 맞추어, 위화감을 느끼던 얼굴을 지우고 평소의 표정으로 돌아왔다.

"사촌 오빠 말이야? 그러고 보니 아까 얘기를 안 해줬구나."

마니아는 오래전, 아직도 선명한 사촌 오빠의 추억들을 하나하나 풀어 놓았다. 마니아에게 오빠란 무엇이든지 알고 무엇을 질문해도 전부 다 답을 해주는 그런 지적이면서도 상냥한 오빠였다. 그런 오빠를 마니아는 엄청 좋아했다. 친척이었지만, 거의 친오빠라고 해도 될 정도로 가깝게 지냈으니 말이다.

사촌오빠는 마니아와 같은 중학교와 고등학교를 나와 대학교에 진학해 이 마을에서 가장 영향력이 큰 회사에 들어갔다.

그 회사의 이름은 〈R.E.I.A.S〉. 이 마을은 물론 이 일대, 전 세계 적으로도 유명한 회사지만 정확히 무슨 일을 하는지는 잘 모르는 곳이다. 아마 그만큼 회사 기밀을 철저하게 지키는 것이겠지만 무엇을 하는 곳인지 모른다는 것은 보안이 엄숙한 것이 도를 넘은 것 같기는 하였다. 신기한 것은 그런 회사임에도 지원자는 항상 끊이지 않는다는 것이다.

그 회사에 대해서 류에이 오빠는 한 번도 이야기해주지 않았기에 마니아 역시 그 회사에 대해서 잘 몰랐다.

마니아가 어느 날 사촌오빠에게 왜 그 회사에 들어갔는지 물었던 적이 있다. 그 당시의 마니아는 그 회사가 무엇인지도 모르고 세상 물정에 대해서도 아무것도 몰랐기에 단순히 오빠의 흥미를 끌고 싶었던 것일지도 모른다. 하지만 항상 웃으면서 질문에 대답해주던 오빠는 그날만큼은 달랐다. 마니아의 질문을 들은 오빠는 점점 표정이 굳어지며 왜 그런 것을 묻냐며 역으로 마니아에게 질문을 했다. 당시 마니아는 어렸기에 아무 말도 못 하고 가만히 서 있을 수밖에 없었고 마니아가 입을 닫자 오빠는 아차 싶었는지 표정을 풀며 자신이 회사를 들어간 이유에 대해서 차근차근 설명하기 시작했다.

"내가 그 회사에 들어간 이유는 말이야. 사실 나도 잘 몰라."

예상치도 못한 대답에 마니아는 고개를 갸웃거렸다. 무엇이든지 아는 사촌 오빠가 처음으로 모른다고 답했기 때문이었다.

　"너는 아직 어려서 모르겠지만, 세상에는 말이야. 자신이 왜 일을 하고 왜 열심히 살아가는지 모르는 사람이 생각보다 많단다. 자신이 살아가는 이유조차 모르고 그저 살아만 가는 것이지."

　어린 마니아는 그 말의 의미를 몰랐다. 하고 싶은 것을 하는 것이 자신이 살아가는 이유 아닌가? 그렇다면 분명 오빠는 그 회사에 들어간 이유가 분명히 존재할 것이다.

　"글쎄? 살다 보면 말이야. 어쩔 수 없는 경우가 있어. 하고 싶지 않지만 그 곳으로 가야만 할 때가 말이야. 물론 그것보다 더 중요한 것이 있을 수도 있지."

　"그게 뭔데?"

　"어렸을 때는 몰랐거든. 그저 살아가기만 해도 행복해질 수 있다고 생각했어. 그런데 그게 아니었어. 자신이 하고 싶은 것이 무엇인지 모르니까 자신이 할 일을 모르겠는거야. 그리곤 깨달았지. 자신이 무엇을 좋아하는지 아는 것 자체가 축복이라는 것을."

　마니아에겐 꿈이 있었다. 모두에게 사랑받는 사람이 되는 것, 그것이 자신의 꿈이라고 믿고 있었다. 애매하고 명확한 길조차 없지만 목표는 존재했다. 하지만 그 꿈을 부정당한 이후 마니아는 사촌 오빠의 말을 이해해 버렸다. 자신이 무엇을 향해 가는지 모르는 이 답답함을 말이다.

　"이제부터 나는 내가 원하는 것을 찾으려 노력하기로 마음먹었어.

그러니까 마니아한테 한 가지만 부탁해도 될까?"

"응! 뭔데?"

"무슨 일이 있어도 절대 나를 잊지 않는다고 약속해줄 수 있어?"

"응! 절대 잊지 않을게."

당시에는 물론, 지금도 마니아는 그 말의 의미를 모른다. 하지만 다른 말들은 차차 시간이 지나고 나이를 먹다 보니 자연스럽게 이해가 됐다. 그러니까 그 말도 마니아가 이해할 수 있는 날이 언젠간 오지 않을까.

"오빠는 항상 친절하고 상냥했어. 내 앞에서 항상 웃는 얼굴로 서 있었지. 그렇지만 오빠는 자신이 왜 살아가는지 항상 의문을 가지고 있었어. 자신이 살아가는 이유를 항상 찾으려고 했지."

"오빠는 어떻게 돌아가신 거야?"

"사고사래. 갓길에서 운전하다가 추락사고가 있었나 봐. 어렸을 때 정말 충격이었거든. 내 주변 사람이 죽은 것은 그때가 처음이었으니까."

그렇다. 그것이 처음이었다. 그 처음이 두 번째가 되고, 세 번째가 되며 계속될 줄은 마니아는 몰랐으니 말이다.

"내가 마지막으로 본 사촌오빠의 모습은 분명 잠시 살 것이 있어서 번화가에 다녀오겠다고 손을 흔드는 거였어. 금방 돌아온다고 그렇게 이야기 했는데, 그것이 마지막일 줄은 몰랐어…. 거짓말쟁이…."

금방 돌아온다고 해놓고 결국 안 돌아왔으니 말이다. 거짓말쟁이라고 불려도 어쩔 수 없는 것이 아닌가.

"그러면 마니아, 너를 떠난 사람에 대해서 전부 이야기해줄 수 있어? 네가 어떤 사람을 곁에 뒀는지 알고 싶거든."

"……."

괜찮을까? 그녀의 질문에 마니아는 입이 무거워질 수밖에 없었다. 자신을 떠난 사람들의 이야기는 지금까지 언니한테만 했기 때문이다. 하지만 마니아는 그들을 믿기로 했다. 그들과 아픔을 나누기로 했다. 지금 그 언니와 닮았다고 동경하던 사람이, 마니아의 앞에 있다. 언니한테만 한 이야기이니, 지금 자신의 언니와 닮은 린한테도 말해도 괜찮지 않을까 하고 마니아는 생각하며 입을 열었다.

"그럼 먼저…. 언니에 대해서 이야기해볼까."

몇 년 동안 꺼내지 않았던 마니아의 이야기가 드디어 입 밖으로 나와 처음으로 빛을 보았다.

그렇다. 이것이 마니아가 앞으로 나아가기 위해서 거쳐야 하는 시련이기도 한 것이다. 마니아가 걷고 있는 이 밤은 고요하지만 아름답게 어두워졌다.

"두 번째로 사라진 사람은 나의 친구였어. 초등학교를 같이 나왔었는데 갑작스럽게 불치병에 걸린 거야. 아니 사실 원래 시한부였을지도 모르지. 항상 활발하고 뭐든지 열심히 하는 친구였어. 학교도 매일 같이 등교하고 매일 붙어 다녔거든."

마니아가 그녀의 병을 안 것은 너무나도 갑자기 그녀의 부모님을 통해 병원으로 오라는 연락을 받았을 때였다. 갑작스러운 소식 때문에 혼란스러웠던 마니아는 그녀와 제대로 된 작별 인사조차 나누지 못했다. 그것이 지금 와서는 엄청나게 후회가 되었다.

"마니아, 하늘에서 다시 만나자."

그녀가 죽기 전 마지막으로 한 말이다. 마니아는 그 말을 아직도 기억하고 있다. 만약 자신이 자살하면 그녀를 만날 수 있을까? 라는 생각까지 해본 적이 있을 정도니까 말이다.

"세 번째로 사라진 건 중학교 친구."

"그러고 보니 마니아, 너도 오르트노 중학교를 나왔다고 했지? 오르트노 중학교를 나와서 이나야 고등학교로 오는 것은 거의 정통이라 부를 만큼 많이들 그러잖아. 라이랑 테라도 그렇고, 우리 언니도 그렇고. 그런데 아는 사람들은 많이 안 왔다고 테라가 그러던걸. 진짜야?"

갑작스럽게 바뀐 주제에 마니아는 조금 당황하면서도 고개를 끄덕였다. 그것에 대한 이유는 조금 짐작이 갔기 때문이다.

"우리가 중학교 재학 중인 시절 이상한 소문이 돌았거든. 이나야 고등학교에 진학을 많이 하는 이유는 좋은 시설, 좋은 선생의 평판과 교육도 있지만 우리 마을에 가장 영향력이 큰 회사 알지? 거기에 들어가려는 경우가 더 컸거든."

"근데?"

"근데 그 시기에 회사에서 내분이 있었나 봐. 정확히는 모르겠지만 우리 시기에 회사 상황이 조금 흉흉해서 뽑는 신입 사원의 수를 확 줄였거든. 안 그래도 경쟁률이 높은데 그 인원수가 너무나도 적어졌으니 웬만큼 우수하지 않으면 뽑히지 않을 정도라고 하더라구. 그래서 어중간한 애들이 전부 빠지고 정말 우수한 사람들만 이 학교로 진학했기 때문이야."

"그렇구나. 그럼 없을 만도 한가?"

보통 오르트노에서 이나야 고등학교에 진학하는 이유는 사실 대부분 <R.E.I.A.S>에 입사하기 위해서인데 뽑힐 확률이 없으면 다른 길을 찾을 수밖에 없다. 하지만 마니아는 그것이 목적이 아니니, 주변 사람들이 그 학교에 가지 않겠다고 하는 말을 들으면서도 이 학교를 지원했다. 마니아가 이 학교를 지원한 이유는 분명 책 만드는 그 동아리가 있기 때문이었을 것이다.

"그럼 마니아는 테라나 라이 말고 중학교에서 같이 진학한 친구는 없어?"

"애초에 걔네는 중학교 때 만난 기억도 없어. 걔네들 말고는 없……."

답을 하기 움직인 입이 떨어지지 않았다. 마니아의 머리가 이상한 위화감을 눈치챘기 때문이다.

"분명 누군가가 내 등을 떠밀어 줬는데."

분명 누군가 마니아의 꿈을 응원해 주며 함께하겠다고 이야기해 준 것 같은데. 마니아는 오르트노 중학교에서 있었던 사람들을 하나하나 떠올렸다. 라이는 아니다. 오르트노 중학교에서 같은 반이어서 아는 사이였지만 이야기는 제대로 나눠 본 적조차 없기 때문이다.

"마니아?"

누구지? 누구였지? 분명 마니아는 혼자였다. 하지만 누군가 자신의 곁에 있었던 것 같은 이상한 기분이 들었다.

"마니아?"

누구지, 누구냐고.

"마니아!"

린의 큰 목소리에 겨우 정신을 차린 마니아는 걱정스럽게 쳐다보는 린을 향해 어색한 웃음을 지으면서 이렇게 말했다.

"미안, 기억이 잘 안 나서."

한적하고 어두웠던 길을 지난 마니아와 린은 번화가에 발을 들였다. 번화가의 모습은 밤이라곤 해도 간판이나 조명 때문에 앞이 훤하게 다 보일 정도로 밝았다.

"이야기하다 보니까 금방 오네."

"그러니까 말이야."

마니아와 린은 또다시 마주 보며 웃는 것이 신호가 되어 동시에 발을 한 발자국 내디뎠다.

16

마니아와 헤어진 후 평소와 같이 하교하려고 정문을 나서던 테라는 라이가 어떤 정장을 입고 있는 남자들과 이야기를 나누는 것을 발견하고 말았다.

"누구?"

이상함을 느끼고 가까이 다가가려는 찰나, 라이의 얼굴이 테라의 시야에 들어오자 테라는 멈출 수밖에 없었다. 라이의 표정이 지금까지와는 너무나도 달랐기 때문이다.

저 모습은 장난기 넘치던 라이의 얼굴이 아닌, 마치 일을 처리하는 사무적인 표정 그 이상의 것이었다. 자연스럽게 떠올라 있으면서도 은근히 굳어 있는 얼굴이 오히려 평소의 라이의 모습이라고 해도 될 정도로 자연스러웠다.

무엇을 이것저것 이야기를 하고 있었는데, 이상하게 학생인 라이가 그사이에 들어가 있어도 이상하게 전혀 위화감이 들지 않았고 오히려 어울린다고 말할 수 있을 정도였다….

"라….."

이름을 부르려고 해도 그 분위기에 압도당해 부를 수가 없었다.

정말 마니아도 그렇고 라이도 그렇고, 자신의 주변에는 무언가를 숨기는 사람밖에 없는 것인가 하고 테라는 생각했다.

테라가 주저하는 순간 또 다른 정장을 입은 남자가 라이의 앞으로 다가왔다. 특징이 없던 다른 남자들과 다르게 그는 하늘색 머리의 나름 개성적인 머리 색깔에, 키는 185 정도. 꽤 장신이었고 분위기는 지금까지 서 있던 남자들과 다르게 비교적 부드러워 보였다. 그 남자가 라이에게 무엇인가를 말하더니 다른 남자들과 같이 어디론가 사라졌다.

"뭐지?"

그들이 사라진 직후 테라의 입에서 나온 말이었다.

라이는 평범한 고등학생이 아닌가? 이질적인 모습에 넋이 나간 테라는 그 자리에서 몇 분 동안 가만히 있을 수밖에 없었다. 뇌리에 깊이 박힌 라이의 표정. 처음 봤다고 이야기했지만 왠지 자신이 책을, 성서 <비극>을 빌리러 간 날 지은 표정과 조금 비슷해 보였다. 물론 그때는 조금 더 부자연스러웠지만 지금만큼은 위화감이 들지 않았다.

라이는 도대체 학교에서 무엇을 하는 것일까. 사실 라이는 어디 비밀조직의 일원이고 무언가 목적이라도 있어서 학교에 잠복한 것이라도 되는 것인가. 말도 안 되는 상상을 하던 테라는 다음에 만나면 물어보자고 결심하며 발을 뗐다. 그 순간 갑작스럽게 휴대전화 벨 소리가 학교 정문에 울려 퍼졌다.

"여보세요?"

"테라, 큰일 났어!"

많이 당황한 것 같은 여성의 목소리. 아이비 씨였다. 아린의 언니로 휠체어의 소녀, 네스 형이 맡은 그 아이의 보호자. 즉 친언니였다. 예전에 테라는 아렌 씨의 부탁을 받고 아린과 친하게 지내기로 하였고 그녀의 언니와도 자연스럽게 전화번호를 교환할 정도로 가까워졌다. 테라가 병원에 가지 않는 날에 네스 형에게 있었던 일을 듣는 것도 그녀의 입을 통해서였다.

"무슨 일이 있었어요?"

"네스 선생님이……. 많이 다치셨어."

"네? 일단 병원으로 빨리 갈게요."

그 말을 듣는 순간 테라는 바로 전화를 끊고 달리기 시작하였다.

병원까지 급하게 달려온 테라는 무슨 일 있냐는 말을 외치며 병실 문을 열고 들어왔다. 병실 안에는 침대에 누워있는 네스 형과 아이비 씨, 그리고 소식을 듣고 오셨는지 테라의 어머니도 있었다.

"어떻게 된 거야?"

침대에 누워있는 형의 상태를 보니 머리를 다쳤는지 머리에 붕대를 감고 있었다. 얼굴에도 여기저기 반창고와 밴드를 붙이고 있었다.

테라의 심각한 표정을 본 네스 형은 괜찮다는 듯이 말했다.

"별거 아니야. 그냥 조금 부딪힌 것뿐이야."

"어디에? 어떻게 된 거예요?"

"차에 부딪혔어요. 달리는 차에 정통으로 부딪힌 것은 아니고, 휠체어와 같이 피하려다가 조금 빗맞았어요."

듣자 하니 네스 형은 오랜만에 아린과 아이비 씨와 병원 바깥에서 산책 중이었다고 한다. 이나야 병원 뒤편에는, 이른 아침이라 그런지 지나가는 차는커녕 사람조차 보이지 않아 평화롭게 산책을 즐기고 있었다. 그런데 그때 어떤 차 한 대가 이야기를 나누며 걷고 있는 네스 형네 쪽으로 달려왔다고 했다.

다행히 조금 늦었지만 휠체어를 차에 부딪히지 않게 밀어버리고, 본인도 피한다고 피했지만 돌린 몸을 조금 빗맞았다. 딱딱한 벽돌

바닥에 넘어진 네스 형은 머리를 다쳤고 급격하게 작용한 힘 덕분에 빠른 속도로 미끄러지던 휠체어는 결국 넘어져서, 휠체어에 앉아있던 아린도 바닥으로 쓰러졌다고 했다.

다행히 부딪히기는 했어도 크게는 다치지 않았지만 병원의 입원은 피할 수 없었다고 했다. 아린 역시 다쳤지만 가벼운 찰과상 정도로 끝났다.

차가 갑작스럽게 형 쪽으로 돌진한 이유는 브레이크가 고장 났었기 때문이었다. 차는 그대로 전복됐고 운전자도 심하게 다쳤지만 다행히 생명에는 지장이 없다고 했다.

"어쩌다가 브레이크가 고장 났대. 근데 산책하고 있는 인도에 올 정도면 어떻게 달리고 있었던 거야?"

"정확히는 모르겠지만 무언가가 머리에 맞았고 그 탓에 기절한 상태였나 봐. 창문도 깨져 있었다고 하니, 낙석이라도 맞았나? 아무튼 차가 전복되기 전부터 이미 중상을 입은 상태였어. 솔직히 말해서 지금도 살아있는 게 기적일 정도야."

무언가에 의해서 머리를 맞아 기절하였다. 의문을 가질 수 있는 이야기였지만 전부 다 살았으니 된 건가.

"그래, 네스 형. 금방 회복해서 아린이 치료 열심히 해야지."

"그래 너도. 몸조심하고"

그렇게 테라는 네스 형에게 간단한 인사를 건네고 자리를 떴다.

병원 복도에는 테라의 발걸음만이 울렸다. 뚜벅뚜벅, 고요한 복도를 울리던 발걸음 소리는 이내 두 개가 되어 번갈아 가며 울렸다.

들리는 두 번째 발걸음 소리를 의식한 테라는 바닥에 고정해둔 시선을 정면으로 돌렸고, 그 앞에는 어떤 남자가 웃으며 서 있었다. 푸른색 머리의 부드러운 인상을 지닌 그 남자. 라이와 함께 있던 그 남자였다.

"테라 씨…. 맞죠?"

고개를 숙여 인사하는 그의 모습은 고급스러워 보일 정도로 기품이 있어 보였지만 그의 얼굴에 떠오른 미소는 왠지 장난스러운 라이 표정을 떠올리게 했다.

"누구신지?"

"안녕하세요, 처음 뵙겠습니다. 호라스라고 합니다."

고개를 든 후 손을 뻗어 건넨 명함에는 <R.E.I.A.S>라는 글자가 적혀 있었다.

"<R.E.I.A.S>? 회사 사람인가요? 어쩐 일로 여기에…."

"아버님께 이야기 많이 들었습니다. 견학 관련으로 오늘 처리할 일이 있어서 방문했습니다만, 아버님이 지금 급히 출장이 생겨서요. 테라 씨가 어떤 사람인지 궁금한 것도 있고 처리해야 할 서류를 갖다 드리고자 이렇게 찾아왔습니다."

"그렇군요…."

그가 내민 서류 봉투를 쥐어 든 테라는 감사 인사를 하며 그 자리를 바로 뜨려 했지만 그의 목소리가 다시 테라의 발걸음을 잡았다.

"저, 테라 씨. 잠깐 드리고 싶은 말이 있는데 잠깐 시간 되시나요? 회사에 대해서인데요."

번화가의 한 카페. 거절할 이유를 찾지 못한 테라는 어쩔 수 없이 끌려오게 되었다. 처음 보는 카페에 처음보는 상대, 누군지도 자세히 모르는 상대와 차를 마시며 이야기를 나누라니. 테라에게는 불편할 수밖에 없는 상황이었다.

심지어 할 이야기가 있다고 한 호라스라는 이름의 남자는 이곳에 도착한 후 몇 분 동안 아무 말도 하지 않고 창밖을 쳐다보고 있었다. 둘 사이에 흐르는 어색한 기류는 테라의 마음속을 혼란스럽게 할 뿐이었다.

"우리 회사가 무엇을 하는지는 아시나요?"

"정확히는 몰라요. 실제로 제 주변에서도 정확히 무엇을 하는지 모르고 취업하려는 애들도 많고요."

고개를 작게 끄덕이고는, 그 남자는 테라의 눈을 향하던 시선을 이곳 창문에서 보이는 회사의 건물로 돌렸다.

"우리 회사는 말이죠. 세워진 이래 여러 가지를 시도했어요. 병원, 학교 설립, 그리고 고아원 운영 등 여러 가지를 해왔는데 그것을 행한 목표가 무엇인가 하면 그것은 바로 만인의 구원이었습니다. 지금은 모르겠지만 설립자는 그렇게 생각하셨어요. 그래서 많은 사람을 편하게 살게 하기 위해 여러 가지 재단을 세우고 편의시설을 만들었어요. 기아와 전쟁을 근절하기 위해 여러 나라, 도시 곳곳에 지원을 보냈습니다."

"세계적 기업인 것은 알았지만 그 정도였을 줄은….."

"현재에 와서는 단지 구원의 목적만 있는 것이 아닌, 그런 생각이 없는 사람 역시 많이 지원을 받고 있습니다. 회사의 목적과 관련이 없어 보이는 부서들이 많은 이유도 그것입니다. 단순히 지원만 하는 것이 아닌, 미래에 어디서든 이 세상을 이끌어줄 인재를 창출하기 위해 여러 가지 시도를 하고 있으니까요."

그 뒤의 이야기는 생각보다 길어졌다. 회사의 일대기 그 자체였기 때문이었다.

오래전 몇십 년 전 많은 사람에게 도움을 주고 싶다고 한 청년이 있었다. 그는 자신의 위치에 체념하면서도 세상을 바꾸고 싶다는 꿈은 버리지 않았고, 자신의 신념을 관철하고 실천하면서 떠오르지 않는 방법을 찾아 방황하고 있었다.

그러던 어느 날 그는 일생에서 단 한 명뿐인 운명의 사람을 만나 버렸다. 그녀와 만난 그는 마치 막혀 있던 길이 한순간 뻥 뚫려 버리는 기분이었을 것이다.

그녀와 함께 어떠한 회사를 세운 청년은 직접 발로 뛰며 회사의 의미를 여기저기 알렸다. 만인의 구원을 이루기 위해 자신의 신념을 이곳저곳에서 실천하며 수많은 사람의 마음을 움직였고 이 회사를 이끌게 하였다.

그렇게 설립자가 힘들게 끌어올린 회사는 여러 재단, 종교 집단, 국가 집단 등 여러 집단들이 얽히고 얽힌 거대한 회사가 된 것이었다. 실제로 종교인들의 영향이 컸는지, 예전부터 종교인들의 성지였던 마을을 더욱 큰 마을로 발전시킨 것은 이 회사의 영향이 클 것이었다.

"저는 당신이 회사에 들어오는 것도, 다른 일을 하는 것도, 별로 상관이 없습니다. 제가 당신에게 이 이야기를 하는 이유는 그저 당신의 아버지는 그런 훌륭한 일을 하고 있다고 알려주기 위해서입니다. 당신의 아버님은 회사에서 하는 일이 꽤나 많으시거든요."

"네, 감사합니다. 알려주셔서. 그럼 견학 일은 언제가 좋을까요?"

"그것은 당신이 정하는 것이라."

부드러운 웃음이 둘 사이에 흐르고 난 후 호라스 씨는 자리에서 일어났다.

"저는 이만, 다음에는 회사에서 만납시다. 오스마 부장님께 안부 인사 부탁드립니다."

그가 카페 밖으로 나간 것을 확인한 뒤 테라는 무언가를 잊고 있었다는 것을 깨달았다.

"아, 라이에 관해서 물어보는 거 깜빡했다."

뭐 됐어. 다음에 본인에게 직접 물어봐야지. 그렇게 생각을 한 테라는 자리에서 일어났다.

회사에 대해서 안 것은 좋았다. 사실 상상한 것보다 더 규모가 큰 이야기였지만 그것도 그것 나름대로 재미있었다.

한순간에 테라의 안에 있던 그 회사에 대한 이미지가 바뀌었다. 솔직히 말해서 전에도 크게만 느껴졌던 회사가 더욱더 크기를 확장한 느낌이 든 것이다. 그렇기에 테라는 자신이 그런 곳에 들어간다는 것은 상상이 안 되었다. 굳이 구원이라는 신념이 없다 해도 들어갈 수 있지만 이미 알아버린 이상 위화감이 들 것이다. 아직 확정한 것은 아니었지만 테라의 입장에서는 조금 신중하게 고민해야 하는 것이었다.

"일단 견학을 하고 생각해 봐야지."

다만 테라의 머리에 강하게 남아 있는 것은 그것만이 아니었다.

"류에이아 세이비, 류에이아 라스"

회사 창립자의 이름이다.

"류에이아 아리스"

아리스의 성도 류에이아였다.

17

별이 무수히 쏟아지던 밤, 그녀는 지금 학교 옥상에 올라와 있었다. 옥상 가장자리에 세워져 있는 담장을 넘어간 후 바깥쪽에 선 그녀는 잘못 디디면 떨어질 것 같은 허공을 향해 발을 뻗고 자연스럽게 담장을 등에 댄 채로 옥상 끄트머리에 앉았다.

신고 있던 신발과 메고 있던 가방은 입고 있던 겉옷과 함께 이미 담장 너머 뒤편에 가지런히 둔 상태였다.

입에서 입김이 나올 정도로 충분히 추운 날씨였지만 그녀에겐 중요하지 않았다. 추위를 이길 만큼 아주 기대하고 있던 광경이 그녀에게는 있던 것이다.

검은 스타킹을 신은 다리가 들뜬 그녀의 마음을 대변하는 듯이 앞뒤로 왔다 갔다 하며 움직였다. 만약 밑에서 그녀를 올려다본다면 누구든지 기절초풍하며 내려오라고 소리를 지를 것이다.

미니스커트와 그녀의 다리가 거센 강한 바람에 부딪혔다. 몸을 잘못 가누면 추락할 것만 같았지만 아직 그녀는 보지 못했다. 하늘에 수놓은 수많은 별 들을 말이다.

아, 이거 분명 감기에 걸리고 말 것이다. 언니에게 걱정을 끼치면 안 되는데. 그런 생각을 하면서도 그녀의 시선은 밤하늘에서 떨어지지 않았다.

"오늘 바람이 좀 많이 부네…."

18

가을이 지나고 세상에는 차가운 겨울이 찾아왔다. 학기가 끝나고 새로운 학년이 시작되기 전 한껏 풀려있는 시기.

차가운 겨울이 느껴지지 않을 만큼 따뜻한 것을 넘어 뜨거운 청춘의 한때를 보내고 있는 그들에게 어두운 밤이 또다시 찾아왔다.

크리스마스를 지나 새해가 다가오고 그들에게는 밝은 미래만이 있을 것 같았다. 하지만 1월 27일. 잊지 못하는 그 날. 린의 생일인 그 날. 일이 일어나고 말았다.

아리스의 저택에 꽤나 많은 사람들이 모였다. 테라나 아리스, 마니아, 그리고 라이와 란은 물론 학교에서 린과 친한 친구들, 고아원에서 만난 사람들 등 여러 사람들이 린의 생일 축하하기 위해서 모인 것이다.

오랜만에 시끌벅적한 저택의 모습을 가만히 바라보던 아리스는 기분이 좋은지 히죽 히죽 거리며 입꼬리를 올리며 웃고 있었다. 그녀는 이런 광경을 원한다고 란이나 린에게 계속 이야기했기에 란은 그녀의 기분을 누구보다도 잘 알고 있었다.

"다행이네, 린."

그렇게 중얼거린 란은 천천히 가만히 서 있는 아리스에게 다가갔다. 이래 봐도 아리스는 대기업의 창업자의 딸이었기에 회사 쪽 인맥은 넓었고 그쪽 인력을 빌려서 음식도, 파티장의 장식들도 전부 준비해 둔 상태가 지금 그들이 서 있는 이곳이었다.

연회 같은 분위기에 사람들은 음식을 먹으며 이야기를 나누고 있었고 아리스는 그 상황을 창문가에 서서 가만히 쳐다보고 있던 것이었다.

"아리스, 린은 어디래?"

"린 한테는 사람 몇 명을 붙여줬어. 아마 지금쯤 이미 찾아서 데리고 오고 있지 않을까?"

서프라이즈를 위해서 우리는 린에게는 아무 말도 하지 않았다. 누구보다 놀라는 린의 표정을 볼 수 있다는 사실에 란은 물론 아리스도 즐겁다는 듯이 웃었다.

하지만 이상하게 린을 찾았다는 소식이 들려오지 않았고 란과 아리스는 불안해지기 시작하였다.

휴대폰으로 린에게 직접 전화를 걸었지만 아무리 전화해도 그녀는 받지 않았다. 이상함을 느낀 아리스와 란은 그대로 달려 저택 밖으로 뛰쳐나갔다. 아리스는 밖으로 나와 저택 앞에 서서 여기저기에다 전화를 걸기 시작하였고, 란은 바로 주택가 쪽으로 달리기 시작하였다. 린이 어디에 있는지 란은 직접 뛰어서 찾겠다고 생각한 것이다.

그 후 회사의 인력을 활용해도 린을 찾을 수 없었고 아리스는 경찰에게 전화해 실종신고를 하였다. 그 후 몇 시간 동안 수색이 계속된 결과, 린은 학교 운동장 옆에서 머리가 깨진 상태로 발견되었다고 한다.

사인은 추락사로 밝혀졌으며 옥상 난간 밖에 서 있었다는 증언을 토대로 자살이 아닌가 하는 우려도 나왔지만, 그녀에게 그럴 동기가 한 가지도 없기에 자연스럽게 묻히게 되었다.

그녀가 왜 그 시간에 옥상에서 난간 밖에 서 있다가 추락했는지는 아무도 모르며 그 사실은 여전히 밝혀지지 않았다.

하지만 린이 죽은 후 그들의 생활은 크게 바뀌어 버렸다. 사람의 죽음을 예측하는 사람은 얼마나 될까? 그렇기에 그녀의 죽음은 더욱더 받아들여지지 않았다. 아니 그녀이기에 더욱 그랬다.

하지만 현실은 이미 잔혹하게 란의 앞에 들이밀어 졌다. 그렇기에 받아들일 수밖에 없었다. 그렇지 않으면 앞으로 나아갈 수 없으니까.

그 날 이후로 린의 중심으로 모이던 그들은 더이상 모이지 않았다. 아리스가 졸업하고 린이 죽자 자연스럽게 모임이 해체된 것이다. 라이와 테라는 아직도 란과 연락이 됐지만 마니아와의 연락은 두절 되었다.

그렇게 길고 긴 겨울방학이 끝나고 아리스는 대학교에 들어가고 그들은 3학년이 되었다. 하지만 란은 신학기가 시작되어도 전혀 즐겁지가 않았다. 란에게는 그녀가 없는 세상이란 그런 것이다.

마니아는 학교조차도 나오지 않았다. 충격이 큰 것은 당연하지만 그것보다 더욱 중요한 것이 그녀의 안에서 부서진 것이다.

"증오의 저주는 계속된다. 란이 틀린 것이다."

그렇다. 5번째가 생겨 버린 것이다.

란은 마니아의 언니와 똑같이 그녀의 마음을 배신해 버렸다. 저주는 다시 일어나지 않는다는 그녀의 마음을 말이다.

그녀에게는 더이상 린이 어떻게 죽었는지는 중요하지 않았다. 그녀가 죽었다는 그 사실만으로도 자신을 몰아붙이기에는 충분했기 때문이다.

"린, 너라면 마니아를 어떻게 했을 거야?"

린과 처음 만난 그날의 하늘처럼 맑고 예쁜 하늘을 바라보며 란은 그렇게 중얼거렸다.

"이것이 나에게 내려진 시련인 것인가."

누군가의 마음을 배신한 것은 란만이 아니었다. 린도 란의 마음을 배신한 것이었다. 하지만 란은 그녀를 원망하지 않았다. 그저 슬플 뿐이었다. 이미 오래전에 체념한 이유도 있었지만 란은 린과 함께한 시간을 부정하지 않았다.

그녀와 함께한 시간은 충분히 가치가 있는 것이다. 적어도 오래전 세상을 부정하던 란의 생각을 바꿨으니 말이다. 이제 란에게는 그저 이 이야기를 끝내야 한다는 책무만이 남았다.

19

오래전 이 마을 숲속에는 악마들이 살았어요. 악마들은 자신들이 가장 우월하고 그 밖에 있는 인간들은 우매하고 멍청하다고 생각했답니다. 밖의 사람들을 무시하고 심지어 숲속에 들어온 사람들을 죽이기까지 했습니다.

그러던 어느 날, 숲속 안에 있던 악마들에게 숲속에 들어온 어떠한 여성이 신의 말씀이라며 무언가를 이야기하고 있었어요. 악마의 우두머리는 그 여성이 우리를 선동하는 마녀라며 그 여성을 처참하게 사형시키고 절벽 밑으로 떨어트렸어요. 그 분노의 불씨는 점점 커졌고 악마들은 숲 밖에 있는 사람들에게 창을 돌려 밖으로 나가, 수많은 인간들을 죽이고 잡아먹고 학살하기 시작했답니다.

그렇게 바깥 마을에 지옥이 펼쳐질 때 이 이나야에 신의 명령을 받은 구원의 천사 유페이아님이 내려옵니다. 유페이아님은 악마들을 다시 숲속으로 몰아넣고 다시는 그 숲 밖으로 못 나오게 했답니다. 이것이 이 마을에 내려오는 신화, 이 마을에 살고 있으면 모르는 사람이 없을 정도로 유명한 신화입니다.

찬송가의 노랫소리가 고요한 성당에 울려 퍼지자 의자에 앉아있던 사람들은 자리에서 일어나서 손을 모으고 기도를 시작했다.

라이가 이 성당에 앉아있는 것은 기도를 하러 온 것이 아니었다. 단순히 마음을 가라앉히기 위해서이며 라이는 여전히 신 같은 것은 믿지 않았다.

린이 죽은 것은 전혀 생각지도 못한 상황이었다. 왜 죽었는지는 고사하고 하필이면 지금 죽다니, 타이밍이 맞지 않았다. 예측에서 벗어난 상황에 라이는 머리가 혼란스러웠다.

이것으로 마니아는 한 번 더 저주라는 이름에 몸을 맡길 것이고 아리스는 심연에서 온 공허에 잡아 먹힐 것이었다. 이런 상황에서 이 절망뿐인 이야기를 완벽한 엔딩으로 이끌 수 있는 것은 아마 그 녀석밖에 없을 것이라고 라이는 생각했다.

찬송가가 끝나고 라이는 기도를 멈춘 사람들 사이에서 걸어 나와 하늘을 보았다. 저번에 심연으로 가는 문이 열리기 전, 란은 절망의 천사로부터 선물을 돌려 받았을 것이다.

그렇다면 이쪽에서는 성서 원본으로 이목을 끌 수밖에 없다.

"한번 만나 봐야겠다."

슬슬 테라 쪽에서도 빌드업이 시작될 것이다. 마니아가 구원 받는 것은, 아니 좀 더 제대로 말하자면 걸어갈 용기를 줄 열쇠는 바로 잊어버린 기억 안에 있기 때문이니까.

라이가 이 성당에 들르는 것도 이제 마지막이다.

"이걸로 되는 건가요? 류에이아 씨?"

라이는 오래전 자신의 곁을 떠난 구원의 천사의 이름을 부른다.

평일 학교의 점심시간. 학생들은 학식을 먹거나 각자 친구들을 만나거나 자기 일로 여기저기 흩어져 있는 시간이었다. 라이는 빠른 발걸음으로 복도를 걷고 있었다.

린이 죽은 뒤에도 성실하게 학교를 나오는 란과 테라. 그 중 란과 접근하기 위해 란이 매일 이 시간대마다 있는 학교 옥상으로 향했다.

심연의 너머를 언급하지 않는 선에서 그에게 협력을 요청해 볼까 하는 생각이 든 것이다. 기록자, 구원자의 역할은 마니아를 살아가게 만드는 것, 그것만으로 충분하기 때문이다.

복도를 성큼성큼 걸어나가며 옥상으로 가는 계단 앞에 섰을 때 뒤에서 누군가 라이의 어깨를 잡았다.

"라이, 란을 찾는 거라면 지금 거기 없어."

목소리의 주인은 우리 학교 학생회장이 되어 버린 에시아였으며 라이의 어깨를 잡고 고개를 젓고 있었다.

"지금 란이 없어? 그럼 어디에 있는데?"

"란, 오늘 조퇴했어. 급한 일이 생겼다는데?"

란이 조퇴? 라이는 그와 긴 학교생활을 하면서 처음 듣는 말이었다. 조퇴는커녕 지각조차 하지 않는 그가 오늘 학교를 빠졌다고? 분명 무슨 일이 있는 것이 분명하다.

"왜 조퇴했는지 알아?"

"글쎄? 심각한 얼굴을 보아선 아픈 건가?"

"알았어, 고마워."

라이는 어깨를 잡고 있는 에시아의 손을 가볍게 털고 복도를 달려나갔다. 순식간에 계단을 달려 1층까지 내려온 라이는 정문으로 향했다. 분명 무슨 일이 있는 것이 분명했다. 라이의 머리가 그렇게 직감하고 있었다. 그것이 마니아와 관련되어 있다는 것을 말이다. 교정을 빠져나와 길고 긴 도로를 지나서 이나야 공원을 지나갈 때쯤 전화벨이 울린 덕분에 라이는 발걸음을 멈추게 되었다.

"여보세요?"

"라이?"

전화 너머에서 들리는 것은 테라의 목소리였다.

"라이…. 미안한데 지금 만날 수 없어?"

뜬금없이 걸려 온 테라의 전화와 그의 요청에 라이는 조금은 의아하면서도 "지금 바빠서"라는 조금 차가운 반응을 내비쳤다. 잔뜩 힘이 빠진 테라의 목소리가 신경이 쓰였지만 라이에게는 지금 그걸 생각할 틈이 없었다.

"그래…. 미안. 방해해서."

"나야말로 미안, 다음에 얘기하자."

라이가 전화를 끊으려는 순간 조용하게 들려온 테라의 말에 이상함을 느낀 것은 잠깐이었다. 마니아의 상태를 보는 것이 그때는 먼저였으니까 말이다.

라이가 전화를 끊기 직전 테라는 이렇게 중얼거린 것 같았다.

"망각의 저주…."

20

뭔가가. 뭔가가 달라졌다.

오래 전 테라의 곁을 떠난 그녀는 12월 24일 크리스마스이브에 사라졌다. 그렇기에 테라는 이번에도 그때 그녀처럼 린이 떠나지 않을까 불안했다. 하지만 린은 떠나지 않았고 1월 27일까지 테라의 곁에 있었다. 하지만. 결국 그녀도 죽어버렸다.

"나는 사랑을 하면 안 되는 것인가."

테라는 두 번째 그녀에게 적정 거리를 유지하며 절대 그녀를 사랑한다는 이야기를 하지 않았다. 그럼에도 그녀는 죽었다.

"나 때문에 죽었어."

테라는 계속 이런 식으로 자신을 자책하며 살아가고 있었다.

하지만 테라에게는 그런 것보다 더욱 문제가 되는 사실이 있었다.

"이번에도…. 이번에도…."

그녀의 이름이 떠오르지 않았다. 그녀가 죽은 뒤 언제부터인가 점점 그녀의 이름이 기억이 나지 않은 것이다. 돌아왔다. 망각의 저주가 테라의 곁으로 돌아와 버렸다. 그녀가 죽기 전까지 테라는 완전히 잊고 있었다. 그녀와의 생활이 너무나도 즐거웠고 행복했기 때문에 그 존재를 잊어버린 것이다. 하지만 이렇게 저주는 다시 돌아왔다. 마치 그 저주를 잊지 말라고 말하는 것 같이 말이다.

테라는 그녀가 죽은 뒤 태연한 척 학교를 계속해서 다녔다. 학교 생활을 열심히 하는 것으로 일상으로 돌아오려 한 것이었다. 하지만 이제 그녀는 다시 돌아오지 않는다. 저주를 잊을 만큼 강한 성격을 가진 그녀가 말이다.

학교에서 점심 식사를 해치우고 교실로 돌아가는 길, 자신에게 일어난 일을 상담하기 위해서 라이를 찾았다. 테라는 이렇게 가다가는 모든 것을 망쳐 버릴 것 같았기 때문에 무언가를 알 것 같은 라이에게 물어볼 수밖에 없었다. 그는 분명히 알 것이다. 지금 자신에게 일어나는 일에 대해서 말이다.

교실에 들어선 테라는 이내 라이의 자리에 그가 없다는 사실을 알게 되었다. 교실에 있던 다른 친구들한테 물어보니 점심시간 내내 교실에 한 번도 나타나지 않았다고 한다.

물론 라이가 교실에 없는 것은 흔한 일이었기에 테라는 라이가 있을 만한 다른 곳을 생각해보았다. 곧바로 떠오른 곳은, 그녀가 죽은 뒤 간 적은 없었지만, 제3 상담실이었다.

항상 모였던 공간이며 항상 죽은 그녀와 함께한 곳. 별로 가고 싶은 곳은 아니었지만 혹시 하는 마음을 가지고 가볼 만한 가치는 충분하였다.

테라는 바로 제3 상담실로 향하기 위해 교실을 박차고 나왔지만 바로 문 앞에서 나타난 에시아와 부딪혔다. 동시에 바닥에 넘어진 에시아와 테라는 이내 자신과 부딪힌 사람의 얼굴을 보고는 헛웃음을 지었다.

"테라? 어딜 그렇게 급하게 가?"

"그게, 혹시 라이 못 봤어?"

"라이? 조퇴하는 것 같던데? 아까 란을 엄청 찾더니 밖으로 나갔어."

"라이가 란을 찾았다고?"

에시아는 고개를 끄덕이면서 무릎을 털곤 일어났다. 그러고는 테라에게 손을 뻗었고 테라도 곧바로 그 손을 잡고 일어났다. 테라는 알 수 없다는 듯이 오묘한 표정을 지으면서 에시아에게 물었다.

"라이가 란을 왜 찾아?"

"그건 나도 모르지. 그럼 반대로 물을게 너는 라이를 왜 찾아? 무슨 일이라도 있는거야?"

에시아의 말에 테라는 고개를 저었다. 그에게 자신의 이야기를 들려줘 봤자 의미가 없을 것이라고 생각했기 때문이다.

하지만 테라는 몰랐다. 자신이 지은 표정이 에시아에게는 얼마나 두렵게 느껴지는 표정이었는지. 에시아의 눈에는 자살하러 가기 전 사람의 표정이었다고 했다. 그것은 에시아의 경험에서 나오는 직감

같은 것이었다. 물론 이것은 에시아의 과거를 모르는 사람은 이해할 수 없지만 말이다.

테라는 마니아의 병문안이라는 목적으로 조퇴를 내고 학교를 빠져나왔다. 마니아의 병문안은 원래도 하려 했었고 라이를 만나는 김에 오랜만에 마니아도 만나자는 느낌으로 냈다.

점심시간도 이제 끝나, 야외에는 체육수업 때문에 남은 학생 빼고는 아무도 없었다. 하늘을 보니 금방이라도 비가 올 것 같이 먹구름이 잔뜩 껴있었다.

일단 연락이라도 해보자는 생각으로 테라는 휴대폰을 들어 라이의 전화번호를 눌렀다. 발신음이 지나가고 곧바로 라이의 목소리가 들려왔다.

"라이.. 미안한데 지금 만날 수 있어?"

테라는 순간 자신이 낸 목소리에 놀랐다. 자신은 아무렇지도 않은데, 목소리가 너무나 힘이 빠지는 목소리였기 때문이다.

"지금 바빠서. 미안 다음에 만나자."

"응, 바쁘면 어쩔 수 없지….."

라이가 무정하게 그렇게 말하고는 전화를 끊어버렸다. 왜일까? 왜 좀 더 캐묻지 않은 거지. 자신의 목소리에 힘이 없다는 것을 인지한 테라는 그 기분이 이내 자신의 몸까지 전달되는 것 같았다. 테라는 곧바로 고개를 붕붕 돌리며 자신의 뺨을 세게 친 다음 마음을 바로 잡았다. 괜찮아 다음에 물어보면 돼. 다음에. 그런 생각을 하며 걷기 시작하였다. 하지만 그런 테라의 마음을 아는지 모르는지 눈앞에 보이는 세상은 전과는 다르게 어두워져 버렸다.

"기분 탓인가."

그렇게 중얼거렸지만 달라진 세상을 목격해버린 이상 돌아오기 쉽지 않았다. 린을 마주한 덕분에 테라는 공허를 눈앞에 보일 일이 없었지만 테라를 빛이 보이는 곳으로 이끌어주던 그녀가 없어진 그 순간부터 테라는 감정_{제주}의 세상에 들어오게 된 것이다.

수없이 늘어져 있는 회색 건물들이 보였다. 라이와의 만남은 다음 으로 미루고 테라는 마니아의 병문안 선물을 위해서 번화가의 꽃 집에 들렀다. 병문안 때문도 있었지만 린이 죽은 후 한 번도 방문 하지 않았기에 에로스 씨에게 얼굴을 한번 비춰야겠다고 생각한 것이다.

항상 변하지 않는 에로스 플라워 꽃집 앞에는 여느 때와 같이 화 려한 꽃들이 활짝 피어 있었다. 원래는 없었지만, 테라가 매일 사 가던 덕분에 물망초 꽃까지 앞에 전시되어 있었다.

테라가 온 것은 어떻게 알아차렸는지, 테라와 가게의 거리가 몇 미터나 남았는데도 에로스는 테라 쪽을 바라보면서 가게 건물 밖 으로 걸어 나왔다. 항상 얼굴에 떠올라 있는 미소를 장착한 채로 말이다.

테라가 가볍게 목례를 하자 그녀 역시 "어서오세요"라고 말하며 환대해 주었다.

무슨 꽃을 골라갈까 고민하던 테라를 웃는 얼굴로 바라보던 에로 스는 이렇게 말하였다.

"물망초 꽃은 안 사세요?"

"병문안 용도로 사는 거라 이번에는 안 사요. 아! 그러고 보니 마니아도 여기 꽃집 많이 오죠? 보통은 무슨 꽃을 사 가나요? 마니아의 병문안에 필요한 꽃이라. "

"마니아씨도 항상 물망초 꽃을 사 가셨어요."

"네? 마니아가 물망초 꽃을요? 좋아하는 꽃이래요?"

테라의 말에 에로스는 고개를 저었다. 좋아하는 꽃이라기보다 무언가 의미가 있을 것이고 에로스는 추측한 것이다.

"죽은 사람에게 헌화하는 용도였어요. 당신과 같은 이유로요."

"저랑 같은 이유로요?"

테라는 놀랐다. 일단 마니아가 물망초 꽃을 사 간다는 사실에도 충분히 놀랐는데 자신이랑 같은 이유로 산다니. 정말 상상도 하지 못했다.

"이번 병문안에도 한번 물망초를 가지고 가는 게 어떨까요? 익숙한 게 좋아요."

"하지만 마니아에게 쓰이는 용도가 그래서…. 의미를 조금 오해하는 게 아닐까…."

테라는 그런 말을 하면서 꽃을 바라보고 있었다. 그 옆에 있는 화려한 색의 튤립이나 해바라기, 장미 같은 대중적인 꽃들이 놓여져 있었다.

"아니요. 물망초 꽃을 사 가셔야만 해요."

에로스의 목소리가 테라의 귓가 바로 옆에서 들렸다. 순간 온몸에 소름이 끼친 테라는 재빨리 뒤로 돌아봤지만 에로스는 여전히 그 자리에 가만히 서 있을 뿐이었다.

왠지 모를 싸함을 느낀 테라는 굳은 표정으로 에로스를 바라보았지만 그녀는 눈썹 하나 움직이지 않고 평소의 미소를 지키고 있었다.

결국 에로스의 권유에 못 이겨 테라는 물망초 꽃다발을 들고 마니아의 집으로 향했다. 주소는 작년에 이미 알아놔서 가는 길은 당연하게 알았다. 실제로 몇 번 가보기도 했으니 말이다.

어느 정도 걸었을까 마니아의 집이 보이기 시작했을 때 괜히 왔나 하는 생각이 테라의 머리를 지배했다. 무언가 이유가 있는 것이 아니라, 단지 직감이 그렇게 이야기하고 있었다. 테라의 한발 한발이 괜히 무거워졌다.

그렇게 테라는 마니아의 집 앞에 섰다. 이상한 기운이 감도는 것이 현관에 들어서기 전부터 느껴졌다. 무언가가 이 집을 중심으로 계속 도는 것 같은 그런 느낌이 말이다.

안 좋은 생각만이 들자, 테라는 자신의 머리를 손으로 가볍게 두드린 뒤 초인종을 눌렀다. 종소리가 현관에 울려 퍼지고 한껏 힘이 빠진 마니아의 목소리가 초인종 너머에서 들려왔다.

"누구세요?"

"나 테라야. 몸 상태는 괜찮아? 병문안 왔어."

그 말과 동시에 손에 들고 있는 꽃다발을 보여줬다. 혹시 기분이 상하지 않을까 엄청난 걱정이 몰려왔지만 돌아온 것은 몇 초 동안 침묵이었다. 그런가, 병문안의 거절도 있을 것 같다는 생각이 테라의 머리를 스쳐 지나갔다. 기분이 안 좋아져서 이대로 문을 안 열어 주는 것이 아닐까 하며 테라가 안절부절못하고 있자 그런 걱정을 하는 테라의 생각이 무색하게 간단하게 현관문이 열렸다.

현관문이 열리자 그 앞에는 한껏 수척해진 모습의 마니아가 서 있었다.

"왜 왔어."

"왜 왔냐니. 방금 이야기했잖아."

생각보다 더 예민해진 모습에 테라는 조금 놀랐지만 그녀라면 그럴 만하다고 생각하며 혼자 납득하였다. 마니아는 테라 눈을 몇 초동안 응시하더니, 이내 지쳤는지 들어오라며 손짓하고 안쪽으로 들어갔다.

마니아의 집에 오는 것은 처음은 아니었지만 분명 이런 분위기는 아니었던 것 같았다. 거실의 분위기도 예전과 전혀 달랐었다. 그때는 사람들이 많았던 덕분이었던 것일까. 지금보다는 훨씬 밝았던 기분이 들었다.

손님용 소파에 앉은 테라의 앞에 마니아가 마주 보며 앉았다. 부모님은 두 분 다 집에 안 계시는 것 같았기에 집 안은 정적이라고 부를 수 있을 정도로 조용하였다.

테라의 앞에 앉아있는 마니아의 피부는 새하얗고 창백했으며 눈은 왜인지 모르게 붉게 충혈되어 있었다. 기어가는 마니아의 목소리를 들으니 그녀의 상태가 꽤나 심각하다는 사실이 피부로 느껴졌다. 린이 죽은 뒤 꽤나 충격을 먹은 덕분일 것이다. 테라 본인도 충격에 벗어나는 것이 쉽지는 않았으니 말이다.

마니아가 천천히 입을 열었다.

"테라…. 이번이 마지막이야. 너에게도 내 상황을 알려 줄 테니까 다신 찾아오지 마…."

"뭔 소리야?"

"나는 증오의 마녀야. 증오의 저주에 걸려서 내 주변 사람들은 전부 죽어. 그러니까 더 다가오지 마."

마니아의 협박 같은 말에 테라는 표정이 굳어졌다. 그 모습을 본 마니아는 테라가 제대로 이해했다고 생각했는지 고개를 끄덕이며 돌아가라고 손을 흔들었다.

하지만 테라의 얼굴이 굳은 이유는 단순히 그녀의 협박을 받아들여서가 아니었다. 증오의 저주, 이나야의 4대 저주. 성서에 봤던 그 저주다. 그렇다, 그녀는 테라와 같았다. 테라의 상황이랑 너무나도 같았던 것이었다. 테라는 그것을 그 날 처음 알았다. 그녀도 저주라는 이름 때문에 고통을 받고 있었다는 사실을 말이다.

마니아가 말했다.

"그녀도 내가 죽였어. 내 곁에 있으면 죽어."

"나도……. 나도 그녀의 이름이 기억이 나지 않아. 너는 기억나? 계속 그녀의 얼굴이 안개가 긴 것처럼 전혀 기억이 나지 않아. 이상하지? 몇 개월밖에 지나지 않았는데."

테라는 자신과 같은 사람이 있다는 사실을 마주하자 점점 자신의 머리에 차오르는 공허의 모습이 선명해졌다. 그 공허의 모습은 검은색이면서도 하얀색이었다. 형태가 만들어지고 무언가로 변하던 공허는 천천히 천천히 마니아와 테라에게 다가와 포옹하듯이 그들을 감쌌다.

당황한 듯이 보이는 마니아의 얼굴을 봤음에도 테라의 입은 멈추지 않았다. 그녀의 얼굴을 떠올리려고 하면 할수록 안개는 더욱더 짙어졌기 때문이었다.

"그녀의 이름이…. 이름이…. 이름……."

말이 점점 흐려지면서 테라의 머리도 점점 이상해져 갔다. 머릿속에 검은 소용돌이가 돌고 돌고 돌고 돌고 돌고 돌고 돌고 돌고,

"테라!"

마니아의 외치는 목소리가 들려서야 겨우 정신을 붙잡은 테라는 손으로 자신의 머리를 다시 두드리며 불안정하게 웃어 보였다.

"미안, 조금 힘드나 봐 나도."

억지로 겨우 웃음을 내보인 뒤 자리에서 일어난 테라는 마니아에게 인사를 건네고 불쾌한 기운으로 가득 찬 마니아의 집을 빠져나왔다.

마니아의 집 정문을 빠져나와 몇 걸음 걸었을까. 테라의 머리에는 다시 검은 것이 차오르기 시작했다.

그녀가 나에게 이야기 한 증오의 저주, 그리고 테라에게 내려진 망각의 저주. 사실상 같은 것이라고 봐도 좋은 것이다. 그녀가 테라에게 보이는 그 눈빛, 그리고 그 말.

"내가 그녀를 죽였어."

테라는 그 말을 자신의 입으로 옮기는 그 순간 테라의 안에서 뚝 하고 무언가가 끊어져 버렸다. 테라가 자신에게 느끼던 감정, 그것은 더는 자신에 대한 것이 아니게 되었다.

테라에게 그녀가 사라진 이유는 자신 때문이기도 하며, 그녀 때문이기도 하다. 그렇다. 그녀는 테라이며 테라는 그녀다. 그렇다면 그것을 테라는 끊어 내야 한다. 자신의 손으로 말이다.

그녀의 감정과 테라의 감정공허이 섞이고 섞여서 하나의 형태가 되어, 마니아에게서 나와 테라에게 들어간다. 자신이 밉다, 자신은 죽고 싶다는 증오의 감정만이 그곳에 남아 테라에게 들어온다. 회오리치던 공허는 곧 소용돌이가 되어 테라를 감싸며 테라의 마음속에 있던 감정들을 증오라는 이름으로 바꿔버렸다.

"나마니아 때문이 아니구나?"

그런 말을 내뱉은 것은 과연 누구의 의지일까? 그것만은 확실하다. 이 감정이 사라지지 않고 테라의 마음속에 정착하기 시작한 덕분에 테라의 마음은 지금 당장이라도 터지기 직전이라는 것을, 그리고 그 감정을 폭발시킬 무언가가 필요하다는 사실을 말이다. 그것을 눈치를 챘을 때 이미 테라는 달리기 시작했다.

뒤에서 누군가의 발걸음 소리가 들려왔다. 저벅저벅. 그 발걸음 점점 가까워지더니 이내 테라의 바로 뒤까지 쫓아 왔다. 등에서 느껴지는 싸함에 테라는 뒤를 돌아봤지만, 그곳에는 아무도 없었다. 그저 검은 공허만이 존재할 뿐이다.

무언가에 쫓기는 듯이 테라는 계속 달렸다.

달리고, 달리고, 달려도 검은 공허는 테라의 뒤에서 떨어지지 않았다. 숨이 찰 정도로 달리니 방금까지 먹구름으로 가득 껴있던 어둑어둑한 하늘이 눈에 들어왔다.

그곳에는 더이상 구름이 존재하지 않았고 남은 것은 검은 공허였다. 아무것도 없는 그저 무(無).

세상이 점점 어두워진다.

눈앞이 어두워진다.

어둠에서 벗어나기 위해서 달린다.

그래 그녀의 죽음은 테라_{마니아}의 탓이 아니다.

하늘에서 공허가 내려온다.

나_{테라}의 눈앞까지 내려온다.

그리고 나를 집어삼킨다.

계속 달린다.

눈앞의 공허에 잡아 먹히지 않으려고 달린다.

숨이 차도록.

짙은 어둠에서 눈을 뜬 순간 테라는
마니아의 목을 두 손으로 조르고 있었다.

21

갑작스러운 방문, 병문안이랍시고 온 테라를 마니아는 당연하게 거절할 생각이었지만 그가 들고 있는 꽃다발을 보고 생각이 바뀌었다. 왜냐하면 그 꽃은 물망초였기 때문이다.

거실 안으로 들어온 테라의 모습은 꽤나 불안정한 모습이었다. 그도 그럴 게 린이 죽은 지 얼마 되지 않으니까 말이다.

"잘 지내 마니아? 상태를 보니 많이 힘든 것 같은데? 밥은 잘 챙겨 먹어?"

갑작스럽게 찾아온 것은 물론 아무 상황도 모르는 그의 모습에서 마니아는 짜증을 느꼈다. 아무것도 모르기에 저렇게 태연하게 자신의 앞에서 말할 수 있는 것이겠지. 마니아는 이렇게 된 거 제대로 경고해서 자신의 주변에서 떨어트릴 작정으로 이야기해야겠다는 마음이 들었다.

"테라, 잘 들어. 나는 증오의 저주에 걸려서 주변 사람들이 나에게 가까이하면 전부 다 죽어. 그러니까 지금 당장 나가서 돌아오지 마. 나는 잊어."

충분히 경고가 된 모양이었다. 테라는 당황한 표정으로 마니아를 응시하더니 이내 예상하지 못한 이야기를 시작했다.

"나, 나 그녀의 이름이 기억이 안 나. 분명 그녀가 죽기까지는 그녀의 얼굴도, 이름도 전부 알고 있었는데, 안개가 낀 것처럼 그녀의 얼굴이 떠오르지 않아."

그의 입에서 나오는 말은 마니아에게는 이해가 되지 않으면서도 당황스러운 것이었지만 마니아의 마음속에 불안감이라는 불꽃을 지피게 하기에는 충분했다. 본인이 테라에게 하던 짓이라는 것을 모르고 말이다.

"그녀의 이름이…. 이름이…."

몇 초 동안 불안정하게 흔들리는 그의 목소리와 테라 얼굴에 자리잡은 어둠을 보자 마니아는 머리는 다른 의미로 빠르게 돌아갔다. 그에게 내려진 상황, 그리고 마니아 앞에 서 있는 그의 상태를 보며 이 이해 할 수 없는 이야기의 한 형태가 톱니바퀴가 맞물리듯이 찰칵하고 맞춰졌다.

"미안, 내가 조금 힘든가 봐."

테라가 마니아의 집을 뜨기 직전 자신에게 보여준 미소가 자연스럽게 그의 마지막의 모습이라는 것을 마니아는 직감해 버렸다.

그 역시 오늘을 마지막으로 마니아의 곁을 떠날 것이다. 마니아의 곁에 있으면 모두 죽거나 사라진다. 그리고 테라는 한 발자국만 뒤로 가면 증오라는 구덩이에 빠질 것 같았다.

"미안, 테라. 잘 가."

이미 증오에 침식된 그에게 마니아가 할 수 있는 말은 그것뿐이었다. 천천히 마니아는 자신의 몸을 감싸기 시작한 공허에 또다시 몸을 맡겼다. 그리고 그녀의 시야는 또다시 어둡게 변하였다.

"또다시 나를 기다란 잠으로 빠지게 만드는구나."

하지만 다시 눈을 뜨자 마니아는 침대에 누워있지 않았다. 거실에 누군가에게 짓눌려 가만히 천장을 바라보고 있었다. 이내 자신을 누르고 있는 것의 정체를 깨달았을 때는 그의 손이 마니아의 목을 힘껏 조르고 있었다.

테라의 눈은 더이상 그의 것이 아니었다. 오래전 마니아의 앞에서 커터칼을 들고 있던 그 여자아이의 눈, 그 눈과 같은 것. 증오의 눈이었다.

숨을 쉬는 게 점점 힘들어지고 마니아의 몸은 자그마한 저항을 하며 몸부림치다 이내 힘을 쭉 빼며 그만두었다. 마니아는 생각했다. 오래전 자신에게 내려졌어야 할 것이 이렇게 돌아왔다고. 친하다고 생각한 친구에게, 두 번이나 말이다.

'그래, 이것으로 나는 해방 될 수 있어.' 이것은 분명 증오라는 저주가 걸려 있음에도 본인의 처지를 생각하지도 못하고 분에 넘치는 행동만을 하며 자신이 사랑받을 수 있다고 믿었던 마니아에게 내려지는 신의 벌인 것이다. 자신은 다른 사람과 다르다고. 자신은 혼자 살아갈 것이라고, 혼자 고통받으며 살아갈 것이라고, 그렇게 생각하는 것도 이제 끝이다. 마니아는 처음부터 알고 있었다. 죽음만이 해방의 길이라고.

다가오는 죽음에 몸을 맡긴 마니아는 점점 머리가 편해지는 것이 느껴졌다. 그것은 차갑고 고요하게 그리고 아주 느리게 마니아의 몸을 만지며 다리와 가슴팍을 지나 머리까지 올라왔다.

"드디어."

세상은 또다시 검게 변했다.

눈을 뜨면 마니아는 더이상 이 증오로 가득 찬 세상을 보지 않을 것이라고 생각했다. 더이상 이 머리로 무언가를 생각하는 일은 다시는 일어나지 않을 것이라고 그렇게 생각했지만 마니아의 시야에 들어온 것은 지긋지긋한 병원의 천장이었다.

자신이 이렇게 증오스러운 세상에 아직도 살아있다는 것은 누군가가 구원의 손길이라도 내밀었다는 뜻인가. 그런 쓸데없는 도움을 준 것은 누구인가. 아니, 마니아는 왠지 알 것 같았다.

"또 그 녀석인가."

두통 덕분에 눈을 뜬 마니아는 역시나 이번에도 병실 침대에 누워있었다. 이번이 몇 번째일까. 무언가의 영향으로, 때로는 아무 의미 없이 쓰러져 눈을 뜨면 어느새 병실의 침대에 누워있었다. 이번에야말로 이 증오의 저주라는 족쇄에서 벗어나나 했지만 테라의 변심이었나, 아니면 누군가의 도움이었나. 결국 이렇게 살아남아 버렸다.

이곳은 마니아가 자주 신세 지는 102호 병실으로 보였고, 1인 병실이라 내부는 조용했다.

멍하니 고개를 이리저리 돌리다가 이내 자신의 처지를 깨달은 마니아는 아직 힘이 제대로 들어가지 않는 몸을 이끌고 침대에서 일어나 병실 밖으로 나가기 위해 걸어갔다. 손잡이를 잡고 오른쪽으로 미는 순간, 무언가가 반대쪽에서도 힘이 주어 오히려 이쪽에서는 힘이 들어가지 않았다. 마니아는 무방비하게 열리는 통로를 향해 그대로 넘어질 수밖에 없었다. 꼴사납게 복도로 넘어진 마니아는 자신의 위에서 누군가가 내려보고 있다는 사실을 깨달았다. 마니아는 몰려오는 수치심을 뒤로하고 바닥에 손을 짚고 일어나려 하자 그 사람은 마니아에게 손을 내밀어 마니아가 일어나는 것을 도와주었다,

"어디 가는 거죠?"

마니아는 그 사람의 얼굴을 끝까지 보려 하지 않았지만 들려오는 목소리가 너무나도 익숙하고 반가운 목소리였기 때문에 마니아는 자연스럽게 고개를 위로 올릴 수밖에 없었다.

당연하다고 할까. 마니아에게 손을 내민 것은 한때, 아니 지금도 마니아의 주치의이자 마니아의 믿음직한 어른, 네스 선생님이었다. 그의 손을 몇 초 동안 가만히 응시하던 마니아는 곧바로 일어나 복도 끝으로 향해 달리기 시작했다.

"어디 가요!"

마니아의 갑작스러운 행동에 놀랐는지 당황한 목소리가 뒤에서 들려왔지만 그럼에도 마니아는 빠르게 움직이는 다리를 멈추지 않았다. 온몸에는 힘이 전부 다 빠져서 마니아는 금방이라도 몸의 균형을 잃고 쓰러질 것 같았지만 무언가의 의지가 그런 마니아의 몸

을 가느다란 실로 잡아 넘어지지 않게 조종하는 것 같았다.

이렇게 달리는 것도 얼마 만인가. 숨이 차는 것도 잊은 채 마니아
는 그에게서 도망쳤다. 마니아가 지닌 죄책감의 결정체, 네스 선생
님에게서 말이다. 오래전 아무와도 접촉하지 않고 아무도 자신의
곁에 두지 않겠다는 마니아의 다짐을 깨고 들어온 네스 선생님. 그
런 선생님을 받아들여 안 좋은 영향을 끼칠 수도 있었지만 마니아
는 그를 자신의 곁에 계속 두었다. 그를 거부하지 않고 행복해지려
고 했었다. 그렇기 때문에 마니아는 도망칠 수밖에 없었다.

마니아는 계단을 빠르게 내려와서 출구를 찾으려고 이리저리 고
개를 돌렸지만 왠지 익숙하던 병원의 내부가 평소와는 다르게 느
껴졌다. 지금 어디까지 온 것인지 감도 잡히지 않았지만 그새 쫓아
온 네스 선생님 때문에 마니아는 또다시 발을 움직일 수밖에 없었
다. 아무도 없는 복도를 달리고 달려서 언제까지나 달릴 수 있을까
하는 의문점이 마니아의 머릿속에 떠오를 찰나, 복도 끝에서 누군
가가 나타났다. 바로 휠체어 소녀의 보호자, 그 남색 긴 머리의 남
자가 마니아의 앞에 나타난 것이다.

"아렌 씨! 그 사람 잡아주세요!"

어느새 쫓아온 네스 선생님의 외침에 그 남자는 달려오는 마니아
의 앞을 막았다. 금방이라도 쓰러질 것 같은 마니아의 몸을 받아주
었다. 분명히 피해 달려갈 수도 있었지만 몸이 지쳐서일까, 자신의
앞을 막은 남색 머리의 남자 덕분에 마니아는 그의 품 안으로 들어
와 주저앉아 버렸다. 분명하게 맹렬히 달려가던 마니아의 몸은 당연

히 들어가야 할 중력 가속도를 받지 않고 그대로 천천히 그 남자의 몸을 향해 넘어졌고 그는 그것을 자연스럽게 받은 것이었다.

"감사합니다. 아렌 씨. 미안한데 잠깐만 같이 동행해 주시면 안될까요? 이분, 병실에서 도망쳐서 여기까지 달려왔거든요. 또 도망칠까 봐 불안해서요."

"알겠습니다. 같이 가죠."

그는 그렇게 말하면서 주저앉아 있는 마니아를 들어 올려 안았다. 방금까지 분명 도망가고 싶은 마음이 굴뚝 같았지만 이상하게도 멈추고 난 후에는 달리고 싶다는 마음은 다시 들지 않았다.

102호의 병실에 다시 돌아온 마니아의 앞에는 네스 선생님의 잔소리와 함께 걱정스럽다는 표정이 작렬하였다. 마니아는 네스 선생님의 얼굴을 볼 자격이 없다고 생각했는지 침대의 이불로 자신의 눈을 가려 버렸다.

몇 분 동안의 네스 선생님의 설교가 지나고 다시 병실이 조용해지자 이불을 내린 마니아는 또 도망칠까 라는 생각이 잠시 스쳐지나갔다. 물론 그럴 힘도 남지 않아 포기하였지만 말이다.

네스 선생님이 한숨을 쉬는 것도 이해가 되지만 마니아 역시 한숨을 쉬고 싶은 것은 어쩔 수 없는 것이었다. 최근 들어 마니아는 생각했다. 만약 자신이 이대로 가만히 있다면 결국 부모님에게도 폐를 끼치는 것이 아닐까 하고. 그것조차 두려워진 마니아는 더이상 참을 수 없었다. 그것만큼은 절대로 안 된다.

그런 생각이 들었음에도 마니아는 계속해서 침대에 누운 상태로 울었다. 그리고 밤이 되면 또다시 꿈을 꾸었다. 현실을 보기 싫은 자신이 이렇게 버티는 것은 언제까지일까라는 생각마저 하면서. 그렇게 버텨왔다. 그리고 결국 정답은 자신이 혼자가 되거나 죽거나, 둘 중 하나라는 결론에 도달했다. 혼자 죽는 것은 무섭다. 차라리 누군가가 자신을 죽여 준다면 마니아는 편해질 수 있을 것이다. 그리고 그 기회는 주어졌다.

"하지만 실패했지….."

"내가 죽는다면 모두가 편해질 거야. 그렇다면….."

예전에 애들 사이에서 돌았던 괴담이 있었다. 검은 숲에는 마녀가 산다는 말도 안 되는 이야기 말이다. 당연하게 마니아는 믿지 않았지만, 지금에 와서는 증오의 마녀인 마니아에게 그렇게 알맞은 장소는 존재하지 않을 것이라고 여겨졌다.

"퇴원하면 검은 숲으로 들어가 혼자 죽자."

마니아는 그렇게 다짐하였다.

22

눈치채지 못했다. 자신이 어리석다고는 알고 있었지만 분명 그것도 어느 정도 선이 존재했을 것이다. 테라는 오늘 자신에게서 이 세상에 존재하면 안 되는 것을 목격해 버렸다.

정신을 차린 테라는 자신의 손이 마니아의 목을 짓누르고 있었다는 것을 알아차렸다. 곧바로 당혹스러움과 죄책감이 테라의 안으로 동시에 몰려 들어왔다.

실신한 상태로 눈을 감은 채 테라의 밑에 누워있는 마니아의 살갗에는 방금 전의 창백함은 별것이 아니라고 생각이 들 정도로 하얗게 질려 있었다. 또한 그녀의 입술은 마치 물에 오랫동안 잠겨 있었던 것처럼 파란색으로 변해 있었다.

자신이 행한 행동의 의미를 깨달아 버린 테라의 멈춰 있던 입이, 증오로 가득 찼던 머리가, 순식간에 절망이라는 감정으로 바뀌어 여기저기 터져 나갔다.

자신의 머리를 세게 움켜쥐고 이리저리 흔들며 아무도 들리지 않는 목소리로 공허를 향해 비명을 질렀다. 자신이 마니아를 죽여 버렸다고. □□□로 모자라 □□□을, 그리고 마니아를 이렇게 망각의 저주라는 이름 뒤에 숨어 사라지게 만들어 버렸다.

이번에는 확실하다. 테라, 자신은 살인자. □□□과 사라진 그녀와 다르게 자신의 손으로 직접 마니아의 목을 손으로 짓눌렀다. 테라의 울부짖음에 응답하는 목소리는 없었고 그저 마니아의 병문안 때문에 들고 왔던, 거실 바닥에 여기저기 흩어져 널브러져 있는 물망초 꽃만이 테라의 공허에 대답해주는 것 같았다.

몇 분이 흘렀을까. 정신이 나가버린 테라는 그저 주저앉을 수밖에 없었다. 그런 테라를 누군가 눈치채기라도 했는지 곧바로 어떤 남자가 열려있는 현관문을 지나 거실로 들어왔다. 그 남자는 마니아의 가슴에 귀를 갖다 대더니 이내 고개를 끄덕이며 현관을 향해 무어라 소리쳤다. 그 남자의 말이 바깥으로 향해 울리자 그곳에서 여러 남자들과 라이가 나오더니 그대로 마니아를 싣고 어디론가 사라져 버렸다.

순식간에 일어난 일이라 테라는 그저 멍하니 그 상황을 지켜볼 수밖에 없었다. 그런 테라를 불러 세운 것은 다름 아닌 먼저 들어온 남자, 란이었다. 처음에는 뒷모습만 보여서 정체를 몰랐지만 이내 자신을 부르는 목소리에 테라는 눈치를 챘다.

"테라, 니가 무슨 짓을 저질렀는지 알아?"

안다, 잘 알기에 테라는 입을 닫을 수밖에 없었다. 란의 행동으로 보아 아직 죽지는 않았지만 테라가 그녀에게 직접적으로 목숨에 위협을 준 것은 확실하다. 방금 테라가 한 행동은 명백한 살인미수 그 자체였기 때문이다.

"따라와."

분명 차갑거나 날카롭지도 않은 목소리였지만 그 말 하나하나에 위압감이 느껴질 정도로 또렷하게 귀에 박히는 것이었다.

란이 향한 곳은 너무나도 의외면서도 란이기에 당연하다고 할 수 있는 그런 장소, 바로 학교 옥상이었다. 하늘은 어두워져 이미 밤이 되었고 하늘에는 수많은 별들이 반짝거리며 자신의 빛을 있는 힘껏 뽐내고 있었다.

"테라, 린은 항상 이렇게 별이 아름다운 날 높은 곳에 앉아서 별을 쳐다보곤 했어. 그녀가 올려다 볼 수 있는 아름다움 중 가장 좋아했던 게 저 별이니까. 그러니까 말이야. 린은 별이 없는 밤을 제일 싫어했어."

린, 분명 그는 나에게 린이라고 했다. 지금까지 잊고 있던, 안개에 껴서 들리지 않았던 그녀의 이름을 란은 똑바로 내 귀에 들리도록 이야기한 것이다. 분명 아무리 생각해도, 타인이 그녀의 이름을 말해도 들리지 않았는데 왜 이제야 들리는 것인가. 마니아에게 해를 끼치는 짓을 저지르고 나서 왜 이제야 들리는 것이냔 말이다.

"망각의 저주는 사실 너의 착각일 뿐이야."

그는 알고 있는 것인가. 망각의 저주라는 것을.

"망각의 저주는 말이야. 사실 아무것도 아니야. 그저 그 저주가 존재하면 좋겠다는 사람들이 만들어낸 그저 허상의 존재, 그 이상도 그 이하도 아니야. 저주는 확실하게 존재 하지만 그것이 인간의 마음에 자리 잡는 것은 힘들어. 네가 저주라고 생각하고, 스스로 저주에 걸렸다고 인정할수록 그것은 점점 크기를 부풀려 검은 공허가 되어 버릴거야."

인간의 마음에 자리 잡는 저주의 존재는 확실하게 존재한다. 하지만 그 힘은 그렇게 크지 않아 충분히 벗어날 수 있다고 란은 그렇게 말하였다.

"란, 무슨 소리를 하는 거야 갑자기."

란의 이야기가 이해가 되지 않았다. 린의 이야기를 꺼냈다가 갑자기 저주의 이야기를 시작했다. 맥락 없이 란의 입에서 나오는 말들이 나열되며 키워드가 되어 테라의 머릿속으로 들어왔다.

별이 보이지 않는 밤, 저주, 높은 곳.

"나에게 무슨 말을 하고 싶은 거야?"

란은 말을 멈추고 테라의 눈동자를 그저 가만히 바라보고 있었다.

이내 테라는 깨달았다. 란의 이야기는 한 가지를 가리키고 있다는 것을. 몇 년 전 라이에게 빌렸던 성서 <비극> 그 책 안에 들어가 있는 내용 중 하나였다.

"너에게 린은 어떤 존재였어?"

별이 떨어지지 않는 밤, 성녀의 죽음, 구원의 천사.

"유페이아 린."

그녀의 풀 네임이었다.

구원의 천사.

성서 비극에 적혀 있던 내용과 그녀의 모습이 겹쳐서 테라의 머리 위에 떠올랐다. 하지만 과연 그녀가 그런 존재인가? 물론 모두에게 사랑받는 그녀가 성서에 해석되는 성녀와는 조금은 맞아 떨어질 수도 있었다. 하지만 구원의 천사와는 조금 이미지가 달랐다. 성서에 묘사된 구원의 천사는 조금 더 고압적이고 권위적인 모습이었기 때문이다. 하지만 그것에 대해 위화감을 가질 때 테라는 또다시 새로 생긴 의문에 고개를 왼쪽으로 기울였다.

분명 테라 자신은 그 성서의 내용 대부분을 제대로 읽지 못했다. 어째서 본인은 그 성서들의 내용 들을 이제야 떠올릴 수 있었던 것인가? 여러 의문들이 머릿속에서 회오리를 만들며 돌아갔다. 정리되지 않은 정보, 일관되지 않는 란의 말. 그것들이 이곳저곳 사방에서 테라의 머리에 들어오자 혼돈스러웠다.

"테라, 너에게 이런 말을 하는 이유는 네가 이 미쳐버린 비극의 이야기에서 마니아를 결말로 이끌어주길 바라서야."

"뭔 소리야. 란, 네가 말하는 것은 하나도 이해가 되지 않아."

"너에게 마니아를 맡기겠다는 것이야."

"뭐? 내가? 누구도 아닌, 마니아를 상처입힌 나에게 그런 말을 하는 거야?"

점점 더 이해가 되지 않았다. 지금 테라에게 일어난 상황은 물론 란이 하는 말 전부가 이해가 되지 않았다.

"란, 넌 도대체 정체가 뭐야."

"유페이아 란이지."

그 말과 동시에 란은 하늘을 바라보았다. 하늘에는 별이 수놓아져 있었고 각자의 자리에서 아름답게 빛나고 있었다.

"테라, 니가 상처 입혔으니 니가 책임을 져야지."

타당한 이야기. 하지만 테라가 신경 써야 하는 것은 더이상 그것이 아니었다. 꽤 오랫동안 알고 지냈던 사이인 란의 새로운 모습에 테라는 어깨를 떨면서도 밤의 별들의 하늘이 너무나도 아름답기에 그에 압도당해 그저 올려다 볼 수밖에 없었다.

"테라, 너에겐 이 하늘이 어떻게 보이니?"

그의 2번째 질문이었다.

"아름다워."

테라는 생각을 멈추고, 있는 그대로를 자신의 입에 올렸다.

하늘을 바라보는 순간 더이상 생각을 할 수가 없었다. 지금까지 끊임없이 올려다본 어떠한 하늘보다 아름다웠기 때문이다.

"테라, 일단 너는 마니아에게 사죄가 먼저다."

"응."

밤하늘을 올려다본 순간 테라는 란이 말했던 모든 정보들을 평소와 같이 머리 한구석에 밀어버렸다. 생각하는 것을 멈추는 것, 테라가 항상 해오던 행동이다.

그리고 옥상을 내려오기 직전 테라에게 란은 마지막으로 이 말을 남겼다.

"린도 별이 빛나는 밤 이 옥상에 올라왔어. 단지 별을 보기 위해서 말이야."

제4장 절망의 안식

뭔가, 알려줘야 할 것을 안 알려주고 있다는 생각이 들지 않아? 그것도 몇 번이나. 진실의 문 앞에서 한 발자국만 가면 분명 진실이라고 부를 것도 없는 진실들을 손에 넣게 되었을 텐데. 하지만 항상 그 앞에서 멈추게 되어버린다.

그들의 비극적 이야기들이 내 앞에 비추어진다. 그들의 결말을 기다리면서도 그 이상을 사고할 수 없도록 자신의 머리를 손으로 수차례 쥐어박는다.

나는 그저 지켜볼 뿐이다. 그들의 이야기를 말이다. 오래전에 인간들과 나 자신이 만들어낸 비극을 그저 방관하면서 말이다. 심연과 멀리한 것도 얼마나 지났을까. 더이상 내 곁에 오려고 하는 사람은 없었고 나의 대행자 역시 연락을 그만두었다. 이제 진짜 혼자가 되어 방관만 할 수밖에 없다는 사실에 두려워졌지만 그녀는 이내 그것이 별것 아닌 감정이라는 것을 깨달았다. 때가 찾아오면 자신도 새로운 길을 갈 수 있다고 믿기 때문이다.

오래전의 꿈을 꾸었다. 무미건조한 매일이 지나고 나에게 인생의 첫 자극을 주었던 불꽃 속의 마을. 하얀 옷을 입은 사람들. 그리고 검은 창. 그 검은 창에 찔린 나는 아직도 그 고통이라는 감정을 기억하고 있다.

기억을 몇 초 동안 더듬다가 이내 흥미를 잃고 다시 저 검은 공허 속으로 버려 버렸다. 이제 더이상 필요 없는 기억이기 때문이다. 나는 그저 인간의 감정을 회수하는 파수꾼, 사도, 천사에 불과하니까 말이다.

그래, 나는 비극의 천사다. 그것이 나에게 내려진 유일한 감정. 기록자가 내려준 나의 존재 의미. 오래전 나에게 계속해서 사과하던 여성이 있었다. 너를 끝까지 키워주지 못해서 미안해, 너를 구해주지 못해서 미안해하며 말이다. 지금은 그 사람의 이름이 기억나지 않는다. 하지만 슬프지는 않다. 나에게는 이미 수많은 감정들이 넘쳐서 결국 무로 돌아갔으니까.

"안녕히,"

별은 낙하한다.

24

"안녕?"

금방이라도 비가 올 것 같은 오후였다.

란이 갑작스럽게 조퇴를 한 이유는 사실 별일이 아니라, 생각할 시간이 더욱더 필요하다고 생각했기 때문이다. 학교를 자연스럽게 빠져나와 공원 앞까지 온 란은 20명의 학생을 기리는 비 앞에 앉아 가만히 그곳에 새겨져 있는 이름을 하나하나 눈으로 확인하고 있었다.

그렇게 여기저기 눈을 굴리고 있을 때 란은 누군가가 자신의 뒤로 접근하는 것을 끝내 알아차리지 못했다. 그 사람은 천천히 다가와 무방비한 란의 어깨를 한 손으로 가볍게 쥐어 잡았다.

"란."

차분한 목소리에 소름이 돋은 란은 어깨에 얹힌 손을 뿌리치며 몸을 돌려 뒤에 있는 사람을 확인하였다. 그곳에는 라이가 차분한 표정으로 서 있었다.

"라이, 여기는 어쩐 일? 지금 학교에 있을 시간 아니야?"

"그건 너도 마찬가지 아니야, 란?"

조금은 의외라는 표정을 지으면서도 곤란하듯이 어깨를 으쓱하는 라이를 보니 그가 왜 여기까지 온 건지 알 것도 같았다.

"내가 조퇴해서 따라온 거야?"

"그런 거지 뭐."

그 뒤 따라온 침묵은 꽤나 길었다. 비석 앞에 있는 벤치에 나란히 앉아서 방금까지 란이 하던 짓을 그저 반복할 뿐이었다. 결국 침묵을 참지 못한 쪽은 란이었다.

"그래서 무슨 용건? 왜 이런 곳에서 가만히 앉아있냐는 질문을 하기 위해서 조퇴까지 한 건 아니겠지?"

"맞아, 왜 조퇴했어?"

"...."

침묵에는 침묵이 돌아올 뿐. 적어도 지금 상황은 그랬다. 또다시 고요가 찾아오자 라이는 한숨을 내쉬며 고개를 저 멀리로 돌려 버렸다.

"알려주기 싫다는 거냐."

"그게 아니라."

딱히 어떤 이유가 있어 조퇴한 것은 아니라서 설명하기가 곤란했다. 당장에는 라이가 납득할 합당한 이유가 없다. 그렇기에 아무 말도 하지 않았다.

"너도냐."

"뭐가."

"우리 닮은 것 같다는 이야기 뭔가 알 것 같아."

"?"

또 그 얘기인가. 학기 초, 반 친구 중 그런 이야기를 했던 친구가 있었다. 오래전부터 따라오던 이야기에 란은 질렸다는 표정을 지으며 응하자 라이는 언제나 와 같이 옅은 웃음으로 답하였다.

"고민하는 모습이 나랑 정말 닮은 거 같아."

"이제야 와서 갑자기 그런 말을 하는 거야?"

"그래, 이제야 와서야 확신할 수 있을 것 같아."

"너 무슨 말을 하는지 모르겠어."

이상한 녀석. 갑작스럽게 그런 말을 해서는 란은 전혀 이해가 가지 않았다. 우리가 닮았다는 이야기, 사실 조금은, 아니 아주 많이 의식하고 있었기에 갑자기 이러니 더욱 당황스러웠다.

충분히 의식했기에 처음 만난 날 태연하게 인사를 건넬 수 있던 것이다.

"라이, 나도 갑작스럽게 물어보는 건데…. 그 이름의 유래는 어디서 온 거야?"

"하하."

아주 짧은 웃음소리였다. 헛웃음 같은 것도 아닌, 그냥 올 것이 왔다는 체념하는 웃음소리. 그 이상도 이하도 아니었다.

"거짓말이야. 나에게 아주 알맞은 이름이지."

"그렇군, 닮을 수밖에 없는 것인가."

입학하기 전 란은 라이라는 이름의 학생이 있다는 것을 안 순간부터 왠지 모르게 예상한 것일지도 모른다. 언젠가 이런 날이 온다는 것을 말이다.

서로의 정체를 어느 정도 생각하고 있던 둘은 그 두 마디로 막막하게 존재하던 문제들이 확실한 정답으로 바뀌었다.

그 뒤 둘은 아무 말도 하지 않았다. 하지만 말을 하지 않아도 서로의 상황을 충분히 이해하기에 시선을 다시 비석으로 돌렸다. 오래전 누군가를 위해 희생한 그들의 이름을 하나하나 눈에 새기면서 말이다.

얼마나 시간이 흘렀을까. 금방이라도 비가 올 것 같이 흐린 하늘을 올려다본 순간 이상함을 느껴 란은 자신도 모르게 벤치에서 부자연스럽게 일어나고 말았다. 란의 갑작스러운 행동에 놀라면서도 란의 표정을 확인한 라이 역시 하늘을 올려 다 보았다.

"저기 마니아 집 아니야?"

저 멀리 주택가, 그 바로 위 하늘에 수많은 공허들이 겹쳐서 소용돌이를 일으키고 있었다. 저 정도로 모여든 것이면 분명 마니아에게 무슨 일이 생긴 것일 터.

"잠시만!"

곧바로 달려 나가려는 란의 손을 붙잡은 라이는 사람을 부르겠으니 먼저 가보라는 말을 한 다음, 누군가에게 전화를 걸었다.

란의 손이 라이의 손에서 해방되는 순간, 란은 뒤도 돌아보지 않고 달렸다. 저 정도의 공허가 모이면 일어나는 일은 두 가지밖에 없다. 마니아가 자살 시도를 했다거나 아니면 그 외의 위협이 있어 목숨이 위태한 상황이거나. 어느 쪽이든 좋은 상황은 아니었다.

달리고 달려서 도착한 마니아의 집의 모습은 생각보다 더욱 심각한 상태였다. 거실 바닥 사방에 흩뿌려져 있는 물망초 꽃들과 그 가운데 누워있는 마니아, 그리고 그것을 가만히 쳐다보고 있는 테라의 모습에서 대충 상황의 심각성을 깨달은 란은 일단 마니아의 가슴에 귀를 갖다 대고 심장이 뛰는지 확인했다.

다행히 심장은 아직 뛰고 있었고 더 확실하게 알아보려 맥을 짚었다. 살아있음이 확인되자 란은 잠깐의 안도감에 한숨이 나왔다.

란이 마니아의 거실에 들어온 지 몇 분도 안 되었는데 라이가 어떤 사람들을 데리고 나타났고 그 사람들이 마니아를 운반해 나갔다. 아마 병원으로 향하는 것으로 예상이 되었다..

병원으로 이송하는 것은 라이에게 맡기고 나는 가만히 바닥에서 넋이 나가서 앉아있는 테라를 향해 걸어갔다.

"따라와."

앉아있는 테라를 일으키고 잠자코 따라오라 명령하자 테라는 순순히 그 명령에 응했다. 누구보다 가장 혼란스러운 사람이 자신이니까 그렇게 할 수밖에 없다는 듯이 말이다.

지금 테라가 할 수 있는 것이 무엇일까. 지금 테라에게 할 수 있는 것, 그것은 이 비극의 이야기에서 마니아를 이끌어주는 역할, 그것밖에 없다. 아니, 테라밖에 할 수 없는 일이다. 이 상황을 역전시키는 것을 할 수 있는 것은 테라밖에 없다.

란은 중요한 이야기를 보통 학교 옥상에서 했다. 매일매일 점심시간에 올라가니까 말이다. 그렇기에 란은 옥상으로 향하기로 했다. 린에 대해서도 이야기할 겸 말이다. 물론 그 이유 말고도 옥상을 고른 이유가 있다. 이곳은 성녀가 죽은 성역이다. 저주의 형태가 존재하는 것을 용서하지 않으니까 말이다.

테라가 향해야 하는 길, 이 비극의 끝을 보기 위해 란은 올바른 길을 가기 위한 이정표를 테라에게 넘겨 줘야 했다. 앞으로의 전개에서 테라가 떠올릴 수 있도록 정보를, 떡밥을 흘려야만 했다. 그렇다면 지금 란이 할 수 있는 것은 지금은 알아들을 수 없는 힌트를 테라에게 넘기는 것. 그것이 이 상황을 타파하는 단 하나의 수이기 때문이다.

그녀가 이 옥상에서 바라본 추락한 하늘의 별.

"그녀는 별이 아름답게 떠 있는 날 이곳에서 하늘을 올려다 봐."

공허와 저주 존재 의미.

"망각의 저주는 별것이 아니야."

구원의 천사의 이름.

"너에게 그녀는 어떤 사람이었니?"

세상의 의미.

"너에겐 이 세상이 어떻게 보이니."

전부 다 통일되지 않고 따로따로인 주제의 정보 같지만 란은 이렇게라도 테라에게 이 세상의 모습을, 아니, 이 비극의 모습을 보여주고 싶었다. 린의 죽음 이후로 구역질이 날 정도로 극적인 이 이야기를 말이다.

"네가 마니아를 이끌어야 해."

"마니아를 상처 입힌 나에게 그런 말을 하는 거야."

"상처 입혔으니 그에 상응하는 책임을 보여줘야지."

그 말은 진심이었다. 어쨌든 너도 잊어버리고 그 덕분에 이해할 시간도 없이 마니아를 상처 입혔으니까.

25

만약 아리스가 시간을 되돌린다면 향해야 할 곳은 분명 린과의 첫 만남이겠지. 하지만 린의 죽음 이후 돌아가야만 하는 곳이 바뀌었다. 린의 마지막 생일날, 그녀가 죽은 그 날로 말이다.

린이 죽은 후 아리스는 학교를 졸업해서 계획대로 대학에 진학하였다. 하지만 앞으로 나아가지 않으면 혼자 남는다고 다짐하던 날들이 전부 의미가 없어졌다. 아리스에게 살아갈 이유였던 자신의 가족, 린이 이 세상을 뜬 순간부터 말이다.

"너무 추워."

아무도 없는 넓은 저택의 방에서 침대에 누워 아리스는 그렇게 중얼거렸다. 오래전부터 알고 있었다. 린이 없는 이 저택은 공허로 채워져 있을 뿐이라고.

한때는 죽음도 생각했던 적이 있었다. 린이 없는 세상에 살아갈 이유 같은 건 더이상 없으니까. 하지만 자신이 죽는다면 주변에서 겪을 아픔을 알고 있었으니 그럴 수 없었다. 언제나 아리스는 강한 언니를 연기해야 하니까 말이다.

오래전 린과 함께하던 때가 머릿속에 떠오른다. 고아원에서 그녀와 함께하던 시절, 그녀를 입양해서 이 넓은 저택에서 같이 살던 시절, 린이 학교를 입학하여 같이 학교생활을 보낸 시절, 그런 추억들이 천천히 아리스의 머리에 떠올라 주변을 맴돌았다. 과거의 기억들이 수면 위로 올라오며 천천히 감기는 눈을 아리스는 멈출수 없었다. 이 차가운 밤을 녹일 온기가 그곳에 있었기에.

아리스가 그녀를 고아원에서 입양한 것은 그곳에서 일한 지 반년이 지났을 때였다. 갑작스럽게 걸려 온 이모의 전화에서는 누군가가 저택에 머무르기로 했다고 알려주었다. 자신의 삼촌이라는 말을 들었을 때는 자신과 같이 있을 가족이 생겼다는 생각에 들떴었다. 하지만 아쉽게도 그는 몇 달 정도만 있다가 다시 저택을 나올 것이라고 했다.

삼촌이 저택을 온 날, 아리스는 그 날 고아원을 가지 않았다. 저택에 방문해 삼촌을 맞이한 것이다. 삼촌은 20대 중반 정도였으며 온화하면서도 상냥한 느낌의 사람이었다.

아리스가 고아원에서 일하고 있다는 사실을 듣고는 삼촌은 놀라며 그곳이 어디인지 물어보는 모습에 의아함을 느끼긴 했어도, 이내 좋은 사람이라는 것을 금방 알게 되었다. 다음날 바로 고아원을 같이 방문하여 일을 같이 도와주기 시작했기 때문이다.

입양 이야기가 나온 것은 며칠 후였다. 삼촌이 먼저 이야기를 꺼낸 것도 아니고 아리스 자신이 먼저 이야기를 꺼낸 것도 아닌, 바로 원장님이 그렇게 이야기한 것이었다. 린을 입양해 달라고. 최근들어서 진학 문제 때문에 고아원에 오는 빈도가 낮아진 아리스를 걱정한 원장님이 결단을 내린 것이었다. 언젠가는 입양 갈 운명이었던 린, 원장님은 그렇게 생각했다. 이곳보다 더욱더 좋은 환경이

분명 있을 것이고 그곳이 바로 믿음직한 언니의 옆이라고. 그 언니
가 바로 아리스였다. 아리스를 고아원에 들이는 그 순간부터 원장
님은 그렇게 생각하셨던 것이었다. 그리고 입양 절차를 밟을 수 있
는 어른이 나타났다. 그렇다면 기회는 지금 밖에 없다고 생각한 것
이었다.

"저는 몇 달이 지나면 이곳을 뜨기 때문에 별로 좋은 방법인 것
같지는 않은 것 같은데요?"

타당한 삼촌의 말이었다. 하지만 아리스는 일생일대의 고집을 지
금 피우고 싶었다. 원장님도 이상하게 린의 입양을 강경하게 주장
했다. 이유는 지금 와서는 잘 모르겠지만 말이다.

"린은 아리스 양의 옆에 있어야만 해요."

"삼촌, 제발요…."

결국, 결단을 내린 삼촌은 입양의 실질적 수속자, 보호자가 되어
주었다.

삼촌의 허락이 떨어진 이후에는 입양 절차는 일사천리로 진행되
었다. 그리고 아리스는 그녀를 자신의 집에 처음 들이던 그 순간을
지금도 잊을 수가 없었다. 그녀가 이 커다란 저택에 들어온 순간
저택의 분위기가 바뀐 것이었다. 차가운 곳에 온기를 불어넣는 그
런 것이 바로 린의 능력이 아니었을까?

그 후 몇 달 뒤 삼촌은 아리스를 믿고 저택을 떠났다. 가족이 한
명 줄어들었지만 그래도 그의 빈자리만큼 린은 아리스의 곁을 지
켜주었다. 더이상 외롭지가 않았다. 아리스의 가족은 이제 그녀 뿐

이었다.

가족, 아리스에게 그렇게 이야기해준 사람은 많았다. 엄마의 빈자리를 지켜준 사람들과 마지막에서야 아리스의 곁에 돌아온 그녀의 엄마. 그리고 파니타 할머니, 아리스에게 가족이라는 개념을 알려준 사람. 아리스는 떠올린다. 가족이라는 개념이 없던 시절의 자신을.

"그것보다 전에 라이가 누구와 닮았다고 생각했는데 그건 삼촌이었나? 이런, 내가 마니아도 아니고, 또 누군가와 닮았다고 얘기하는 거야?"

자신의 곁에는 다 닮은 사람만 존재한다고 마니아 본인이 이야기했으니 말이다. 하지만 지금 생각해보면 아리스 자신에게도 다 닮은 사람들 뿐이었다.

오래전 함께 했던 삼촌, 지금 와서는 얼굴이 잘 기억이 나지 않았다. 마치 안개가 껴서 얼굴을 가리고 있는 것 같이 말이다.

"얼굴은 기억이 나지 않는단 말이야…. 그러면 어째서 라이와 닮았다고 생각했을까?"

아리스가 열심히 머리를 굴렸지만 당연하게 답이 나올 리가 없었다. 그리고 집 전화기가 요란하게 울리기 시작했다. 저택이 너무 넓어서 집 전화는 적어도 각각 방에 한 대씩은 존재했는데 그중 아리스의 방에 있는 집 전화가 울린 것이다.

아리스는 온갖 잡생각으로 머리가 아파 왔고 그 시끄러운 집 전화가 그런 아리스의 상황을 대변해 주듯이 요란하게 울렸다. 겨우 머리를 들어 침대에서 일어난 아리스는 집 전화기까지 걸어가 수

화기를 들었다. 전화기 너머에서 들려온 것은 란의 목소리였다.

"아리스! 지금 당장 이나야 병원으로 올 수 있어? 마니아가 지금 병원에 입원했어. 바로 와줘."

마니아에게 무슨 일이 일어났다는 소리를 들었을 때는 가슴이 철렁했다. 린이 죽은 지 얼마 되지 않았는데 마니아까지 어떻게 되어버리면 아리스는 정말 미쳐버릴 것 같았다. 물론 린이 죽은 뒤 연락이 끊겨서 이야기를 나누거나 하지 않았지만 걱정이 돼서 몇 번 그녀의 집에 찾아간 적은 있었다. 하지만 매일 마니아의 부모님으로부터 조금 진정되면 만나게 해주겠다고 통보를 받아, 직접 얼굴을 마주하지는 못했다. 그리고 결국 이렇게 만나게 되는 것인가. 아리스의 입에서 작은 한숨이 나오는 것은 어쩔 수 없는 것이었다.

아리스는 급하게 나갈 준비를 마치고 현관을 나와서 사람은 없고 넓기만 집 앞길을 숨이 차도록 달려 내려갔다. 봄은 이미 찾아 왔지만 그때만큼은 온도가 내려갔는지 숨을 밖으로 내쉴 때마다 입에서 입김이 나와 하늘로 사라졌다.

아리스는 병원에 도착하자마자 익숙한 감각을 느끼며 안내데스크 오른쪽 복도로 뛰었다. 아리스가 102호 병실에 도착했을 때 그 안에는 누워있는 마니아와 그 침대 바로 옆에 쭈그리고 앉아 있는 테라. 그리고 창문에 기대고 있는 란과 문 바로 앞에 벽을 기대고 서 있는 라이가 있었다.

마니아는 자는 듯 눈을 감고 있었고 그런 마니아를 배려해서인지, 아니면 말할 분위기가 아니라서 그런지 마니아를 제외한 셋은 복잡한 표정으로 입을 닫고 있었다.

"무슨 일이 있던 거야"

몇 분의 침묵, 결국 란이 입을 열었다.

"테라, 네가 직접 네 입으로 말해."

란의 요청에 테라는 조금 괴로운 듯한 표정을 보이더니 쭈그리고 앉아있던 몸을 일으켜 아리스의 얼굴을 똑바로 보고 이야기를 시작하였다.

"내가 마니아를 상처 입히고 말았어."

그 이후에 나온 이야기는 아리스가 경악할 수밖에 없는 내용이었다. 다름이 아닌 테라가 마니아의 목을 졸라서 잘못하면 죽기 일보 직전까지 갔다는 것이었다.

아무리 테라의 상태가 이상했어도 명백한 살인미수다. 그리고 다름 아닌, 누구도 아닌, 아는 사람이 마니아에게 그런 행동을 했기 때문에 아리스는 더욱더 용서할 수 없었다.

착! 경쾌하다고 할 수 있을 정도로 크게 부딪히는 소리가 들리고 나서야 아리스는 자신의 적의가 이내 테라의 뺨으로 향했다는 것을 깨닫고 말았다. 아리스는 손을 내리지 않고 그대로 올린 상태로 멈춰 버렸고 뺨을 맞은 테라는 그대로 시선을 바닥으로 돌려버렸다.

"니가 그러면 안 되잖아…."

"미안…."

"테라, 너까지 왜 그래…. 도대체 너까지 왜 그러는데! 안 그래도 린이 죽어서 다들 힘들어하는데 다 같이 힘내야지! 왜 그런 짓을 한 거야! 테라!"

"……"

테라는 아무 말도 할 수 없었다. 할 말이 없었던 것이었다. 죄인인 자신에게는 할 말이 없었다. 아리스는 그렇게 멋대로 생각해 입을 닫고 있는 테라가 용서되지 않았다. 왜 다들 그러는 건가. 왜 다 자신의 마음을 숨기고 멋대로 생각해서 행동하는 것인가.

"나는 너희의 선배이자 언니이자 누나야. 제발 이야기해줘…. 너희의 이야기를….'

아리스의 말이 끝나자마자, 병실 안이 시끄러워진 덕분인지 잠에서 깬 마니아가 감겨 있던 눈을 천천히 뜨고 상체를 일으켰다.

"마니아, 괜찮아?"

바로 눈앞까지 곧바로 다가온 아리스를 보고 당황했는지 마니아는 몸을 뒤로 빼면서 눈을 이리저리 돌렸다. 그리곤 아리스의 뒤에서 고개를 숙이고 있는 테라를 발견했는지 그 혼란스러운 눈은 이내 천천히 테라를 향해 멈추고 싸늘한 시선으로 바뀌었다. 역시 그런 건가. 자신을 죽이려 했던 사람에게는 어쩔 수 없는 시선일 것이다.

하지만 그녀의 감정은 아리스가 생각하는 것과 조금은 다른 것이었다.

"어째서 나를 죽이지 않은 거야?"

"무슨 소리야, 마니아?"

"어째서 끝까지 하지 않고 중간에 그만둔 거야. 나 드디어 편해질 수 있을 거라 생각했는데….”

아리스는 이해가 되지 않았다. 아니, 그녀가 털어놓았던 심정으로 본다면 왜 이런 상태인지 조금은 짐작이 갔지만 그럼에도 이해하고 싶지 않았다. 왜냐하면 그것을 인정해 버리면 나아버린 마니아조차 자신의 곁을 떠날까 봐 두려웠기 때문이다.

“이번에 나를 죽이지 못했으니 나는 앞으로 아무 말도 하지 않을 거야. 그렇게 정했어. 나 혼자 살아가다가 죽는다고 그렇게 정했다고. 앞으로 나를 찾지 말아줘.”

그녀의 말도 안 되는 요청을 들었음에도 아리스의 머리는 뜨거워지지 않고 점점 차가워졌다. 너무나도 어이가 없는 말이었기 때문에 오히려 머리의 온도가 내려가는 것이었다.

마니아가 그 말을 끝으로 다시 누우려 하자 아리스의 적의가 테라에게서 마니아로 향했다. 도대체 왜 자신의 주변에는 전부 자기 멋대로인 사람만 있는 것인가. 마니아도, 테라도, 죽어버린 린도 모두 다 자기 멋대로이다. 아리스의 마음은 생각해 주지 않는 것인가. 더이상 주변 사람이 죽는 것은 사양이다. 그렇게 생각하자 더이상 아리스 손은 가만히 있지 못했다.

테라 앞에 서 있던 아리스는 누우려던 마니아의 얼굴을 잡고 고개를 자신의 얼굴 쪽으로 돌렸다. 그리고 소리쳤다. 지금 자신이 느끼고 있는 적의를 그대로 마니아에게 표출했다. 지금 이곳에서 피어난 절망이 아닌 분노의 감정을 말이다.

“마니아, 내 눈을 똑바로 바라봐.”

갑작스러운 행동에 당황한 마니아는 아리스에게 시선을 맞추지 못하고 아리스의 시선을 피해서 이리저리 눈알을 굴리기 시작했다.

"이쪽을 봐! 마니아!"

눈알을 이리저리 굴리던 마니아는 아리스의 외침에 압도됐는지 이내 움직이던 시선을 아리스 쪽으로 맞추었다. 그 순간을 놓치지 않은 아리스는 자신의 감정을 표출하기 시작했다.

"마니아, 왜 항상 자신만 생각하는 거야? 네가 사라지면 슬퍼할 사람들이 얼마나 많은지 알아? 나도, 테라도, 란도, 네스 선생님도, 라이도, 그리고 너의 부모님도 힘들어할 거야. 슬퍼할 거야. 그런데도 너는 그런 말을 하는 거야?"

차가워진 머리는 다시 뜨거워졌고 아리스의 입은 멈추고 싶어도 멈추지 않았다. 여기서 멈추면 감추고 있던 눈물이 쏟아져 나올 것 같았기 때문이다.

"제발, 나에게 이야기해줘, 너희들의 감정을…. 나에게도 이야기해 달라고. 너희가 무슨 생각을 하는지…. 내가 그 감정을 함께 느껴 줄게…. 함께 그 짐을 들어 줄게 그러니까 제발…."

'안돼…. 눈물이 나올 것 같아…. 머리가 다시 뜨거워지고 있어. 나는 모두의 앞에서 강한 모습으로 있어야 하는 언니인데. 여기서 울어 버리면….'

"그렇다면 아리스, 네가 먼저 얘기하지 않을래? 너의 그 마음속 깊이 감춰 놓은 거 우리 앞에 꺼내주지 않을래?"

계속 다물고 있던 란이 입을 열었다. 아리스의 마음을 꿰뚫어 보듯이 그리 말한 것이다. 그렇다, 이번에는 아리스가 당황할 차례였다.

"무슨 소리를 하는 거야, 란?"

"아리스…. 너 역시 마음을 숨기고 있어. 그렇지? 우리에게 보여주지 않는, 이미 새까맣게 타버린 마음을 말이야."

'안돼. 하지 마. 나의 각오를 무너뜨리지 마.'

"아리스, 너에겐 저 공허가 보여?"

"무슨 이야기….."

"검은 공허."

아리스는 눈치채지 못하고 있었다. 마니아 덕분에 뜨거워진 머리 덕분에 전해 깨닫지 못한 것이다. 그 검은 것이 이 병실까지 찾아온 것을 말이다. 뜨거워진 머리는 이내 빠르게 소용돌이를 만들며 회전하기 시작하고 이내 과회전하던 아리스의 머리는 생각하는 것을 그만두었다.

"살려줘…. 전부터 계속 따라온단 말이야! 저…. 검은 것이!"

더이상 아리스의 눈에는 아무것도 보이지 않았다. 보이는 것은 저 검은 공허뿐 이었다.

"린…. 엄마…. 살려줘…. 나 죽기 싫어…."

아리스는 고개를 숙이고 손을 머리로 감쌌다. 이제는 더는 그 어둠을 보고 싶지 않았다.

그녀가 어릴 때 엄마는 아리스의 곁에 없었다. 이유는 모르겠지만 아이를 돌보지 못할 사정이라도 있었는지, 아리스는 자연스럽게 어떠한 부부에게 맡겨지게 되었다.

아리스가 지금까지 살고 있던 그 시절의 저택에는 아리스를 맡게 된 부부와 수많은 관리인이 함께 살아가고 있었다. 엄마를 아주 가끔씩만 볼 수 있던 아리스에게 실질적인 부모의 역할은 분명 그 부부였다. 하지만 아리스를 키운 부부는 자신들을 부모로 칭하지 않았다. 그 둘에겐 아리스의 엄마는 존경스러운 사람이니까, 그녀 딸의 부모 자리를 뺏을 수는 없다고 생각한 것이다. 어릴 때부터 그녀의 엄마는 누구인지 확실하게 하는 것이 맞다고 그들은 생각했던 것이었다.

아빠 쪽에 혈연이 있다고 해도 거의 남이었지만, 그 부부는 아리스를 누구보다 자신의 딸인 것처럼 열심히 키워냈다. 하지만 아리스는 그러한 부부 둘에게 감사함을 느끼면서도 위화감에 휩싸였다. 아이에게는 차라리 이 부부가 부모라고 주장하는 게 옳았는지도 모른다. 적어도 어렸을 때는 말이다.

아리스는 가끔씩 찾아오는 엄마를 보고, 왜 자신은 엄마를 이렇게 조금 밖에 만나지 못하는 건지에 대한 의문을 가지게 되었다.

"왜 나는 엄마랑은 조금밖에 만나지 못해? 아빠랑은 만날 수조차 없는 거야?"

부부가 자신들을 부모라 일컫지 않자, 자연스럽게 아리스에게도 부부는 부모로 인식되지 않았고 결국 아리스는 자신이 처한 이 상황, 부모에 대한 것으로 눈을 돌리게 된 것이다. 그리고 어느 날 그 아리스의 의문은 돌연히 풀려 버렸다.

"아직 어린 아리스가 불쌍하네. 본인은 부모에 대해서는 잘 모르겠지만 앞으로 어떻게 살아나가려나. 물론 우리가 클 때까지 잘 보살피겠지만."

"그러니까요. 아버지는 돌아가셨고 어머니도 심각한 병 때문에 많이 얼굴을 못 비추니까요. 물론 저희가 열심히 부족함 없이 키우겠지만 진짜 부모의 사랑을 받고 자라는 건 조금 다르니까요."

그 이야기를 들은 어린 아리스가 가장 먼저 떠오른 감정은 납득도 절망도 아닌, 의문이었다. 아빠는 돌아가셨고 엄마는 병 때문에 자신에게 얼굴을 자주 못 비춘다고 했다. 그렇다면 그 둘이 그렇게된 이유는 무엇일까?

어린아이가 가진 호기심은 상상 이상의 것이었다. 그리고 그 호기심은 이내 커다란 행동력이 되었다. 건드리지 말아야 할 판도라의 상자가 바로 앞에 있는지도 모르고 말이다.

어느 날 엄마가 저택에 잠시 들렀을 때 어린 아리스는 엄마에게 직접적으로 물었다. 엄마가 병에 걸린 이유가 뭐냐고. 아빠가 죽은 이유가 뭐냐고.

그 말을 들은 엄마는 이상하게 당황하거나 놀라지 않았다. 그저 아이의 호기심에 그녀는 미소를 지을 뿐이었다.

"뭐라고 생각하니, 아리스."

"모르겠어요, 엄마 그러니까 알려 주세요. 왜 엄마가 그리 힘들어야만 하는지."

"우리 아리스는 많이 컸네. 엄마 걱정도 해주고."

엄마는 온화한 표정으로 이야기를 이어 나갔다.

"아빠는 말이지, 단순하게 조금 일찍 세상을 떠난 것뿐이야. 단순한 사고였어. 교통사고 알지? 그걸 당해서 돌아가신 거야."

아리스는 고개를 끄덕이며 다음 말을 기다렸다.

"엄마는 말이야…. 아주 예전에 용서받지 못한 짓을 저질러 버렸어. 나쁜 짓을 해버린 거지. 그래서 지금 벌을 받고 있는 거야."

"나쁜 짓? 그게 뭐야? 엄마는 착한 사람이야. 그런 엄마가 나쁜 짓을 저지를 리가 없어."

아리스에게 엄마는 온화하고 친절하며 자신을 아끼는 엄마, 그것 이외는 어떤 것도 존재하지 않았다. 그녀에게 엄마는 절대 선이며 악행 같은 건 절대로 저지르지 않는다고 생각해 왔기 때문에 그런 말을 할 수 있던 것이다.

"미안해, 미안해, 아리스. 엄마는 생각보다 나쁜 짓을 많이 했단다. 그러니까 이렇게 아파하는 거야. 이 병이 엄마에겐 벌이란다."

그렇게 엄마가 열심히 말했음에도 어린 아리스는 이해가 되지 않았다. 그 나쁜 짓이 뭐길래 엄마는 이렇게 힘들어야만 하는 건가. 자신은 왜 엄마를 자주 보지 못하는 건가.

"엄마는 아무 잘못도 없어! 누가 엄마에게 벌을 내린다는 거야!"

어린 아리스가 외친 것은, 아무런 사연도 모르고 외친 오만한 억지에 불과했다. 그저 아무것도 모르는 어린아이의 억지. 그럼에도 엄마는 아리스를 나무라지 않았다. 그저 아리스라는 어린아이가 건드린 상처의 고통을 참고 있었다. 금방이라도 울 것 같은 얼굴은 조용히 미소 짓고 있지만, 손가락이라도 살짝 대면 그대로 깨져서 무너질 것 같은 모습이었다.

그리고 손을 대기 직전 엄마는 천천히 무너졌다. 눈물이 조금씩 얼굴을 적시고 흘러나오기 시작한 것이다. 떼를 쓰고 있던 아리스는 갑작스럽게 흘러내린 엄마의 눈물을 보곤 당황할 수밖에 없었다. 그리 많이 만나지는 않았지만 난생 처음 보는 눈물이기도 했고 지금 엄마의 모습이 작은 자신보다 더욱더 연약해 보였기 때문이다.

어린아이는 당황하며 엄마에게 사과했다. 자신이 무심코 건드려 버린 것이 감정으로 형태가 되어 직접적으로 피부에 닿는 것은 아마 그때가 처음이었을 것이다.

"엄마 죄송해요. 울지 말아요. 저 때문에 울지 마세요. 앞으로는 병에 대해서 아무 말도 안 할게요⋯."

아리스 역시 엄마의 눈물을 보자 자신의 잘못을 깨달았는지 조금씩 따라 눈물을 흘리기 시작했다. 엄마가 슬프니 자신도 슬프다. 그것이 사람과의 감정공유라는 것이다. 아리스는 천천히 자신의 엄마를 향해 걸어가 그 작은 손으로, 당시에는 한없이 컸던 엄마 몸을 감싸 안아주었다.

엄마의 체온과 아리스의 체온이 겹쳐 따뜻한 온기가 되었다. 이것이 바로 세상 처음으로 느끼는 사람의 따뜻함일 것이다.

"미안해요, 미안해요, 엄마, 다신 안 그런 말 안 할게요. 그러니깐 울지 마세요."

엄마는 자신을 안아준 딸이 기특했는지 눈물을 흘리면서도 그 따뜻한 미소를 절대 잃지 않았다. 왜냐하면, 그것조차 잃어버린다면 아리스라는 어린아이에게 커다란 상처를 입혀 버릴 테니까.

"아니야, 미안해 아리스···. 내가 좀 더 잘해줘야 했었는데···. 엄마로서 조금 더 관심을 가져줘야 했는데. 미안해 아리스. 너의 잘못은 없어. 전부 나의 잘못이야. 그러니까 아리스도 울지마. 엄마는 괜찮으니까."

그 이후로 아리스는 엄마에게 그 일에 관해서 묻지 않았고 엄마는 저택에 들리는 빈도가 높아졌다. 이내 같이하는 시간도 자연스럽게 늘자 어린 아리스는 기뻤다. 그리고 어느 날 비극은 갑작스럽게 찾아왔다.

"두 분 다? 두 분 다 행방불명이라고? 이게 어떻게 된 거야?!"

아리스를 키워주던 부부가 갑작스럽게 실종되었다. 이유는 알 수 없었고 아무런 전조도 없이 상황은 그렇게 흘러갔다. 그 부부가 사라지자 아리스를 돌볼 사람이 없어졌기 때문에 아리스를 어떻게 해야 할지 이리저리 이야기가 오가게 되었다. 결국 가정부라도 써야 하나라는 얘기가 나올 때쯤 엄마가 자신이 딸을 맡을 것이라고 그렇게 이야기했다.

"제가 키울 거에요."

엄마의 말에 어른들은 그녀를 말리기 시작했다. 병에 걸려 제 몸 제대로 가누기도 힘든데 어떻게 그녀에게 맡길 수 있을까.

"몸도 안 좋으신데···. 여기서 또 다른 사람에게 맡기는 게···."

"맞아요. 류에이아씨. 그러다 병이 악화되면 어찌하려고요…."

류에이아 아리스의 엄마, 류에이아 세이비는 이미 각오를 굳힌 것 같았다.

"아뇨 제가 키워야만 해요 저는 그 아이의 엄마니까요"

자신이 그 저택에 살면서 딸의 성장을 지켜봐야 한다. 그것이 그녀의 결심, 그녀의 엄마로서의 책무이기 때문이다.

그렇게 엄마도 저택에 들어와 살기 시작했다. 병원도 잘 가지 않았고 집에 있는 시간이 확실하게 늘었다. 아리스는 기뻤다. 전부터 키워주던 부부가 사라져서 조금 쓸쓸했지만 이내 자신의 엄마를 매일 볼 수 있다는 사실을 직시하면서 위안이 되었던 것이었다.

엄마는 저택에 머물게 되었지만, 관리인들의 힘을 빌린다는 말로 주변 어른들을 일단 진정시켰다. 맡는다 해도 본인이 하는 일은 생각보다 적다고, 그렇게 설득한 것이었다.

"이제 엄마를 매일 볼 수 있어. 헤헤. 엄마한테 뭐라 인사드릴까?"

어린 아리스는 기쁨의 표현으로 빙글빙글 춤추며 자신 방의 창문 밖을 바라보았다. 창문 밖에는 바로 저택에 있는 커다란 정원이 보였으며 그곳에는 커다란 연못이 있었고 아름답게 조성되어있는 정원은 아리스가 자주 가서 놀던 장소이기도 했다.

"그래. 엄마가 집에 오면 정원에서 놀자고 말씀드려야겠다."

또래보다 조숙하다고 할 수는 있었지만 아리스의 당시 나이는 11살, 한창 열심히 놀던 시절이다.

"사모님! 너무 무리하세요! 이 집에 따님과 같이 사시는 건 좋은데 너무 무리하신다는 말입니다…. 빨리 병을 낫는 게 아리스님 한 테도 좋을 것이라고요. 함께하고 싶은 마음은 잘 알겠지만 조금은 쉬셔야 해요….”

회사 사람들이 와서 엄마에게 그렇게 말했다. 그 말을 지나가다 들은 아리스는 잊고 있었던 엄마의 상태를 다시 깨달았다.

“엄마 아직 많이 아프시지. 내가 너무 놀자고 해서 힘들게 했나.”

아이는 계속해서 생각했다. 자신 때문에 엄마가 아픈 것은 싫다 고. 그 이후 무리하게 엄마에게 놀자고 권하지 않았지만 그럼에도 엄마가 놀자고 권하니 아리스는 거절하지 않고 함께했다. 자신과 함께 있는 엄마가 누구보다 행복해 보였기 때문이다.

행복한 나날이 계속되자 이제 더는 아리스는 점점 엄마의 현실이 보이지 않게 되었다.

“엄마, 매일 매일 정원에 있는 저 검은 것의 정체는 무엇일까요?”

“그것은 무서운 거야. 하지만 아리스가 착한 아이가 된다면 너에 게 해를 끼치지 않는단다.”

“그래요? 그럼 엄마, 만약 저 검은 것이 내 앞까지 나타나면 어 떻게 해야 하나요?”

“그때는 엄마를 부르면 돼. 그럼 엄마가 그 검은 것에게 말해줄 게. 우리 아리스는 착한 아이니까 잡아가지 말라고”

어느 밤, 엄마가 자기 전에 아리스에게 말해준 이야기이다.

검은 것은 천사님이 나쁜 사람들을 잡아가기 위해 만든 괴물이라 고. 그러니깐 나쁜 짓을 저지르지 않는다면 아무 해도 끼치지 않는다고. 자기 전에 아리스를 달래 주었다.

그도 그런 게 아리스는 엄마가 이 집에 온 후부터 그 검은 것이 정원에서 보이기 시작한 것이었다. 모습을 특정할 수 없는 검은 것. 그것을 본 아리스는 바로 겁에 질렸지만, 엄마의 말을 듣고 안심하게 되었다. 아리스는 착한 아이니까, 그렇게 본인은 믿고 있으니까 무서워할 필요 없다고, 엄마가 지켜주겠다고 말해줬다.

그래서 아리스는 안심하고 오늘도 잠에 들 수 있었다.

엄마가 죽은 것은 엄마가 저택에 머무르기 시작한 지 몇 달이 지났을 때였다. 갑작스럽게 병이 악화되어서 병원에 입원한 엄마는 금방 돌아오겠다는 약속을 아리스에게 하고는 병원으로 향했다. 하지만 결국 그 약속을 지키지 못하고 병실에서 생을 마감했다.

엄마가 더이상 이 세상 사람이 아닌지도 모르고 계속 기다리던 아리스는 엄마가 죽은 사실을 알게 된 뒤 절망하였다. 자신을 지켜준다고 맹세한 엄마가, 단 한 명뿐인 엄마가 자신을 남기고 하늘로 올라 가버렸다는 사실에 말이다.

아리스는 엄마가 죽은 뒤에도 결코 생각하길 멈추지 않았다. 계속해서 엄마의 병에 대해서 의문을 가졌지만 끝내 입에 내뱉지는 않았던 것처럼 말이다. 그녀는 어린 나이임에도 생각이 자신이 내뱉은 말의 의미를 깨닫지 못할 정도로 어리석지 않았다. 그리고 불행하게도 결국 어린 그 아이는 어느 생각에 도달해 버리고 말았다.

"나 때문에 엄마가 죽었어."

엄마가 병에 걸린 걸 알면서도 엄마에게 어리광부리고, 놀자고 재촉한 자신을 책망하였다. 자신이 어리석게 감정을 엄마에게 내보인 것이 잘못이라고. 아리스는 그렇게 생각해 버린 것이다. 그렇게 다다른 결론은 아리스 자신에게 커다란 제약을 걸어 버렸다. 자신의 감정을 함부로 타인에게 보여주지 않게 된 것이다. 그녀의 진짜 마음을 말이다.

다른 사람에게 자신의 고통을 함부로 말하면 안 돼. 그것이 그 사람에게 흥기가 될 수도 있어. 그것이 아리스 자신이 취해야 하는 행동이라고 생각하였다.

그렇게 자신의 마음을 꽁꽁 숨겨서 언제 터질지 모를 시한폭탄을 몸에 차곡차곡 쌓은 결과, 아리스의 마음은 이미 새까맣게 불타 버렸다. 그녀의 발랄한 성격은 분명 그대로였지만 그 안은 재가 되어 바닥에 쌓여있었다.

아리스를 겪은 어른들은 그녀에게 어린 나이치고는 의젓하다고 칭찬을 했지만, 그녀는 자신의 타버린 마음을 알지 못하게 숨겨 버렸기에 그 칭찬이 아리스의 상처를 더욱 아프게 하였다.

엄마가 죽은 후 12살인 아리스는 또다시 누군가에게 맡겨져야만 한다는 이야기가 어른들 사이에 오가게 되었다. 그녀를 맡을 자격이 없다느니 무책임한 말들이 이리저리 오가는 사이에 어떤 한 사람의 말로 인해 어른들은 그녀를 더욱 맡기 꺼려하기 시작했다.

아리스는 저주받은 아이라고, 그녀를 맡은 사람은 전부 실종되거나 죽는다고. 어린아이에게 할 이야기가 아닌 소문들이 퍼지고 그것을 진심으로 믿는 사람은 적었지만 꺼림칙한 건 어쩔 수 없었는지, 한동안 아리스를 맡겠다고 나타나는 사람은 없었다.

회사 사이에서도 여러 이야기가 오갔지만 그곳에서도 역시 지원자가 나타나지 않았다. 저택엔 엄마와 아리스를 돌봐줬던 관리자들이, 확실한 보호자가 나오지 않자 점점 하나둘 떠나가기 시작하였다.

"그래 혼자 살자…. 나에겐 가족을 가질 자격은 없는 거야…."

저주받은 아이라는 말을 받아들인 12살 아리스는 각오를 다지게 되었다. 혼자 살아나갈 수밖에 없다고, 자신 혼자 살아나갈 거라고 그렇게 생각하였다. 아리스를 돌봐주겠다는 사람이 나오기 전까지는 말이다. 아리스의 각오가 무색하게 회사 쪽에서 그녀를 맡겠다는 사람이 나온 것이다.

그녀의 이름은 파니타, 회사 쪽에 있던 사람으로 알고 있다.

그녀가 아리스를 맡으려고 한 이유는 딱히 없었다. 주변에 곤란한 일이 있기에 그걸 해결하기 위해 나선 것뿐, 그 이상 그 이하의 이유 같은 것은 없었다고 했다.

주변 사람의 만류에도 불가하고 그녀는 아리스를 입양하였다. 그녀와의 첫 만남, 아리스는 그녀를 마주하는 그 순간 신비함을 느꼈다. 그녀의 모습은 20대 중반 정도였지만 쓰는 말투라든가 분위기가 나이 많은 사람처럼 보였기 때문이다.

"할머니?"

그것이 아리스가 파니타의 앞에서 처음 한 말이었다. 상당히 무례한 말임을 알았지만 무의식으로 내뱉은 말이었기 때문에 아리스는 직후에 당황하며 그녀에게 사과했다.

"아, 죄송합니다! 헛소리가 나왔네요. 죄송합니다."

하지만 파니타의 얼굴에 떠오른 것은 불쾌함이 아니라 흥미로움이었다.

"호오, 왜 그렇게 생각했나."

오히려 생각한 것과 다른 반응이 나오니 아리스는 더욱 당황스러웠다. 아리스가 여기서 어떤 말을 해야 할지 고민하던 찰나, 파니타는 입을 다시 움직이기 시작했다.

"그렇군. 나를 할머니라고 불러도 된단다. 오히려 다른 명칭으로 불리는 게 더 익숙하지 않거든. 잘 부탁한다, 아리스."

파니타가 아리스에게 손을 내밀자 아리스는 그 손을 잡았다.

"할머니가 맞으세요? 그럼 나이가⋯."

그녀가 자신을 할머니라고 부르라고 한 순간부터 아리스는 무례함을 생각하기보다 그것을 밀어낼 더욱 큰 호기심이 생겼다. 그 호기심에 파니타는 싱긋 웃으며 답하지 않았기에 아리스 역시 침묵으로 대답할 수밖에 없었다.

그 후 새로운 가족이 생긴 아리스에게 불만은 일절 없었다. 무엇보다 같이 살아갈 사람이 필요했던 아리스에게는 오히려 다행이라고 할 수 있을 정도니까 말이다.

처음에는 파니타가 아리스 자신을 맡을 이유가 없었기에, 그 보이지 않는 이유 때문에 아리스는 조금 불안했다. 하지만 그녀는 보호자로서 충분한 역할을 잘 해줬고, 딱딱한 사람인 줄 알았는데 의외로 친절해서 그녀에 대한 경계심은 차차 풀렸다. 그렇게 그녀는 아리스의 생활 중 일부가 되었다.

하지만 엄마에 대한 그리움은 여전히 사라지지 않았고 파니타에게도 마음을 전부 다 열지 않았기 때문에 타인에게 자신의 진실된 감정을 숨겨야만 한다는 아리스의 행동은 변하지 않았다. 아리스의 마음은 계속해서 타들어 갈 수밖에 없었다.

"할머니…. 만약 자신의 가족이 자신 때문에 죽는다면 남겨진 사람은 어떻게 해야만 할까요."

아리스의 알 수 없는 질문에도 파니타는 조금이라도 동요하는 것 없이 그리운 표정으로 하늘을 바라봤다.

"아리스, 나에게도 가족이 있었어. 하지만 지금은 아무도 남지 않았지. 나도 너랑 똑같아. 그래서 한동안 생각했던 적이 있어. 왜 내가 이런 일을 당해야만 하는가 하고."

"……"

"그랬더니 나온 답은 실로 간단했어. 애초에 이유 따윈 없는 거야. 그저 세상의 흐름에 괴로워하고 그럼에도 살아나갈 뿐."

젊은 나이의 할머니는 이미 답을 찾았다. 아니 사실 답 같은 건 존재하지 않았던 것이다. 이 길고 긴 이야기에서 수많은 일들이 지나갔고 그 내용이 받아들이기 힘들더라도 살아나갈 수밖에 없다는 사실을 이미 받아들여 버린 것이다.

"할머니는 그럼 이제는 슬프지 않아? 자신에게 일어난 일에 대해서도?"

"물론 슬프지, 아까 말했듯이 무언갈 탓하기도 했어. 하지만 말이야. 아리스, 그렇게 탓하거나 슬퍼만 해선 아무것도 변하지 않아. 시간은 우리를 기다리지 않고 끊임없이 흘러가거든. 그래서 말이지, 더이상 신경 쓰지 않기로 했어. 나도 과거를 후회했던 사람이었어. 하지만 후회해봤자 그저 자신의 마음만 아플 뿐이잖아? 중요한 건 과거가 아니야. 지금이자 미래이지."

아리스는 할머니의 생각이 잘 이해가 되지 않았다. 그럼에도 그저 마음이 아플 뿐이라는 말에는 동의했다. 차라리 모든 걸 잊어버렸으면 했다. 이미 새까맣게 타버린 마음을 누가 치료해 줄 것인가. 그것에 대한 답 역시 아리스는 갈구했다. 자신을 구원해 주는 누군가가 나타나길 바랐다. 하지만 그 답은 아직도 찾지 못했다.

혼란스러워하는 아리스에게 생각할 시간이라도 주려는지 몇 초 동안 아리스를 차분한 표정으로 쳐다보다 파니타는 다시 입을 열어 천천히 다음 이야기를 시작했다.

"나에게도 가족이 있다고 했었지? 솔직히 말해서 나에게 가족이라는 의미는 이미 닳고 해져서 더이상 그 의미로 부를 수 없게 됐어. 왜냐하면 가족이라 부르던 많은 사람들이 내 곁에 왔다가 사라져 갔거든."

"그럼 할머니는 가족이 많았어?"

"그래, 많았지. 제일 처음 있던 가족은 나의 여동생이었어. 부모라는 게 없었던 나와 동생은 서로 의지하면서 살아갔지. 하지만 어느 날 언니 쪽이 무언가에 눈이 멀어 동생에게 실수를 저지르고 말았어. 그 둘은 크게 싸웠고 결국 돌이킬 수 없는 다리를 넘어 버리고 말았지."

"그럼 할머니랑 그 동생은 영원히 다시 만나지 않았어?"

"그럼, 그렇게 영원히 둘은 헤어졌지. 그렇게 첫 번째 가족은 내 곁에서 사라졌어. 그리고 두 번째 가족이 나에게로 왔지."

파니타는 오랜 과거의 기억에 깊게 빠져든 듯하였다. 함께하는 동안 한 번도 보여주지 않은 온화한 표정을 짓고 있었기 때문이다.

그런 모습이야말로 아리스의 할머니라는 이미지에 가장 적합한 모습이었을 것이다. 마치 옛날부터 함께 한 친할머니가 자신 앞에 있는 것 같은 착각을 불러일으킬 정도였으니까 말이다.

"두 번째 가족은 너만 한 여자아이였어. 너처럼 아는 사람에게 맡겨져서 키우게 됐지. 그 아이는 순수했어. 얼마나 순수했냐면 의심이라는 감정을 알지 못했어. 있는 대로 말하자면, 마치 감정을 지금 막 배우고 있는 아이 같았지. 그 아이랑 함께 하는 건 즐거웠어. 흥미로웠거든. 감정이 존재하지 않던 아이가 서서히 감정을 얻어가는 과정이 말이야."

파니타는 자신의 경험담을 말하는 것이 무언가의 그리움보다는 순수히 자신을 경험한 걸 알려주기 위해 말하는 것처럼 보였다. 아리스에게는 그것은 마치 과거 회상의 아련함이 아닌 좀 더 담담하고 차분한 무언가로 느껴지기 때문이었다. 뭐라 하면 좋을까. 마치 파니타의 성과를 보고받는 기분을 자아냈다.

위화감을 느낀 아리스였지만 그저 그녀의 성격이라고 생각하였고, 지금까지 그래왔기 때문에 잠자코 듣기만 하였다.

"그 아이는 차례차례 인간에 가까워졌지. 이건 그저 비유이지만 마치 인간의 사회를 잘 몰랐던, 아무도 알려주지 않았던 그런 아이 같았어. 그야말로 순수함 그 자체였지. 하지만 그 아이는 결국 내 곁을 떠났어. 그녀를 맡아줄 적당한 자가 나타났거든. 그래서 나는 결국 그 아이를 놓아주게 된 거야."

"그 아이의 이름이 뭐죠?"

"트레지티…. 그런 이름이었어. 누가 지어준 이름인지는 모르겠지만 말이야, 별로 좋은 이름은 아니지…."

트레지티…. 그 당시에는 그 이름에 대해서 잘 몰랐다. 어느 나라 언어인지조차도 몰랐기에 아리스는 그저 고개를 갸우뚱거렸다. 지금 와서는 아주 잘 알았다. 그 이름의 의미를,

"그 아이는 어떻게 됐어요?"

"아까 말했듯이 적합자에게 맡겨졌어. 더이상 내가 돌볼 상황이 아니었거든."

"그럼 그 아이도 지금까지 한 번도 다시 만나지 않았나요?"

"맞아. 그냥 지나가는 사람이라고 생각했지. 이제 더이상 그 아이를 볼 수 없어. 내가 갈 수 없는 곳까지 가버렸거든."

그 이후 파니타는 자신을 거쳐 간 여러 가족에 관해 이야기를 들려줬다. 아빠와 엄마를 모두 잃은 아이가 사랑받기 위해 가족을 찾아 자신의 앞까지 왔다는 이야기, 아내를 잃고 방황하던 남자가 사람의 온기를 원해 자신에게 찾아왔던 이야기, 뇌에 장애를 입은 아이를 부모가 잠시 맡아달라고 했던 이야기 등 여러 이야기를 들으

면서 아리스는 가족이라는 형태에 대해서 다시 생각해보게 되었다.

파니타의 이야기에 등장하는 모든 사람 중 혈연인 사람은 첫 번째 가족, 여동생밖에 없었지만 파니타는 그 이후의 자신을 거쳐 갔던 사람들을 모두 자신의 가족이라고 불렀다. 그렇다면 파니타에겐 가족이란 존재는 무엇일까? 그 정의에 대해서 아리스는 궁금증을 참지 못하고 물어보게 되었다.

"나에게 가족이라는 존재? 한 가지로 정의하긴 힘들지, 하지만 이것 하나는 확실하게 말할 수 있어. 자신의 감정을 같이 나누는 사람들, 한집 아래에서 울고, 웃고 때로는 싸우고, 그런 여러 감정들을 공유하며 살아가는 사람들…. 그런 것을 나는 가족이라고 부르고 싶어."

이 말을 들은 아리스는 자신도 그런 가족을 만들고 싶다고 말했다.

"전 할머니도 좋지만, 저도 저만의 가족을 꾸리고 싶어요! 할머니는 제가 선택한 사람이 아니잖아요. 제가 선택해서 가족을 만들고, 저도 언젠가는 할머니처럼 진정한 가족을 만들 거에요. 물론 그 가족에는 할머니 역시 포함이에요 이번에는 제가 선택할 거니까요!"

그 말을 들은 파니타는 이번에도 아무 말도 하지 않고 그저 조용히 미소를 지었다. 그때 파니타는 어떤 생각을 했을까? 아리스 역시 그녀에겐 거쳐 가는 사람이었을까? 하지만 한 가지 확실한 건 있었다. 파니타 할머니가 어떻게 생각했든, 결국 지나가는 사람이 됐다는 것이다.

아리스가 가족에 대해 놀라울 정도로 집착하던 이유는 자신의 복잡한 가정사에도 있었지만 역시 할머니의 영향이 컸다고 본다. 여러 가족의 형태의 이야기를 들으면서 자신 가족의 모습을 그려나 갔고 그것이 이제 동경으로 비추어졌기 때문이다.

다만 파니타의 가족 이야기는 대부분이 비극으로 이루어져 있었다. 아리스는 그 잔혹한 이야기를 들으면서도 가족을 동경한 이유가 무엇일까? 그것은 간단했다. 자신의 이야기와 비슷했기 때문이다. 비극이라고 할 수 있는 상황을 앞에 두고도 가족을 갈구하는 그들의 모습을 자신에게 투영한 것이다.

부모를 잃은 후에도 아리스는 상실감이 컸지만, 단 하나뿐인 동생 유페이아를 잃었을 때 더욱더 깊은 절망에 빠져 버렸다. 지금까지의 상실감이 연속된다는 점 때문도 있지만, 유페이아는 그녀가 선택한 <가족>이었기 때문이었다.

동생을 잃은 후 아리스는 또다시 어른들의 말을 떠올렸다.

"아리스는 저주받은 아이다."

그렇다. 자신과 마니아는 같았다.

이미 타서 재가 되어버린 주제에 마니아의 증오를 나누자고 말한 것이다. 꽁꽁 싸매서 아무에게도 보여주지 않은 마음은……. 이 마음을…. 도대체 누가 치료해줄 수 있는 것인가?

유페이아 린은 그녀의 마지막 희망이었다.

그녀와 함께 있으면 타버린 마음이라도 무언가의 따뜻함을 느꼈다. 마치 또다시 타오를 것 같았다. 하지만 이미 전부 타버려 재가 되어 버린 마음이 또다시 타오를 일은 영원히 없을 것이다. 그녀가 떠나기 전에도, 앞으로도.

26

"아리스의 마음도 우리에게 이야기해줘."

"너에게도 그 공허가 보이니?"

마니아는 처음 보는 아리스 언니의 모습에 놀랄 수밖에 없었다.

"살려줘…. 린…. 엄마…."

그녀의 외침에는 이미 마니아가 아는 아리스 언니의 모습은 없었다. 그곳에는 겁에 질린 어린아이만이 존재하였다.

두 머리를 팔로 감싸고 그대로 바닥에 엎드려 버리자 테라는 당황하며 바닥에 붙어버린 아리스를 일으켜 세우려 했다. 하지만 어디에서 그런 힘이 나오는지 아리스는 바닥에서 떨어지지 않았다.

"너희도 본 기억이 있겠지. 공허를 말이야."

란이 마니아와 테라의 시선을 번갈아 보고 공허를 본 적이 있냐고 물었을 때는 바로 이해가 가지 않았지만 테라의 표정을 보자마자 떠오르고 말았다. 항상 우리를 따라다니는 그 공허를 말이다.

"본 적 있어. 마니아의 집에서도, 그 길에서도."

"나도 본 적 있는 거 같아."

테라의 말에 가볍게 동의하는 마니아의 모습에 란은 고개를 끄덕이며 다음 말을 이어갔다.

"너희도 본 적이 있을 거야. 그것은 말이야. 절망을 심화시키는 장치야. 반대로 그 감정이 내면에서 올라왔기 때문에 나타나는 것이기도 하고."

마니아는 이해가 되지 않았다. 란의 말은 하나도 이해가 되지 않았지만 절망이라는 감정을 마음속에 떠올리면 나타나는 것에 대해서는 조금은 납득하였다.

"마니아, 지금 아리스를 보고 어떤 기분이 들었지?"

라이의 갑작스러운 화제 전환에 마니아는 의아함을 느꼈지만 지금은 그것이 중요한 게 아니었다. 아리스의 상태가 중요했다.

"어떻게 생각하냐니…."

솔직히 말해서 마니아는 조금 많이 놀랐다. 그렇게 강해 보이던 아리스 언니였으니까, 아무리 사람마다 하나쯤 숨기는 모습이야 있겠지만 평소와는 다르게 너무 약해 보였기 때문이다.

"아마 그것이 아리스의 본심일 거야. 차례차례 자신의 주변이 사라져가니 무서운 것이겠지. 그리고 자신의 약함을 계속 숨겨 왔고 아무에게도 말하지 않았어. 우리 앞에서 아무렇지도 않은 듯이 연기해 왔지."

"그렇구나…."

마니아랑 똑같다. 그녀도 두려워하고 있다. 자신의 주변이 사라져가는 이 상황이 말이다.

"그녀는 약해. 아니, 어쩌면 그 약함을 지금까지 숨겨 왔으니 반대로 강하다고 이야기할 수 있겠지만."

마니아는 상상도 하지 못했다. 남의 불행을 보는 것은 처음이었기 때문이었다. 항상 자신만 생각하고 있었다. 자신만 죽고 싶을 정도로 힘들었기에 주변 사람을 멀리하려고 했다.

자신이 다른 사람을 위해서라고 했던 행동들이 역으로 그들에게 상처를 주었다. 자신에게 멀어지라고 말하면서도 가까이 다가올 수 있는 여지를 남겨 놓은 자신이 얼마나 이기적인 짓을 했는지, 오늘 마니아는 다시금 깨닫고 말았다.

계속 바닥에 엎드려 비명을 지르던 아리스는 이내 지쳤는지 그대로 바닥에서 기절해 버렸다.

란이 바닥에 쓰러져있는 아리스를 안아 들고 병실을 나간 것은 그 직후였다. 란이 떠나고 테라와 마니아, 그리고 라이만이 병실에 남았다. 방금 일어난 상황 때문인지 아니면 조금 더 전에 일어난 일 때문인지 병실 안에는 또다시 어색한 침묵이 찾아왔다.

"나 잠깐 화장실 갔다 올게."

그 말을 남기고 테라가 사라졌다. 어지간히 이 공기가 답답했겠지. 마니아 역시 테라였으면 그랬을 것이다.

"그러고 보니…. 라이, 내가 그때 그런 상황이었다는 것은 어떻게 알았어? 사람들을 데리고 온 거 보면 이미 예상하고 온 것 같이 보이던데."

"…."

침묵으로는 침묵으로 답한다. 그것이 당연한 것.

"방금 아리스는 어떻게 생각해."

"…"

이번에는 이쪽이 침묵할 차례다.

마니아의 돌아오지 않는 답을 듣지 않고 라이는 마니아에게 등을 돌렸다. 마니아에게 혼자서 생각할 시간을 주기 위해서인지 아니면 다른 의미라도 있는 것인지 그대로 등을 돌린 채 라이마저 병실을 떠나버리고 말았다.

"나는……."

빈 병실에서 마니아가 내뱉은 그 한마디는 아무도 없는 이곳처럼 허무하게 울려 퍼질 뿐이었다.

밤이 됐음을 깨달았을 때는 옆에서 잠꼬대가 들려왔다. 머리를 이리저리 굴리다 지쳤는지 눈치도 채지 못하고 마니아는 그대로 침대에서 잠들어버린 것이다. 그 잠을, 침대 바로 옆에서 기대어 자고 있는 테라의 잠꼬대가 깨웠다.

"얘는 왜 여기서 이러고 있지?"

의문에 고개를 갸웃거리는 것도 잠시, 테라에게서 시선을 떼자 별이 없는 하늘이 눈에 들어왔다. 분명 언니가 죽은 그 날도 이렇게 별이 없는 밤이었었지.

"미안해…."

테라의 잠꼬대였다. 듣다 보니 미안하다, 전부 내 잘못이다 라며 알 수 없는 자책만을 늘어놓는데 마니아는 이상한 기분만 들었다. 그에 대해서 별생각이 없었지만, 이렇게까지 사과해봤자 정작 마니아 자신은 아무런 생각도 안 드는데. 의미가 없는 짓일 뿐이다.

말은 그렇게 했지만 이미 마니아의 머릿속에서는 말로는 표현할 수 없는 여러 가지의 감정이 겹쳐서 회전하고 있었다. 가장 큰 것은 궁금증이려나.

테라…. 넌 왜 그날 날 죽이려 한 거니?

지금 와서도 의문이었다. 그는 왜 날 죽이려 했을까? 그리고 왜 갑자기 그 마음을 바꾸게 된 것인가. 마니아는 입으로 뱉지 않고 마음속으로만 그에게 물었다. 그날의 그 살기는 무엇이었냐고, 마지막으로 본 그의 모습을 떠올리면, 그도 혼란스러워 보였지만 말이다.

"너는 나에 대해서 어떻게 생각해?"

대답을 바라고 한 질문이 아니었다. 당연하게 자고 있던 테라를 의식하고 이야기 한 것이기에 사실 안 들었으면 하는 말이기도 했다.

"내가 너를 어떻게 생각하냐니…."

하지만 그 혼잣말에 테라는 대답을 해버렸다. 언제 일어났는지 방금까지 침대에 기대어 잠을 청하던 테라가 고개를 들고 마니아의 얼굴을 똑바로 쳐다보고 있었던 것이었다.

"언…. 언제 깼어!"

조용하던 병실에서 시끄럽게 울리는 마니아의 목소리, 그리고 그런 목소리에 깜짝 놀란 테라의 목소리가 교차했다. 누가 먼저라고 할 것도 없이 말이다.

"깜짝이야…. 네가 질문해 놓고 니가 놀라면 어떡해."

"조금 전까지 자고 있었잖아."

"네 말소리에 깼어."

방금 한마디에 깼다니…. 귀가 얼마나 좋은 거야. 아니, 애초에 깊게 자고 있던 것도 아니었나.

"테라, 왜 오늘 내 목을 조른 거야."

"…나 자신도 모른다고 하면 믿을 거야?"

"?"

어느 정도 예상은 했다지만 결국 이런 것인가. 정말 세상은 자신에게 명확한 답을 준 적이 한 번도 없는 것 같다. 성질 나쁜 세상이라고 마니아는 생각하였다.

"그럼 마니아, 어째서 나를 집안에 들인 거야? 너는 자신에게 가까이 오지 말라고 이야기했잖아. 그냥 확실하게 선을 긋고 싶었다고 하면 할 말이 없지만."

그런 이유도 있었지만 좀 더 다른 것이었다. 마니아 자신이 테라를 집에 들인 이유는 말이다.

"테라…. 네가 병문안 왔을 때 들고 왔던 꽃…. 기억나?"

"물론, 물망초 꽃……."

"그래. 그 물망초 꽃을 보고 너를 들여보냈어. 네가 왜 내 병문안에 그 꽃을 들고 왔는지는 모르겠지만 나에게 그 꽃은 특별하거든. 그래서 그때 잠깐 마음속에 변덕이라는 것이 생긴 거야."

그렇다. 물망초 꽃은 사촌 오빠가 좋아하는 꽃이다. 나에게는 그것 뿐일 것이다. 대충 답이 됐다고 판단한 마니아는 테라의 반응을 기다렸지만 너무 조용했다. 아무런 반응도 없는 것이었다. 뭐라도 말하라고, 마니아는 그렇게 속으로 외쳐봤지만 당연히 테라에게 전해질 리는 없었고 침묵은 계속되었다.

몇 분이 지나고, 그제서야 테라는 입을 뗐다. 그리고 그 말은 마니아를 놀라게 만들기에는 충분하였다.

"마니아…. 혹시 그 꽃이 죽은 사람의 좋아하는 꽃이라던가, 그런 건 아니겠지?"

27

"여긴 어디지…."

처음 보는 천장, 자신의 방과 다른 침구의 재질 덕분에 이곳이 집이 아니라는 것을 아리스는 깨달았다. 자신이 왜 이곳에 누워있는 것인가, 잠들기 전에 무슨 일이 있었는가. 머리를 굴려보니 답은 금방 떠올랐다.

"그렇구나…. 나 또 모두에게 민폐를 끼쳤구나…."

아까 전 마니아의 병실에서의 자신의 모습을 머릿속에 그려보니 자신이 얼마나 꼴사나웠는지 깨달았다. 아리스는 그대로 무너질 것 같았다. 남에게 꽁꽁 숨겨두던 자신의 마음을 있는 대로 토로해 버린 것이다. 사실은 무서웠다고, 자신도 구원을 바란다고 말이다.

"나는 언니인데 말이야…. 끝까지 언니로 남겠다고 린에게 약속했는데…."

어느 날 딱 하루 아리스는 자신의 심정을 린에게 토로한 적이 있었다. 사실은 모든 게 무섭다. 린이 자신의 곁을 떠나버릴까 봐, 자신의 감정이 다른 사람들을 상처입힐까 봐.

"더이상 가족이 사라지는 건 싫어…."

아리스의 감정이 저주가 되어 엄마를, 아빠를, 나를 키워준 부부를, 그리고 린을 죽음으로 몰아세웠다. 그리고 그 감정의 방향은 또다시 마니아를 향하였다.

그렇다, 마니아에게 뭐라 할 처지가 아니었다. 아리스 자신도 잃는 것이 두려워 아무에게도 자신의 본심에 대해서 이야기하지 않았다. 마니아에게 감정을 나누자고 이야기했으면서도 정작 본인은 그러지 않는 것은 그저 위선에 불과했다.

"……"

이런 자신은 그냥 사라지는 게 나은 것인가? 아리스는 계속해서 절망했다. 린이 아주 살짝 손대도 무너져 버리다니. 너무 약해져 버린 것이다. 린에게 약속했는데. 끝까지 강한 언니로 남기로 말이다.

"데리고 가."

엄마가 죽은 그날부터 따라다닌 검은 것에게 아리스는 그렇게 말했다. 자신을 데려가라고, 절망의 늪으로 말이다.

그날 그녀가 자신에게 한 말을 안고 아리스는 심연으로 떨어질 것이다. 이미 마음을 먹었다.

"언니는 언니인 채로 괜찮아. 강한 언니든 무엇이든 나를 이끌어준 것은 언니니까."

"그러니까."

사실 모든 것은 핑계일지도 모른다.

"언니가 모든 것을 떠맡을 필요는 없어."

사실 지친 것이다.

"다른 사람에게 강한 척해도 돼."

아리스의 본심은 린만 알고 있으면 된다.

"그럼에도 언니는 나의 언니니까."

아리스의 가족은 이제 없다. 민폐를 끼치는 것은 린이면 충분하다. 자신의 가족, 같은 지붕 아래 살며 서로의 감정을 공유하는 가족 그런 가족이 필요했다.

지금 아리스에게 필요한 것은 다른 것도 아닌 절망의 안식.

"이제 쉬게 해줘."

"나는 물론 마니아, 테라, 그리고 라이까지 민폐만 끼치고 쉬게 해줄 줄 알았어?"

그 목소리가 병실에 울리자 검은 것들은 강풍에 걷히는 안개처럼 사방으로 확산하여 이내 자취를 감춰 버렸다.

"아리스, 너도 마니아처럼 대가를 치러야지."

병실 문 앞에 어떤 남자가 서 있었다.

"어디서 혼자 사라지려 하는 거야. 정말 민폐라니까."

"란…."

"왜 이렇게 이기적인 거야. 너의 입으로 마니아한테 말했잖아. 왜 다른 사람은 생각하지 않냐고, 왜 이렇게 이기적이냐고. 너 혼자 사라지면 다른 사람은 얼마나 힘들어할지 모르는 거야?"

"....."

"너는 린의 언니잖아. 그리고 모두의 언니이기도 하지. 모두에게 사랑받을 여지를 남겨 놓고 그냥 떠나버리면 얼마나 많은 사람에게 민폐를 끼치는지 알아?"

"그냥 내버려 둬!"

아리스는 자신의 안에 쌓고 쌓아 놓았던 폭탄이 터져 나감을 느꼈다. 몇십 년을 버티고 버텨서 드디어 여기까지 왔다. 하지만 자신의 감정이 린을 죽이게 된 것이다. 이제 충분하잖아. 그만 쉬고 싶어.

"네가 뭘 안다고! 린은 죽었어. 나에게 살아갈 이유는 없단 말이야! 나에게 린은 세상의 전부야. 단 한 명뿐인 가족이란 말이야!"

터져 나가는 감정, 그 감정을 더이상 제어할 수가 없었다. 눈물이 터져 나오고 얼굴이 빨갛게 상기돼도 아리스의 목소리는 멈추지 않았다. 목이 쉴 정도로 소리를 질러도 멈추려 하지 않는 것이다.

"네가 내 감정을 보고도 나를 모두의 언니라고 말할 수 있어? 이 감정을 마주하고도 너는 상처 입지 않을 수 있냐고!"

슬슬 목이 아프기 시작했다. 하지만 멈추지 않았다. 머리가 핑 돌았다. 하지만 멈추지 않았다.

"그럼, 할머니의 말은 잊은 거야?"

"...!"

할머니…? 란이 할머니를 어떻게 알고 있는 거지?

"너에게 가족의 정의는 그게 아니잖아."

감정의 공유.

"나는 린과 함께 너랑 같이 저택에서 살았어. 가족의 정의 중 하나인 같이 한 지붕에 살았다 라는 조건도 부합한다고."

그러니까,

"나도 너의 가족이야. 나를 가족에서 제외하다니 정말 섭섭한걸. 나뿐만이 아니야. 마니아도 테라도 라이도 모두 너의 가족이잖아? 마니아만큼은 저 너머로 보내지 않을 거잖아?"

그렇게 말하며 란의 손이 창밖으로 향하였다.

창밖에 있는 것은 별이 없는 밤. 그 밤 너머에 있는 것은….

"공허."

"아직 쓰러질 때가 아니야. 린은 별이 많은 밤을 좋아했어. 린의 처음 꿈은 아름다운 별 하늘을 보는 것이라고 했어. 하지만 그 아름다움을 눈에 새기는 순간, 그 꿈은 형태를 바꾸고 새로운 꿈이 되었어. 바로 세상 모든 아름다움을 찾는 것으로 말이야."

"꿈은 계속해서 변하는 거야. 린은 그래서 여행 기획부에 들어갔고, 아리스에게는 아직 우리가 남아 있어. 마니아한테 그랬던 것처럼 우리에게도 그 감정을 나눠줘."

"……"

그렇다. 가족은 아직 아리스의 곁에 있었다. 린이 사라진 후 분명 계속 생각했던 것인데 왜 잊어버린 것일까.

"란……. 미안…. 나 너무 약해져 있었나 봐."

"약해져도 괜찮아. 그렇게 모두 토로하고 차차 더욱더 강한 사람이 되는 거야."

 그런 것인가…. 아리스는 아직도 불안했다. 이게 정말 맞는 길인지, 자신의 심정을 토로하면 무언가 달라질지. 그런 아리스의 마음속을 꿰뚫어 봤는지 란은 이렇게 말하였다.

 "모르겠어. 하지만 분명 우리는 앞으로 나아갈 수 있겠지. 그게 나쁘든 좋든 말이야."

 밤은 깊어진다. 자신의 상황도 확실하게 파악하지 못했지만 내일은 찾아오겠지. 그렇다면 아리스는 나아갈 수밖에 없다. 안식으로 향하는 것을 포기해 버린 자신에게는 말이다.

 "그러고 보니 란, 너는 내 마음을 다 아는 듯이 말하더라. 심지어 너한테 알려주지 않은 할머니 이야기도 하고. 도대체 어떻게 안 거야?"

 아주 잠깐이었지만 알려 줄 수 없는 진실이라도 있는 것인가. 눈을 살짝 찡그린 불안정한 표정이 란의 얼굴에 살짝 지나갔지만 이내 그 표정은 다시 미소라는 감정으로 덮였다.

 "린에게 들었어."

 그것이 방금 보인 표정의 의미와 직결하는 거짓말인지 진실인지 지금의 아리스는 알 방법이 없다. 그런 작은 것까지 알아채기에는 아리스 자신은 너무 어리석기 때문이다.

 그러고 보니까 항상 란은 모든 것을 안다는 듯이 행동하였다. 마니아 때도 그렇지만, 항상 이런저런 불합리한 상황들이 어느 정도 짐작이 된다는 듯이 행동하는 것이다. 그것 무엇일까. 그와 우리가 다른 점이 무엇이지….

 하지만 더는 란을 의심하고 싶지 않다. 란이 입에 꺼낸 것, 그것을 진실로 믿기로 했다. 그렇게 하지 않으면 겨우 일어선 자신이 또다시 무너질 것 같았기 때문이다.

 "마니아의 눈을 뜨게 할 거야."

 "그래야지, 그래야만 우리의 '언니'지."

 "란, 린은 왜 죽은 것 같아?"

 갑작스러운 질문이었다. 자신도 이유를 모르지만 항상 모든 것을 알고 있는 것 같은 란이라면 사실 린이 죽은 이유도 알고 있는 것이 아닌가 하는 생각이 든 것이다.

 당황하며 고민하다 결국 답하지 않는, 그런 반응이었으면 자신에게는 왠지 모를 위안이 될 것 같았다. 하지만 란은 아리스의 갑작스러운 질문에 전혀 표정 하나 바꾸지 않고 창밖을 올려다보았다.

 "글쎄, 분명 별들은 그 답을 알고 있겠지."

 의미심장한 대답이 돌아오자 아리스는 생각하는 것을 멈췄다. 란은 항상 이런 식으로 계속해서 넘겨 왔다. 모든 답을 말이다. 하지만 왠지 그의 눈에는 항상 확신이 서려 있었다.

 '란, 난 너를 믿어야만 해. 그러니까 너도 나에게 알려주지 않을래?'

 진정이 된 아리스는 이번은 란의 차례라고 이야기하려 했지만 오늘은 그러지 못했다. 그 이유는 바로…….

 란을 따라 밤하늘을 바라보니 방금까지 별이 없던 하늘은, 언제부터였는지 별들이 하나하나 하늘로 나와서 헤엄치고 있었다.

28

"지금 너는 아리스의 상황에 대해서 어떻게 생각해."

"....."

당연하게 예상한 침묵이 이 병실 안에 찾아왔다. 테라와 란 그리고 아리스가 병실을 떠난 뒤 라이와 마니아만이 이곳에 남았다. 그리니까 지금 둘만 있을 때 마니아가 앞을 보게 하고 싶었는데, 아직 충격만으로는 부족한가.

그녀에게 생각할 시간을 주자. 그렇게 생각한 라이는 곧바로 병실 문을 열고 복도로 나왔다. 복도에는 정돈되어 놓여 있는 의자나 화분이 쭉 이어져 있었고 너무나도 규칙적인 모습이었기에 분명 구조를 잘 모르면 길을 잃을 수도 있다는 생각이 들었다.

"하아…."

라이는 가벼운 한숨을 내쉬고 길고 긴 복도를 천천히 걷기 시작했다. 마니아가 있는 병실은 102호 1인실이다. 103호, 104호를 지나 차례차례 숫자 번호가 올라갈수록 익숙한 광경이 라이의 눈앞에 펼쳐졌다. 분명 다 같은 경치였지만 분명 그 분위기가 달랐다. 111호. 그곳은 라이가 아주 예전, 매일 방문하던 병실이었다.

항상 라이의 구원자가 지내던 장소. 이제 더이상 볼 수 없는 그녀가 입원했던 그곳이었다.

옛날의 감상에 젖은 라이는 분명 병실에 사람이 있다면 다른 사람일 텐데, 분명 민폐일 텐데, 한 번이라도 좋으니 그녀와 다시 만나고 싶다는 자그마한 기대 심리가 강하게 작용했다. 라이의 손은 주저하지 않고 병실 문 손잡이로 향하였다.

"철컥"

손잡이가 돌아가며 열린 문 뒤의 풍경은 라이가 예상한 것보다 좀 더 신비한 분위기를 자아내고 있었다. 어두운 밤, 병실 안은 불이 꺼져 있었지만 창문으로 들어오는 달빛 덕분에 내부의 모습은 어느 정도 보였다.

1인실이기 때문에 딱 한 개만 있는 창가 바로 옆, 침대 위에는 이곳 병실의 환자인 것으로 보이는 하늘색 머리의 소녀가 이상한 노래를 흥얼거리며 창밖을 쳐다보고 있었다.

노랫소리는 밖에서 불어오는 바람으로 인해 라이의 귓속으로 들어와 그대로 뇌리에 새겨졌다. 너무나도 아름다운 목소리였기 때문에 무언가에 홀린 것처럼 라이는 그 노랫소리에 귀를 기울이게 되었다. 선율이 울려 퍼지고 신비로운 공기가 라이의 발끝에서 천천히 올라왔다. 이것은 도대체 무슨 상황인가. 라이의 안에 숨겨 놓았던 호기심이 밖으로 나오려고 하고 있었다.

"넌 이름이 뭐야?"

라이의 목소리가 울려 퍼지고 나서야 드디어 그 여자아이는 라이의 존재를 알아차렸는지 부르던 노래를 멈추었다. 그녀의 얼굴이 천천히 라이의 쪽으로 향하고 그녀의 눈을 본 순간 그는 깨달았다.

"너……."

라이는 입을 다물 수밖에 없었다. 그녀의 눈에 비추는 것은 아무 것도 없었기 때문이다. 초점이라는 것이 없었다. 말 그대로의 의미로, 그녀에게 라이가 보이지 않는 것이었다.

공허가 몇 겹 겹쳐서 그 진의를 알아볼 수 없는 그런 눈. 그런 눈을 마주하면 누구든지 두려워할 수밖에 없다. 그러나 그 소녀는 이내 흥미를 잃었는지 다시 창문으로 얼굴을 돌려 버렸다.

"뭐지…?"

의문점이 한두 개가 아니다. 그녀는 왜 입원했을까. 왜 침대에 앉아 창밖을 보며 노래를 부르고 있던 것일까. 그런 생각에 다다랐을 때쯤 라이는 그녀의 팔과 다리, 그리고 머리에 감겨 있는 붕대의 존재를 발견하고 말았다. 온몸에 상처라도 있는 것인가? 아니면 단순히 전부 다친 건가? 하지만 그런 궁금증을 해소할 시간도 없이 병실에 또 다른 방문자가 찾아왔다.

"누구세요?"

병실 안으로 들어오는 문은 어느새 열려있었고 그곳에 이어져 있는 복도에 남색 머리의, 단발이라고는 할 수 없지만 어느 정도 길이가 있는 머리 스타일을 하고있는 남자가 서 있었다.

"어쩐 일로 이곳에 방문하신 거죠? 아린에게 용무라도 있나요?"

"아…. 저기 그게, 방을 잘못 찾아왔네요. 죄송합니다. 바로 나갈 게요."

라이는 어색한 웃음을 지으면서 그 남자를 옆을 지나 문 앞까지 걸어갔다. 하지만 그 남자는 뒤도 돌아보지 않고 이렇게 말하였다.

"병문안이라도 오셨나 봐요?"

"네…. 그렇죠."

"몇 호?"

"102호요."

"아. 마니아씨 보러 오셨구나? 정말 힘드시겠네요."

"마니아를 아세요?"

"네, 몇 시간 전에 병실에서 도망치려고 하던 걸 제가 잡았거든요."

도망치려고 했다? 마니아는 무엇을 생각하고 있는 것인가. 정말 터무니없다. 어이가 없을 정도로 말이다.

"네스 선생님이 쫓고 계시길래 무슨 일이 생겼나 하고 일단 앞을 가로막았는데 환자복을 입고 있더라고요."

"마니아를 막아 주셨군요. 감사합니다."

라이가 내민 손을 그 남자가 살포시 잡아든다. 조금 차가운 인상과 다르게 손만큼은 엄청 따뜻했다. 어울리면서도 어울리지 않는 그의 얼굴에 떠오른 미소는 왠지 오래전 잊어버린 것 같은 아련함이 떠오르는 것 같았다. 물론 정작 그게 무엇인지는 잘 모르겠지만 말이다.

"저기 이름이?"

"아렌입니다. 그쪽은?"

이름을 말하려 했지만 갑작스럽게 목 중간 턱에 걸려버렸다. 자신의 이름을 밝히면 무언가가 잘못될 것 같은 이상한 생각이 들었기 때문이다. 하지만 라이는 이내 그 불안감을 뿌리치고 목에 걸린 이름을 입 밖으로 내뱉었다.

"라이입니다. 잘 부탁드려요."

"라이….."

그리고 불안감은 현실이 되었다.

"유페이아는 잘 지내나요?"

그 순간 정적이 병실에 깔린다. 아렌이라고 자신을 소개한 이 남자는 유페이아라고 말했다. 린을 알고 있는 것인가? 아니면 좀 더 다른 의미를 내포하고 있는 것인가? 어느 쪽이라고 해도 위험하다.

라이가 아무 말도 못 하고 가만히 있으니까 아렌은 그런 라이의 모습을 보고 라이의 마음속을 들여 다 본 건지, 웃으면서 다시 손을 뻗어 악수를 요청하였다.

"아무튼 잘 부탁드려요. 라이 씨."

"아, 네. 이쪽이야말로."

두 번째 악수가 끝나고 라이는 그에게 인사를 건네며 문을 지나 복도로 걸어갔다. 문을 닫고 111호를 등지는 순간 등 뒤에서 아렌의 목소리가 들려왔다.

"당신이 찾고 있던 사람은 이곳에 있었나요?"

하지만 라이는 그 말에 답하지 않고 복도를 걸어 나갔다. 아렌이라는 남자는 자세히는 모르겠지만 분명 이쪽과 관련이 있는 사람이 분명했다. 라이의 마음속을 정확하게 꿰뚫어 보고 라이의 사정도 다 알고 있는 듯 보였다. 설마 천사와 관련이 있는 것인가. 그렇게밖에 설명이 안 되었다.

라이는 주머니에 있는 핸드폰을 꺼내 익숙한 손놀림으로 전화번호를 쳐내려 갔다. 통화음이 들리고 누군가가 전화를 받았다.

"아렌이라는 사람, 좀 알아볼 수 있나?"

"아렌이요? 잠시만요."

전화 너머에 몇 명이 이야기하는 소리가 들리더니 이내 전화를 받은 장본인이 다시 이야기를 시작하였다.

"정확히 하고 싶은데요. 지금 이나야에 사는 사람 중에 아렌이라는 사람은 아렌 레이아스 밖에 없는데 확실한가요."

"레이아스? 레이아스라고? 잘못 본 거 아니야?"

"맞아요, 레이아스."

이름이 레이아스라는 것은 단순한 우연이 아닌 이상, 천사와 관련이 있을 수밖에 없다. 그리고 이나야에선 그런 우연은 거의 존재하지 않는다. '직접 물어봐야 하나' 하는 생각이 라이의 머리를 스쳤다. 우리도 아직 그 세상에 대해서 모르는 정보가 많은데.

"조사해볼까요?"

"어, 부탁해."

전화가 끊기고 뚜-뚜 하는 잡음만이 넓은 복도에서 울려 퍼졌다. 레이아스, 그것은 나의 구원자 세이비 씨가 세운 회사의 이름이자 현 진실의 천사의 이름이기도 하였다. 설마 천사 본인이라고 생각은 들지 않았지만 연관이 있는 것이 확실했다.

"그러고 보니 심연 쪽에서 관리자들이 그 이름을 최근에 많이 언급하긴 했지."

어쩌면 이 이야기를 올바른 방향으로 이끌 열쇠가 될지도 모른다. 하지만, 만약 그를 개입시켰을 때 이야기가 완전히 틀어질 가능성 역시 다분하다. 위험성이 너무 큰 것이다.

"제발 이대로 아무것도 하지 않았으면 하네."

한숨을 내쉬고 병실 앞을 떠나려 했지만 또다시 들려온 다른 목소리가 라이의 발목을 잡았다.

"거기서 뭐 하세요."

라이의 뒤에서 천천히 걸어온 것은 마니아의 주치의 네스 선생님이었다. 라이는 방금까지 자신이 엄청 무서운 표정으로 고민하고 있었다는 것을 깨달았는지 표정을 천천히 풀고 미소를 지으며 네스 선생님에게 인사를 건넸다.

"안녕하세요. 네스 선생님이라고 하셨나요. 마니아가 항상 신세를 끼치고 있네요."

다행히 방금까지 라이의 표정을 눈치채지 못했는지 네스 선생님이라는 의사는 바로 웃음을 지으며 인사를 받았다.

"아, 아까 같이 계시던 마니아의 친구분? 근데 여기서 뭐 하세요?"

"아, 그게…. 잠깐 바람이라도 쐴까 해서 나가는 길이었어요. 근데 네스 선생님은 여긴 어쩐 일로? 진료실은 반대편이잖아요?"

"아, 여기 111호 병실에 입원하고 있는 분의 주치의를 제가 맡았거든요."

"그렇군요. 그럼 전 가보겠습니다."

라이는 이번에야말로 네스 선생님의 옆을 지나 복도를 걸어나갔다. 네스 선생님은 그런 라이를 몇 초 동안 바라보다가 이내 몸을 돌려 병실 안으로 들어갔다.

아렌이 보호하고 있는 여자아이의 주치의라…. 나중에 따로 물어보자는 생각이 들었지만, 그것은 일단 나중 일이다. 한번 아리스의 상태라도 보러 갈까. 그렇게 라이는 자신의 앞에 쭉 늘어진 하얀 복도를 향해 한 걸음 내디뎠다.

아리스가 있는 병실 앞에 도착한 라이는 때마침 병실 문을 열고 나오는 란과 마주치게 되었다. 란의 표정은 나름 만족스러운 결과라도 나왔는지 입가에 살짝 미소를 띠고 있었다.

"란, 아리스의 상태는 어때?"

"진정됐어. 아니, 이제부터 완벽하게 마니아의 생각을 바꾸기 위해서 같이 움직여 줄 거야. 원래도 그랬잖아? 나는 그저 아리스의 마음을 해방해 주기 위해서 이런 짓을 한 거야."

라이는 안도의 한숨을 내쉬고는 란의 어깨에 손을 올렸다.

"잘 부탁한다."

"너야말로."

그 말을 끝으로 묘한 침묵이 둘 사이에 찾아왔다.

"…."

"라이, 너 어디 갔다 온 거야?"

"111호실."

"솔직하네. 거짓말할 줄 알았는데."

"너의 앞에서는 거짓말을 할 수 없어."

"111호실에는 어쩐 일로."

"옛날 생각이 나서."

"옛날?"

그렇다 옛날. 몇 년 전이였나. 라이는 그 병실을 매일 매일 빠짐없이 방문했을 때가 있었다. 그곳에 입원해 있던 한 사람을 만나기 위해서 말이다.

"네가 아직 공원에서 방황하던 시절 기억나?"

"물론, 하지만 이제 슬슬 기억 속에서 사라지는 것 같아. 이 이름으로 몇 년을 살았으니까."

"그러냐, 나는 아직도 잊지 못하는데."

서서히 라이의 얼굴에 드리워지는 어둠을 란은 눈치챘는지 미소를 짓던 입가가 점점 내려갔다. 부자연스럽게 굳어진 란의 얼굴을 보니 왠지 그 시절의 그 소년을 다시 보는 것 같았다.

"네가 방황하는 모습을 보고 나 역시 깨달았었어. 나 역시 살아가는 이유를 찾지 못했다는 것을."

공원의 벤치에 앉아있는 사람들, 그런 사람들을 향해 무언가 이야기하는 소년, 그리고 그 소년을 향해서 아무 말도 안 하는 무정한 사람들. 그 경치를 항상 라이는 잊지 못했다. 그리고 자신 역시 그 무정한 사람 중 하나였다.

가까이하면 안 된다느니 저주받는다느니 보다도 타인의 시선이 신경 쓰였던 나였기 때문에 고민하고 또 고민해도 결국 그 소년에게 다가가지 못했던 것이었다.

"란, 나는 항상 너에게 죄책감을 느끼고 있었어."

"그런데? 왜 갑자기 그런 이야기를 하는 거야?"

"이렇게 둘만 있는 것은 이번이 마지막일지도 모르니까."

"무슨 소리야?"

그렇다, 항상 라이에게는 시간이 없었다. 이 학교에 입학하고 란이랑 린, 아리스를 알고 학교생활에 익숙해졌을 때도 항상 시간에 쫓기며 "이것이 마지막이다."라고 몇 번이나 말을 해왔다.

"이야기해도 될까? 한때 내가 믿었던 구원의 천사 이야기를 내가 여기까지 올 수 있었던 이유를."

그녀는 라이에게 구원자였다. 방황하던 자신을 구해 준 구원자.

그녀를 만난 건 라이가 자신의 삶의 정답을 찾다 지쳐 버렸을 때였다. 이제 나무에서 낙엽이 거의 전부 다 떨어지고 겨울이 찾아올 때였다. 길고 긴 여행에 지쳐 다시 고향으로 돌아온 라이에겐 남은 것은 없었다. 가족도, 친구도 아무도 남지 않았기에 오늘도 라이는 외로움에 떨 뿐이다.

"누군가에게 도움을 주고 싶어!"

자신이 해야 할 일을 모르는 것과 다름이 없었다. 누군가에게 영향을 주고 싶어도 그 방법을 모르고 방황할 뿐이었다.

라이는 오늘도 변함없이 소년이 더이상 없는 그 공원을 거닌다. 자신이 구해주지 않은 말하지 않는 소년을 말이다.

하지만 어느 날 갑자기 라이에게 삶의 의미가 예고도 없이 찾아왔다. 공원에 앉아 가만히 있는 라이에게 어떤 여성이 다가온 것이었다.

"안녕하세요? 항상 같은 공원 같은 자리.. 하지만 당신의 눈은 그저 공허할 뿐이네요?"

그 말은 정답이었다. 항상 아무 의미 없이, 이미 사라진 정답을 찾으려 하지 않고 기다리고 있었다. 이미 수도 없이 찾아봤지만 결국은 없었기 때문이다.

"그렇다면 저 역시 당신의 방황을 함께 해도 될까요?"

그 말을 계기로 라이는 이 공원에 나와 있을 때마다 그녀와 함께했다. 점점 이야기도 많이 하게 되고 친분이 깊어지며 라이는 그녀에게 자신의 이야기를 하기 시작하였다.

"전 말이죠, 누군가에게 도움이 되고 싶었을 뿐이에요.. 그런데 아무도 제 도움을 바라지 않아요. 그것을 기나긴 여행에서 깨달았어요. 타인에게 부여 당하기만 하는 구원은 필요 없어 하는 사람들도 있다는 것을요."

그러자 그녀는 웃으며 말했다.

"그쵸, 모든 사람이 구원을 바라지 않아요. 하지만 저는 지금 당신이 필요해요. 당신과 함께 하는 것이 즐겁거든요. 그게 나에겐 구원이에요."

그녀는 이미 결혼했지만 남편이 떠난 지 얼마 안 됐다고 한다. 그녀에게는 아이가 있었는데 자신의 몸이 병이 많이 걸릴 정도로 약하기 때문에 병원에 입원하는 일이 잦아서 자신의 아이의 얼굴을 보는 것조차 힘들었다. 하지만 그녀는 병약한 몸을 이끌면서도, 아이를 두고서도, 하고 싶은 일이란 것이 존재했었다.

"저는 말이죠. 이 세상 누구든지 구원을 원하지 않아도 되는 세상이 만들어지면 좋겠다고 생각해요. 이 마음만큼은 절대 변하지 않아요. 제 아이가 그런 세상에 살면 얼마나 좋을까요?"

"당신이라면 그 세상을 만들 수 있어요."

명확한 근거는 없었지만, 라이는 그녀를 옆에서 보다 보면 불가능한 이야기는 아닐 것 같았다.

"일단 가장 먼저 아이들을 위해서 일할 거예요. 고아원을 만들기로 했는데, 도와줄 거죠?"

그녀는 가장 먼저 고아원을 설립했다. 옛날에 지어진 성당을 리모델링 하는 것과 함께 고아원도 지은 것이다. 그녀는 원장직을 그 성당의 실질적인 주인인 신부에게 넘겼다. 신부는 정말 호의적으로 반응하며 그 역할을 받아들였다.

부원장 자리는, 당시에는 몰랐지만, 그녀가 몰래 라이의 이름으로 올려놓았다. 라이가 실질적으로 도와준 것은 아무것도 없는데 말이다. "곁에 있는 것으로 충분해."라고 그녀는 말했지만 지금 와서는 솔직히 납득이 되지 않았다.

그 이후 그녀는 훌륭한 건물에 공원까지 딸린 병원을 설립했다. 병원의 건물은 그 당시 마을에 있는 어떤 건물보다도 컸다. 당시에, 아무리 종교의 성지라곤 해도 마을에 의료 시설이 그리 잘 되어있지는 않았다. 그러니 그 병원이 세워짐으로써 많은 사람이 도움을 받았을 것이다. 그다음으로 만든 것은 학교였다. 학교의 시설과 규모는 남달랐고 그 일대에서 가장 크고 좋은 명문고가 되었다.

실제로 그녀는 많은 사람에게 구원의 손길을 내밀었을 것이다. 더 좋은 의료 혜택, 교육 혜택을 많은 사람이 누릴 수 있게 된 것만 하더라도 그녀는 많은 사람에게 도움을 준 것이다. 하지만 그녀의 욕심은 거기에서 끝나지 않았고 여러 구호 활동이나 자원 활동을 계속하였다. 자신의 몸을 돌보지 않고 무언가에 쫓기듯이 다른 사람을 위해 계속 일을 했다. 어떻게든 자신이 살아있을 때 이 이념을 완성 시켜야만 한다고, 달성시켜야만 한다고 생각하는 것처럼 말이다.

"내 아이가 살아갈 세상이 누구보다도 좋은 세상이면 저는 너무 기쁠 것 같아요. 그 세상을 만들기 위해 더 열심히 해야죠."

라이는 그녀의 빛나는 모습만을 보고 그녀가 현재진행형으로 몸이 약하다는 것을 잊어버렸다. 아니, 잊어버릴 정도로 그녀가 몸을 혹사시킨 것이었다. 그녀는 그야말로 라이에게 삶의 의미를 준 사람이요, 라이를 구원해 준 구원의 천사였다. 그런 그녀의 옆에 있으면 라이는 자신도 누군가에게 도움이 되는 사람 같았다. 라이도 그녀의 옆에 있으면 구원자가 될 수 있다고 오만하게 믿고 있었다. 그리고 그녀의 한계가 슬슬 찾아오게 되었다. 정말 갑작스럽게 라이의 곁을 떠난 것이다. 그녀의 이념을 이루기에는, 그녀에게 남은 시간이 너무나도 부족했다. 라이가 함께하는 와중에도 수없이 병원에 입원했던 그녀는 어느 순간 마지막을 직감하고 모습을 감춰 버렸다.

그녀가 마지막으로 라이에게 남긴 편지에는 이렇게 쓰여 있었다.

"저는 사실 이미 불치병에 걸려 얼마 못 살아갈 운명이었습니다. 그럼에도 스스로의 이념을 포기할 수는 없었어요. 미안해요. 나의 이념에 멋대로 끌어들여서. 저는 결국 제 사명을 완수하지 못한 채 이 세상을 떠나게 되겠죠. 지금까지 감사했습니다. 당신이 있어서 여기까지 올 수 있었던 거에요. 필요한 게 있으시면 회사에 연락해 주세요. 제가 말해뒀습니다. 웬만하면 다 도와줄 거에요."

그녀가 사라진 뒤 라이는 자신이 착각을 하고 있었음을 깨달았다. 그녀와 함께하다 보니, 자신도 그녀와 같은 입장이 된 것 같았다. 자신도 구원자가 된 것 같았다. 하지만 실상은 아니었다.

라이는 결국 그녀의 빛에 이끌려 온 한 마리의 나방에 불과했다. 자신이 구원을 받은 것이지 구원자가 된 게 아니었다. 라이는 그녀에게 묻고 싶었다. 어째서 그날 자신에게 말을 걸었는지.

그녀가 라이를 떠난 지 반년이 지났을 때 그녀의 죽음이 소식으로 들려왔다. 그녀가 설립한 회사와 연결점을 놓치지 않았던 라이는 그녀의 죽음이라는 소식을 들어버린 것이다.

죽음의 원인은 역시 불치병. 원인도 모르고 증상도 제대로 알려지지도 않는 병은 결국 그녀를 죽음으로 몰아넣게 되었다. 천천히 그녀의 몸을 잠식해서 말이다.

그녀가 죽은 뒤 라이는 그녀에 관련된 모든 것을 조사하기 시작했다. 그녀의 출신지, 가족 관계, 행보를 전부 말이다.

그녀는 믿음, 즉 이나야에서 태어나지 않았다. 검은 숲이라고 불리는 깊은 숲 너머에 고립되어있는 작은 마을에 살았었는데 어떤 계기로 그곳을 빠져나왔다고 했다. 그 후 어떠한 성당 수도원에 머물렀는데, 그 성당이 바로 그녀가 만든 고아원이 세워진 성당이라고 했다.

그녀에게는 친언니가 있었다. 고아원을 나와 학교에 다니고 서로의 길을 찾아 헤어져 몇 년 동안 아주 가끔 연락만 하는 관계가 되어버렸지만 말이다.

라이는 그 후 그녀의 언니를 찾아갔다. 이름은 류에이아 마라나, 현재 대학원에 다니면서 특정 학문을 연구 중이라고 했다. 그것도 종교학, 자신의 출신지와 이나야의 종교에 관해서 말이다.

그녀의 연락처를 얻는 것은 그리 어려운 것이 아니었다. 회사 측에 문의해 보니 손쉽게 그녀의 연락처를 넘겨주었기 때문이다. 그녀의 언니도 라이의 이름을 밝히자 손쉽게 만남을 승낙해 주었다. 그녀가 라이의 이름을 회사에 남긴 덕분인가?

그녀와 처음으로 마주했을 때 라이는 깜짝 놀랐다. 당연하다고 할 수 있지만 세이비 씨와 엄청 닮았기 때문이다. 하지만 그녀의 언니 마라나는 조금 연약하고 온화하던 동생과 다르게 강하고 센 연상의 분위기를 팍팍 뿜어내고 있었다.

"당신이 류에이 아스타?"

"네, 그럼 당신이 류에이아 마라나씨?"

"앉아."

라이가 마라나를 만난 곳은 바다 가까이에 있는 어느 찻집이었다. 외국을 연상시키는 건물들이 일렬로 세워져 있고 그 앞에 도로 하나를 끼고 해변이 있었다. 정말 그림 같은 풍경에 넋을 보고 있었던 것도 잠시, 만약 이런 곳에 산다면 매일 매일 이 풍경을 볼 수 있겠다는 생각이 들자 이내 이사를 생각할 정도로 아름다운 광경이었다. 이나야에서 태어나 지금까지 살아온 라이가 모르는 장소라니. 심지어 자신 집과 그리 멀지도 않다. 마라나씨는 그런 아름다운 곳에 사는 듯했다. 그림 같은 건물 사이에 있는 이 찻집도 그녀의 집에서 걸어서 1분 정도밖에 걸리지 않았다. 찻집은 밝고 화사한 밖과는 다르게 정적이고 조용하고 어두운 분위기였다. 다만 창밖에는 바로 해변이 보여 안팎의 괴리감을 불러일으켰다.

"그래서, 무슨 일로 나를 만나자고 한 거야?"

마라나씨의 질문이, 주변을 보며 넋이 나간 라이의 마음을 현실로 끌고 나와줬다. 열고 있던 입을 닫고 테이블 위에 있는 커피로 목을 축이며, 진지한 표정으로 바꾼 라이는 다시 입을 열어 이야기하기 시작했다.

"마라나 씨와 세이비 씨는 자매 관계죠? 그럼 출신지도 같겠네요. 검은 숲 안쪽 고립된 마을에서 오신 거 맞죠?"

"맞아, 용케 그걸 알았네? 회사의 정보망이라도 쓴 거야?"

그녀는 표정 하나 바꾸지 않았다. 역시 첫인상 그대로 연구원 같다고 해야 할까. 냉철하고 강렬한 성격 같았다.

"그 마을에 대해서 조금 알려 주실 수 있을까 해서요."

라이는 거기서 말을 끊고 그녀의 눈을 가만히 쳐다보았다. 다음으로 입을 떼야 하는 것은 당신이라고 신호를 보내기 위해서 말이다. 눈을 찡그리며 시선을 피한 그녀는 입술을 살짝 깨물며 고민하는 것 같았다. 아무에게나 함부로 말할 수 없는 내용인 건가? 라이가 접근할 수 있는 회사의 정보망이나 인터넷 검색만으로는 마을에 대한 정보를 손에 넣을 수 없었으니까 말이다.

고민하던 그녀는 방금 라이가 목을 축이는 것과 똑같이 자신이 주문한 커피를 한 모금 마셨다. 어느 정도는 이야기를 꺼내는 것이 어려우리라 판단했지만 신중하게 생각하는 것인지, 아니면 꺼내기 꺼려지는 것인지, 라이는 그녀가 이 정도로 말을 아낄 줄은 몰랐다. 그렇게 몇 분이 지나고 나서야 그녀는 마시던 커피를 다시 내려놓고 입을 열었다.

"네가 그 마을에 대해서 알아야 하는 이유는 뭐지?"

"세이비 씨에 대해서 알고 싶어요."

"그게 아니야."

피부로 느껴지는 차가운 목소리. 이렇게까지 단호하게 나올 줄은 몰랐다. 어느 정도 이야기를 해주기 위해서 이 자리에 나온 것이라 라이는 생각했고, 통화로 약속을 잡을 때도 내용을 어느 정도 예상할 수 있게끔 이야기했는데 말이다.

"세상에는 말이야. 알면 안 되는 이야기나 알지 못해서 더 좋은 이야기들이 있어. 지금 내가 말하려 하는 이야기는 그런 내용이고.

역사 안으로 깊게 묻혀버린 이야기라고.”

“그럼 당신은 왜 그런 것을 연구하는 거죠?”

분명 그녀가 연구하는 것은 이나야의 종교, 신화에 대해서일 것이다. 그리고 그 이야기에서는 고립된 마을 이야기가 빠지지 않을 터. 라이는 이미 그녀의 논문을 어느 정도 읽고 온 상황이었다. 그녀의 논문에는 그 마을이 직접적으로 나오지는 않지만 잠깐 언급되어 있다. 아마 다음 논문을 발표하기 전의 빌드업 같은 거겠지.

“‘이 마을의 신화는 잘 알려지지 않는 작은 마을과 커다란 연관이 있다.’ 당신의 논문 내용 중 한 구절입니다. 당신은 그 신화의 진실에 대해서 세상에 밝히려 하는 거 아닙니까?”

“호오, 그런 걸 읽었군. 확실히 나는 그 진실을 낱낱이 밝히려는 것이 목표야. 미안하다. 사실은 그저 너에게 별로 말하고 싶지 않은 내용이라 변명을 했을 뿐이야.”

“제가 그 진상을 파헤치는 데 도움을 줄 수도 있습니다. 그것을 위해 저에게도 그 이야기를 해주세요.”

“……”

또다시 시작된 침묵. 하지만 그 침묵은 아까와 달리 그리 오래가지 않았다.

“좋아. 하지만 단순한 마음의 변덕으로 알려주는 거지, 내 일을 같이할 필요는 없어.”

긴 이야기가 될 것 같았는지 그녀는 조금 뜸을 들이고 목을 다시 축였다. 그리곤 이내 결심이 들었는지, 커피를 다시 내려놓고 라이의 눈동자를 똑바로 응시하였다. 라이의 눈동자에 비치는 그녀의 눈에는 온갖 감정들이 소용돌이치며 자신의 자리를 찾아 움직이고 있었다. 변해 버린 그녀의 감정선을 본 직후 라이는 긴장이라도 되었는지 마른침을 한번 삼켰고, 그녀의 이야기에 귀를 기울이게 되었다.

"이것은, 몇백 년 전 이야기야."

오래전 바깥사람들을 멍청하다고 비웃던 사람들이 있었다. 검은 숲 안에서 고립된 사람들은 분명 바깥사람들과 친하게 지내야 살아남을 수 있는 구조였지만 그러지 못했다는 것이다.

'바깥사람들은 이상한 종교를 믿는다'는 안쪽 사람들의 인식 덕분에, 숲을 사이로 둔 두 마을의 갈등은 현재진행형이었다. 바깥사람들도 그런 안쪽 마을 사람들의 행동에 지쳐 그들에게서 멀어지기 시작했다.

고립된 마을의 형편은 점점 어려워졌지만 오만한 사람들은 자신들을 구원해 줄 누군가가 나타난다고 믿고 그저 기다릴 뿐이었다. 굶어 죽는 사람이 나오고 마을의 상황이 최악으로 내몰렸을 때 그들의 간절한 소망 덕분인지, 하늘에서 유성이 떨어지고 그 빛 안에서 성녀라고 칭하는 존재가 나타났다. 그녀의 자태가 너무나도 아름다웠고 눈부셨기에 사람들은 그녀를 따르고 숭배하고 성녀라고 칭송하였다. 성녀는 자신의 특별한 힘을 보여주고 사람들의 믿음을 얻었다. 그녀는 기록자라는 직위를 어떤 사람에게 부여하고, 그 사람과 함께 마을에서 일어나는 여러 가지 일들을 해결해주었다. 또 마을 사람들에게 앞으로 살아나갈 방향을 제시해주려고 했다.

그녀는 먼저 어둠으로 덮여 있는 검은 숲의 경계를 빛의 힘으로 약하게 만들었다. 밖으로 향할 수 있는 통로도 더욱더 많이 만들어 냈다. 그들이 살아남기 위한 방법은 바깥 사람과의 화합밖에 없었기 때문이다.

하지만 마을 사람들은 전혀 그녀의 생각을 이해하지 못했다. 오만하고 어리석은 인간들은 그녀의 행동이 자신들을 반하는 것으로 이해해 버리고 말았다.

나아지지 않는 상황, 바깥과의 화합을 외치는 그녀의 모습을 보며 마을 사람들은 의아함을 느꼈다. 그때 증오의 불꽃이 또다시 바깥에서 타오르기 시작했다. 바깥사람들 사이에서 '안쪽 사람들이 이단 종교를 믿는 것이 아니냐'는 이야기가 퍼졌고, 이내 이단 심문관이 안쪽 마을로 찾아왔다. 그리고 그것은 분쟁으로 이어졌다.

바깥의 압박으로 인해 더더욱 궁지에 몰린 안쪽 마을 사람들은 '사실 성녀는 바깥에서 온 스파이다', '사실 우리를 멸하기 온 마녀다'라는 말을 하기 시작했다. 바깥에서 시작된 증오의 불꽃은 이내 마을 전체를 뒤덮었다. 그 불꽃은 결국 성녀를 창에 찌르고 천고 절벽에 떨어트리는 처형이라는 형태로 행해졌다.

"전혀 몰랐던 신화네요? 그 정도의 규모면 충분히 믿음에서도 전해질 만도 한데."

"그렇게 되지 않은 것도 이유가 있어."

그녀는 거기까지 말하다 이내 헛기침을 하면서 다시 원래 이야기로 돌아왔다.

"근데, 그 종교를 배척하던 마을 사람들이 그 이후 오히려 종교를 믿는 쪽이 돼버려."

그게 무슨 소리인가. 자신들이 그렇게 배척하던 종교를 자신들이 믿는다는 것인가? 자신들이 성녀를 처형해놓고 말이다.

"아마 마을에 배포된 한 성서 덕분이겠지. 그 성서에는 자신들의 죄가 적혀 있었으니 본인들이 그 죄를 회개해야 한다고 멋대로 생각한 것이겠지. 실제로 종교를 믿게 된 것과 성녀가 죽은 일의 사이에는 꽤나 긴 시간이 자리 잡고 있어서, 마을 사람들도 자신들이 한 행동을 자연스럽게 잊어버린 거야."

성서를 믿은 사람들은 성녀를 기리기 위해, 성녀의 부활을 바라면서, 그 부활을 위한 그릇을 항상 선택해 준비하였다. 사람들은 한 사람이 걸어갈 길을, 운명을 정해버린 것이었다. 단지 성녀 부활의 그릇으로 살아갈 운명으로 말이다. 성녀의 그릇은 사람들에게 구원의 천사라고 추앙받으면서도 그 이외의 길은 걸을 수 없게 되었다. 그것이 구원의 천사, 정해진 운명이다.

"그들은 학습능력이 없었어. 어리석은 짓을 계속한 거지. 마을에서 한 소녀를 선택하여 그녀가 성녀가 부활할 그릇이라고 믿었어. 한 소녀의 운명을 정해버리는 아주 잔인한 짓을 해버린 거지."

정해진 소녀는 말 그대로 성녀가 부활할 그릇으로서 애지중지 다뤄졌다. 모든 마을 사람의 축복을 받으며, 언젠가 성녀가 부활할 때의 매개체로 기대를 받으면서 말이다.

"그리고 세이비도 그 구원의 천사로 선택받았어."

그 말을 들은 순간 라이는 자신의 목에 무언가가 막힌 듯이 숨이 멎었다. 누구도 아닌 라이가 지금 그녀가 구원의 천사로 선택받았다는 소리를 들어버리면 이제 더이상 자신을 용서할 수 없었기 때문에 라이의 뇌는 순식간에 활동을 중단하였다.

지금까지 이야기로 보면 구원의 천사로 선택받은 것은 절대 좋은 일이 아니었다. 아니, 오히려 시대착오적이고 잔인한 짓이었다.

자신이 옛날 그녀에게 이런 말을 한 적이 있었다. 믿음에서 유명한 신화 구원의 천사 유페이아 이야기를 생각하고 그녀에게 이렇게 말하였다. '당신은 나의 구원의 천사'라고 말이다. 그 말이 그녀에겐 얼마나 잔혹한 말이었는지 깨달으니 당장이라도 미쳐버릴 것 같았다.

"하지만 그녀는 운명을 있는 그대로 받아들이지 않았어. 성서에 적혀 있는 '구원의 천사는 단명한다'라는 구절을 보고, 어차피 빨리 죽을 거면 이런 좁은 곳에서 평생을 보내기 싫다며 밖으로 나가자고 나한테 이야기한 거야."

자신이 자신의 운명을 개척한다. 과연 그녀다운 실행력이다.

"당연히 내 인생에 가족은 그녀밖에 없었으니 그녀가 하자는 대로 했지. 그렇게 그 지겨운 마을을 나와 이렇게 네 앞에 있는 거야."

"......"

여기까지가 그녀가 마을을 나온 경위였다. 생각보다 복잡하게 얽혀있는 문제인 듯 보였다. 단순하게 볼 것이 아니라 서로의 이해관계에 의해서 뿌리 잡힌 오래된 문제. 그리고 그 문제는 현재, 역사의 뒤편으로 묻혀 버렸다.

"성서에는 어떤 내용이 있죠?"

"직접 보는 것을 추천할게."

"그 성서가 어드……."

말이 끝나기 무섭게, 그녀는 언제 꺼냈는지 모르겠지만, 어떤 동물의 가죽으로 만든 듯한 책을 라이의 앞에 내밀었다. 그 책은 상당히 옛날 서적임에도 고급스러워 보였다.

"이것이 그 성서 <비극>이야."

"이걸 언제 또…."

"혹시 몰라서 챙겨 왔어."

아까는 자신에게 알려주기 싫다고 얘기하지 않았나? 그런 것 치고는 너무 철저한 준비성이라고 라이는 생각하였다.

"궁금한 게 있으면 언제나 물어봐."

그 말과 동시에 아까까지의 냉철한 표정은 어디 가고, 친근한 누나 같은 웃음이 그녀의 얼굴에 떠올랐다. 라이가 느낀 첫인상은 어디 갔냐고. 사람의 분위기란 이렇게 쉽게 변하는 것인가. 일부분만 보고 판단하지 말자. 사실은 지금 모습이 평소 모습과 가까울지도 모른다.

"아, 그럼 일단 저는 제 나름대로 조사해볼게요."

"그래? 방금 말했지만 궁금한 게 있으면 언제나 물어볼 것!"

왜 이렇게 힘찬데.

"그럼 이제 싫은 이야기 끝! 류에이 아스타였지? 아스타라고 불러도 돼? 아스타는 요즘 어때? 자리는 잡았고?"

"아, 네. 한창 방황했는데 지금은 믿음에 살고 있습니다. 회사의 도움을 많이 받고 있어요."

적응되지 않는다. 뭔데 갑자기 이렇게 높은 텐션. 방금과 같은 사람이라곤 생각이 들지 않는다.

"일 같은 건 찾았어? 안 찾았으면 여기로 가봐. 회사에서 중요한 역할을 줄 거야. 진상 찾기에 도움도 될 거고."

그렇게 그녀는 쪽지 한 장을 나에게 건넸다. 그녀가 건네준 쪽지에는 주소와 어떤 알 수 없는 단어가 적혀 있었다.

"이건…."

"뭔지는 묻지 말고 회사에 가서 오스마라는 사람을 찾아. 그리고 그 쪽지를 건네주면 알아서 해 줄 거야."

거기까지 이야기를 진행하고 나서 그녀는 자신의 일은 전부 끝났다는 듯, 다시 커피잔에 손을 갖다 댔다. 그렇게 또다시 입을 적시고 영문도 모른 채 황당해하고 있는 라이를 향해서 아련한 표정을 지으면서 말했다.

"아스타는…. 가족이 있어?"

"…있습니다. 하지만 지금은 연락도 안 해요. 그쪽이든 이쪽이든 전혀 신경 쓰지 않거든요."

"그나마 자주 얼굴 보는 가족도 없어?"

"없…. 어요……."

분명 눈치챘을 것이다. 말을 끝을 흐리면서 굳는 라이의 표정을 봐버리면 말이다. 그렇다. 라이는 거짓말을 했다. 라이에겐 친가족보다 더 자주 얼굴을 비췄던 가족이 있었다. 숙모와 숙부, 그리고 바로 사촌 동생.

"아무튼, 가족 이야기는 이것으로 끝이에요. 더 할 이야기 없죠? 먼저 가겠습니다."

도망쳤다. 마라나 씨로부터 라이는 도망친 것이다. 그것은 도대체 무엇 때문일까? 단순히 꺼내기 꺼려져서? 아니면….

"금방 돌아올게."

그날 라이가 사촌 동생에게 한 거짓말 때문에?

이상한 죄책감이 다리 밑에서 머리까지 천천히 올라온다. 그리고 라이의 손은 자신 주머니 속으로 움직였다. 죄책감에 짓눌리기 전에 말이다. 손가락이 움직이고 번호가 눌리는 소리가 들렸을 때 휴대폰 화면에는 '숙부'라는 두 글자가 띄워져 있었다. 떨리는 손가락은 결국 통화 버튼을 누르지 못하고 허공에 방황하였다. 그래, 지금은 가족을 생각할 때가 아니야. 라이 자신이 지금 해야 할 것은 바로 이 마을의 신화의 진실을 파헤치는 것.

그렇게 라이는 마주해야 할 사람들에게 또다시 등을 돌리고 말았다. 항상 이런 식으로 도망쳐 왔던 것이다.

바닷바람이 이마빡을 치고 지나갔다. 석양이 지는 해변의 모습은 분명 절경이라 부를 수 있는 것이었지만 그 광경을 공유할 사람은 이제 곁에 아무도 남지 않았다. 아무도 없는 해변을 걸었다. 자신이 향해야 할 곳도 모른 채 계속, 계속.

"나는 어디로 걸어야 하는 거지?"

그녀와의 만남 이후, 라이는 마을에 관해서 조사해보았다. 신화, 민담, 괴담, 전설을 찾아보는 것은 물론 직접 그 마을의 출신자까지 직접 찾아가 정보를 묻기도 하였다. 그 중 유난히 놀랐던 마을 출신자가 있었다. 바로 고아원을 지었던 이나야 성당의 신부가 그 마을의 출신이었던 것이다.

"저는 오래전 그 마을을 탈출했습니다. 모든 것을 그곳에 두고 도망쳤던 겁니다."

그 신부도 그 마을 사람이었으며 그곳을 탈출하여 이나야에 정착하였다. 탈출의 이유는 간단하면서도 당연한 것이었다.

"질린 거죠. 그들의 악질적인 행위에."

그는 아직 젊은 시절, 그 마을에서 일어나는 일이 불합리하다고 생각했다고 한다. 정해진 운명은 고사하고 그들의 모습에서 이질감을 느꼈다. 그들은 자신들이 용서받기 위해서 타인을 망설임 없이 궁지에 몰아넣는 것에 그렇게나 적극적인데, 밖으로 나가 상황을 개선하려고는 생각하지 않았다.

자신들의 범위 안에서 조정 할 수 있는 분야에서만 그렇게 적극적이면서 자신들이 마음대로 조종할 수 없는 바깥은 신경 쓰지 않는다. 정령 이 사람들은 마을 사람들의, 자신들의 안녕을 위해서 행동하는 것인가? 그런 모순에 슬슬 지쳐가고 있을 때 신부는 마을 도서관에 잠들어있는 성서 <비극>을 읽게 되었다.

성서 비극에는 마을이 일으킨 일들이 빼곡하게 적혀 있었고 그것을 읽은 신부는 놀람의 연속이었다.

"마을이 잔인한 것은 알았지만 이 정도였다니!"

수많은 악행들이 적혀 있는 성서를 하나하나 읽어 내리던 신부는 그중 가장 근대에 일어난 일을 입에 읊조렸다

"이나야 사변."

옛날 근현대. 검은 숲에서 내려온 정체불명의 사람들이 주변 일대의 사람들을 죽이고 부상을 입힌 사건이었다. 사망자는 580명, 부상자는 790명. 수많은 사람들이 죽고 부상을 입었던 사건이었다. 대부분의 주동자들은 잡혔지만 그중 몇 명은 검은 숲 안으로 도망쳤다. 이유는 불명. 하지만 신부가 마을에 정을 떼기에는 충분한 사건이었다.

그날 밤 신부는 망설이지 않고 그 마을을 떴다. 그저 기다리기만 하는 그들의 모습에서 신부는 역겨움을 느낀 것이었다. 믿음으로 내려와 바깥사람들을 만나고 교류하며 이내 점점 믿음에 녹아들었다. 또한 종교에서 인정을 받아 믿음에 딱 하나밖에 없는 성당의 신부가 되었다.

그는 계속 생각했다. 마을이 저지른 일에 대한 것은 나라도 속죄해야 한다고. 올바른 방법으로 말이다.

신부에게 올바른 속죄란 이 마을에서 도움이 필요한 사람에게 손길을 내미는 것이었다. 고아를 거두어 키우기 시작한 것도 그것이 이유였다.

"그렇게 자그마하게나마 이 믿음에 도움이 될 일들을 하나하나 찾아서 하던 때, 세이비님을 만났습니다. 세이비님은 말이에요. 정말 성녀의 모습 그 자체였습니다. 겉모습은 물론 분위기조차도 말이에요. 그래서 저는 그녀의 이야기를 듣고 감명받았습니다. 세상 모든 사람의 구제라니…. 정말 꿈같은 이야기지만 왠지 세이비님이시라면 할 수 있을 것 같았거든요."

그 말에는 라이 역시 동감이었다. 그녀를 보고 있으면 터무니없는 목표라도 실현해 버릴 것 같은 이상한 느낌이 들었다. 그랬기에 라이도 그녀의 곁에 남았던 것이다.

"그렇게 세이비님이 고아원을 짓는 것도 바로 수락하고 원장이 되기까지 했습니다. 그녀의 말이라면 뭐든지 다 들을 생각이었어요. 그때는 말이죠."

하지만 신부는 깨달았다. 이나야의 종교에 몰두하는 동안 마을을 적대하고 자신은 잔인한 그들과 다르다고 생각해 왔지만, 그녀를 성녀라고 멋대로 생각하는 자신조차도 사실 그들과 다를 게 없는 것이 아닌가 하고 말이다. 물론 그녀의 운명을 멋대로 자신이 정한다는 강압적인 짓은 저지르지 않았지만 자신 같은 사람이 모이면 결국 그녀가 성녀가 되어야만 하기 때문이었다. 또한 그에 맞는 기대치가 쌓이고 그것에 대해 멋대로 착각해 실망하는 사람이 나오면 더이상 돌이킬 수가 없기 때문이었다.

"역사적으로도 흔히들 일어나는 일이잖아요. 물론 자신이 성녀라고 칭하고 기대감에 눌리거나 권력에 위기가 찾아왔을 때 처형당하는 일도 있지만, 그것 역시 비슷하면서 다른 이야기죠."

이 믿음 마을 역시 과거에는 검은 숲 안쪽 사람들과 다를 바 없는 일들을 많이 행했다고 한다. 이단 심문관들이 나타나 자신들의 사상에 반하는 사람, 즉 이단을 처형했고 마을 사람들이랑 똑같이 성녀를 만들어 내 멋대로 이용하고 쓸모가 없어지면 처리하는 그런 일들을 저질렀던 것이다.

역사의 어두운 면모라고 생각하고 그냥 넘어갈 수 있는 문제였다. 지금은 아무도 문제 삼지 않는 것을 이제야 언급한 것은, 신부가 그렇게 마을을 부정해 놓고 안쪽과 다를 바가 없는 믿음에 내려와서 자신은 착한 사람인 양 행동했기 때문이었다.

"세이비님이 죽고 계속 그런 생각을 했습니다. 사실 이곳도 다를 바가 없는데, 그저 시대상에 일어난 참극인데, 나는 그 마을에 벗어 남으로서 깨끗하게 씻었다고 생각했던 것입니다."

간단한 모순, 평범하게는 별로 신경 안 써도 되는 일이지만 신부는 마을 사람들을 역겹다고 생각한 자신의 마음이 용서되지 않았다. 결국 자신도 다 같은 사람인데 말이다. 물론 마을 사람들이 행한 일은 용서받을 일이 아니다. 하지만 자신에게는 그것을 추궁할 이유도 자격도 없다. 그것을 자신 혼자서 생각하며 괴로워했던 것이었다.

"저는 속죄를 잘못하고 있었어요. 그 마을 사람들이 행한 일에 대한 속죄와 이 믿음에 일어난 일에 대한 모든 것을 생각하며, 그 불길에 희생된 안쪽 마을 사람들의 속죄 역시 해야 합니다. 그것을 위해 이 성당에 있는 것이니까요."

"검은 숲 안쪽에는 아직 마을이 있나요?"

앞뒤 생각하지 않은 정말 순수한 의문이었다.

"지금은…. 아마 없을 것입니다."

"아마?"

"그곳이랑 믿음의 교류는 이미 오래전에 끝났고, 버틸 수 없던 사람들은 그대로 그곳에서 죽었거나 마을을 떠났겠죠."

"아마라는 것은, 어떻게 됐는지 정확히는 모르겠다는 뜻이겠네요."

"감히 확인할 틈도, 용기도 없었으니까요."

신부는 자신의 이야기를 들어줘서 감사하다는 말과 함께 자리를 떴다. 마을이 행한 일이라는 괜찮은 정보를 얻은 라이는 다음으로 향할 장소를 선택해야만 했다. 마을에 대한 정보를 잘 아는 사람을 더 만나야 할까, 아니면 마라나씨가 준 주소로 한번 가봐야 할까 말이다.

"일단 마라나씨에게 한번 더 연락해 봐야지."

그렇게 휴대전화를 들었다.

"저주라고 알아?"

"저주라니?"

오래전 친구들 사이에 돌았던 이야기이다.

"저주받은 아이가 있는데 그 아이랑 이야기를 나누면 안 된다는데? 만약 이야기하게 되면 말을 건 사람도 같이 저주에 걸린대."

단순한 소문이었지만 실제로 그 소문의 형태가 그대로 행해지고 있다는 것은 나중에야 알게 되었다.

말하지 않는 소년. 믿음 사람들은 그 소년을 그렇게 불렀다.

라이의 여행의 시작점이자, 라이가 구하지 못한 그 소년이 그 소문의 주인공이었던 것이었다.

소년은 아무에게도 말을 걸지 않았고 아무도 그에게 말을 걸지 않았다. 언젠가는 다른 사람에게 돌아오지 않는 질문을 하는 모습도 보였지만 이제는 지쳤는지 아무와도 이야기하려 하지 않았다.

그리고 그 소년은 갑자기 사라졌다. 왜 사려졌는지는 모르겠지만 그 날 소년이 없어진 것을 알자 괜히 안 좋은 생각부터 들기 시작했다. 단순하게 누군가의 도움을 받아 다른 곳으로 정착을 했거나 아니면 단순히 이곳을 질려 했을 수도 있다. 하지만 그를 구해주지 못했다는 마음이 멋대로 라이의 마음속에서 떠올랐고 그에 대한 죄책감이 생기기 시작했다.

"나도 그를 그저 불쌍하게만 생각했지, 방관한 사람들과 거의 다를 바가 없는 것이 아닐까?"

그렇게 중얼거리자 라이 앞에 서 있는 남자는 아무 말도 하지 않았다. 라이의 마음에 무어라 답할 의무 같은 것은 없기 때문이다.

"란, 대답해줘. 그날 내가 널 구해줬으면 무언가 달라졌을까?"

"모르지, 하지만 나는 결론적으로 이곳에 도달했어. 그날 네가 날 도와줬다면 지금과는 결과가 완전히 다를 거야. 그 행동이 더 좋은 결과를 냈을지도 모르지, 하지만 그건 지금 생각해도 의미가 없는 거야."

그렇다. 전혀 의미가 없었다. 그럼에도 라이는 용서받고 싶었다. 꼴사납게도 용서를 받아야 자신의 마음이 편해질 것 같았기 때문이다. 다름 아닌 이 자신이 말이다. 하지만 란은 라이를 편하게 만들어주지 않았다.

"네가 선택한 일이야. 자신이 행한 일을 끝내지도 않고 용서받으려 하다니, 천사의 곁에서 일한 너에게 더이상 용서의 길은 없어. 그저 선택한 길을 완성 시킬 뿐이지."

란의 말은 옳다. 라이가 선택한 이야기, 그 이야기를 마무리 짓기 위해 자신은 새로운 삶을 받았다.

"그리고 용서를 구해야 하는 사람은 내가 아니야."

"그래, 그 날 내가 한 거짓말 덕분에 이렇게 됐으니까."

업보 청산, 이라고 말해도 이해받기 힘들지만 결국 라이의 행동으로 인해서 결과적으로 이런 일이 일어났을 테니까.

"마니아는 어떻게든 뭣도 아닌 증오의 저주에서 벗어나게 할 거야."

"만약 내가 너의 고용인이었다면 대폭소 할 만한 이야기인걸."

"뭐야, 너도 아는 거냐."

"하지만 나는 웃지 않아. 나 역시 같은 상황이니까."

"란, 마지막 질문이야."

정말로 궁금한 것이 있었다. 세이비 씨는 선택받았던 사람이었다. 본인은 어떻게 생각했는지는 모르겠지만 말이다. 그렇다면 유페이아의 이름을 가진 린도 선택받은 사람인가? 라이는 그것이 궁금했다. 모두에게 사랑받고 모두를 사랑받는 그녀의 모습은 성녀라고 말을 할 수밖에 없다.

"그녀는 구원의 천사가 아니야."

"그런가…."

"아무튼, 조카랑 사촌 동생을 잘 부탁할게. 란."

라이의 마지막 말을 들은 란은 무언가 말하고 싶은 복잡한 표정을 지었지만 이내 의미가 없다는 사실을 깨닫고 다시 입을 굳게 닫았다. 지금 와서 어떤 말을 해도 늦었기 때문이다.

"힘내보자."

라이의 목소리가 복도에 울려 퍼지자 그제야 안식의 밤이 찾아온 것 같았다.

제5장

밝아지는 하늘

29

"네가 그걸 어떻게 알아?"

정말의 의외라고 생각할 수밖에 없는 테라의 질문 덕분에 마니아 는 당황할 수밖에 없었다. 알 리가 없는 꽃의 의미를, 테라는 맞춘 것이다. 단순히 찍어 맞춘 것일 수도 있다. 하지만 테라의 목소리 에는 왠지 모를 확신이 있었다.

"아니…. 그게, 그냥 아는 사람 중에 그런 사람이 있어서."

"그런 거지?"

"그런 거야."

납득 하려던 마니아는 결국 외면하였다. 무엇이 이상한지는 모른 다. 하지만 무언가를 마니아는 보지 않으려고 하고 있었다.

똑같은 위화감을 테라 역시 느꼈는지, 혼란스러운 표정으로 마니 아의 시선을 피해 창밖을 바라보고 있었다. 어두운 병실을 비추는 달빛 아래 두 사람은 아무 말도 하지 못했다. 그저 자신들에게 놓 인 이 상황을 한탄할 뿐.

"그 꽃, 에로스 씨의 꽃집에서 사 온 거지?"

"당연하지."

"……"

"만약에 말이야."

테라가 다물고 있던 입을, 조금의 침묵이 지나고서야 드디어 열었다.

"만약 인데 말이야. 네가 좋아하는 사람이 있는데 그 사람들이 전부 다 자신 때문에 죽어버리면 어떨 것 같아?"

너무나도 무거운 질문, 그리고 마니아가 지금까지 계속 타인에게 강요하던 질문들이었다. 마니아는 그 길에서 혼자만의 고독을 선택하였지만 그 답 역시 점점 오답이 되어가고 있다.

무엇이 정답인가. 혼자가 되기에는 오만하고 모순적이라면 마니아는 무엇을 선택해야 하는가.

정답을 찾기에는 마니아는 너무 지쳤다. 타인에 대한 믿음은 몇 번이고 배신당했다. 그런 마니아가 그 질문에 대답할 수 있을 리가 없지 않은가.

"나도 중요한 사람들을 기억 속에서 잊어버린 나 자신에 대해서 계속 생각해 봤어. 전부 내 탓이라고 돌리면 마음이야 편하지."

그렇다, 마음은 편하다. 자신을 탓해버리면 된다. 하지만 그것은 자신에게 적용되지 않는다는 사실을 이미 깨달아버렸다.

"아리스 언니는 자신의 탓으로 돌리는 것을 성공한 거야?"

"아니, 나도 아리스와 안 기간이 길어 봐야 2~3년이어서 자세히는 잘 몰라. 아마 란이 더 잘 알거야. 근데 내가 생각하기에는 언젠가는 터질 시한폭탄이 아니었을까?"

인간은 혼자 살지 못한다. 너무나도 기본적인 이야기지만 언제부터인가 잊고 있었다. 아니, 마음속으로 그 말이 타당하다고 생각하고 있었지만 무시하고 있었다. 자신은 지금 혼자 살아가고 있다고 멋대로 판단한 것이다.

"나는 너랑 상황이 거의 같아. 나 자신을 저주하고 자신이 사랑하는 사람의 모습조차 잊어버렸어. 린의 모습도 잊혀 가고 있어. 란이 잠시동안 기억나게 해주었는데 말이야."

"란이 기억나게 해주었다고?"

"응, 옥상에서 갑자기 란과 마주하니 린의 모습과 이름이 다시 기억이 났어. 원래라면 이름조차 잊어버렸을 텐데, 란과 마주하고 란이 그녀의 이름을 부르니까 안개가 끼어 있던 그녀의 모습이 보이기 시작했어."

"안개가 걷히고 진실이 너의 곁에 찾아왔다고?"

"맞아. 란이 내 마음을 전부 꿰뚫고 나를 가리던 안개들을 한순간에 전부 날려 버렸어."

"마치 린처럼."

그래, 마치 린처럼 말이다. 그녀의 앞에서는 거짓말을 할 수 없었다. 그녀 앞에 있으면 안개든 공허든 발밑에 있는 어둠이든 전부 걷혀버렸다.

오래전 란이 집에 왔을 때 마니아는 자신의 마음이, 심경이, 변화했던 것이 기억이 났다. 린과 만났을 때도 왠지 거짓말을 할 수 없었다는 사실도 말이다.

"란에게 직접 물어봐야겠어. 우리는 어떻게 해야 하는지."

"그 말에는 동감이야. 하지만 그 전에….."

테라는 눈을 한곳에 두지 못하고 이리저리 돌리다가 이내 생각이 정리되지 않았는지 손을 자신의 머리에 갖다 대었다. 이내 망설임은 결심으로 바뀌었고 얼굴에 힘을 빼고 숨을 내쉬더니 마니아를 똑바로 바라보았다.

"지금까지 내 이야기를 조금 하고 싶은데 괜찮을까?"

"......"

갑작스러운 이야기였지만, 마니아는 자신의 이야기를 테라에게 강요해놓고 본인은 상대방의 이야기를 듣지 않는 것은 안된다고 생각했다. 침묵을 승낙의 의미로 받아들인 것인지 테라는 입을 움직이며 이야기를 시작했다.

"이건 내가 중학교 시절의 이야기야"

"오르트노 중학교?"

"응."

"그때 당시에 나는 한 가지 일밖에 몰두하지. 않았거든 딱히 할 것도 없었고 말이야. 어떻게 보면 내가 할 일을 찾은 것이지만, 반대로 보면 그것밖에 하지 않는다는 것은 다른 것을 할 기회를 빼앗겼다는 게 아닐까?"

"네가 말하는 것은 책을 만드는 그것이지? 하지만 네가 하고 싶어서 하는 일이라면 별로 상관없잖아?"

"그치. 하지만 그 당시에는 내가 정말 이것을 좋아하는 것인지에 대한 의구심이 들었어. 정말 이게 내가 하고 싶은 일인가 하고 말이야."

말을 들어보니 사실 테라가 책 자체에 관심을 가진 이유는 사촌 형의 친구 때문이었다고 한다.

"그 형의 소설을 봤거든. 그리고 그 소설에 푹 빠지게 된 거야. 이래 봬도 꽤 유명한 소설가여서 아마 너도 그 소설의 제목을 알지도 몰라."

"소설의 제목이 뭔데?"

"소생."

소생, 그 이름이 마니아의 귀로 흘러들어오는 순간 온몸에 전류가 흐르듯 소름이 돋았다. 잘 안다. 네스 선생님이 마니아에게 읽어보라고 주었던 그 책, 마니아가 처음 네스 선생님과 바꿔 읽은 그 책의 이름이었다.

"그 책, 나도 읽어 봤어. 정말 신기하네. 주변 사람 중 그 작가와 가까운 사람이 있었다니…."

"그럴 거라 생각했어. 아무튼, 그렇게 고민하고 있을 그때, 내 인생에 커다란 전환점을 준 여자가 나타났어."

그 여자의 이름은 이미 잊어버렸다고 한다.

오래전 갑자기 자신의 눈에 들어온 그 여자는 말 그대로 정말 특이한 사람이었다. 노을이 지는 오후, 이미 학생이나 선생님은 전부 하교한 시간, 아무도 없는 곳에서 꽃병을 책상에 놓고 가만히 창문을 바라보는 여학생이라니. 분명 누구라도 궁금해서 말을 걸어 볼 것이다.

"실제로 나는 그곳에 가서 여기서 무엇을 하는지 물어봤거든? 근데 아무 말도 하지 않는 거야."

하지만 그 날부터 테라는 무엇 때문인지는 모르겠지만, 매일 매일 그녀를 찾아가 똑같이 책상에 마주 보고 앉았다고 한다. 아무 말도 하지 않고 그저 가만히 있는 그녀를 쳐다보기만 하고 말이다.

"지금 생각하면 아마 처음 본 순간부터 한눈에 반해서 그랬던 것 같아."

그 이후 테라는 매일 매일 그녀를 찾아가서 그녀와 함께했고, 이내 친해졌다. 그리고 관계를 천천히 발전시켜 테라가 고백하려고 크리스마스이브에 그녀를 불러냈다. 하지만 고백은 전해지지 못했다.

"크리스마스이브, 그녀는 지하철 화재에 휘말려 나의 곁을 떠났어. 죽었는지 살았는지는 몰라, 왜냐하면 그녀의 모습은 더이상 내 기억 속에 존재하지 않거든, 그래서 그냥 죽은 것으로 생각하기로 했지."

"그렇구나…."

"그때 나는 그녀가 죽은 이유가 나 때문이라고 생각했어."

"왜 그렇게 되는데?"

너무나도 뜬금없는 그의 말에 마니아는 이해가 되지 않았다. 그녀가 죽은 이유가 왜 테라 때문이지? 그저 운이 없던 것인데.

"내가 그 날 그녀를 불러내서 그래. 원래는 가족끼리 파티를 하려 했지만 내 요청 때문에 파티를 미루고 일부로 나를 만나러 나왔거든. 그래서 그날 화재에 휘말린 거야."

"그런데 그게 왜 니탓…"

마니아는 말을 다시 삼켰다. 확실히 그것은 그저 우연이다, 당연하게 테라의 탓일 리가 없다. 하지만, 누구도 아닌 마니아가 그런 말을 할 자격 같은 건 없다. 자신조차도 자신 주변의 죽음을 그렇게 생각하니까 말이다. 심지어 테라의 근거보다 더욱더 형편없는 이유였다.

"테라…."

"미안, 내가 갑자기 이런 말을 하는 이유가 잘 이해되지 않지? 아리스의 모습을 보고 깨달았어. 혼자 껴안고 있으면 아무것도 해결이 되지 않는다고. 나는 아리스보다 더 약해, 그러니까 이 이야기를 혼자 끌어안을 수 없어. 꼴사납지?"

그는 이미 결심했다. 자신의 이야기를 모두에게 이야기하기로 말이다. 그 역시 마니아와 다르게 강한 것인가.

"테라, 그 여자아이는 꽃병을 책상에 올려뒀다 했지? 설마 그 꽃이 물망초니?"

"맞아, 아는 사람이 물망초를 추모용으로 썼다는 것은 그 여자애 이야기였어."

너무 똑같다. 마니아의 상황과 말이다.

"그 여자아이도 설마 죽은 사람이 사촌오빠라던가 하는 건 아니지?"

"어, 어떻게 알았어? 아 참, 너도 사촌오빠가 돌아가셨지?"

"……"

머리가 혼란스럽다. 이 정도로 딱 맞아 떨어지면 이상하다고 생각할 수밖에 없지 않은가.

빙글빙글 도는 시야를 겨우 진정시키고 다른 질문을 하기 위해 다시 입을 뗀 순간, 테라가 마니아의 앞으로 손을 쫙 펴서 멈추라는 표시를 했다.

"마니아, 자는 데 방해해서 미안해. 벌써 시간이 이렇게 됐네. 나도 이만 나가 볼게. 잘자."

그 말을 끝으로 테라는 병실을 나섰고, 마니아는 머리가 뜨거워지는 것을 느꼈다. 머리에 떠오르는 수많은 의문들이 마니아를 괴롭혔다.

"제발 아직 가지마. 나를 혼자 두지 마."

하지만 그 말은 병실을 떠난 테라를 향해 전해질 리 없었다. 그가 사라진 방향을 향한 손이 허공을 휘저을 뿐이었다.

만약 마니아가 정말 테라의 그녀라면, 왜 마니아는 테라를 기억하지 못한 것인가. 같은 오르트노 중학교에 다녔지만 부자연스러울 정도로 단 한 번도 그를 본 기억이 없었다. 어떻게 된 것일까. 고민에 고민을 거듭해도 답은 나오지 않았다. 그런 일이 있을까? 만약 테라의 말들이 진심이라면 자신의 마음속에 가장 크게 남아 있는 사람 중 한 명일 것이다.

"그런데 기억조차 없다니…. 그저 우연이겠지?"

그렇게 마니아의 머리는 성급하게 다른 사람이라고 결론을 지으려 하고 있었다. 단 한 가지의 키워드가 떠오르기 전까지 말이다.

"기억의 공백…."

마니아에게는 기억의 공백이 존재했다. 바로 오르트노 중학교에 다니던 시절, 중학교 3학년 말과 그리고 고등학교를 입학하기 직전

까지 말이다. 부모님의 말씀으로는 무언의 사고로 인해서 거의 그
몇 개월을 혼수상태로 지냈다고 했다. 그래서 기억에 이상이 조금
있었다. 실제로 마니아가 오르트노 중학교에 다녔다는 사실도 나중
에야 기억이 났고 그 외의 몇 가지 기억들도 깨어났을 당시에 잘
기억이 나지 않았으니 말이다. 차차 시간이 지나면서 대부분의 기
억이 돌아왔지만, 그 오르트노 중학교 3학년 말 시절은 아직도 전
혀 기억이 나지 않았다.

 이내 자신과 상황이 너무 맞아 떨어진다고 생각하니 마니아는 머
리가 아파 왔다. 손으로 머리카락을 쥐어뜯고 이리저리 돌려봐도
결론은 같았다. 얼굴이 빨개졌다. 이것도 저것도 전혀 눈에 들어오
지 않았다. 그리고 이내 생각하는 것을 멈췄다.

 "생각하는 건 지쳤어. 일단 오늘은 쉬자."

 마니아는 이불을 덮고 자리에 누웠다. 하늘은 별이 아름답고 밝게
빛나고 있었다.

30

 "오스마 부장, 테라 군에게 견학 일을 조금 더 앞당기라고 하세요."

 "아들한테요?"

 "그러는 게 좋을 거예요."

"네, 일단 알겠습니다."

회사 부서 내에서 여러 이야기들이 여기저기 움직였다. 회사가 이리 바빴던 것은 20인 학생 사건 때 이래 처음인가.

"아이키!"

"네, 에리타 대리님."

"이 서류, 부장님께 전달해 줘."

"네, 알겠습니다."

본인이 전달하면 안 되나 하는 자그마한 불평을 아이키는 마음속으로 외쳤지만 어쩔 수 없었다. 부하는 시키는 대로 할 수밖에 없는 것이다.

아이키는 자신의 자리에서 일어나 서류를 들고 부장실로 향했다. 부장실에 들어오니 부장님도 꽤나 일이 많으신지, 여기저기 서류를 뒤지면서 컴퓨터에 무언가를 입력하고 계셨다.

"저 부장님. 에리타 대리님에게 부탁하신 거 가지고 왔는데…."

"어, 거기 놔둬."

부장님은 왼쪽 손가락을 멈추지 않으면서도 오른쪽 손으로 서류 더미인 책상 중, 그나마 무언가를 놓을 수 있는 빈 곳을 가리켰다.

"네, 알겠습니다."

자리에 돌아온 아이키는 한숨을 내쉬면서도 자신의 업무를 보기 위해 다시 컴퓨터 화면으로 시선을 돌렸다.

"왜 이렇게 요즘 바쁜 거지?"

"그러게 말이에요…. 호라스 씨? 언제 오셨어요."

하늘색 머리카락에 높은 키를 지닌 호라스 씨가 언제 왔는지, 한 손으로 커피가 담겨 있는 컵을 들고 바로 위에서 아이키를 내려보고 있었다.

"호라스 씨, 언제 오셨대요? 심지어 다른 부서인데요."

"아이키씨 보러 왔지, 우리 부서도 바쁜데 여기도 바쁠 줄이야. 요즘 무슨 일이라도 있나?"

"호라스 씨는 분명 파견 부서였죠?"

"그치, 우리는 원래 여기저기 파견 당해야 하니까. 근데 지원부서마저 바쁜 거면 뭐, 전쟁이라도 일어나는 거야? 아니면 큰 재해라도 일어났나?"

"호라스 씨 여기서 뭐 해? 포에나에서 너를 찾아."

부서 사무실 방문 바로 앞에 있는, 하얀 백의에 얼굴을 가린 남자가 호라스의 이름을 불렀다. 그것을 확인한 듯한 호라스는 몸을 돌려 그쪽으로 향했다.

"호라스 씨, 호출인가요?"

"그런 거지 뭐, 열심히 해라."

손을 흔들고 걸어가는 그의 모습을 보면 왠지 모를 불안감이 몰려왔다. 몇 년 전에 있었던 그 날의 화재 때도 저렇게 호라스 씨가 호출되었기 때문이다.

"설마, 정말 큰 일이라도 난 건 아니겠지?"

"그러고 보니, 몇 년 전 마을에 파견 갔던 때도 이랬었지?"

"네?"

호라스가 간 자리에 이번에는 에리타 대리님이 와서 아이키를 내려다보고 있었다. 둘이 너무 행동이 똑같은 거 아니야?

"몇 년 전에 네가 이쪽 부서로 옮기기 전, 마을에 직접 파견을 갔을 때가 있었거든. 그때도 회사 내에서 분열이다, 파멸이다 하는 흉흉한 이야기가 돌 정도로 상태가 안 좋았거든. 그때 회사 내에서 파벌싸움이 조금 있었던 것 같아."

"그런 일이 있었군요."

역시 에리타 대리님은 더 오래 회사에 있어서 그런지 아이키랑 생각하는 시점이 다른 것 같았다.

"저는 몇 년 전 화재 사건이 더 떠오르는데 말이죠."

"아, 그 화재. 원인불명이라고 대충 넘어간 그거? 사실 원인은 따로 있는데 말이지."

"네? 진짜요? 원인이 뭔데요?"

아이키는 듣도 보도 못한 말이었다. 지금으로부터 3년 전인가. 믿음 마을에서 갑자기 일어난 지하철 대화재 사건. 그 피해자는 무려 126명. 수많은 사상자가 나온 사건이었고 원인 규명을 위해 우리 회사도 움직였다. 당연한 것이다. 믿음을 실질적으로 관리하는 것은 우리 레이아스니까.

"그때 정말 난리도 아니었죠. 파견 부서는 물론 구호 부서도 움직이고, 심지어 전혀 예상조차 못 한 데우스 포에나까지 움직였으니 말입니다."

아이키는 당시에 정말 그 정도로 중대 사항인가? 애초에 병력이 움직일 일인가? 라는 생각 역시 들었다. 실제로 정말 이나야 역사 상 손에 꼽는 대화재였고 그저 인력 충당이라면 어느 정도 이해가 되기는 했다.

"근데 원인 규명은 결국 못했다고 하지 않았어요?"

"아무한테도 말하지 마. 파니타님이라고 알아? 그 회사의 수석 연구원, 창의 해석과 설계도 그분이 하신 거잖아."

"네, 당연히 알죠. 근데 그분이 왜요?"

에리타 대리님은 고개를 잠시 돌려 주변을 살펴보다가 다시 아이키 쪽으로 시선을 돌렸다. 누군가 듣고 있는지 확인이라도 하는 것인가. 이유는 모르겠지만 부서 내의 사람들은 여기저기 바쁘게 움직이고 있느라 둘을 신경 쓸 겨를이 없었다.

그렇다, 이야기를 나누며 놀고 있는 것은 둘 뿐이었다. 아이키는 약간의 죄책감이 들었지만 자신의 머리에는 그런 것보다 호기심이 더 우선 되었기 때문에, 아이키의 집중은 다시 에리타 대리님에게 쏠렸다.

"그 화재가 말이야. 사실 파벌싸움의 영향이래."

"파벌싸움이요? 그게 왜 거기로 이어져요?"

아이키는 이해가 가지 않았다, 그 시절, 회사 내부가 혼란스러웠지만 왜 그 대화재가 파벌싸움에 연결이 되는 것인가.

"사실, 그 대화재를 일으킨 것은 어떠한 조직이었는데 그게 파벌 싸움에 밀려 회사에서 떨어져 나간 사람들이래. 그 화재는 그 조직들이 열세의 파벌을 무력으로 도와주기 위해서 어떠한 병기를 실험하다가 일어난 거야."

"어떻게요? 그 실험을 하는데 왜 지하철이 불타죠? 물론 나중에는 지하철을 넘어서 지상까지 불탔지만, 시작은 지하철로 알고 있는데요?"

"그건 나도 자세히 모르지. 파니타님이랑 부장님이 말하는 걸 몰래 듣기만 한 거니까."

"그런가요⋯."

궁금했다. 정말 궁금하긴 하지만 과연 알아봐도 되는 일인가 아이키는 그런 생각이 들었다. 결국 원인불명으로 끝난 이야기를 자신이 괜히 끄집어내는 것이 아닌가.

"부장님께 직접 물어보면⋯⋯. 안 되겠죠?"

"진심이야? 너도 문제인데 나도 잘려!"

"그 정도로 자르시진 않으시겠지만 역시 아무 말도 안 하는 게 나아 보이네요."

"설마 진짜 물어보려고 했어? 내가 말했잖아. 아무한테 말하지 말라고. 그건 부장님도 포함이야."

그 후 어이없다는 듯이 에리타 대리님은 고개를 절래절래 돌리고는 다시 자기 자리로 돌아갔다.

넘쳐 오르는 호기심, 그것을 막을 것은 이 세상에 많지 않다. 하지만 하필이면 아이키는 지금 그 호기심을 막을 수밖에 없는 상황이었다. 이상한 징계라도 받으면 자신의 미래가 어떻게 될지 모르기 때문이었다.

"그러고 보니 근래 1~2년 파벌이 한번 바뀌었었지. 어떤 젊은 대표를 위주로 말이야."

뭐, 흥미는 있었지만, 아니 사실 지금이라도 당장 파헤치고 싶었지만, 후환이 두려웠기 때문에 아이키는 그만두기로 했다.

"나도 일이나 할까."

그렇게 자신의 직무로 돌아오려는 찰나 누군가가 아이키의 이름을 크게 불렀다.

"아이키 씨! 대표가 호출했어요."

"대표가?"

아이키는 당황스러움이 몸에 묻어나왔는지 허겁지겁하던 일을 뒤로하고 부서 안의 다른 사람들과 똑같이 바쁘게 움직이기 시작했다.

아이키는 회사 복도를 달려 중앙실로 향했다. 복도에는 회사 사람으로 보이는 수많은 사람들이 부서실과 다를 바 없이 바쁘게 움직이고 있었다. 서류를 들고 달려가는 사람들, 무언가 연락할 것이 있는지 전화기를 붙들고 뭐라 열심히 말하는 사람들, 앞서 말했지만 회사가 이리 바쁜 것은 정말 20인 학생 사건 이래 처음인 것 같았다.

회사 로비를 지나 반대편으로 향하는 와중에도 여러 사람들이 보였고 그 중 역시 가장 눈에 띈 것은 데우스 포에나였다. 실제로 병력까지 가지고 있는 회사인 덕분에 그에 맞게 군대 비슷한 것도 존재했다. 그중 종교 집단에서 지원한 사람들이 모여 있는 것이 바로 데우스 포에나였다.

백의를 입고 얼굴을 검은 가면으로 가린 그들의 모습은 우리가 아는 군대의 모습과는 많이 달랐지만, 저래 봬도 회사의 최대 전력이었다.

"저런 사람들까지 움직이는 것인가? 진짜 전쟁이라도 준비하는 건가?"

물론 회사의 최초 대표라면 절대 그런 짓을 안 하겠지만, 그 사람이 물러난 이후 회사에는 권력을 잡으려는 여러 사람들이 나타났다. 이전 대표가 있을 때는 실제로 안쪽 마을을 섬멸하자는 이야기도 나왔다. 이 회사도 너무 커진 것이다. 회사의 본질을 잃을 수 있을 정도로 말이다.

아이키는 회사 건물의 왼쪽에 있는 중앙실의 문을 힘차게 열고 들어갔다. 안에는 단 2~3명의 남녀가 중앙실 입구로 들어온 아이키를 쳐다보고 있었다. 생각보다 적은 인원수에 놀라는 것도 잠시, 한 남자가 천천히 걸어와 아이키에게 손을 뻗어 악수를 청했다.

"안녕하세요, 제가 현 대표입니다. 류에이 아스타라고 합니다."

"네, 안녕하세요."

처음 보는 대표는 정말로 젊어 보였다. 키는 아이키와 비슷했고 나이는 아마 동갑이거나 아이키보다 조금 어릴 것으로 예상되었다. 이런 사람이 대표라니. 신기할 따름이다. 회장의 후계자라도 되나?

"오스마 부장님께서 이 일에 당신이 어울릴 것 같다고 해서 이렇게 호출하게 되었습니다. 잘 부탁드립니다."

"아…. 네, 그럼 저는 무엇을 해야 하는 거죠?"

"아, 아직 말씀을 안 드렸군요. 당신은 저를 따라다니면서 임무를 수행할 것입니다. 단순합니다. 제가 명령하는 것을 잘 수행해주시기만 하면 됩니다."

그렇군, 간단히 말하면 대표 전용 심부름꾼이라는 것인가.

"그럼 바로 임무에 들어가실까요?"

"바로요?"

"네, 바로요."

바로인가…. 참 곤란한 상사님인 듯하다.

"목적지는 어딘가요?"

"이나야 고등학교입니다."

회사를 복도를 걷는 와중에도 아이키는 같이 걷는 세 명의 사람이 신경이 쓰여 미칠 것 같았다. 자신의 옆에서 같이 걷고 있는 사람들은 여자 한 명과 남자 두 명으로 이루어진 그룹으로, 특히 여성 쪽은 정말 튀는 모습을 하고 있었다. 한쪽으로 묶어 내린 머리, 얼굴은 분명 앳돼 보이지만 이상하게 어울리지 않을 것 같은 검은 정장도 그녀 특유의 온화한 분위기에 어우러졌다. 특히 특이했던 것은 이 회사에서는 흔한 목에 맨 십자가 목걸이가 아닌 한쪽 눈을 가린 검은 안대였다. 무엇 때문에 눈을 가린지는 모르겠지만 그 안대라는 한가지 요소 덕분에 아이키에게는 엄청나게 위화감이 느꺼졌다.

바로 아이키의 옆에 나란히 걷고 있는 두 남자는 키도 같았고 별다른 특징은 없었지만 그들 역시 목에 각기 다른 십자가 목걸이를 매고 있었다. 종교인만 골라서 온 것인가.

"저…. 대표님?"

"왜 그러죠?"

"저를 왜 선택하신 거죠?"

"오스마 부장님이 추천하셨기 때문입니다."

그러니까 그 오스마 부장님이 왜 하필이면 자신을 추천했냐는 것이다. 일단 아이키는 지원부서이기에 어디로 지원을 나가도 이상하지는 않지만, 보통 이런 일은 파견 부서에서 하는 일이다. 어지간히 인력 부족이 아니면 우리 부서까지 올 일도 아닌 것 같은데 말이다.

"솔직히 말해서 정확히 지금 무엇을 하기 위해서 이곳에 왔는지 모르겠고, 지금 회사의 상황도 잘 모르겠는데요."

"그에게 간단하게 이야기해 둬. 에클레시아."

너무 빠르게 승낙하는 것 아닌가? 물론 알고 임무를 수행하는 게 조금 더 효율적이긴 하니까 어느 정도 이해가 되었다.

"안녕하세요. 아이키씨. 처음 뵙겠습니다. 에클레시아 이나야입니다. 제가 지금 회사의 상황과 임무의 목표를 설명해 드릴게요."

이나야? 이나야라고? 믿음에 살면 신경이 쓰일 수밖에 없는 이름이었다. 이나야는 믿음에서 함부로 칭할 수 없는 이름, 성녀의 이름이었다. 그런 이름을 칭하는 사람은 정말 흔하지 않은데, 종교를 믿지 않는 사람이면 몰라도 누가 봐도 종교를 믿는 것 같은 그녀의 이름이 이나야라니. 정말 믿기지 않았다. 아이키의 놀란 듯한 표정을 읽었는지 이나야는 아까보다 더욱더 온화한 미소로 말하였다.

"제 이름이 많이 특이하죠? 별로 신경 쓸 필요는 없답니다. 그냥 평범한 사람이에요. 이나야라는 이름은 그저 우연입니다. 제가 성녀일 리가 없잖아요."

"그렇죠…?"

그렇게 말하고는 본인도 그 이름에 대해서는 조금은 의식하고 있는지 잠시동안 아이키의 시선을 피하다가 이내 다시 아이키의 얼굴을 다시 쳐다보았다.

"그럼 빨리 설명할게요."

"네!"

"회사 역사나 마을의 역사, 종교사는 아시죠?"

"네, 입사할 때 다 배우잖아요."

"그럼 다 알고 있다는 전제로 이야기할게요."

오래전, 설립자 라스와 세이비가 세운 이 회사는 한때 커다란 파벌싸움이 일어났다. 이유는 회사의 입지를 역전 시키고 권력을 쥐려는 세력의 등장과 회사의 이념과는 조금 다른 방향을 추구하는 사람들로 인해서였다. 그 단순한 회사 내 파벌싸움은 이내 커다란 파동이 되어 믿음에 여러 사건들을 일으켰다.

"20인 학생 사건, 지하철 대화재 같은 것들이 전부 파벌, 조직 전쟁의 영향이었습니다."

회사가 흔들리니 마을에 별일이 다 일어나는 것인가. 그만큼 회사의 영향이 크다는 것이겠지. 솔직히 지하철 대화재는 에리타 대리님에게 들어서 그냥 그랬지만 20인 학생 사건까지 관련 있다는 것은 정말 놀랐다.

"오래전 우리 회사의 일부가 떨어져 나간 새로운 조직은 금기의 일을 저질러 버렸습니다. 세상에 천사의 재림을 촉진 시키고 있어요."

"천사의 재림이요? 그건 아주 옛날이야기 아닌가요? 지금에야 와서 천사의 소환이라니…. 너무 늦었잖아요."

"오래전 그 연구에 대해서 알고 있겠죠?"

당연하게 알고 있다. 회사의 역사에 꼭 나오는 이야기였기 때문이다. 오래전, 천사를 인공적으로 만들려고 시도한 적이 있었다. 회사 사람들이 그것을 시행할 리가 없다고 생각할 정도로 비인도적인 실험이었기 때문에 회사의 어두운 역사라고 막연하게 생각하고 있었다. 하지만 그것을 시행한 게 회사에서 떨어져 나간 어떤 조직이라니. 상상도 하지 못하였다.

"그렇게 어떤 소녀가 천사가 되었습니다. 전례가 없는 실험이었죠. 하지만 그 천사는 그 조직의 손아귀에서 벗어나서 제어하는 것이 불가능해졌습니다."

"그것이 지금 임무랑 어떻게 이어지는 것이죠?"

"그 조직들이 새로운 표적을 정한 것 같아요. 아마 이번에도 천사를 만들기 위해서겠죠. 그 표적을 우리가 케어하는 것이 이번 임무입니다."

"그럼 지금 그 표적이 이나야 고등학교에 있는 거네요?"

"그렇습니다. 이나야 고등학교에 재학 중인 한 여학생입니다."

그렇군, 이제 이 임무의 의의를 알았다. 그러면 현재 회사가 바쁜 이유도 그 조직이 움직이기 시작했기 때문인가. 그렇게 생각하니 지금의 상황도 이해가 가기 시작했다.

"그런데, 천사라는 게 그렇게 쉽게 만들어지는 건가요?"

"설마요. 일단 천사가 되는 본인의 마음이 중요하답니다."

이나야 씨와 관련 이야기를 나누다 보니 어느새 회사 밖으로 나와 있었다. 회사 입구 바로 앞까지 검은 차 한 대가 들어오더니 우리 앞에 섰고 이내 문이 천천히 열렸다.

"이 차를 타고 이동합니다. 모두들 탑승하세요."

모두의 탑승을 확인한 운전자는 페달을 밟았다.

이나야 고등학교라. 졸업한 뒤로는 잘 안 갔으니까 정말 오랜만인가. 예전이랑 많이 달라졌으려나?

차는 순식간에 이나야 공원을 지나 큰 도로를 달리고 있었다. 오르막길이 보이고 그 위에는 언제나 봐도 아름다운 건물, 이나야 고등학교가 보이기 시작했다.

"오랜만이군요. 정말 오랜만입니다…."

"이나야 씨도 이나야 고교 나오셨나 보네요?"

"네, 그렇죠. 정말 오래전이지만…."

31

밤이 지나고 아침이 찾아왔다, 상쾌한 아침에 새소리가 마니아의 귀를 간지럽혔고 하늘은 푸른 물감으로 칠해져 더욱더 시원한 느낌을 주었다.

"이상해….."

그렇다, 이상한 광경뿐이다. 분명 린이 죽은 뒤 세상을 한 번 더 아니, 몇 번이라도 더 포기한 마니아에게는 그저 회색 풍경에 별이 없는 하늘 밖에 남아 있지 않았는데. 마니아가 이렇게 파란 하늘을 보는 것은 얼마 만인가.

어제의 열은 이미 차갑게 식었고 마니아의 머리에서 회전하던 키워드들이, 상황들이, 형태를 나타내며 회오리치던 모든 것들이, 단 한숨의 잠으로 인해 전부 다 사라져 버렸다.

"내가 테라를 어떻게 생각하냐…. 지?"

그가 자신의 남자친구가 될 뻔했다는 사실을 인식하자 마니아는 학교 축제 날 그가 무언가를 들고 열심히 달려가는 모습이 머릿속에서 재생되었다. 어떤 것이든 전력을 다해서 하는 그의 모습을 보고 마니아는 오래전 잠들어있던 기억이 깨어나려고 한 것이다. 무의식적으로 그의 모습을 쫓은 것도 사실 마니아의 기억으로 인해서였던 것인가.

비가 오는 날, 네스 선생님도 그와 똑같이 표정으로 달렸다. 이유는 모르지만 무언가에 전력을 다하는 듯이 보였다. 둘은 얼굴만 닮은 것이 아니었다. 성격 역시 똑같다는 것이다.

마니아는 그날 네스 선생님이 달려가는 모습에서 테라를 겹쳐 봤던 것이다. 마니아의 갑작스러운 심경 변화는 거기서 나왔다. 마니아는 그것 덕분에 네스 선생님에게 마음을 열었다.

"만약, 만약에 말이야…. 정말 테라가 나의 친구였다면…. 나의…."

정말 만약에, 만약에 진짜 마니아가 좋아했던 사람이라면 마니아는 어떻게 해야 하는 것인가. 마음은 이미 확신한 듯했다. 하지만 머리는 이해하기를 포기했다. 그가 자신이 좋아하는 사람이면 좋겠다. 자신을 좋아하는 사람이면 좋겠다. 마음은 그렇게 말하고 있는데 이상하게 머리는 사실 착각이었으면 한다고, 사실 자신을 좋아하는 사람은 없다고 마니아는 말하고 싶었다. 만약 그것을 인정해 버리면 마니아는 또다시 똑같은 실수를 저지를 것 같았다.

깊숙이 마니아의 마음을 울리는 무언가가 스쳐 지나갔다. 만약 그가 자신이 사랑했던 그라면, 앞으로 테라를 어떻게 대해야 하는 것인가. 마니아의 기억은 이미 사라졌다. 아직도 떠오르지 않는다는 것은 아마 영원히 돌아오지 않을 것이란 이야기겠지. 그렇다면 마니아가 그를 좋아하는 감정 역시 사라진 것이다. 사라진 상태로 그와 새로운 기억을 쌓아갔다. 만약 테라가 이야기하는 그 사람이 진짜 마니아라면 자신은 앞으로 테라를 제대로 응시하지 못할 것 같았다. 마니아는 마주하기가 두려웠다. 진실을 마주하기 두려웠다. 하지만 그것은 어김없이 자신의 앞에 찾아온다.

"테라는 지금 어떻게 생각하고 있을까?"

테라는 지금 이 상황을 어떻게 생각하고 있을지 궁금해진 마니아는 테라와 다시 이야기를 나눠 보고 싶었다.

"그래, 차라리 이렇게 된 거 다시 테라와 이야기를 나눠 보자."

퇴원은 생각보다 빨랐다. 입원한 지 하루 만에 해버렸으니 말이다. 사실 마니아가 재촉한 이유도 있긴 했다. 아리스 언니의 상태도 괜찮아 보였고 혼자 생각할 시간이 더욱더 필요할 것 같았다. 마니아는 퇴원한 뒤 2일이 지났는데도 아직 아무와도 얼굴을 마주하지 않았다. 테라와 한 번 더 이야기를 해야 한다고 생각했으면서도 아직도 그와 다시 만나지 않았다. 마니아는 아직 그의 얼굴을 볼 용기가 아직 없었기 때문이었다. 그리고 그와 제대로 이야기하기 위해 한 번 들릴 곳도 있었고 말이다.

이제 겨울이 지나고 봄이라도 찾아왔는지 기온은 많이 올라갔고 어느새 길거리에 있는 나무들에서는 꽃봉오리가 올라오고 있었다. 사람들의 얼굴에는 화색이 돌았고, 주말이라 그런지 번화가에는 수많은 인파가 몰려들었다. 여러 가게가 들어섰다가 사라졌지만 몇 년 전 린이 찾은 그 순간부터, 에로스 씨의 꽃집은 단 한 번도 변하지 않았다.

여전히 건물 앞에는 형형색색의 화려한 꽃들이 전시되어 있었고 그중에는 예전에는 밖에 잘 나와 있지 않던 물망초가 놓여 있었다. 아마 마니아 같이 자주 사가는 사람이 존재해서 밖에 내놓기 시작했다고 볼 수 있었다.

"계시나요?"

마니아가 건물 안으로 향해 큰 목소리로 그렇게 외치자 이내 여전히 청아한 목소리가 건물 내부에서 들려왔다.

"안으로 들어오세요."

그 말을 들은 마니아는 진열대를 지나서 건물 안으로 들어갔다. 이 꽃집에 온 것은 분명 몇 개월 전이었지만 꽃들의 상태는 여전히 좋은 것 같았다.

"에로스 씨, 이번에도 물망초 꽃 사러 왔어요."

"아, 그렇죠. 어제 테라 씨가 물망초 꽃을 사고 마니아씨에게 병문안을 간다고 하던데 몸은 괜찮은 건가요?"

테라가 그런 이야기를 했던 것인가. 의외로 그녀에게 이것저것 이야기하는가 보다. 테라가 그만큼 에로스 씨와 친했던가? 생각해 보니 마니아는 예전에 테라가 자신보다 먼저 이 꽃집에 방문했다는 이야기가 생각이 났다. 역시 사장님의 매력 덕분인가. 확실하게 손님을 잡는 매력이 에로스에게는 존재하는 것 같았다.

그러고 보니 린이 죽은 뒤 한 번도 방문하지 않았는데 에로스 씨는 린이 죽은 사실을 알고 있는 것일까? 그런 생각이 들자 갑자기 고민이 되기 시작했다. 아리스 언니한테 들었을까? 만약 안 들었다면 자신이 이야기하는 게 맞을까?

저 안쪽에서 꽃을 포장하고 있던 에로스 씨는 열심히 움직이던 손을 멈추고 마니아 쪽을 바라보았다. 안절부절못하고 있는 마니아의 모습에서 표정을 읽었는지 살짝 웃어 보이고는 이렇게 말하였다.

"괜찮아요, 이미 알아요."

"네?"

"아리스 씨에게 들었어요."

그렇구나. 정말 독심술이라도 있는 것인가. 정말 그런 부분도 린과 닮은 것 같다. 어딘가 둔감한 것 같으면서 이런 것들은 정말 잘 읽어내는 것이 말이다.

"테라 씨가 이 물망초에 대해서 뭐라 이야기했는지 아세요?"

정말 갑작스러운 질문이었다. 하지만 마니아가 이곳에 온 이유이기도 했다. 정말 뭐든지 다 아는구나.

"그러게요?"

"소중한 사람이 죽었거든요."

"네?"

"그렇게 말했어요. 자신에게 단 한 명뿐인 소중한 사람이 죽어버렸다고요. 그래서 그녀가 행해온 일들을 본인이 하겠다고요."

알고 있는 내용이다. 알고 있지만….

"그래서 본인은 그저 기도할 수밖에 없다고 했습니다. 그녀가 해왔던 것 같이 그저 물망초를 꽃병에 두고 그 앞에서 기도할 수밖에 없다고 말입니다."

마니아가 중학교 시절 사촌 오빠에게 해오던 방식이다.

"…그 소중한 사람은 살아있을지도 모르겠네요."

"그럴지도 모르죠. 꼭 다시 만났으면 좋겠네요."

또다시 그녀는 마니아 눈동자를 쳐다보며 환한 미소를 보였다. 사실 전부 다 알고 있던 것인가.

"다시 올게요."

꽃다발을 챙긴 마니아는 그녀에게 인사를 건네고 힘차게 발을 디뎠다. 마니아의 시야는 변했다. 단 2년 전이지만 아주 오래전으로 느껴지는 그때부터 말이다. 한번 바뀐 시야는 다시 원래대로 돌아가려 해도 돌아가지 않았다.

이미 바뀐 세상에 마니아는 또다시 살아간다. 그리고 그 곁을 지켜줄 사람은 영원히 없을 줄 알았다. 린이 떠나고 마지막이라고 생각했지만 다른 사람의 아픔을 보고는 마니아도 여러 생각이 들었다. 이렇게 혼자가 되는 것이 맞냐고, 그리고 그 의문이 왠지 테라와 이야기를 나누면 풀릴 것 같았다.

"가자 테라의 집으로."

그 순간 마니아의 휴대전화가 요란하게 울렸다. 발신인은 엄마였다.

"여보세요, 엄마? 이 시간에 어쩐 일로."

"큰일 났어! 마니아! 네스 선생님이 지금 위독하셔!"

"그게 무슨…."

불행은 마니아에게서 떨어지지 않는다. 그것이 형태가 되어 자신의 어깨를 잡는 순간 마니아는 깨달았다. 정말로, 정말로 이것이 꿈이라면 얼마나 좋을까. 하지만 이번에는 마니아는 바닥에 주저앉지 않았다. 한번 이곳으로 왔으면 다시 돌아갈 수 없다는 사실을 이미 인식해 버렸기 때문이다.

사람이 많은 번화가를 지나서 이나야 공원이 바로 앞에 보이는 입구에 도달했을 때 어떤 검은 차가 마니아의 앞을 가로막았다. 차 문이 열리고 그 안에서 라이가 나타나 마니아의 손을 끌었다. 순식간에 일어난 일이라 정신을 차려 보니 마니아는 이미 차 안에 앉아있었다. 그 차는 병원을 향해 달리고 있었다.

"빨리 가주세요."

마니아 바로 옆에 앉아있는 라이가 그렇게 말하자, 운전하고 계시는 기사님은 페달을 더욱더 세게 밟은 것 같았다.

병원에 도착하자마자 익숙한 병원의 복도를 전속력으로 달려 네스 선생님이 있는 곳으로 향했다. 장소는 이미 들어서 알고 있었다. 병실에는 의식 불명의 선생님이 누워계셨고 부모님은 이미 와서 앉아 계셨다. 병실에는 이상하게 모르는 얼굴도 몇 명 보였는데 부모님의 말씀으로는 네스 선생님의 지인이라고 했다.

"그것보다, 무슨 일이 있던 거예요?"

마니아의 질문에 답한 것은 아빠였다.

"교통사고야, 마니아. 매일 자기가 맡은 환자와 함께 공원으로 산책을 가는데 거기서 갑자기 돌진한 자동차에 치였대."

"공원에서 산책하다가요? 어떻게 근데 차에 치여요?"

"모르겠어, 갑자기 돌진해 왔다는데?"

"어째서…."

마니아는 이해가 되지 않았다. 어째서 지금 갑자기…. 물론 단순한 사고라고 생각하면 설명이 된다. 평소에도 위험은 항상 존재하지 않는가. 하지만 뭘까. 뭔지는 모르겠지만 납득이 가지 않았다.

"저…. 잠깐 나갔다 올게요!"

"자…. 잠깐 마니아!"

아빠의 목소리가 뒤에서 마니아를 붙잡으려 했지만 마니아는 그것을 뿌리쳤다. 마니아는 병실 밖으로 나와 문 바로 옆에 있는 벤치에 앉았다. 무엇보다도 혼자 생각할 시간이 필요했기 때문이었다.

마니아는 생각했다. 이번에도 자신 때문에 네스 선생님이 크게 다치신 건가 하고 말이다. 생각해보면 이상했다. 언제라도 사라질 수 있던 네스 선생님이 아직까지 버티고 있었다는 것이.

마니아의 눈이 빙글빙글 돌았다. 현기증이라도 드는 것인가.

빙글빙글빙글빙글빙글빙글빙글빙글빙글빙글빙글빙글빙글빙글

계속 돌아서 시야가 흐려졌다. 너무 어지러워. 뭐 때문이지? 무엇때문에 이렇게 어지러운 거야?

"마니아?"

익숙한 목소리에 마니아는 어지러운 머리를 겨우 들어, 자신의 앞에 서 있는 사람을 향해 돌렸다. 그곳에는 오늘 만나려고 했던 테라가 서 있었다.

"테……. 라…."

분명 마음 준비를 했음에도 그의 얼굴을 보니 또다시 머리가 뜨거워졌다.

"마니아도 들었구나?"

"응…."

"…."

무거운 침묵.

"또 그런 생각 하고 있지? 자신의 탓이라느니."

"……."

"그럴 거 같았어."

마니아는 침묵에 침묵을 더해갔다.

"마니아, 그거 알아? 저번에도 이런 일이 일어났었어. 몇 개월 전에 말이야. 같은 장소에서 같은 상황이었지."

"뭐라고?"

이번이 두 번째라고? 설마 마니아 자신의 저주가 확실한 악의를 보이는 것인가? 어떻게든 자신의 주변 사람들을 전부 죽이려고 작정한 것 같았다.

"저기…. 테라, 나는 어떻게 해야 하는 거야?"

"나 그날 밤 집으로 돌아가서 엄청 생각했어. 만약 정말 나의 그녀가 정말 마니아면 어떻게 하지?"

너무나도 갑작스러운 것은 물론 정말 의외였다. 자신의 그녀를 찾은 것은 좋은 것이 아닌가? 아니면 자신이라서 실망한 것인가? 괜히 부정적인 생각만 드는 마니아였다.

"만약 네가 나의 그녀면, 나는 너를 잊은 것은 물론, 목숨에 위해를 끼쳤다는 거잖아. 그렇게 되면 나는 정말 나 자신을 용서할 수 없어."

"있지. 테라는 왜 나를 잊었어?"

"망각의 저주 때문이라고 생각하고 있었어. 지금까지는."

"망각의 저주? 그게 뭐야?"

"이나야의 4대 저주 중 하나. 증오의 저주, 망각의 저주, 거짓말의 저주, 침식의 저주가 이 이나야에 있다고 성서 <비극>이라는 책에 적혀 있었어."

"성서 <비극>?"

처음 듣는 이야기이다. 믿음이 종교의 성지라고 하니 그런 게 있어도 이상할 것은 없지만 그런 저주가 존재했다는 것인가?

"그럼 내 증오의 저주도 그 성서에 존재하는 거야? 그럼 저주는 확실한 게…."

"나도 그렇게 생각했어. 근데 지금 생각해보면 그게 아니었다는 생각이 들었어."

"그게 무슨 소리야?"

"저번에 내가 병문안 왔을 때 나를 집안에 들인 이유를 듣고 마음속에서 네가 나의 그녀라는 것을 깨달았어. 너의 입에서 나오는 물망초 꽃이라는 울림이 봉인된 나의 기억을 다시 불러일으킨 것일지도 모르지."

그의 표정은 지금까지 봤던 그의 어떤 모습 중에서도 가장 진지한 모습이었다. 흔들리지 않는 눈동자만 봐도 확실했다.

"결론적으로 너는 살아있었고 지금 생각해보면 나는 너의 모습을 한 번 더 보는 것이 두려웠을 거야. 그때 당시의 나는 말이야. 어린 것도 있었고. 그래서 너를 잊어서 나는 너를 만나러 가지 못했다는 변명을 하며 망각의 저주를 들먹였을지도 몰라. 고등학교 1학년 때 라이에게 성서 <비극>을 빌린 그날, 나는 완전한 도피처를 찾은 거야."

테라는 달라졌다.

"라이랑 란이 이렇게 말했어. 사실 망각의 저주는 대단한 게 아니라고. 금방 벗어나려고 하면 벗어 날 수 있다고. 그때 깨달았어야 하는데."

마니아는 알아차렸다. 아리스 언니도, 테라도 전부 벗어난 것이다. 자신과 같은 사람들이라고 생각한 사람들이 전부 말이다.

"그리고 깨달았어. 살아갈 이유가 생기면 더이상 그 저주라는 도피처에 매달리지 않아도 된다는 것을."

"나에게는 살아갈 이유가 없어!"

달라진 테라의 모습에 마니아는 조바심이 들었다. 아니, 오히려 이것은 부러움을 감추고 싶은 단순한 단말마였다.

"나에게는 이제 살아갈 이유가 없어! 언니도, 사촌 오빠도, 린도 이제 아무도 남지 않았어!"

그렇다. 마니아는 몇 번이나 잃었다. 그것만큼은 변하지 않는 사실이다. 분명 각자의 아픔이 존재하겠지만 아리스 언니는 그것을 버텼다. 테라는 그것을 이겨냈다. 하지만 마니아는 버팀목이 없으면 제대로 일어나지 못하는 어린아이였다. 사랑받기 위해 일어나야 하는데 일어날 수 없는 최악의 겁쟁이란 말이다.

흘렸다. 지금까지 느꼈던 어떠한 눈물보다 뜨거운 눈물이. 정말 자신은 엄청난 울보라고 마니아는 생각하였다.

"이제 지긋지긋해! 그런 나에게 살아갈 이유 같은 것은⋯. 그래! 네스 선생님도 위독하시잖아! 나 같은 게 살아봤자!"

"나는 죽지 않았어."

테라의 목소리가 복도에 울렸다. 분명 작게 속삭였지만, 이해할 수 없이 마니아의 귀에 선명하게 울렸다.

"나는 이미 오래전 너를 겪었어. 하지만 나는 이렇게 살아있지. 그것 역시 변하지 않는 사실이잖아?"

무슨 소리를 하는 것인가. 이 남자는.

"내가 너의 버팀목이 되어줄게."

사고가 정지하였다. 방금까지 뜨거웠던 머리가 한계를 돌파해 버려서 마니아는 더이상 아무런 생각이 들지 않았다.

"나는 너를 떠나지 않아. 그것만큼은 사실이야. 네가 살아갈 의미를 찾지 못하면 내가 그 의미가 되어 줄게."

흐르던 눈물은 멈추지 않았다. 멈출 수가 없었다.

"자신이 폐를 끼쳤으면 그 사람한테 영원히 그 사람에게 속죄해야지. 용서하는 것은 본인이 아니라 그 사람이니까. 본인이 본인을 용서하지 않는다고 해도 의미가 없잖아?"

그 말을 하는 동시에 그는 벤치에서 일어나 마니아의 바로 앞으로 걸어오더니 무릎을 꿇었다.

"제가 당신에게 아주 용서 받지 못할 짓을 했습니다. 여기서 사죄드립니다."

무릎을 꿇은 상태로 마니아에게 목을 조아렸다.

"너는 나를 어떻게 생각해?"

그날 밤 그가 마니아에게 한 질문이었다. 솔직히 말해서 아직은 잘 모르겠다. 하지만 마니아의 심장은 다시 뛰기 시작했고 자신의 얼굴이 화끈해지는 것을 느꼈다.

네스 선생님에게서 테라를 느꼈다. 그것은 결국 마니아도 테라를 무의식적으로 의식하고 있었다는 사실이다. 혼란스러운 지금 상황에서 마니아는 그런 결론이 머리에서 도출되자 결국 무릎을 꿇은 상대에게 이렇게 말하였다.

"나는…. 너를 용서하지 않아. 그러니까 평생 내 옆에서 그 죄를 속죄하도록 해. 바보야."

테라의 놀라는 표정이 얼굴에 떠올랐지만, 이내 다시 당연하다고 말하는 것 같이 확신에 찬 얼굴로 돌아왔다.

"너의 곁에서 평생 너를 지킬게. 세상이 뭐라 해도 나는 너의 옆을 지키면서 너와 함께 할 거야."

그러고선 마지막 말을 하기 위해 그는 입을 뗐다.

아름다운 세상이었다.

 그녀의 표정은 이미 읽을 수 없었다. 혼란, 공포, 그리고 기대감. 여러 가지가 섞인 그녀의 표정은 보면 볼수록 사랑스러웠다. 그녀가 자신이 잊은 그녀라고 생각이 든 순간부터 오래전 미뤄두었던 것을 전부 말로 전해야 한다고 테라의 뇌는 그렇게 말하고 있었다.

 그녀는 용서받아야 할 상대를 잘못 생각하고 있었다. 테라도 물론이다. 그러니 계속 저주라는 이름 뒤에 도망치던 테라는 이번에야말로 전해야 했다. 그녀에게 속죄해야 했다. 그 일이 테라 자신이 직접적인 원인이 아니라고 해도 말이다.

 그녀의 얼굴색이 점점 더 새빨갛게 변해갔다. 눈물은 멈추지 않았고 손은 어느새 입을 가리고 있었다. 입에서 손을 천천히 떼더니 이렇게 말했다.

 "나는…. 너를 용서하지 않아. 그러니까 평생 내 옆에서 그 죄에 대해 속죄하도록 해. 바보야."

 떨리지만 확고한, 그녀의 사랑스러운 목소리를 들은 순간 테라의 각오는 더욱더 확실한 형태가 되었다. 테라는 이제야 란과 라이가 하던 말들이 차차 이해가 되기 시작했다. 마니아를 맡긴 란의 말도 이해가 갔다. 자신밖에 할 수 없다. 아니, 자신이 해야만 한다. 마니아의 옆에 서는 것은 테라가 해야만 한다. 그것이 이 갈피를 잡을 수 없는 비극에서 테라가 해야 할 역할인 것이다.

 오래전 결국 그녀에게 전하지 못한 마음을 이곳에 전하기로 테라는 마음 먹었다. 그렇다. 아직 하지 않은 말이 있지 않은가. 크리스마스이브 그녀에게 전할 고백, 이제 거창한 말 같은 것은 필요 없었다. 자신의 마음을 있는 대로 전하면 된다. 그것이 최선이다.

"당신을 사랑합니다. 마니아."

한계에 다다른 마니아는 정신을 못 차리고 몸을 휘청휘청 거리더니 테라의 앞으로 쓰러졌다. 그런 마니아를 재빨리 붙잡은 테라는 그녀의 상태를 확인했다. 손을 대보니 머리는 심각하게 뜨거웠고 땀도 엄청나게 많이 나고 있었다. 감기라도 걸린 것인가.

그녀를 안아 든 테라는 언제나 그녀가 입원하는 102호실을 향해 천천히 천천히 걸어갔다. 마니아는 어느새 기절했는지 눈을 감은 채로 새근새근 숨소리를 내고 있었는데 그 모습조차도 너무나도 사랑스러웠다.

"왜 진작 알아차리지 못한 것일까?"

테라는 라이와 란에게 나중에 고맙다고 인사해야겠다는 생각이 들었다.

병실에 도착한 테라는 여느 때와 같이 그녀를 병실에 눕혔다. 이 정도가 되면 '이곳은 그냥 그녀 전용 방이 아닌가' 하는 생각이 들기도 하였다.

"항상 이 방은 비어 있단 말이지."

침대 바로 앞까지 의자를 끌고 와서 그곳에 앉았다. 다른 것은 하지 않았다. 테라는 그저 그녀의 자는 모습을 가만히 쳐다보고 있었다. 그것만 해도 충분히 기분이 좋아지는 것은, 바로 사랑이기 때문일까.

앞으로 어떻게 될지는 이제 마니아의 선택에 따라 달라질 것이다. 마니아가 앞을 향해 갈지, 아니면 뒤를 돌아볼지, 오직 마니아의 선택이었다. 테라는 길을 열어줬다. 이제 그곳으로 향하는 것은 마니아의 자유 의지이다.

"어느 쪽을 선택하든 나는 너를 따라가겠어."

그 순간 누군가가 문을 열고 병실 안으로 들어왔다.

"여어 ,테라."

"라이? 네스 형 상태는 어때?"

"다행히 고비는 넘긴 것 같아."

"그래? 다행이다."

테라가 자그맣게 안도의 한숨을 내쉬는 것을 가만히 쳐다보던 라이는 이내 시선을 돌려 병실에 누워있는 마니아와 테라를 번갈아보면서 음흉한 표정을 지었다.

"그래서 어떻게 됐어?"

"뭔 말투래 그건. 라이, 너는 다 알고 있던 거지?"

"...."

이상한 곳에서 입을 다물었다. 하지만 그의 살며시 웃는 표정을 보면 긍정의 표시인가.

"나는 마니아에게 제대로 고백했어. 답은 받지 못했지만 사실 성공했다고 나는 확신해."

"그렇구나, 아아."

"뭐야…. 그 말투는. 그러고 보니 마니아도 오르트노 중학교 출신인데 너도잖아. 그렇다면 우리 반이었다는 것인데 너는 왜 다 알고 있었으면서 왜 아무 말도 안 했어?"

"말했으면 달라졌을까?"

확실히, 안 달라졌을 것 같다. 어중간하게 라이가 알려주면 오히려 상황만 이상하게 흘러갔을 것이다.

"고맙다, 라이."

"아냐, 뭘."

"앞으로 넌 어떻게 할 거야, 라이."

정말 테라의 순수한 호기심이었다. 라이의 행동으로 보아 그는 단순한 학생은 아닌 듯했다. 그는 왠지 지금 우리 주변에서 일어나는 일들 대부분을 꿰뚫어 보고 있을 것 같았다.

"그러고 보니, 저번에 학교에서 이상한 정장을 입은 사람들이랑 너랑 같이 있지 않았어? 그 사람들 누구냐?"

"지금은 대답해줄 수 없네…. 하지만 회사 견학은 꼭 가봐. 그곳에 가면 진실에 조금이라도 가까워질 수 있으니까."

"내가 견학을 간다는 것을 어떻게…."

"너도 어렴풋이 눈치채고 있었잖아?"

그래, 라이가 회사와 관련이 있다는 사실을 테라는 알고 있었다. 전에 라이의 곁에 있던 남자가 테라의 앞에 나타나 회사에 관해서 이야기를 해주었기 때문이다.

"아, 참 너 견학 일을 조금 앞당겨야겠어. 원래 여름방학에 하기로 했었지? 근데 그때 하면 조금 늦을 것 같아."

"왜? 빨리해야 하는 이유라도 있어?"

테라의 질문에 이번에도 라이는 대답하지 않았다. 무엇이 그를 침묵하게 만드는 것인가? 회사의 룰? 아니면 세상의 규칙? 무엇이든 상관없었다. 그가 말하지 않는다는 것은 분명 그 이유가 있을 것이다. 분명 이번처럼 자신을 올바른 길로 이끌어 줄 터, 걱정할 필요는 없었다. 하지만 넘쳐나는 호기심은 어쩔 수 없는 것이었다.

"알았어, 라이. 너를 믿을게."

"고마워."

라이의 흐뭇한 표정이 마니아와 테라에게 쏟아졌다. 평소와 장난스러운 모습과는 다르게 마치 자신의 자식을 떠나 보내는 부모가 안심한 듯한 표정이었다.

"난 이제 어떻게 하면 돼? 라이."

"뭐랄 것도 없어. 그냥 마니아를 곁을 지키기만 하면 돼."

그렇구만. 란에게도 들었었지. 마니아를 맡긴다고.

"라이…. 혹시 질문 하나 해도 돼?"

"뭔데?"

"라이, 넌 왜 그렇게까지 마니아를 도와줄 수 있는 거야? 친구니까? 아니, 난 그렇게 생각하지 않아. 그런 단순한 이유가 아닐 것 같단 말이야. 왜 그렇게까지 회사 사람까지 써가면서 마니아를 구해주려고 하는 거야?"

궁금해할 수밖에 없다. 지금까지 테라에게는 아무것도 알려주지 않고 뒤에서 움직이며 마니아를 구해주려고 한 그가, 단순하게 친구라는 이유만으로 움직일 리가 없단 말이다. 그리고 방금 보인 표정은 절대 단순한 친구의 표정이 아니었다. 마치 자신의 자식을, 동생을 보는 것 같은 그런 표정이었다.

"예전에 사촌 동생이 있다고 했지?

"………"

"물망초 꽃도 좋아한다고 했고,"

"너는 혹시….“

그 순간 복도에서 두 번째의 사람이 나타났다. 자연스럽게 문을 열고 차분한 발걸음으로 병실 안으로 들어온 것이다.

"오랜만이야! 테라."

"에?"

차분한 목소리에 어울리지 않는 높은 텐션, 정말로 오랜만에 듣는 목소리였다. 테라가 어릴 때 같이 놀아주던 네스 형의 친구, 그리고 현재는 유명한 소설가가 된 립터 형이다. 테라가 책을 만드는 것에 대해서 관심을 갖게 된 것도 이 형의 영향이었다.

"형, 여기는 어쩐 일로…. 아! 네스 형 보러 온 거구나. 정말 오랜만이네! 이번 신작 소설 잘 읽었어."

"읽어 줬구나! 정말 기쁘네! 근데 옆에 계신 분은?"

정말, 목소리 톤만 조금 낮추면 분명 여자들에게 인기 많을 텐데 항상 저런 식이다. 왜 좋은 목소리를 가졌으면서 그 목소리를 제대로 사용하지 않는 것인가. 테라는 항상 의문이었다. 물론 들으면

들을수록 귀에 때려 박혀 떨어지지 않는 느낌이어서 확실히 인상
에 더 남기는 하지만 말이다.

"이쪽은 라이, 내 친구야."

"안녕하세요! 처음 뵙겠습니다. 테라의 사촌 형의 친구입니다."

"립터 씨? 이스토님 맞죠? <소생>의 그 이스토. 저 정말 잘 읽
고 있습니다."

"아, 독자분이군요?"

곧바로 웃으면서 손을 맞잡고 악수를 한 두 사람은 서로의 표정
에서 무언가를 읽으려는지 손을 놓지 않고 가만히 상대방의 얼굴
을 살펴보았다.

"저기…. 뭐 하는 거야?"

그들은 이내 자신들의 행동이 이상하다는 것을 깨달았는지 누가
먼저랄 것도 없이 동시에 서로의 손을 놓았다.

"죄송합니다. 아는 분과 닮아서요."

"아뇨. 이쪽이야말로."

둘이 뭐 하는 거래.

"아무튼, 네스 형은 고비는 넘겼대."

"그렇다더라고. 방금 너희 어머니께 듣고 왔어. 그러고 보니 침대
에 누워있는 여자아이가 설마 네가 말하던…."

"말하던?"

이번에는 라이 쪽이 고개를 갸웃할 차례였다.

"조금 부끄러운데…."

"사실 테라가 고백에 대해서 저에게 상담했답니다!"

"에?"

"너무 목소리가 커!"

부끄러워! 부끄러워! 왜 하필이면 중학교 시절의 나, 왜 저런 사람에게 연애 상담 같은 걸 했냐! 하필이면 어제의 나는 그때의 기억이 떠올라 랩터 형에게 전화했냐! 그런 것은 원래 여자한테 하는게 좋잖아! 라며 테라는 어제의 자신을 원망했다. 물론 그 시절 아는 여자라곤 한 명도 없었지만 말이다.

"푸하하핫! 혼자 고민한 것 같은 표정이었는데 사실 상담 같은 것을 했구나!"

"조용히 해, 이 녀석아!"

얼굴이 뜨거워진다는 것을 느꼈을 때는 이미 늦었다. 부끄러워 미칠 것 같았다. 무게를 그렇게 잡았는데 이렇게 민낯이 까발려지다니. 만약 방금 그 말을 마니아까지 들으면 테라는 정말 살아갈 수 없을 것 같았다.

"푸훗!"

그리고 그 말은 플래그가 되어 테라에게 돌아왔다. 테라의 바로 뒤에 있는 침대에서 웃음이 터진 듯한 소리가 들려왔기 때문이다.

"아니지?"

"푸하하핫!"

그녀다. 그녀의 웃음소리다. 평소에는 분명 기분이 좋아야 나오는 그런 웃음소리였다. 하지만 테라는 웃지 못했다. 부끄러워 미칠 것 같았기 때문이다. 뒤를 돌아보니 마니아는 손에 입에 갖다 대고 웃음을 참고 있었다. 그도 그럴 것이다. 아까 보여준 테라의 모습과는 너무 괴리감이 심했기 때문이다.

"아아아! 창피해!"

테라가 머리에 손을 감싸고 그대로 주저앉자 결국 마니아는 참지 못했는지 큰소리를 내며 웃기 시작했다.

"하하하하하! 테라! 그런 걸 형한테 상담했구나! 네가 할 행동으로 전혀 안 보이는걸."

"어쩔 수 없다고…. 주변에 마땅한 사람이 없다고."

"고마워 테라, 덕분에 기분이 좋아졌어."

"좋은 거냐…."

뭐 그래도 그녀가 좋아졌다면 그것으로 된 거겠지.

"란이나 아리스에게 말하지 마."

"글쎄다!"

"제발!"

즐거워하는 그녀의 얼굴을 보자 테라는 아까의 기억이 다시 뇌리를 스쳤다. 결국 그녀의 대답은 뭐였을까. 중간에 쓰러져 버렸기 때문에 결국 답은 못 들었기 때문이다. 하지만 그 이야기를 다시 꺼내기엔 테라의 용기가 부족했다. 답을 재촉하는 것으로도 보일 것 같았기 때문이다.

"테라, 너가 나의 그임을 알았을 때 정말 어떻게 대해야 할지 몰랐어. 나에게는 너에 대한 기억이 하나도 안 남아 있거든. 그날의 화재 때문에."

그 화재는 테라에게서만 그녀를 빼앗아 간게 아니었다. 그녀에게서도 테라를 빼앗아 간 것이다. 물론 당연한 이치지만.

"그래서 너의 이야기를 들었을 때는 혼란스러웠어. 하지만 너의 고백을 들었을 때는…. 나의 곁에 있겠다는 이야기를 들었을 때는, 몇 번이라도 들었던 말이었지만 정말 기뻤어."

다음으로 들려올 말이 무엇인지 테라는 어느 정도 예상하였다. 이번만큼은 확실했다.

"나도 너가 좋아. 앞으로 잘 부탁해."

"호오! 축하드립니다. 두 분!"

등 뒤에서 잊고 있던 두 사람이 손뼉을 치는 소리가 들려왔다. 시끄러운 사람은 박수 소리도 큰 것인가. 아마 병실 밖 복도에까지 울리고 있겠지. 정말 부끄러운 사람이다. 립터라는 사람은 말이다.

"그러고 보니 라이는 알겠는데 저분은 누구셔, 테라?"

"아, 그게 이 사람은 립터라고, 네스 형의 친구야."

"립터? 이스토님? 저 <소생> 정말 재미있게 읽었어요!"

뭐, 테라에게는 예상 가능한 이야기였다. 전에 라이에게 마니아가 소생을 읽었다는 이야기를 들었기 때문이다.

"네스 선생님이 추천해 줘서 읽었어요!"

역시.

"마니아, 너도 아는구나 <소생>, 역시 소설가가 꿈인 사람은 다르군."

"꿈이 소설가라고는 얘기 안 했는데."

"이거 영광이네요! 설마, 당신이 <증오>도 읽은 분?"

"그걸 어떻게…."

마니아가 입을 가리면서 놀랐다. 아마도 몰랐던 것이겠지. <증오>의 작가와 <소생>의 작가는 동일 인물이라는 것을. 그나저나 <증오>를 마니아가 알고 있어? 이것 참…. 신기한 인연이다.

"네, 네스에게 들었거든요. 정말 드물게 <증오>을 읽은 사람이 있다고요. 그게 당신이었군요. 테라를 잘 부탁드립니다."

"그럼 트레가디아라는 이름은…."

"네, 이스토로 필명을 바꾸기 전, 그러니까 오래전에 쓰던 필명이죠."

"그렇군요…."

마니아가 그 말을 끝으로, 왠지 모르겠지만 고개를 밑으로 내리고 침묵하였다. 갑자기 왜 그런 태도를 보이는 거지? 테라로서는 이해할 수 없었기에 가만히 입을 다물 수밖에 없었다.

무언가를 고민하는 것 같이 보이던 마니아는 표정을 보여주지 않기 위해서인지 고개를 계속 내리고 있었다. 그리고 무언가 중얼거리는 것 같더니 이내 결심했는지 천천히 입을 열었다.

"<증오>라는 소설은 왜 쓰게 되었나요?"

"왜 쓰게 되었냐라…."

이번에는 립터 형이 고민에 빠졌다. 그 조금 혼란스러워 보이는 표정으로 보아, 아마 알려줘야 할지 말아야 할지를 고민하는 것이 아니라 무엇을 알려줘야 할지 모르겠다는 표정이었다.

그런 혼란스러움은 테라도 잘 알았다. 가끔씩 자신이 왜 그런 짓을 했는지 이해가 가지 않을 때도 있기 때문이었다.

　"아마 한때의 방황에 대한 결과물이 아니었을까? <증오는> 그저 <소생>에 다다르기 위한 여정 중 하나였던 거지. 그때 당시에는 인간성에 대해서 안 좋은 인식만 가지고 있었어. 세상이 밉고 인간은 너무 어리석게 보였어. 이 세상도 나를 싫어하는 것 같았지. 그 마음을 나는 <증오>에 담았어. 그게 이유야. 단순하게 세상을 증오하던 나 자신의 감정을 소설에 담기 위해 <증오>를 쓴거야. 하지만 깨달았어. 세상에 대해 안 좋은 면만 보면 좋아질 게 전혀 없다고. 결국은 내가 살아갈 장소고, 세상의 아름다움을 여러 번 접한 나는 <증오>의 다음으로 <소생>이라는 것을 적은 것 같아."

　립터 형은 웃고 있었다. 그랬을 때도 있었다는 듯이, 가볍게 오래 전의 과거를 회상하는 듯이. 그리고 자연스럽게 말투는 예전 형의 말투로 돌아왔다. 분명 방금까진 존댓말을 하고 있었지만 어느새 반말로 돌아온 것도 형의 말투 덕분일 것이다.

　"내가 증오라는 부정적인 감정을 제목으로 정한 것은 그 소설의 내용보다는 당시 나의 감정을 실었다고 보면 될 거야. 세상을 증오하는 나의 마음을 말이야."

　마니아는 잠자코 듣고 있었다. 표정을 일절 바꾸지 않고 말이다.

　"그런 증오하던 마음도 지금 와서는 전부 사라졌어. 세상을 살아갈 이유는 충분히 있다는 것을 알아 버렸으니. <증오>의 구렁텅이에서 허우적거리던 나는 그 시점에서 <소생>한 거야."

"그 마음, 이제 저도 알 것 같아요."

가만히 있던 마니아가 그렇게 말했다. 지금까지 봤던 어떤 미소보다 환한 미소를 보이면서 말이다.

"저도 이제는 <증오>보다 <소생>이 더 좋아요."

33

"류에이 아스타는 떠났나?"

"네 그렇습니다."

어느 회사의 사무실이었다. 그곳에는 단 두 명의 사람이 마주 보고 서 있었다.

"그는 행방불명 상태였지? 본인은 모르는 것 같지만 말이야."

"그렇죠."

그러면 지금이 기회가 될 수밖에 없다. 원래라면 거의 모든 권력은 대표에 집중되어있었다. 그 대표 자리를 세이비님이 사라진 이래, 그 류에이 아스타라는 영문 모를 녀석이 잡고 있었다. 그 덕분에 우리 파벌은 권력을 제대로 잡지 못했고 우리의 제대로 된 이념을 실현하지 못했다.

"조직의 상태는 어떠하지? 카니페스는 움직일까?"

"아직 움직일 기미는 보이지 않습니다."

마을 녀석들은 전부 죽여야 한다. 그것이 내 생각이다. 오래전 그들의 안일한 신앙심 덕분에 우리 부모님이 죽어버렸단 말이다.

"류에이 아스타나 세이비님은 너무 자비롭고 물러. 나 같은 사람들이 회사를, 레이아스를 이끌어야 해."

그러기 위해서는 권력이 필요하다.

"행방불명이 된 지 벌써 5년이 넘었으니 류에이 아스타를 사망 처리하라고 압박해. 회사의 압박이면 어떻게든 될 거야."

"알겠습니다."

이제야 제대로 된 사냥이 가능할 것이다. 바로 검은 숲 마을 사람들의 사냥 말이다. 그것을 위해서는 일단 회사의 권력을 얻고 천사를 만들어내야만 했다. 12명의 대천사 안에는 들어갈 수 있을 정도의 강한 감정을 지니게 되는 천사를.

"예전에는 마을을 뜯어내서까지 천사에 적합한 녀석을 찾아냈는데 다른 파벌의 방해가 있지 않나, 결국 실험은 성공했지만 실험체가 우리의 손안에서 벗어나질 않나. 이번에는 확실하게 일을 처리해야 한다."

"예."

그래, 안쪽 마을 사람들은 전부 죽어야만 한다. 그것이 모두의 구원으로 직결하기 때문이다. 모두가 구원받으려면 그래야만 한다. 그것을 위해 몇십 년 전 행해진 안쪽 마을 사람 토벌이 있던 것이다.

검은 숲의 흐림이 적어지는 날은 우리는 안다. 그날을 노려서 우리는 조직의 병력, 데우스 포에나의 성창 해석본 복사품을 무기로 사용해 '신의 처형자'라고 불리며 두 번째 기사들이라고 자칭하는 카니페스의 힘을 빌려 그들을 토벌하였다.

단 한 명도 놓치지 않고 토벌하려 했지만 마을의 저항이 꽤나 거셌고, 결국 모든 사람을 몰살하지는 못하였다.

하지만 예상과 다른 수확을 얻었다. 우리의 이념을 반대하는 파벌 측에서 혼란을 눈치채고 검은 숲으로 들이닥쳤을 때 발견한, 마을에서 아직 살아있던 한 소녀의 존재였다.

그 소녀는 천사가 되기 너무나도 적합했다. 감정을 가지지 않았기에 어떤 것이든 담을 수 있는 최상의 그릇이었다.

그것을 반대편은 눈치챘는지 못 챘는지 모르겠지만 그 그릇에 여러 감정을 담기 시작했다. 검은 숲에서 발견한 소녀라는 그릇에게 말이다. 그것을 가만히 볼 수 없던 우리는 잠시동안 상황을 지켜보자는 이야기를 뒤로하고 그 소녀를 탈취하려 움직였다.

그리고 그 소녀를 빼앗는 것을 성공한 우리는 성서를 해독하여 천상에 닿으려 했다. 하지만 천상에 연결되는 순간, 그 소녀는 우리의 연결을 끊어버리고 천상으로 도망쳐 버렸다. 그리고 그 소녀는 다신 현세로 내려오지 않았다.

"하지만 이번에는 실수 따윈 하지 않겠다."

그렇다, 이번에야말로 반드시 천사를 조종하고 마을 녀석들에게 다시 한번 구원의 천사의 신벌을 내려주겠다.

누군가 트레지티에게 말을 걸었다. 다신 자신에게 목소리를 들려주지 않을 것 같은 그가 갑작스럽게 말을 건 것이다.

"트레지티? 있나요?"

오랜만에 들려오는 사람의 목소리다. 이곳에서는 사람은커녕 아무것도 존재하지 않는 검은 공간이기 때문이다.

"라이? 드디어 끝났나요?"

"네, 이제 곧 폐막입니다. 아직은 아니지만 곧 이 비극도 결말이 나겠죠."

"그렇군요."

트레지티는 당연히 알고 있었다. 이나야에서 일어나는 모든 것을 말이다. 자신을 이 꼴로 만든 그 조직이 움직이고 있다는 것도 알고 있다. 하지만 트레지티는 아무것도 할 수 없었다. 그렇기에 파수꾼이 필요했다.

별이 떨어지지 않는 밤, 그는 자신의 무력함에 땅을 치고 후회하고 있었다. 자신의 조카를 그곳에 두고 온 것을, 자신의 사촌 동생에게 거짓말을 하고 심지어 이상한 저주를 씌웠다는 것을.

사실 모든 것은 이 이나야라는 커다란 무대 위에서 놀아나고 있

다는 사실을 모른 채 말이다. 그날 천고에서 만난 그와 트레지티는
계약을 맺었다. 그에게 말하지 않는 아이의 이름을 이어 거짓말의
천사가 되라고. 그리고 다시 라이라는 이름으로 태어나라고. 그리고
현재 진행 중인 마니아의 비극을 결말까지 이끌라고 말했다.

"하지만 그는 나까지 구하고 싶어 했지?"

그의 이야기를 또다시 보고 싶어진 트레지티는 수많은 조각 중
그의 기억 조각을 꺼내 들었다.

그때는 세이비가 죽은 뒤 자신이 할 일은 그녀의 일들을 끝맺는
것이라고 생각하고, 여러 지역을 돌아다니며 그 일을 수행하고 있
었을 때였다.

언제 돌아올지는 모르겠지만 라이의 마음은 회사에서 멀어졌다.
자연스럽게 라이는 자신이 하던 일을 적임자에게 맡기고 회사를
떠나게 되었다. 라이가 회사를 나온 이후 세이비를 따르던 사람들
은 전부 다 라이를 따르게 되었고 그렇게 라이는 그들을 이끌고
이곳저곳 돌아다녔다. 얼마나 지났을까. 20인 학생 사건이 일어났
다는 소식에 라이는 다시 믿음으로 돌아오게 되었다.

공교롭게도 그 사건의 최대 피해자이면서도 수많은 사람들을 살
린 구원자는 그의 사촌 동생 중 하나인 이나야라는 이름의 여학생
이었다.

그 여학생은 자신을 희생해 수많은 사람을 살렸다. 하지만 그녀가
희생한 것은 자신의 목숨만이 아니었다. 그녀가 죽은 이후 그녀의

여동생이 더욱더 깊은 곳으로 빠져 버렸기 때문에 말이다. 점점 되돌아올 수 없는 길로 말이다.

라이는 회사에 복귀해 대표의 직위로 20인의 학생 장례식 자리에 참가하였다. 그 사건의 사후 처리를 맡게 된 것이다. 그 날 라이는 그 장례식에서 자신이 두고 온 사촌 동생을 보게 되었다. 하지만 그 둘의 만남은 일어나지 않았다. 숙부가 그의 앞을 막았던 것이다.

라이는 자책했다. 숙부가 하는 이야기를 들으면 결국 모든 것이 자신 때문에 일어난 일 같았기 때문이다. 숙부는 말했다. 누군가가 라이의 죽음을 재촉하는 것 같다고. 그 이야기를 들은 라이는 다른 생각은 들지 않았다. 그저 세상이 자신을 필요로 하지 않는다는 의미로 받아들였다.

별이 하나도 있지 않은 밤, 그 날은 성녀가 죽은 날, 그리고 검은 숲의 안개가 어느 정도 걷히는 날. 라이는 자신의 존재 가치를 부정하며 그 숲을 지나 천고 절벽으로 향했다. 그곳에 존재하는 것이 분명 자신에게 새로운 길을 열어 줄 것이라 믿으면서 말이다.

하지만 그 답을 찾은 것인가. 찾지 못한 것인가. 그는 심연에 몸을 맡겼고 그 안에서 울고 있는 소녀를 만났다. 그 소녀는 자신이 무엇인지도 확실하게 알지 못하는 상태에서 이곳으로 떠밀렸다. 그리고 자신이 여기서 아무것도 할 수 없다는 사실에 절망하고 있었다. 아니, 하는 것으로 보였다.

그렇게 둘은 계약을 맺었다. 라이는 그녀의 파수꾼이 되어서 이 인위적인 비극을 끝내기로 하였다.

라이는 마음속으로 외쳤다.
"그 소년은 잘 지내고 있으려나."

그렇다. 라이는 그 소년을 계속해서 신경 쓰고 있던 것이다.
그의 이름은 라이, 거짓말쟁이 소년. 본인의 모습을 바꾸고 새로운 삶을 살던 소년.

내 이름은 이제부터 라이, 류에이 아스타가 아닌 라이다.

그 소년의 죄를 나는 대신 짊어졌다.

구원자가 되지 못한 나에게 알맞은 이름이다.

남을 위한다고 말하지만 결국 되다만 가짜.

돌아온다고 말해 놓고 결국 내버려 둔,

거짓말쟁이인 나에게.

"이 마을은 이미 지배당하고 있어. 천사 시스템에."

이미 외부인이 시스템을 구축해 놓았다. 사람의 욕망으로 움직이는 이 믿음, 이나야를 말이다.

오래전 하늘에서 성녀가 떨어지고 사람들은 그 사람의 이야기를 믿었다. 믿었지만 그것은 실망으로 바뀌고 배신을 낳았다. 성녀라고 추앙되던 그녀를 따라가던 사람들도 전부 그녀에게 등을 돌렸다. 하지만 끝까지 그녀를 믿었던 라이라는 소년은, 그 기록자는, 자신의 모습을 숨겨 거짓말투성이인 삶을 살아가기 시작했다.

류에이아 마라나의 논문에는 여러 가설들이 실려 있었다. 그중 성녀가 하늘에서 내려왔다는 것을 봐서는 사실 세상의 외부, 즉 우주에서 그녀가 나타났다는 가설이 있다고 했다. 단순한 가설일 뿐이지만 무언가가 목적이 있어서 이 믿음, 이나야에 정착하고 인간에게서 무언가를 원하여 그들의 상황을 좋게 만들거나 최악으로 내몰거나 하는 것이 아니냐는 것이다.

그들이 원하는 것은 무엇일까. 그리고 왜 천사를 만들어 믿음을 관리하는 것일까. 무엇을 위해 사람들의 이야기들을 모으는 것인가. 그것에 대한 답은 트레지티는 어느 정도 인지하고 있다. 절반 뿐인 답이라 하더라도 말이다.

"이야기를 모으는 것은 내 존재 의미이기도 하니까."

대천사 중 한 자리를 차지하게 되면 그들의 정보가 어느 정도 머릿속에 들어오게 된다. 그리고 이나야에서 일어나는 일은 대부분 조각에 비춰서 알 수 있게 된다. 이게 생각보다 너무 편해서 도움이 된다. 물론 본인이 직접 현세에 강림하기 위해서 어느 정도의 신光의 승인 필요하기 때문에 쉽게 움직일 수는 없었다.

"12인의 대천사…."

트레지티는 아직 만난 적은 없지만 분명 개성적인 사람들일 것이라고 추측했다. 자신이랑은 다르게 말이다. 신은 우리에게 감정을 하사한다. 분명 감정은 인간의 것인데 말이다. 분명 트레지티는 대천사로서 아는 정보는 많았지만 모르는 것 역시 넘쳐났다. 그것을 밝혀내는 날이 언젠가는 올까.

"먼저 이 이야기를 끝내는 것이 맞는 것인가."

트레지티는 믿는다. 라이가, 류에이 아스타가 다시 현세로 내려감으로써 이 시스템의 진실이 파헤쳐지는 날이 올 것이라고.

35

아리스가 안정되고 마니아도, 테라도 자신의 기억을 되찾았다. 마니아가 입원한 후 퇴원까지 마치고 테라와 다시 만나기 시작했다는 사실을 들은 것은 그 날로부터 며칠이 지났을 때였다. 네스 선생님의 교통사고라는 안타까운 소식 역시 있었지만 다행히 목숨에 지장이 없다고 이야기하니 일단 한숨은 돌린 것 같았다.

이제 린이 없어서 많이 허전해진 저택, 란은 아리스의 방 창가에 앉아 여전히 아름다운 정원의 풍경을 바라보고 있었다.

아리스가 어렸을 때 매일 보던 검은 공허는 이미 모습을 감추었고 이 저택 안을 채우던 공허들은 아리스가 앞을 보는 것으로 전부 사라져 버렸다. 아리스는 괜찮을 것이다. 마니아도, 테라도 괜찮을 것이다.

"이것으로 된 거지, 린?"

란은 생각하였다. 린은 평범한 여자아이라는 것을. 그 이상의 의미 부여는 그만뒀으면 했다. 자신 역시 그러던 시절이 있었으니 말이다. 내일은 어떻게 될지 생각조차 안 하고 살던 시절이 있었다. 란의 원래 이름은 당연하게 '유페이아 란'이라는 축복받은 이름이 아니다. 자신의 모습을 감추기 위해 심연에서 나온 그 순간부터 지금까지 계속 다른 이름으로 살아갔다.

오래전 란은 그녀를 만나고 그녀와 함께 이나야 고아원을 들어가게 되었다. 그때는 이미 성서 <비극>을 완성한 지 오래되어서 기록자의 의무도 끝났고, 자신이 살아갈 의미를 찾지 못했던 시절이었다. 린을 만나게 되며 란의 시간은 다시 흐르기 시작했다.

오래전 심연에서 디스피어에게 선물 받은 권능 중 하나, 영원의 권능은 몸의 성장을 멈추는 권능이었지만 고아원에 들어갔을 때 라이라는 이름을 버리는 순간 란은 영원이라는 권능 역시 버리게 되었다. 영원을 버리고 내일로 향하는 것을 선택한 것이다. 그때 지은 이름이 바로 린의 이름을 딴 축복의 이름 '유페이아 란'이었다.

그녀와 고아원 생활을 보내다 란은 돌연 성서의 존재가 잘못 쓰이고 있다는 사실을 알게 되었다. 예전 성서들이 마을 안 습격으로 인해서 전부 불탔지만 아직 남아 있는 성서의 존재를 확인한 란은 고아원을 벗어나 믿음 주변을 여행했다.

그 과정에서 란은 오래전 말하지 않는 소년 시절, 자신을 도와주러 다가왔던 여성을 다시 만나게 되었다.

이름은 류에이아 마라나, 성서에 관해 연구하는 사람이었다. 그녀도 성서가 어디에다 쓰였는지 잘 알고 있었고 그 중 얼마 남지 않은 성서의 원본 역시 가지고 있었다. 그녀와 란은 서로가 알고 있는 정보에 대해서 이야기 하고 서로의 연락처 역시 교환하였다. 그리고 그녀는 란이 정착할 만한 곳을 추천해 주었는데 그것은 바로 그녀의 동생이 살던 저택이었다. 그곳에 자신 동생의 딸이 살고 있으니 한번 가보라며 사진이랑 주소를 주었다.

물론 그 후 직접 찾아갈 생각은 없었지만, 고아원에 갔다가 린이 이미 입양 됐다는 소식을 들은 란은 그 주소를 원장님에게서 알아내고 그곳으로 향했다. 하지만 그곳에 도착했을 때 란은 그곳이 마라나씨가 얘기한 곳이라는 사실을 알아차렸다. 이런 우연이 다 있을까. 린을 입양한 사람이 란이 아는 사람의 동생의 딸이라니.

그렇게 아리스의 가족으로 란이 들어간 것은 란에게는 행복이자 삶의 즐거움이었다. 성서의 행방을 찾아 떠난 여행이 란의 기록자의 책무로서 마지막 여행이었다는 것이다. 그 후 란은 자신의 책무에서 눈을 떼버렸다. 도망치고, 도망치고, 또 도망쳐서 믿음 안에 자리 잡은 어둠에서 눈을 돌렸다. 너무나도 눈부신 사람을 향해 눈을 돌려 버렸다. 그녀를 바라보면 그 어둠이 보이지 않게 되었다. 하지만 오래전 성녀의 모습을 쫓다가 그 광휘를 잃어버린 자신을 란은 알고 있다. 성녀를 믿다가 그 믿음이 배신당해 분노로 바뀌어 버린 사람들도 잘 알고 있다. '구원의 천사는 단명한다.'라고 자신이 성서에 그렇게 쓰지 않았는가?

란은 그녀가 구원의 천사가 아니라는 것을 잘 알고 있었다. 하지만 이 모순된 감정은 무엇일까. 사실 란은 자신에게 구원을 내려준 유페이아 린이 구원의 천사이길 바랐던 게 아닐까?

그 날 검은 숲이 보이지 않는다고 이야기하면서 아무에게도 말을 걸지 않는, 아무와도 이야기하지 않는 란에게 다가온 그녀에게 란은 감화되었다. 아름다움을 갈망하고 더욱더 보고 싶어하는 그녀가 평범한 인간 일리가 없다고, 자신을 구해준 두 번째 성녀라고 본인 혼자서 그렇게 생각하고 있었다.

하지만 결국 란은 그녀의 출신도 모르고 그저 우연으로 만나서 함께한 것이 전부다. 그녀를 성녀라고 멋대로 생각하는 것은 잘못된 것이라고, 그녀와 함께하면서 그런 생각이 든 것이다.

그녀를 멋대로 구원의 천사라고 칭하는 것은 좋다. 하지만 그 이상의 무언가를 그녀에게 기대해선 안 된다. 그녀는 평범한 소녀다. 그저 조금 둔하고 아름다운 것을 좋아하는 여자아이. 그 이상은 아니라고 란은 이야기 하고 싶었다,

그녀는 특별하다. 하지만 그 특별함을 그녀에게 강요해선 안 된

다. 구원의 천사는 단명한다. 하지만 그녀는 구원의 천사가 아니다. 아니, 되지 않게 하려고 노력했다. 그녀는 감정의 상호 교류로 인해 일어나는 아름다운 이야기를 보고 싶어 했다. 그렇다면 그녀는 그 아름다움을 찾으면 된다. 자신을 위해서 열심히 살아가면 된다. 그렇기 때문에 란은 마니아를 위해 움직일 수밖에 없었다.

마니아에게 접근한 것은 린이 접근했기 때문이었다. 그녀에 대한 호기심도 결국 린의 호기심에 이끌려서였다. 하지만 그녀의 현실을 목격하고 란은 더는 그것에 대해서 간단하게 내버려 둘 수만은 없었다.

결국, 란도 본인만 생각하여, 린에게 선택권을 주지 않고 성녀라는 길을 막아버린 것일지도 모른다. 하지만 란은 욕심쟁이였다. 더 이상 란은 자신의 옆에 있는 사람을 잃고 싶지 않았다. 그렇게 생각하여 그녀의 위험 요소를 하나하나 전부 정리해 나갔다.

그리고 마니아의 이야기를 듣고는 란은 자신이 미처 처리하지 못한 위험 요소가 마을에 남아 있었다는 사실을 깨닫고 그에 대해서 조사했다. 그리고 심연의 문을 열어 절망의 천사를 다시 만나 천사의 권능을 되찾았다. 그리고 알게 되었다. 마을에서 일어나는 커다란 비극이, 그 비극이 지금 마니아를 중심으로 일어나고 있다고.

란은 오래전 갑작스럽게 이나야에 생긴 회사가 이 비극의 흑막 역할이라고 생각하였다. 그래서 회사를 표적으로 능력을 행사했고 라이의 진실, 그리고 테라와의 관계를 알게 된 것이었다. 특히 테라와의 관계는 마니아가 비 오는 날 같이 우산을 쓰고 귀가하다 쓰러진 그 날, 기억 조각을 읽었을 때 그녀의 마음속에 비추는 중요 인물 중 한 명에 테라가 있다는 사실을 보고 자연스럽게 알게 됐다.

지금 이나야에 일어나는 비극을 끝내기 위해 란은 테라와 접촉하려 했다. 하지만 그 상황에서 린이 죽어버리고 앞으로 상황이 어떻게 감도 잡히지 않을 때, 라이 쪽에서 란에게 다가온 것이었다.

라이라는 이름을 입학할 때부터 들었을 때 이상함을 느꼈었다. 아무래도 란의 전 이름이기도 했고 그에게 라이라는 이름이 부여된 이유가 확실하게 있을 것이라 생각했기 때문이다.

결국 그는 심연에 도달했고 어쩐 일 인지는 모르겠지만 란의 이름을 이어받아 천사와 계약하여 이 마을에 현계했다. 라이는 이 비극을 끝내기 위해, 아니, 올바른 결말을 향하기 위해 비극의 천사에게 고용된 것이다.

"나에게는 그가 무슨 일을 하든 전부 나의 업보라고 생각했지. 결국 내가 해야 할 일을 전부 짊어진 거잖아."

이제 란은 라이가 아니다. 다시 태어난 란은 새로운 책무가 생긴 것이다. 이 마을의 진실을 파헤치고 린을 행복하게 해주는 것, 그리고 이 비극을 끝내는 것, 저주를 끊는 것이다. 만인의 구제 같은 거창한 것이 아닌 단지 린이 행복하길 바랐다. 그것뿐이었다. 단순히 그것을 위해 모든 것을 배제한 것이다. 그녀는 구원의 천사가 아니다. 하지만 그녀가 죽은 순간 그렇게 생각하는 사람도 있을 것이었다.

란의 입장에서는 가족을, 친구를, 자신이 사랑하는 사람을, 자신이 살아갈 이유를 빼앗긴 것이기 때문에 그녀의 죽음의 의미는 정말 큰 것이었다. 그럼에도 절망하지 않는 것은 그녀가 죽은 이후에도 란은 자신이 이미 시작한 일을 멈출 수 없었기 때문이다.

어중간하면 안 된다. 한번 실행한 것은 끝까지 한다. 그것이 란에게 남겨진 속죄이자 속박이다.

"지금 와서 생각하면 내 과보호도 그녀에 대한 속박일지도 모르겠지만 말이야."

란은 마니아에게 일어설 힘을 주었고 테라는 앞으로 걸어나갈 용기를 주었다. 란이 할 일은 이제 끝났다. 앞으로의 일은 테라와 마니아에게 맡길 일이다. 조직에 관한 일은 조금 더 생각해 볼 이야기다. 물론 대부분 라이에게 맡기겠지만 말이다.

이렇게 비극은 결말을 향해 다가왔다. 정말 란에게 내려진 기록자의 책무는 정말로 완전히 끝난 것이다. 이제 란에게는 새로운 책무가 생겼다. 바로 천사 시스템을 파악하고 부숴버리는 것이다.

린은 죽었다. 란은 그녀로 인해 새로운 이름을 얻었고 새로운 삶을 살았다. 인간의 원죄는 사라지지 않고 그로 인해 일어나는 비극 역시 사라지지 않는다. 그것을 끊어 내는 것은 웬만한 것으로 부족하다는 이야기이다.

란은 3번째 여행을 떠날 것이다. 이번 여행으로 란은 또다시 태어나겠지. 자신이 무엇을 해야 이 세상을 바꿀 수 있을까? 그리고 무엇을 해야 모두의 이야기를 들을 수 있을까? 그런 의문을 가지고 여행을 떠나기로 한 것이다. 또, 기록자라는 책무가 사라져도 란에게는 여러 인간이 만들어내는 이야기를 좋아한다는 마음만큼 은 아직 변하지 않았다.

아직은 아리스에게는 비밀이지만 곧 밝힐 생각이다. 테라와 마니아가 아리스에게 직접 자신들의 이야기를 할 때가 오면 말이다. 만약 자신이 여행을 떠난다면 아리스는 따라올까? 하는 의문이 란의 머리를 지나갔지만, 란은 자신의 여행에 아리스는 따라오지 않았으면 했다. 이것은 분명 아주 고된 여행이 될 것 같았기 때문이다.

"그래도 만약 아리스가 온다고 이야기하면 나는 막지 않을 거야. 나도 그렇게 말했는걸. 타인의 마음에 대해서 생각하라고."

란이 여기서 아리스를 거절하게 되면 란은 아리스가 예전에 했던 행동을 똑같이 하는 것이다. 그것만큼은 안 된다. 우리는 가족이니까 말이다.

문득 침대에 누워 잠을 청하고 있는 아리스의 얼굴을 향해 고개를 돌려 보았다. 너무나도 무방비한 그녀의 모습을 보니 장난이라도 치고 싶어지는 란이었다.

지금 생각해 보면 서로 피도 이어지지 않았는데 정말 판박이였다. 란은 사실, 아리스를 만나서 동생이 되기 위해 태어나지 않았을까 라는 생각이 들 정도니 말이다.

장난기가 발동하여 결국 란은 자고 있는 무방비한 그녀의 볼을 손가락으로 콕콕 찔렀다. 다행히 아리스는 그 정도는 절대 깨지 않는 듯했다. 오히려 그것 때문에 잠꼬대가 더 심해진 것 같았다.

"아……. 그것만은….."

"뭔 잠꼬대야."

아무도 보지 않지만 자동으로 어깨를 으쓱한 란은 그 후 그녀의 잠을 방해하지 않게 조용히 방을 빠져나왔다.

36

"정말?! 잘됐네! 둘 다!"

아리스의 목소리가 넓은 저택 안을 울렸다. 거실에 테이블을 둘러싸고 있는 그들은 최근에 있던 이야기를 입에 담으며 소소한 잡담을 나누고 있었다.

마니아가 테라와 함께 하길 정한 후 열흘이나 흘렀고, 린이 죽은 뒤 따로 이렇게 모여서 논 적이 없으니 이 저택에 모이는 것은 반년만이었다. 이렇게 긴 시간이 흘러 그들은 다시 모였다. 린이 지금의 모습을 보고 기뻐하려나, 아님. 자신을 빼고 노냐고 삐질까. 어느 쪽이든 린이 할 만한 반응이긴 했다.

"결혼식은 언제 해? 잡히면 반드시 알려줘?"

"그 정도는 아니라고요!"

"갑자기 진도를 너무 빼는 거 아니야?"

두 사람의 당황하며 부끄러워하는 목소리가 귀에 작렬했다. 이렇게 놀리기 좋은 커플은 아마 란이 아는 사람 중에는 없을 것이다.

"그만 놀려, 아리스."

"네에~"

지적을 받자 금세 화제를 바꾸는 아리스의 모습을 보니, 란은 피가 이어지지 않았지만 정말 린과 닮았다는 생각이 들었다. 성격도, 외모도 말이다.

"그러고 보니 테라, 마니아, 진로 정했어? 그대로 소설가, 편집자 콤비가 되는 거 어때?"

아리스의 물음에 둘은 조금 고민하다 이렇게 말했다.

"솔직히 말해서 잘 실감이 안 가는 것도 있고 소설가라는 꿈은 상황 때문에 어쩔 수 없게 만들어진 것이라서 손이 잘 가지 않네요. 물론 테라가 응원해 준 꿈이라 놓기도 그렇고요."

"마니아가 괜찮다면 나도 괜찮아. 원래라면 회사에 입사하려 했지만 마니아가 소설가가 되겠다면 그 계획은 철회해야지."

테라의 말에 마니아는 눈을 살짝 찡그리며 이렇게 말하였다.

"너무 나한테 선택을 강요하는 거 아니야?"

"당연하지, 난 네가 가자 하는 길을 따라갈 거야. 따라가며 너를 지킬 것이거든."

"나도 내 길을 알아서 찾아갈 거야. 너도 너의 길을 찾아. 그다음에 우리는 함께하는 거야."

마니아의 말에 테라는 조금 놀란 표정으로 그녀의 얼굴을 쳐다봤다. 무엇에 놀랐는지는 모르겠지만 그녀가 그런 말을 하는 것이 조금 의외로 느껴졌나 보다. 테라의 표정을 보고 무언가를 감지했는지 라이가 장난스러운 표정으로 웃으며 말했다.

"미래 약속 인가요~ 역시 갈 데까지 갔구나! 너희들."

"무슨 소리야!"

이번에도 둘이 동시에 라이를 향해 소리치자 라이는 황급하게 두 손가락으로 자신의 귀를 막아버렸다.

"아리스, 너는 어떻게 할 거야?"

"나는……. 고아원에 가볼까 해."

"고아원?"

란에게는 충분히 예상이 가는 범위였다. 애초에 전에도 고아원에서 일했던 경력이 있었고 그녀의 성격에도 맞을 것이었다. 그리고 무엇보다….

"린이 있던 고아원…. 그곳에서 원장님께도 신세를 많이 졌고 거기서 린 같은 아이들을 만날 수 있으면 좋을 것 같아서."

정말 아리스가 갈 만한 길이다. 그 고아원은 린과도 인연이 있지만 아리스는 부모님 하고도 연결이 되어있다. 바로 설립자가 본인의 어머니이기 때문이다. 아마 아리스 본인은 그 사실을 모를 것이다. 하지만 그것으로 좋았다. 그녀가 다시 행복해진다면 말이다.

"란은 어떻게 할 거야?"

이번에는 테라가 란에게 질문을 던졌다. 란은 자신의 차례라는 것을 인식하였는지 자신의 생각을 여기서 말하기로 결심하였다.

"나는 여행을 떠나기로 했어."

테라와 마니아는 놀랐다. 라이는 납득하였다. 아리스는 일체 표정의 변화도 없이 가만히 란을 바라보았다. 각각의 반응이 자신의 앞에서 나타나는 것을 확인한 란은 그대로 입을 닫았다.

마니아의 표정에서 망설임이 떠올랐다. 분명 이유를 묻고 싶은 것이겠지. 하지만 란은 그러하기에 아무 말도 하지 않았다.

마니아가 망설임을 벗어던지고 직접 물어보지 않는 이상 나는 입을 움직이지 않을 것이다. 진실이란, 본인이 납득하지 못하더라도 파헤칠 수 있는 의지가 있는 자에게만 내려지기 때문이다. 하지만 마니아는 이번에도 입을 닫아 버렸다. 아직 그녀에게 그런 준비가 되지 않았다는 것이겠지. 아직 갈 길이 멀었다.

"테라, 마니아를 잘 부탁한다."

"그 말은 저번부터 했어."

방금까지 가벼웠던 공기가 무거워졌다. 도대체 왜 자신이 여행을 떠난다는 말 하나로 이렇게까지 침울해하는 것일까? 여행 이외의 다른 무언가로 과해석이라도 하고있는 것인가. 란은 그런 생각이 들자 굳어져 있는 표정을 풀고 이렇게 말하였다.

"표정들이 왜 그래? 그냥 여행을 떠날 뿐이야. 그저 내가 갈 길 중 하나일 뿐인데, 왜 그래?"

"그게…. 린이 여행 기획부였다는 사실이 기억나서…."

그렇군. 린과 관련돼서 생각했다는 것인가. 물론 아예 연관이 없는 것은 아니지만 그것을 염두에 두고 생각한 것도 아니고 가령 그렇다고 해서 이렇게까지 침울해할 것인가?

"좋잖아? 그것도. 할 일을 찾은 거지? 그럼 하면 돼."

라이가 그렇게 말하며 란에게 웃어 보이자 무거운 분위기가 순식간에 풀리는 것 같았다. 역시 가장 란을 잘 이해하는 사람은 그일 것이다. 그만큼 서로를 생각한 시간이 많으니까 말이다.

"뭐, 그런 셈이지. 여행이라 해도 사실 너희들이랑 같아, 별다른 이유 없이 내 길을 찾아 떠나는 거지."

란의 말을 듣고 나서야 모두의 긴장이 풀렸다. 표정을 하나하나 풀기 시작한 테라, 마니아는 어느새 란에게 격려의 말을 건네고 있었다. 하지만 이상하게도 아리스는 아무 말도 하지 않고 란을 가만히 쳐다보고 있었다.

그녀의 얼굴에 드리워진 어둠을 란은 보고야 말았다. 너무 순식간에 지나간 것이라 순간 잘못 본 것인가 라는 생각이 들 정도였다. 무표정이던 아리스는 다시 평소의 표정으로 돌아와 웃으며 라이에게 화살표를 돌렸다. 앞으로 어떻게 할 것이라는 질문이 한 바퀴를 돌아 라이에게 향한 것이었다.

"흠…. 일단 마니아의 신변이 안전해질 때까지 경호도 해야 하고…. 그쪽은 내가 특별히 인원 배치를 조금 해줄게. 그리고……."

잠시 뜸을 들이던 라이는 무언가를 조금 고민하는 듯하더니 이내 결정했는지 눈을 똑바로 뜨면서 입을 열었다.

"일단…. 한동안은 회사에 남아 있지 않을까 싶어. 모든 사후 처리가 끝나면 그때 생각해 보려고."

"그러고 보니 정말 놀랐어. 설마 라이가 회사 사람이었다니. 그리고 심지어 엄마와 관련이 있다니."

아리스에게는 이미 알려줬다. 라이가 현재 회사에서 일하고 있고 류에이아 세이비 씨와 관련이 있는 사람이라고 말이다. 란이 알려 준 것은 거기까지였으며 다른 정보를 숨길지 말지는 라이에게 선 택하라고 이야기했다.

"나도 설마 세이비님의 따님이 아리스인지는 몰랐지."

라이는 그 말과 동시에 손을 머리 위로 올리면서 웃기 시작하였 다. 몸짓 하나하나가 예전의 라이로 돌아왔다는 생각이 들자 란은 조금 안심이 되었다. 물론 그 라이가 진짜 라이인지는 모르겠지만 말이다.

"테라, 견학 일은 정해졌어?"

"물론."

그런 잡담들이 방안에 울렸지만 란의 신경은 더이상 그들에게 쏠 리지 않았다. 방금까지 시끄럽게 떠들며 놀았던 주제에 가만히 입 을 닫고 웃고 있는 아리스의 모습을 보자 이상한 낌새를 느꼈기 때문이다.

"란은 어떻게 생각해?"

"응? 뭐?"

기습 질문에 깜짝 놀란 란이 당황하며 말을 얼버무리자 마니아는 어이없다는 표정으로 란을 쳐다봤다.

"란, 너⋯."

"란이 오늘 피곤한가 봐. 시간도 늦었으니 이제 가볼까?"

라이도 란의 태도에 이상함을 느꼈는지 그렇게 말하며 거실 벽에 걸려 있는 시계를 가리켰다.

 시계를 보니 벌써 밤 9시가 다 되어가고 있었다.

 모두가 다 떠난 후, 아리스와 란 역시 각자의 방으로 향하였다. 또다시 찾아온 조용한 밤. 공허는 이미 모두 자리를 떴지만 린이 없으면 허전한 것은 여전했다.

 란은, 아까 보인 아리스의 행동이 신경이 쓰여 침대 위에 누워있음에도 가만히 누워서 잘 수가 없었다. 몸을 돌려 침대에 일어나니 창문 밖에는 저 멀리 불빛이 가득한 건물들이 보였으며 그사이에는 나무들이 우거져 있었다. 지금 다시 생각해 보면 이 집과 저 멀리 보이는 번화가랑은 무언가로 인해서 단절된 공간으로 보이기도 했다. 사람이 없는 한적한 공간에 이 저택이 있기 때문일까.

 방문을 열고 넓은 저택의 복도를 걸었다. 솔직히 저택 규모가 너무 커서 그런지, 란에게는 이 복도 역시 너무 넓게 느껴졌다. 정신을 제대로 차리지 않으면 길을 잃을 것 같은 느낌조차 들었다. 그러고 보니 이런 느낌의 복도를 전에도 본 적 있었던 것 같은데. 그건 어디에서였을까.

 란의 방과 아리스의 방은 그리 멀지 않았다. 겨우 몇십 발자국 걸으면 나오는 거리니까 말이다.

 란이 방문 앞에 서자 문이 살짝 열려있는 것을 발견하였다. 그리고 그 너머에서 흐느끼는 아리스의 목소리가 들려왔다. 침대 위에서 안장 창문을 바라보는 그녀의 뒷모습이 문틈 사이에서 보였고,

어떤 표정을 하고 있을지는 알 수가 없었지만 그림자가 드리운 그녀의 뒷모습을 보니 지금 아리스가 느끼는 감정을 헤아리는 것은 어느 정도 가능했다.

그녀가 느끼는 감정의 외로움일까? 란이 헤아릴 수 없는 공포일까. 란에게는 천사의 권능이 있고 기억의 조각을 끌어내는 힘이 있지만 사람의 감정을 읽을 수 있는 능력 같은 것은 없었다. 혼자 울게 놔두는 것도 방법일 것이다. 그녀는 이미 결심했다. 모두에게 자신의 감정을 나누기로 말이다. 그녀가 직접 란에게 이야기를 해줘야 의미가 있는 것이다.

하지만 우는 그녀를 보고선 란은 가만히 있을 수 없었다. 이제 그녀는 한 발자국 앞으로 나아간 것이다. 이제야 말이다. 결심한 지 얼마 되지 않은 것을 이렇게 빨리 극복할 수 있을 리가 없다. 그런 생각이 든 순간 란의 몸은 이미 방 안으로 향하고 있었다.

갑작스럽게 열린 문 쪽으로 고개를 돌린 아리스의 얼굴에는 아직도 흐르고 있는 눈물이 턱밑으로 떨어지고 있었고 눈은 심하게 충혈되어 있었다.

"란…?"

심하게 불안정하고 떨리는 목소리가 그녀의 입에서 흘러나왔다. 아직도 눈물범벅인 그녀의 얼굴에는 당황스러움과 안심의 감정이 동시에 떠오르는 것이 느껴졌다. 란은 그녀에게 이렇게 말하였다.

"아리스, 나한테 할 말이 있는 거지? 그럼 지금 하고 싶은 말 다 해줘."

란의 말을 들은 아리스는 자신이 지금 어떤 상태인지 인지하였는지, 재빨리 눈 주위에 아직 묻어있는 눈물을 닦고는 거짓 웃음을 란 앞에 내보였다.

"아니야, 할 말은 없어. 미안해, 약한 모습 보여줘서."

란의 앞에서 거짓말을 해도, 가면을 쓴다 해도 무의미했다. 란 앞에 선 자는 전부 진실 된 얼굴을 보여 줄 수밖에 없기 때문이다. 그것이 유페이아라는 이름에게 내려진 축복, 린의 축복이다.

"거짓말이지?"

"아니야…."

그녀는 가면을 벗지 않았다. 그렇기에 란은 그녀를 가만히 놔둘 수 없었다. 아리스는 이미 란에게 맹세한 것이다. 아리스는 란의 가족이니까. 얼마든지 그 마음을 자신에게 털어놓으라고.

"우린 가족이니까."

"하지마…."

그녀의 애원하는 목소리는 란의 머리에 울려 퍼졌다. 하지만 란은 멈추지 않았다.

"나에게 이야기해줘."

"적당히 해!"

뒤따라오는 그녀의 날카로운 외침이 란을 당황시켰다. 전혀 예상치 못한 감정이었기 때문이다. 눈을 질끈 감으며 자신의 감정을 숨기고 그녀는 날카롭게 외쳤다. 자신을 가만히 놔두라고. 자신에게 혼자 결심할 시간을 달라고.

"나는 너에게 말했어. 가족끼리 감정을 공유하자고, 나도 힘들면 그렇게 할 거야. 하지만 내가 지금 생각하는 것은 다른 문제야. 나는…. 나는……."

그녀는 계속 눈을 감고 있었다. 떨리는 손을 얼굴 앞으로 올린 상태로 말이다. 그 손을 란이 잡으려는 순간 그녀는 손을 뒤로 빼서 그 손을 피했다.

"너의 앞길을 막을 수 없어…. 너에게…. 너에게, 나랑 같이 고아원에 가서 일하자고 말할 수 없어…."

멈추려던 눈물은 다시 그녀의 뺨을 타고 내려왔다. 감고 있던 눈은 천천히 열렸고 그 눈동자 안에는 여러 감정이 혼란스럽게 회오리를 만들며 돌아가고 있었다.

"너가 선택한 길이잖아…. 내가 외롭더라도 혼자 걸어야지…. 언제까지나 주변의 도움을 받을 수 없어."

"나는 아리스랑 함께해도 상관없는데?"

란의 그 말을 들은 그녀는 란의 바로 앞으로 달려와 주먹으로 란의 가슴을 약하게 때렸다. 분명 약한 펀치였지만 란의 가슴에, 마음속에 그녀의 감정 하나하나가 깊숙하게 파고들었다.

"이 바보…. 얼마나 둔한 거야…. 지금 할 말은 그게 아니지…."

란의 가슴팍을 때리는 것을 멈춘 그녀는 내리고 있던 고개를 위로 올리면서 자신의 감정을 란의 눈앞에 보여주었다. 눈동자에 회오리치던 그 감정은 이미 완벽하게 섞여 하나의 색이 되었다. 바로 믿음이라는 가장 강한 감정.

"그래선 안 돼, 네가 정한 길은 네가 나아가야지. 남이 정한 길이 아니라, 맞지? 네가 린과 함께 하고 싶다 해서 그녀의 길을 멋대로 정하지 않은 것처럼."

란은 그 말에 어떤 말도 덧붙일 수 없었다. 그녀의 마음을 부정하기에는 자신이 일단 그것을 행할 수 없기 때문이다.

"너도 나를 믿어, 내가 너를 믿는 것처럼. 나는 너희들의 언니잖아?"

그렇다. 확실하게 아리스는 성장했다. 이것은 고집이 아니라 자신의 내일을 보는 행위 그 자체, 그곳 앞에 아픔이 있더라도 단순히 과거를 보며 버티는 것이 아닌 미래로 나아가는 것.

"아리스, 많이 듬직해졌네."

"전에는 안 그랬어?"

그녀는 변화하였다. 옛날과 다름없이 말이다. 자신이 사실 주변 사람에게 변화하라고 강요하던 것이 아니냐는 생각이 들었지만 뭐 어쩔 수 없나 라는 생각이 그 뒤를 따라 란의 머릿속에 들어왔다.

자신의 행동, 그 모든 것이 생각해 보면 모순이었기 때문이다. 마니아의 선택을 존중해 준다고 말하면서도 그녀에게 망설임이 있다는 이유로 이곳으로 끌어온 것은 과연 맞는 선택이었을까. 아리스에게 변화하라고 명령해 놓고 그녀의 마음을 헤아리지 못한 것이 과연 맞는 것인가. 하지만 이제 와서 생각해 봤자 의미가 없었다. 이미 답은 나왔고 지나가 버린 이야기이기 때문이다. 지나간 이야기에 사족을 다는 것은 정말 꼴불견인 행동이다. 그럼에도 란은 지금까지 지나간 일만 생각하며 행동해 왔다. 앞으로 보라고 주변 사람들에게 이야기한 주제에 자신은 뒤만 바라보고 있었으니 말이다.

지금까지의 여행은 과거를 청산하기 위한 여행이었다. 그 여행이 마니아의 비극의 결말까지 이어져 왔고 란은 과거의 인물을 잃어버리고 현재에 있었다.

"여행의 계획을 조금 바꿔야겠네."

"뭐? 내가 그렇게 말했……."

란은 그녀의 입을 손가락으로 막았다. 그리곤 고개를 저으면서 이렇게 말하였다.

"지금까지 과거의 청산을 위해서 여행해 왔어. 생각해 보니 지금 내가 떠나는 여행 역시 과거의 청산 아닐까 하는 생각이 들어서. 그래서 생각을 조금 바꿨어."

그녀의 입술에서 손가락을 떼고 창밖, 밤하늘에 아름답게 수놓아져 있는 별들을 바라보며 약간의 감상에 빠진 란은 몇 분 동안 침묵하였다. 아리스는 그런 란의 모습을 가만히 쳐다보는 것이 아니라, 그녀도 함께 그 별들로 시선을 돌렸다.

린, 내가 할 수 있는 일이 아직 있을까?

"아리스, 나는 이번 여행을 과거를 보는 여행이 아니라 미래를 보기 위한 여행으로 정했어. 내가 무엇을 위해 이 세상에 태어났는지 그것을 위한, 아니 그것만을 위한 여행을 할 거야."

란의 대답에 그녀는 만족스러웠는지 환하게 웃었다. 누구보다 환하게, 린을 떠올릴 수 있을 정도로 환하게, 하지만 그것은 린의 웃음이 아니었다. 바로 아리스의 웃음이다.

"언젠가 내가 여행에서 돌아오면 그때 나도 고아원으로 향할게.
그때까지 이곳을 지켜줘."

"당연하지, 그때까지 내가 이 저택을 잘 지킬게!"

그녀에게는, 아니 이제 우리에게는 망설임이 없었다.

우리의 마음에는 그저 믿음이 있을 뿐이었다.

하늘에서 반짝이는 별만이 있을 뿐이었다.

제6장

이용당하고 버려질

누군가를 위해서

37

"여기까지 오는 것은 처음이지? 테라군."

"네, 처음입니다. 애초에 아버지께서 심부름을 시켜도 로비까지밖에 안 들어갔었거든요."

테라가 지금 있는 곳은 회사 건물 안쪽이었다. 로비를 지나 슬슬 여러 부서의 사무실과 휴게소가 보일 무렵이었다. 생각보다 견학 일을 앞당기게 된 테라는 여름방학인 와중에 오게 된 것이다. 회사 건물은 정말 넓었고, 특히 시설들이 설립된 지 몇십 년이 지났음에도 정말 최신식이었으며 내부 디자인 역시 훌륭했다.

"저기, 저번부터 궁금했는데 병원이나, 고등학교도 세이비님이 설립했다고 들었는데요. 전체적인 디자인은 누가 한 건가요?"

같이 온 마니아가 앞에서 회사 내부를 소개하고 있는 에리타 씨에게, 뜬금없었지만 테라도 나름 궁금했던 질문을 던졌다.

"그거 함부로 알려줘도 되는 내용인가?"

"아뇨. 뭐, 기밀도 아니고요. 그 디자인 취향은 전부 세이비님 것이지만 디자인 한 사람은 따로 있어요. 에로스였나. 류에이아님의 두 번째 자매라는 설도 있는 천재 디자이너에요."

"예?!"

회사 복도에 두 사람의 당황한 듯한 단말마가 울려 퍼졌다.

"그러고 보니 마니아 양이랑 테라 군은 사귄다고 했잖아요. 회사도 같은 곳을 노릴 생각인가요?"

에리타의 짓궂은 질문이 날라오자 우리는 동시에 얼굴이 빨개지며 고개를 바닥으로 떨궜다.

"맞나 보네~"

"아직 안정해졌거든요!"

또다시 동시에 그렇게 둘이 외치자 에리타 씨는 정말 즐거운 듯이 웃음을 터트렸다. 그 웃음은 둘의 부끄러움을 증폭시켰지만 이내 마니아와 테라도 이 상황이 웃겼는지, 아니면 부끄러움을 숨기기 위해서인지 같이 웃기 시작하였다. 길고 긴 웃음 퍼레이드가 끝나니 어느새 여러 부서 사무실을 지나 테라의 아빠가 부장으로 있는 지원부서까지 도달하였다.

"오, 여기가 아버지가 일하는 곳?"

"그러고 보니 테라 아버지가 이 회사에서 일한다고 했지?"

마니아의 말에 자그맣게 고개를 끄덕인 테라는 사무실 문을 향해 손을 뻗었다.

"갑자기 긴장된다. 테라의 아버지는 어떤 분일까?"

"그렇게 긴장할 필요 없어. 친절한 분이야."

"사실상 상견례니까."

"놀리지 마세요, 에리타씨!"

그렇게 그들의 대화가 지나가자 테라의 손은 이미 손잡이를 잡고 돌리고 있었다. 문의 건너편에는 흔하다고 하면 흔한, 평범한 사무실의 광경이 펼쳐졌다. 다만 엄청나게 바쁜 듯이 사람들이 이리저리 움직이고 있다는 것만 빼고 말이다.

부서실 안에는 자기 자리에 앉아 열심히 누군가와 통화하고 있는 사람이나 열심히 컴퓨터를 골똘히 보고 있는 사람들, 그리고 어떤 문서를 들고 이리저리 뛰는 사람들이 가득했다. 절대로 평소의 회사의 모습은 아니었다.

"저기 에리타씨? 지금 회사에 무슨 일이라도 있나요?"

"그게… 아직도 파벌싸움 중이고, 외부 위협도 있으니까…"

"뭔 소리에요?"

"아무것도 아니에요. 일단 바쁜 듯하니 오스마 부장님만 뵙고 갑시다."

얼버무리는 에리타의 모습에서 테라는 의문점이 피어올랐다. 파벌싸움이 있다는 말은 전에 라이에게 들었지만, 회사 내에서 사람들이 몸을 움직이며 허둥지둥 하고있는 모습을 보면 단순한 내분 정도는 아닌 것 같았다. 심지어 외부 위협도 있다고 에리타 씨가 말하였다. 그 말로 보아 다른 세력이라도 있는 것인가. 에리타는 테라가 보이는 의심의 눈초리를 알아차릴 틈도 없이 허둥지둥 부장실로 걸어가서 문에 노크를 하고 있었다.

테라의 옆에서 같이 있던 마니아는 여전히 긴장이라도 되는지 굳은 표정으로 뻣뻣하게 서 있었다. 테라는 그 모습이 너무나도 귀여워서 방금까지 여러 생각을 하던 머리는 또다시 멈춰 버렸다.

"마니아, 심호흡해."

마니아는 테라의 말의 의미를 깨달았는지 작게 심호흡하더니 결심을 굳이 표정을 테라의 앞에 보여주었다. 그 모습을 보니 정말 상견례를 하는 사람의 모습이었다. 물론 무언가 남자 쪽의 분위기였지만 말이다.

부장실 문이 열리고 그 안으로 손짓하는 에리타 씨를 향해 마니아와 테라는 함께 안으로 들어갔다. 부장실 내부는 생각보다 넓었고 제일 안쪽 벽에는 커다란 창문과 그것을 등진 긴 책상이 놓여 있는 부장 석이 있었다. 부장실이 따로 있다는 것도 신기한데 이 정도라니. 아빠의 명성을 나타내는 것이기라도 하는 것인가. 벽에는 수많은 상과 기념사진들이 놓여 있었다. 보통은 이것은 집에 걸어놓지 않나? 라는 생각이 테라의 머리를 지나갔지만 그만큼 오랜 역사가 쌓인 곳이어서 이렇게 꾸며 놓은 것이라고 멋대로 납득하였다. 부장 석에는 당연하게 테라의 아빠가 앉아있었고 역시나 바쁜지 어떤 서류를 들고 열심히 읽고 계셨다.

"안녕하세요! 테라와 같은 학교 다니는 마니아입니다."

잔뜩 긴장한 마니아의 카랑카랑한 목소리가 부장실에 울렸다. 방에 누가 들어온 것을 확인한 아빠는 들고 있던 문서를 책상 위에 두고 자리에서 일어나 앞까지 걸어 나왔다.

"당신이 마니아양이군요. 우리 아들이 신세를 많이 지고 있습니다."

테라의 아빠가 그 말과 동시에 손을 앞으로 내미자 마니아는 그 손을 두 손으로 잡고 악수를 했다. 너무 공손해진 거 아니야? 라는 것이 테라의 감상평이었다. 그 둘의 악수가 끝나고 테라의 아빠는 테라의 쪽을 바라보며 한쪽 눈을 찡그리더니 이내 다시 마니아에게로 시선을 돌렸다.

"그래서, 언제 우리 집에 오실 예정이죠?"

"네?"

또다시 빨개지는 마니아의 모습을 보니 왠지 아까와는 다르게 테라의 머리는 허둥대지 않았다. 아버지 앞이라서 그런지, 테라는 아까보다 더 침착하게 웃으면서 엄청난 발언을 해버린 것이다.

"곧 데리고 올게."

테라의 발언이 더해지자 마니아의 얼굴은 더욱더 빨갛게 되어서 눈을 이리저리 돌렸다. 정신을 붙잡고 있는 것도 버거워 보였다. 이미 동요를 넘어 과열되어 터지기 직전이었던 것이었다.

그 모습을 옆에 서서 가만히 쳐다보던 에리타는 입을 손으로 틀어막고 가까스로 웃음을 참고 있었다. 하지만 그 틈 사이에 흘러나오는 자그마한 웃음소리를 막지는 못했다. 마니아는 새어 나온 웃음소리를 들었는지 빨개진 머리를 양손으로 감싸고 그대로 부장실 밖으로 달려 나가 버렸다. 마니아가 떠나자 에리타는 참고 있던 웃음을 더이상 참을 수 없었는지 폭소하기 시작하였다. 마니아의 행동이 너무 귀여웠는지, 테라도, 아버지도, 어느새 자연스럽게 에리타를 따라 웃고 있었다.

마니아가 떠난 뒤 아버지와 조금 이야기를 나누던 테라는 다시 부장실을 나왔다. 하지만 바로 부장실 앞에서 기다리고 있을 줄 알았던 마니아의 모습은 온데간데없었고 이상하게 열심히 움직이던 사람들도 한 명조차 부서실에 남아 있지 않았다. 갑자기 사람들이 사라지자 에리타 씨 본인도 이유를 모르는지, 당황스럽다는 표정으로 어디로 전화를 걸면서 다시 부장실로 돌아갔다.

에리타가 부장실로 사라지고 나서 그곳에 혼자 남은 테라는 상황을 파악하기 위해 부서실을 나와 복도를 달리기 시작하였다. 달리고 달려서 병원 복도와 같은 느낌의 그 길을 달렸다.

"마니아, 마니아! 어디 있어?!"

병원의 복도 역시 앞뒤 구분이 잘되지 않아서 미로 같았는데 왠지 이 회사는 그 느낌이 더 짙었다. 그 덕분에 혼자 복도를 달리고 있는 테라는 지금 여기가 어디쯤인지도 인지할 수가 없었다. 그렇게 한참을 달렸지만, 이상하게 같은 장소만 계속되는 것 같았고 이상함을 깨달은 것은 자신이 더는 달릴 수 없을 정도로 숨이 차오를 때쯤이었다.

"여긴 어디지…."

주변을 둘러봐도 사람 한 명 없었다. 분명 아까까지 많은 사람들이 복도를 지나다녔는데 말이다. 차오르는 숨 때문에 헐떡거림을 멈추지 못하였다. 복도 가운데에서 몸을 숙이고 무릎을 잡으며 숨을 고를 수밖에 없었다.

그렇게 테라는 몇 초 정도 가만히 서서 뜨거워진 뇌를 식혔다. 자신이 아무리 뛰어도 소용이 없다는 사실에 일단 천천히 상황을 살펴보자는 생각이 들었기 때문이다. 다만 상황을 보자고 해도 물어볼 사람도 없고 그저 같은 풍경의 복도뿐이었지만 말이다. 일단 앞으로 천천히 걸어나가자는 마음으로 발을 떼는 순간 복도 반대편에서 누군가 걸어오는 소리가 들렸다.

반가움과 왠지 모를 경계심이 동시에 떠오른 테라는 그 소리가 들려오는 방향을 향해 시선을 돌렸다. 그러자 그곳에서 앞으로 향하는 손과 팔이 먼저 보이더니, 의사나 연구원이 입을 것 같은 백의를 걸치고 있는 여성이 나타났다.

신비한 분위기를 풍기는 그 여성은 기다란 흑발에 특이하게 한쪽에 하얀 안대를 끼고 있었다. 은은한 달빛을 연상시키는 노란색 눈동자 역시 인상적이었다.

그 여성은 천천히 테라의 쪽으로 걸어왔다. 더욱더 신기한 것은 그녀의 발걸음은 분명 느렸지만 엄청나게 빠른 속도로 테라에게 다가왔다는 것이다. 일단 딱 봐도 범상치 않은 모습으로 보였지만 보면 볼수록 신기한 분위기를 내뿜었다. 그 여성은 가만히 서 있는 테라 바로 앞까지 다가와서 그의 얼굴을 지긋이 쳐다보곤 그대로 다시 걸어서 테라의 옆으로 지나갔다.

"잠시만요!"

그녀의 행동에 테라는 절박한 마음으로 복도 전체에 울릴 정도의 큰소리를 내어 그녀를 불렀다. 다행히 무심한 듯이 지나가려던 그녀 역시 테라의 커다란 목소리에 겨우 걸음을 멈췄다.

"혹시, 지금 지원부서 사람들은 물론 회사 사람들이 한 명도 안 보이는데 혹시 무슨 일이라도 일어난 것인가요?"

"자네, 이름은?"

"테라 오스마입니다."

뒤도 돌아보지 않고 그녀는 테라의 이름을 물어보았다.

"오스마 부장의 아드님인가?"

"네 맞아요. 아버지를 아십니까."

"잘 알지."

잘 안다고 그녀는 이야기했다. 그러면 더욱더 이야기가 쉬워지지 않는가. 테라는 지금 이 상황을 알고 싶었다. 그것을 물어볼 사람이 아버지를 아는 사람이라면 정보를 알아내기 더 쉬울 것이었다.

"저, 혹시 여기가 어딘지 아세요? 길을 잃어서요."

"따라오게."

그 여성은 테라에게 그렇게 말하고 다시 걷기 시작했다. 확실하게 뒤를 따라가자니 조금 버거운 것 같았다. 아까 발걸음은 느린데 묘하게 빠른 것 같다는 느낌이 착각이 아니었던 것이다. 그 덕분에 그녀를 놓칠 수 없는 테라로선 발을 더욱더 빠르게 움직이는 것밖에 방법이 없었다.

"견학을 온 이유는 무엇인가."

"회사에 들어올지도 모르니까, 한번 견학을 오는 것도 나쁘지 않을 것 같아서요."

"회사에 대해서 어느 정도 아는 거지?"

"대략만 알지 정확히는 몰라요."

마치 회사 면접 같은 질문들이 여러 번 오가고 나서야 드디어 똑같은 복도의 풍경이 사라졌다. 다만 복도의 끝에는 테라가 보던 광경이 아닌 어두운 지하실 같은 곳이 펼쳐져 있었다.

"저…. 여긴 어디…."

"들어오게."

그녀가 발을 들인 곳은 마치 어느 정부나 회사의 비밀 연구실 같은 느낌의, 커다란 돔 형태의 공간이었다. 가운데에 있는 여러 기계에서 무언가 만들어지고 있었고 그 주변을 유리창으로 둘러놓아, 그곳을 밖에서 볼 수 있는 형태로 구성되어 있었다. 유리창 쪽에는 여러 방과 실험 상태를 확인할 수 있는 모니터들이 벽에 붙어 있었고 여러 물품이 나열되어있는 선반과 서랍이 있었다.

그녀가 이 최신식 연구실, 제조실로 보이는 곳으로 테라를 데리고 온 이유는 무엇일까. 아무리 봐도 기업 기밀로 보이는 시설인데 말이다. 유리창 밖 쪽에는 연구원으로 보이는 사람들도 있었고 그중에는 이상한 가면 같은 것으로 얼굴을 가린 백의의 사람들 역시 보였다.

"정말 특이한 광경이네요…. 근데 여기는 무엇을 하는 곳이에요? 아니, 애초에 저를 이곳에 들여도 되는가요?"

"되고말고. 다름 아닌 내가 허락했으니 말이지. 오스마 부장의 아들이라고 했지? 너에게는 이 상황을 볼 자격이 있어."

"네? 애초에 여긴 뭐 하는 곳이죠."

그 여성은 대답하지 않고 유리창 안쪽 무언가를 제조하는 로봇 팔을 향해 손가락을 올렸다. 그곳에는 정확히는 모르겠지만 검은 물질들이 형태를 이리저리 바꾸다가 기다란 창의 모습으로 형성되는 것이 포착되었다.

"도대체 여기서 무엇을 만드는 것이죠?"

"성창 롱기누스."

"네?"

"데우스 포에나가 쓰는 성창의 복사본."

"무슨 소리인지 모르겠는데요?"

"당연히 모르겠지. 대충 설명하자면 회사의 가장 주요 병력인 데우스 포에나가 사용하는 무기를 만드는 곳이지."

알 수 없는 이야기를 하기 시작한 여성은 그렇게 몇 분 동안 그 무기에 관해서 설명하기 시작했다.

"성서의 해석을 성공한 우리는 말 그대로 신의 사자인 천사의 힘을 사용하는 것이 성공했어. 그것이 바로 성창 롱기누스라네."

"성서요?"

"성서 <비극>. 그것이 있어야 천사계와 연결될 수 있어."

"죄송하지만 제 머리가 이야기를 따라가지 못하겠는데요."

전부 테라에게는 이해가 되지 않는 것 투성이었다. 실제로 성서도 라이의 집에 있던 것을 빌려서 읽었지만 대부분 이해가 되지 않았는데, 이렇게 갑자기 많은 정보가 머리에 들어올 리가 없는 것이다.

"그럼…. 초보적인 것부터…."

"아…. 그건 됐습니다. 그것보다 로비로 나가려면 어디로 가야 하나요."

그녀의 어려운 설명 덕분에 테라는 이 장소에 조금이라도 있었던 흥미가 사라져 버렸다. 여전히 궁금한 것은 많았지만 일단 그것보다는 마니아의 행방을 찾아야 하기 때문이었다.

"…여기서 혼자는 못 갈 텐데."

"네? 그럼 어디로 가야 하는지…."

말하다가 깨달았다. 이곳 복도는 미로처럼 되어있고 애초에 여기가 회사의 어디쯤인지도 모르는데, 혼자 가봤자 다시 길만 잃을 뿐이었다.

"내가 다시 돌려 보내주지. 따라오게나."

또다시 그녀가 앞장서 걷기 시작하자 테라는 열심히 쫓아갔다. 놓치면 또 길을 잃을 것이라는 생각이 들었기 때문이다.

첫인상은 정말 신비로운 사람인 느낌이었지만 테라에게 그녀에 대한 인식은, 실제로 말을 나눈 것은 몇 분 남짓밖에 안 되지만, 자기 할 말만 하는 과학자로 바뀌어있었다.

"너는 마니아를 저주의 속박에 집어넣은 것은 누구라고 생각하나?"

"네? 마니아를 아세요?"

정말 갑작스럽게 한 질문이었지만 테라는 그 질문의 의도를 생각하는 것보다 먼저 이 사람이 마니아를 알고 있다는 사실에 놀랐다.

"대답하게나."

"예? 갑자기 그렇게 얘기해도…."

"누구라고 생각하나. 비극의 천사? 라이? 란? 아니면 너?"

직감적으로 확신했다. 이 사람은 지금 우리에게 내려진 이 상황을 누구보다 잘 알고 있는 사람이다. 테라는 항상 진실을 회피했지만 테라에게 진실을 내려줄 사람이 지금 바로 앞에 있는 것이다.

"검은 숲의 안쪽 마을? 마니아 자신? 아니면……."

아니면.

"무엇으로부터 마니아를 지켜야 할지 착각하지 마라."

마니아를 무엇으로부터 지켜야 하나. 그것에 대한 답은 테라는 확실하게 이야기할 수 없다. 그녀는 앞으로 나아갈 것이고 그녀에게 도움이 된다면 무엇이든 도울 것이다. 하지만 무엇으로부터 그녀를 지켜야 하는가 그것에 대해선 생각해 본 적이 없다.

그 순간 계속 같던 복도의 풍경이 달라지며 로비의 모습이 보이기 시작했다. 드디어 벗어났다는 해방감이 몰려올 때 로비에 너무 많은 사람이 모여있다는 것을 깨달았다. 그 순간, 이쪽에서 들릴리 없었지만, 회사 밖에서 들려온 소리일까. 어떠한 여자의 비명이 들려왔다. 로비에 있던 사람들은 당황한 듯이 전부 회사 바깥쪽으로 나가고 있었고 왠지 모를 불안감 덕분에 테라의 다리는 이미 로비 쪽으로 달리고 있었다.

로비를 지나서 정문으로 나가니 사람들이 한 곳에 모여있었다. 이내 저 멀리서 구급차의 사이렌 소리가 들려왔고 사람들이 모여있는 곳에서 어떤 여성이 머리에 피를 흘리며 쓰러져 있었다. 그리고 그 여성을 어떤 사람이 부축하고 있었다.

테라는 무슨 상황인지는 이해가 되지 않았다. 하지만 다리는 멈추지 않았다. 그리고 그들에게 충분히 가까이 다가갔을 때 테라는 자신의 눈을 믿지 못했다. 쓰러져 있는 여자가 바로 마니아였기 때문이다. 그녀를 지혈하고 있는 남자 역시 아는 얼굴이었다.

"호라스 씨….."

그녀와의 거리가 몇십 미터밖에 남지 않았을 때 때마침 구급차가 도착하였다. 호라스 씨는 구급대원들에게 마니아를 넘기고 멀리서 달려오는 테라를 발견했는지 손을 흔들었다.

"테라, 이쪽이에요!"

잽싸게 그쪽으로 뛰어간 테라는 숨을 고를 틈도 없이 바로 구급차로 향하였다. 구급차에는 호라스 씨와 심지어 뒤에서 따라오던 그 여성도 동승 하였다. 그 여성은 왜 갑자기 따라오는 것이냐는 아주 작은 의문이 테라의 머리에 스쳐 지나갔지만 그것을 신경 쓸 겨를이 없었다.

이번이 몇 번째일까. 마니아가 매번 가는 이나야 병원으로 향한 구급차는 바로 수술실로 향하였다. 실려 가는 마니아의 뒤를 따라가는 것밖에 하지 못한 테라는 수술실 앞에서 하염없이 수술 결과를 기다릴 뿐이었다.

호라스 씨와 그 여성과 함께 의자에 가만히 앉아 무거운 침묵을 지키고 있을 때, 먼저 입을 뗀 것은 테라였다.

"호라스 씨…. 무슨 일이 있었죠"

"저희의 능력 부족이었습니다. 너무 방심했어요. 설마 아무리 그 조직이라도 경솔하게 본사에서 빼갈 생각을 했을지는 몰랐거든요."

"조직이라니요?"

"아스… 아니 라이님이 설명을 안 해주셨나요."

"네, 도대체 무슨 일이 있었길래 마니아가 다친 거죠?"

"기본적인 것부터 설명해주지."

"네."

생각해 보니 이 여성은 왜 여기까지 따라온 거지? 방금까지 위화감을 못 느끼던 테라는 드디어 그녀가 위화감 센서에 들어온 것을 느꼈다. 아무리 아빠를 아는 사람이라도 테라한테는 완전히 타인이었다. 아직 이 사람이 정확히 무엇을 하는 사람은 모르겠지만 너무 자연스럽게 이곳에 섞여 있는 것은 불쾌하게 느껴질 정도였다.

"파니타님? 왜 여기에?"

옆에서 호라스 씨가 그제야 그 여성의 존재를 눈치챘는지 엄청 놀란 표정으로 자리에서 일어났다.

"호라스, 오랜만이군."

"파니타 씨가 왜 여기에 계시죠?"

"아는 사람이에요?"

테라의 질문에 그는 고개를 끄덕이며 설명을 시작하였다.

"이분은 우리 회사에 수많은 연구 성과를 내신 수석 연구원 파니타 선생님입니다. 성서의 해석도 이분이 해내신 성과입니다. 성창을 만든 것도 이 분이고요."

뭔지는 잘 모르겠지만 아무튼 대단한 사람인 듯했다.

"호라스, 이 친구는 아주 기본적인 회사의 구조도 모르는 것 같더군."

"아무리 오스마 부장님의 아드님이라고는 해도 외부인이니까요."

"그러니까 기본적인 것부터…."

"아까부터 뭘 설명하시려고 하는지 모르겠는데요?"

"근데 파니타님이랑 테라는 왜 같이 있었어요?"

이야기가 맞물리지 않는다.

"그것 보다, 왜 마니아는 저렇게 된 건가요?"

"이야기가 다시 돌아왔는데."

"……"

그리고 다시 이어지는 침묵. 다 본인의 말만 하려 하니 이야기가 진행되지 않았다. 그리고 그것을 깨달은 테라는 일단 다른 사람의 이야기를 듣기로 마음먹었다. 하지만 그것은 호라스 씨도 같은 생각이었는지 가장 듣고 있을 이유가 없다고 생각되는 사람이 입을 열었다.

"그럼 기초부터 시작하지."

"너무 끈질겨요!"

테라가 또다시 그녀의 말에 끼어들자 호라스는 테라의 입을 틀어막고 곤란하다는 표정으로 고개를 저었다. 일단 먼저 저 사람의 이야기를 듣자는 말인가. 안 그래도 마니아 일 때문에 머리가 혼란스러운데 이 사람은 왜 여기까지 따라온 것인가.

"오래전, 이 회사를 세우는데 커다란 힌트를 준 물건이 있었어. 그것은 바로 성서라는 이름의 책이었지."

그렇게 교수님(?)의 긴 역사 강의가 시작되었다. 오래전 회사가 세워진 이래 있었던 사건 들이나 회사에서 떨어져 나간 조직의 이야기가 나왔을 때는 왠지 거창해진 이야기라고 생각했다.

"너무 허구 같은 이야기인데요. 실제로 설명할 수 없는 초자연적인 일이 우리 주변에서 일어난다고는 알고 있었지만 천사라니, 조직이라니. 이야기를 들어도…."

"그래도 사실인 걸 어떡해요."

계속 입을 다물고 있던 호라스 씨가 그렇게 말하였다. 그렇다면 그런 건가.

"그런데, 그게 지금 상황이랑 관련이 있나요?"

관련이 없을 것이라고 생각한 테라는 자포자기한 느낌으로 이야기했지만 파니타 씨는 그런 테라의 생각을 부정하는 듯 확신에 가득 찬 표정이었다.

"몇 년 전 지하철 대화재 기억하나?"

당연하게 아무 생각 없어 보이던 파니타라는 인간은 가장 핵심에 가까운 요점을 찔렀다. 그녀의 입에서 나온 의미를 누구보다 잘 알고 있는 테라는 표정을 바꾸었다. 지루하다는 표정에서 누구보다 진지한 표정으로 말이다.

"그 화재의 원인을 알고 있나?"

"네? 원인이요?"

그 화재는 완전히 우연 아닌가? 아니, 그 화재가 난 원인 같은 것은 테라는 몰랐다. 테라가 그 화재에서 눈을 돌렸기 때문에? 아니다. 애초에 뉴스나 기사 같은 데에는 원인을 밝히지 못했다고 보도되었기 때문이다.

"분명 원인은 밝혀지지 않은 게….."

"아니, 사실 원인은 밝혀졌어. 하지만 세상에 밝히면 안 되는 일이기 때문에 밝히지 않은 거야. 밝혀 봤자 아무도 믿지 않을 테고, 괜히 혼란만 일으킬 뿐이니까."

그럼 그 화재의 원인은 무엇인가. 그것을 테라는 알고 싶었다. 그녀가 불행해야만 했던 이유가 그곳에 있을 것이기 때문이다.

"원인은 아까 말했던 조직이야."

회사에서 세이비와 라스, 즉 아리스 부모님의 이념에 이끌려 온 사람 역시 있었지만, 그저 단순한 증오심으로, 검은 숲의 안쪽 마을이 행한 여러 용서받지 못할 짓을 당한 피해자들이 입사한 경우도 역시 존재했다. 그중 회사를 지원하던 한 단체가 그러했고 회사 안에 꽤나 큰 영향력을 펼쳤다. 그리고 엇나가기 시작한 것은, 그 단체가 회사에 있던 어떤 종교 집단과 힘을 합치기 시작했을 때였다.

"그 종교 집단은 이단 섬멸이라는 목적으로 그 단체와 손을 잡아서 검은 숲 너머에 있는 마을을 공격한 거야."

그날 검은 숲의 하늘은 붉은색으로 뒤덮였다. 사람들의 비명이 들리고 많은 사람이 죽었다. 몇천 명도 안 되는 작은 마을이었지만 그 단체는 학살한 것이다. 어른, 아이 상관없이 말이다. 아무리 그 마을이 잘못을 저질렀다고 해도 심각한 처우였다.

"하지만 비밀리에 움직이다 보니 마을을 습격한 그 단체의 인원

수도 그렇게 많지 않았어. 그래서 마을 사람 중 수많은 사람이 도 망쳤지."

전부 죽지 않고 도망친 사람 역시 존재한다는 말인가. 그렇다면 도망친 사람들은 지금 어디에서 살고있는 것인가. 답은 간단했다. 이 믿음에서 살고 있거나 아니면 주변에 있는 마을에 정착했을 것 이다.

"그 후 이변을 눈치챈 회사 측 병력이 그곳으로 향했지만 남아 있는 것은 수많은 시체와 불타고 있는 마을이었어."

그렇군, 그리고 그 단체들이 결국 회사에서 떨어져 나가 조직을 만든 것이군.

"그 후 회사 측에서 그 단체를 추궁하자 결국 그들과 함께한 종 교 집단은 성창을 압수당했고 결국 그 단체도 회사에서 나가게 된 거야."

하지만 아직 부족했다. 지금까지 들은 정보로는 아직 지하철 화재 와 이어지지 않았다. 지하철 화재가 일어난 이유는 무엇인가. 논점 은 애초에 거기에 있었다.

"지하철 화재는 그 조직이 벌인 일이야. 그녀가 기억을 잃은 이 유, 모르지?"

"모릅니다."

테라는 별다른 이야기를 하지 않았다. 그저 그녀의 말에 귀를 기 울여 최대한 경청하고 있다는 태도를 보일 뿐이었다.

"그 지하철 화재는 조직이 어떠한 병기를 실험하기 위해서 벌어진 일이었어. 물론 병기라고 하기에도 모호하긴 한데…. 그래, 어떠한 장치라고 이야기해야겠군."

"장치요?"

"그래, 장치."

그 장치 역시 성서 해석본으로 만든 장치라고 했다. 요약하자면 사람이 가장 갈망하는 감정을 증폭시켜 그에 상응하는 새로운 감정을 부여하는 장치라고 하는데 솔직히 전혀 이해가 되지 않는 이야기였다. 마니아는 그 장치의 부작용 중 하나인 기억 소실에 의해서 기억을 잃었다고 했다.

"그 장치가 흩뿌리는 연기에 닿으면 자신 안에 있는 가장 갈망하는 욕구가 머릿속에 떠오르는데, 부작용이 생기면 그 감정이 가장 머리 깊은 곳으로 매장되어 버리거든."

"한마디로 말하자면 그 날 마니아양은 테라, 당신을 가장 강하게 생각하고 있었기 때문에 테라를 잊어버린 것이라는 건가요?"

"그런 거지, 잘 정리했어. 호라스군."

"감사합니다."

둘이 뭐 하는 건데.

"그렇다면 마니아가 지금까지 힘들어했던 이유는 그 조직 때문에 인가요?"

"맞아, 물론 마니아 본인이 초래한 일이긴 하지만 벗어날 희망이 보일 때마다 방해한 것은 그 녀석들이야."

"그렇군요…."

솔직하게 말하면 잘 와 닿지는 않았다. 그들이 마니아를 괴롭게 만들었다고는 해도 그들에게 느껴지는 감정은 증오가 아니었다. 테라의 마음속에 피어오르는 작은 감정, 이것의 정체는 무엇일까. 차분 하지만 천천히 차오르는 이 감정은.

"이번 마니아가 쓰러진 이유도 그 조직 때문이야. 머리를 무엇으로 가격당했다고 했지?"

그녀는 그 말과 동시에 호라스를 향해 머리를 돌렸다.

곤란하다는 표정으로 고개를 끄덕이는 호라스의 모습을 보니 사실인 듯하였다.

"설마 녀석들이 본사에서 마니아를 빼내 가려고 할지는 몰랐습니다. 로비에서 마니아 씨를 발견해서 이상하다고 생각했거든요. 그래서 쫓아 갔는데 그 녀석도 저를 발견했는지 마니아의 머리를 무엇으로 가격하고 그대로 도망을 쳤습니다."

"그렇군요."

"저희의 능력 부족입니다. 죄송합니다."

자신을 향해 고개를 숙이는 호라스 씨를 보고는 테라는 고개를 저었다. 물론 호라스 씨의 탓이 아니라는 것도 잘 알고 있었고 이미 벌어진 이야기를 이리저리 이야기해봤자 의미가 없다는 것을 잘 알고 있기 때문이다.

"아뇨, 괜찮아요. 나쁜 건 그 조직들이잖아요."

호라스 씨는 그 말을 듣고서는 아무 반응도 보이지 않았다. 그저 두 손을 한곳에 겹쳐 고개를 내리고 가만히 바닥을 바라볼 뿐이었다. 그가 무슨 생각을 하는가, 그것을 생각할 틈은 이미 없었다. 그 순간 수술실 문이 열리며 의사 선생님이 걸어 나왔기 때문이다.

"다행히 목숨에는 지장이 없습니다. 몇 주 치료하면 괜찮아질 것입니다."

그 후 우리의 반응은 뭐 굳이 말 안 해도 알 것이다. 자신의 입에서 안도의 한숨이 흘러나오는 것을 알아차린 테라는 뒤에 서 있는 파니타라는 사람과 호라스를 향해 슬며시 미소를 지어 보냈다. 호라스 씨 역시 테라의 미소를 보고서야 얼굴을 제대로 들고 웃고 있었다.

마니아의 수술이 끝나고 몇 분이 지나서야 나타난 마니아의 부모님은 테라와 그 옆에 있던 두 사람에게 감사 인사를 전하고 바로 병실로 달려갔다. 테라도 지금 당장이라도 달려가고 싶었지만 일단 이 사실을 먼저 아리스 네에게 전하고 싶었기 때문에 응급실 문 앞까지 나와서 휴대전화를 들었다.

수신이 향하는 곳은 바로 아리스의 휴대전화였다. 집 전화로 걸어도 상관없지만 지금이 오전에서 오후로 넘어가는 시간대이기에 집에 없을 확률이 높기 때문이었다.

전화가 연결되고 무언가 허둥지둥하고 있는 듯한 그녀의 목소리가 휴대폰 너머에서 들려왔다. 숨도 허덕이고 있는 듯한 것으로 보아 달리기라도 한 것인가?

"테라야? 하아…. 하아…. 마침 잘 됐다. 마니아한테 무슨 일이 있다고 들었어. 그거에 대해서 알려주지 않을래? 혹시 몰라서 이나야 병원으로 뛰어가고 있는데."

뛰어오고 있다고? 아니, 이게 아니지. 테라가 여기서 할 말은 아리스는 어떻게 그것을 알았냐는 것이다.

"어? 회사 쪽에서 연락이 왔어. 마니아가, 아직 제대로 파악은 하지 않았지만, 큰일이 난 것 같다고 말이야. 그래서 바로 병원으로 달려갔지. 근데 라이도, 란도 전화를 안 받아서 너한테 전화할 참이었는데 네가 전화를 건 거야."

"회사 사람은 왜 갑자기 아리스, 너한테 전화를 건 거야? 세이비님의 따님이어서?"

"그것도 맞긴 한데 애초에 내가 부탁했어. 마니아한테 무슨 일이 있으면 보고 하라고."

그렇군. 역시 창립자의 딸이다. 그런 부탁을 해도 스스럼없이 들어주는 회사를 보면 말이다.

"마니아가 다쳤어, 다행히 목숨에는 지장이 없대. 이나야 병원에 입원해 있는 거 맞아. 딱 맞게 찾아왔네. 이번이 몇 번째인지…."

"아하하…. 요즘 전반적으로 너무 자주 신세 지는 것 같네."

조금 씁쓸하면서도 힘이 빠진 듯한 그녀의 목소리를 들으니 테라 역시 왠지 모르게 몸에 힘이 빠지는 것 같았다. 하지만 이내 그런 생각은 털어내고 아리스에게 인사를 건네며 전화를 끊었다. 그리고 그 후 란에게 전화를 걸었지만 란은 전화를 받지 않았고, 라이는 통화에는 성공했지만 회사 내에서 조직에 관련해 움직이기 시작했다고만 말하고 전화를 끊어 버렸다.

그렇게 시간이 조금 흐르고 병실에는 어느새 마니아의 부모님은 물론, 아리스까지 와있었다. 또한 언제 소식을 들었는지 네스 형까지 병실 침대 바로 옆에 앉아있었다.

목숨에 지장이 없고 곧 깨어날 것이라고 말했지만 아직 그때가 아닌 것인지 마니아는 아직 눈을 뜨지 않았다. 그 덕분인지 많은 사람들이 있는 병실이었지만 정말 조용했다.

"어떻게 다친 거야."

네스 형의 침착한 목소리가 병실에서 울리자 이미 식은 머리는 더욱더 차가워지는 것 같았다. 테라가 있는 그대로 무언가를 머리에 가격당했다고 답하자 이상하게 방금까지 아무런 표정 변화도 없던 네스 형은 눈을 크게 뜨며 테라를 쳐다보았다. 믿을 수 없다는 눈으로 말이다.

무언가 생각이라도 난 것인가. 눈동자가 조금씩 흔들리더니 고개를 바닥으로 내렸다. 그리고 이내 다시 고개를 다시 테라의 쪽으로 돌려 이렇게 말하였다. 자신이 그 날 공원에서 사고 난 것을 기억하냐고.

"당연히 기억하지. 그때 아린을 데리고 공원을 산책하고 있었는데 어떤 차량이 갑자기 형 쪽으로 돌진했다며."

"맞아, 그럼 그 돌진한 차량 운전자의 상태도 기억이 나?"

"뭐였더라…."

솔직히 그 부분은 잘 기억이 나지 않았다. 그냥 지나가는 이야기라 흘러들었기 때문이다.

"머리를 무언가로 가격당해 기절 상태로 운전석에 앉아있었다."

그 말을 들은 순간 테라는 방금까지 동요조차 없던 머리가, 차가 웠던 머리가 다시 뜨거워지는 것을 느꼈다. 머리를 가격당했다. 무언가의 낙석인가? 라고 막연하게 내뱉은 자신의 과거가 떠올랐기 때문이다. 하지만 아직 그것이 이어지는 이야기라는 것이 확실하다는 증거는 없다.

"단순히 우연이겠지."

"하지만 그 우연이 연속으로 세 번 일어났어. 첫 번째, 두 번째도 이상한데 세 번째야. 똑같은 상황이 말이야."

만약에, 정말 만약에 그것이 전부 의도된 일이라고 하면 그 조직은 마니아뿐만이 아니라 네스 형에게도 위해를 끼쳤다는 사실이다. 그 사실을 알았다고 해서 무언가 바뀌지는 않는다. 하지만 그들이 얼마나 악랄한지는 더욱 실감할 수 있게 되었다. 네스 형을 죽이면 마니아가 정말로 절망의 너머로 가버릴 것이라는 것을, 그 녀석들은 너무나도 잘 알고 있다. 그렇기에 그런 짓을 벌인 것이다.

"…조사해 볼게."

그 말을 남기고 네스 형이 병실을 나갔다. 그리고 그 직후 들어온 사람은 라이었다. 아리스는 방금까지 테라가 앉아있던 의자에 앉아서 누워있는 마니아의 손을 잡아주고 있었고 라이는 그 둘이 안 들리게 이야기라도 하려는지 벽 한쪽에 기대고 서 있던 테라를 데리고 병실 밖으로 나갔다. 아무 말도 순순히 밖으로 나온 테라는 그에게 의문을 표했다.

"왜 밖으로 끌고 나온 거야?"

"현재 회사 분위기가 심상치 않아. 조직들 한테 본때를 보여줘야 한다는 사람까지 나오고 있어. 이거 잘못하면 무력 충돌까지 있을 것 같아. 너희들한테 영향을 안 끼치게 노력은 해보겠는데 잘못하면 휘말릴 수도 있어."

"휘말릴 수도 있다고? 도대체 왜?"

테라의 흔들리는 목소리에 그는 입술을 깨물면서 괴롭다는 표정을 지었다. 당연하다. 자신의 친구가 커다란 소용돌이에 휘말리게 생겼으니 말이다. 이미 몇백 년 전부터 시작된 소용돌이에 말이다.

"어찌 됐든 조직은 목표는 마니아였고 둘이 무력 충돌이 일어나면 조직은 어떻게든 마니아를 확보하려 할 거야. 이미 저주에서 벗어났지만 언제라도 깨질 수 있는 것이 마니아니까. 그리고 네가 없어지면 아마 마니아는 다시 절망에 빠지겠지."

간단한 이야기이다. 그리고 없을 이야기도 아니다. 하지만 왜, 왜 이렇게 조직은 천사를 원하는 것인가. 결국 녀석들도 회사에서 떨어져 나온 사람들이다. 이단 섬멸이라는 아주 시대에 뒤떨어진 행동을 해온 사람들이 있는 곳이라고는 하지만 애초에 조금 이념이 맞지 않아 떨어져 나온 사람들이다. 결국은 회사의 목표는 구원, 그렇다면 사람 한 명을 절망에 빠뜨려 버려도, 지하철에 대화재를 일으켜서 수많은 사람들이 희생되어도 상관이 없다는 것인가.

"라이, 대답해줘. 도대체 그들이 원하는 것은 뭐야. 회사의 구원 이념에서 떨어져 나와 종교 집단과 함께하는 그들은 여러 명의 희생을 감수하면서까지 천사를 원하는 거야?"

라이는 이번에도 이야기하기를 꺼리는 듯이 보였다. 하지만 회사끼리의 내분에 이미 말려들게 된 테라에게는 얼버무림은 통하지 않는다는 것을 라이는 잘 알고 있었다. 그는 숨기지 않고 알고 있는 것을 이야기했다.

"종교 집단은 애초에 종교 이념을 지킬 뿐인 이야기야. 녀석들은 이 마을 사람들 전체를 죄인으로 보는 것 같아. 그에 상응하는 신벌과 심판을 내려야 한다는 생각이지."

하지만 그들의 생각은 생각보다 단순한 게 아니었다. 애초에 인간을 천사로 만든다는 것 자체는 마음에 들어 하지 않는다고 했다. 신의 영역을 인간의 몸으로 도전한다는 것 자체를 무례하다고 생각하기 때문이다. 하지만 그럼에도 조직이 천사의 연구를 할 수 있던 이유는 단순하게, 당시에는 숨겨서였다.

"하지만 나중에 알았어도 그 조직은 분열되지 않았어. 의외로 순응하는 듯이 보였고 이미 천사가 된 자는 우리의 영역에 벗어났다고 말했고."

포인트는 그게 아닌 거 아닌가? 애초에 속이고 한 거라면 신뢰가 깨져버릴 텐데. 그럼에도 분열되지 않았다는 것은 무슨 이유라도 있는 것인가. 테라가 그렇게 이야기하자 라이는 고개를 끄덕이며 이렇게 말하였다.

"나도 그 녀석들이 신념이 강한 광신도라고만 생각하고 있어서 당연하게 분열될 것으로 생각했어. 하지만 그들은 자신들조차 죄인이라고 생각하고 이미 더럽혀진 자신들이 천사를 만들어내면 신의 이름으로 더욱더 많은 사람이 구원을 받을 수 있을 것이라고 생각한 거야."

이해가 가지 않는 이야기였다. 지하철 대화재 때 많은 사람들은 죽인 주제에 구원은 무슨, 수지가 안 맞지 않는가? 회사의 이념도 만인의 구원, 거기에서 분리된 조직은 비원도 구원, 그러면서 수많은 사람들을 죽음으로 내몰지 않았는가. 도대체 무엇이 구원이라는 것인가.

"애초에 그들은 성립되어있지 않아. 안쪽 마을 사람들을 학살한 시점부터 회사의 이념과는 달라졌어. 그들은 수많은 사람의 구원을 위해 소수의 사람을 희생해야 한다는 것은 많이 들어본 이야기이지. 그것을 위해 증오라는 이름으로 또는 이단 섬멸이라는 이름으로 녀석들은 그것을 행했어. 대화재도 마니아도 천사 연구도, 그 녀석들은 이 마을 전체가 소수인 거야."

얼굴이 굳었다. 단순한 광신도라고 생각하던 녀석들과 모든 사람을 구하는 것을 이념으로 삼고 있는 듯한 회사와 조금 다른 방법을 추구한 사람들, 그 둘이 만나서 커다란 소용돌이를 만들었다. 그리고 그 소용돌이 가운데에 우리는 서 있다.

"단순하게 나쁜 녀석들이라고 정의할 수 있는 조직이 아니었었어. 이해할 수는 없지만 결국 실현 가능성이 더 큰 것은 그들의 이념이니까."

그럼에도, 테라는 인정할 수 없었다. 다름 아닌 우리에게 피해를

졌기 때문이다. 단순히 이나야에 살고 있다는 이유로, 소수라는 이유로 말이다. 마니아는 상처 입었다. 다시 일어날 수 없을 정도로 상처를 입었다. 그것에 대한 보상이 절망으로 밀어내는 것이라니 절대 용납할 수 없다.

자신을 희생해서 남을 구원하는 이야기는 많이 들었다. 자신의 몸을 불태워 많은 사람들을 구원한 사람들의 이야기를 말이다. 하지만 테라는 회사의 목적을 들었을 때 크게 와 닿지 않았다, 그저 테라에게 먼 이야기로만, 막연하게 생각하고 있었다.

테라에게는 만인의 구원보다는 주변 사람들이 더 중요했다. 테라는 평범한 사람이다. 모든 사람을 구원한다는 거창한 이념 같은 것은 테라에게는 필요 없단 말이다.

"나에게는 마니아만 있으면 돼, 너희들만 있으면 돼."

무언가에 분노를 느끼듯이 얼굴을 찡그린 채로 테라는 그렇게 말하였다. 테라가 느끼는 감정은 단순한 분노가 아니었다. 많은 것을 지키지 못하는 테라에게 내려진 것은 오로지 주변 사람, 마니아뿐이었다. 테라는 평범하다. 신화 속에, 역사 속에 나오는 위인들과 다르다. 하지만 이런 테라라도 지켜야 할 것이 있다.

"라이, 너는 어때? 구원의 이름으로 희생을 강요하는 것이 옳은 것이라고 생각해?"

라이는 침묵하였다.

당연히 그 조직의 이념을 부정할 것이라고 생각한 테라는 당황하였다. 그들의 이념이 옳지 않다고, 라이라면 그렇게 말할 것으로 생각했으니 말이다.

 그리고 라이는 나지막하게 이렇게 말하였다.

 "모든 사람이 구원을 바라지는 않는다."

 테라가 그 말의 의미를 깨닫기 전에 멀리서 발걸음 소리가 울렸다. 방금까지 누군가가 불렀는지 병원 밖으로 달려 나간 호라스 씨와 그것을 천천히 쫓아간 파니타 씨가 복도를 나란히 걸어오고 있었던 것이었다.

 "아스…. 아니, 라이님? 언제 오셨대요?"

 "여어, 오랜만이네! 아스타군."

 호라스 씨는 파니타 씨의 입에서 나온 말을 듣고선 순간 놀라더니 어이없다는 표정으로 바뀌고 이내 고개를 축 떨어뜨렸다. 도대체 무엇 때문에 그런 반응을 하는 것인가? 이름 때문에? 그러고 보니 처음 듣는 이름이었다.

 "저…. 그 아스타라는 이름, 라이한테 하는 말이죠?"

 그 말에 호라스 씨는 역시라는 표정으로 팔을 축 늘어트렸고 그 모습을 이해를 못 한 것인지 단순히 전혀 신경 쓰지 않는 것인지 또 자신만의 이야기를 시작하였다.

 "응, 아스타가 이름 아닌가?"

 "라이 아니에요?"

 동시에 말한 파니타 씨와 테라는 이해할 수 없다는 듯이 고개를 기울이면서 서로를 가만히 쳐다보고 있자 그 모습을 가만히 둘 수 없었던 라이가 드디어 입을 열었다.

"파니타님, 지금은 라이라고 불러주세요."

"왜? 아스타라는 이름이 더 좋은데."

새삼스럽지만 참, 말 안 듣는 사람이다. 고집이 세다고 해야 할까. 애초에 타인에게 맞춰주는 성격은 아닌 듯하다. 호라스 씨와 라이의 입에서 동시에 한숨이 흘러나오자 멀뚱멀뚱 눈을 뜬 상태로 가만히 서 있던 테라는 또다시 떠오른 의문을 입에 담았다.

"라이랑 파니타 씨랑 아는 사이?"

"거기부터냐!"

라이의 얼굴에 다른 의미의 그림자가 드리우는 것 같았다.

다시 병실 안으로 돌아온 테라는 아까 밖에 있을 때 몇 명이 병실에서 나가는 것을 힐끔 확인했던 덕분에 이미 회사 사람들 중 일부가 밖으로 빠져나갔다는 사실을 눈치채고 있었다. 아리스는 그대로 마니아의 손을 계속 잡고 있었고 마니아 부모님은 아리스의 뒤에 서서 가만히 그 광경을 바라보고 있었다.

여기서 테라가 눈치채지 못한 사실이 있었다. 언제 온 건지 모르겠지만 란이 이미 병실 안에 들어왔다는 사실에 테라는 놀라고 말았다. 물론 테라가 병실에 들어가는 사람을 전부 다 체크한 건 아니었지만, 라이와 이야기를 나누며 한눈을 팔았던 순간에 들어갔다는 것밖에 안 되는데. 정말 신출귀몰한 녀석이다.

그 신출귀몰한 란은 마니아를 보지 않고 창문가에서 바깥만 바라보고 있었다. 문이 있는 방향을 등지고 있어서 그의 표정이 전혀 보이지 않았다. 그는 무엇을 보고 있을까.

"란, 어디 갔다 왔길래 전화를 안 받았냐."

테라가 말을 걸자 그제야 창밖에서 시선을 돌린 란은 테라의 모습을 보고는 미소를 지었다. 그 미소의 의미가 무엇인지는 모르겠지만 마치 누군가가 떠오르는 눈웃음이었다. 누구일까, 때로는 짓궂고 때로는 따스한 그 미소를 지었던 사람은.

그리고 이내 떠오른 사람은 한 명밖에 없었다. 그 미소의 주인은 린이었다. 그렇군, 저번부터 느끼던 위화감은 그것이었나. 마니아를 상처입힌 그 날, 란은 테라를 데리고 옥상으로 올라갔다. 그 옥상에서 마주한 란은 테라에게 여러 정보를 알려주고 테라의 마음속 안에 봉인된 여러 이야기들을 끌어내 주었다. 그때 그 모습은 마치 린의 모습, 그 자체였다. 왠지 린 앞에 서면 테라의 마음 안에 있는, 세상을, 자신을 속이기 위해 머리 한구석에 봉인된 모든 것을 밖으로 끄집어내는 것 같은 느낌을 자아냈었다. 그리고 테라는 그 기분을 지금 란에게 똑같이 느끼고 있었다. 린이 죽은 그 날부터 말이다.

우리 주변에 있는 모든 사람은 전부 각자 자기 자신에게 저주를 걸고 있다. 자신은 나쁜 사람이라고 자신을 책망하고 있다. 정말로 나쁜 사람은 그런 생각조차 안 한다고 많이들 이야기하지만 실제로는 어떠할까? 만약 살인을 저지르고 죄책감이 있다고 해서 그것이 분명 나쁜 사람이 아니라고 할 수 있을까?

각자의 죄에 눌려 서로 다른 선택을 해 왔다. 마니아는 침묵하여 혼자가 되길 선택하였고 아리스는 가족을 찾는 것을 선택하였다. 테라는 그렇지, 린에게 자신의 마음을 전하지 않는 것을 선택하였고 결국 린은 죽었다.

라이는 무엇을 선택해서 오르트노 중학교에 전학을 와서 우리를 만나고 사촌 동생을, 우리를, 그리고 세상을 속여가는 길을 걸었던 것일까. 도대체 무슨 일이 있었길래.

란 역시 같다. 테라는 아직도 란이 무슨 생각을 하는지 알 수가 없다. 그저 린의 옆에서 어떤 문제는 해결하는 사람, 만능인 같은 느낌인 사람이었기 때문이다. 마니아의 문제를 해결하기 위해 가장 먼저 움직인 것도 그다. 그럼 란은 도대체 무엇을 보고 무엇을 선택했기에 마니아에게 손을 내밀 수 있고 무엇 때문에 이곳에 이렇게 서 있을 수 있는 것인가.

린은 테라의 마음속에는 절대 선이었다. 그리고 이젠 란 역시 그랬다는 것을 깨달았다. 하지만 사실은 정말 그럴까? 테라는 그 둘의 마음 같은 것은 모른다. 그저 예쁘다고 성격이 좋다고, 모두를 사랑한다고 떠받들어진 린과 그 옆에서 린을 지키며 우리가 못하는 모든 문제를 차례차례 해결하는 란, 그 둘에게 우리들은 무엇을 느끼던 의미가 없는 것인가.

전에도 말했지만 란은 마니아를 테라에게 맡겼다. 그가 테라에게 말해준 정보를 보면 아마 이 믿음에 깔린 신화나 조직, 회사 싸움, 그리고 배경 역사 같은 것을 전부 알고 있을 것이다. 그럼 이 거대한 소용돌이 안에 그에게 맡겨진 역할은 도대체 무엇이었을까. 정말 궁금한 것 투성이다. 친구인데도 이상하게 그를 높은 곳에 있는 사람으로 보던 테라 자신이었기에 이번에야말로 란에 대해서 알아내야겠다는 생각으로, 미소를 짓고 있는 란의 눈을 똑바로 바라보며 입을 열었다.

하지만 테라의 진지한 눈을 마주한 란은 조금의 동요도 잃지 않았고 미소를 유지하였다. 천천히, 아주 천천히 테라의 마음은 검은 바닷속에서 수면 위로 올라왔다. 위화감을 느낀 것은 자신뿐인가. 뒤에서 아리스와 라이의 목소리가 들려왔지만, 우리에게 향하는 목소리는 아니었다. 이 감각은 무엇인가. 마치 나와 란이 서 있는 공간만이 뒤에 있던 사람들이 있는 공간으로부터 떨어져 나가 단절된 기분이었다. 옥상에서 느낀 그 느낌은 다시 테라의 다리를 타고 올라왔다. 란에게서 벗어날 수 없는 시선은 흔들리고 흐려져 이내 검은 세상으로 바뀌었다. 그리고 다시 세상이 밝아졌을 때 테라는 자신의 앞에 있는 이 사람은 란이 아니라는 것을 직감했다.

"아스타도 바보네~ 111호가 아니라 102호인데."

병실의 모습을 하고있는 장소는 평소와 다를 바가 없었지만 어느새 등 뒤에 있는 사람들의 모습은 사라지고 없었다. 날씨는 정말 좋았고 창밖에 쏟아지는 노을은 왠지 테라의 안에 있는 그리움을 끌어내는 것 같았다. 열린 창문에서 커튼이 휘날리며 바람이 불어왔다. 분명 방금까지 시간대는 오후 2시 직전이었지만 석양이 지는 것으로 보아 저녁이 되어가는 시간대로 바뀐 것 같았다.

"일부러 다른 호실을 가르쳐 주었는데. 아직도 그대로 기억하고 있네, 참 곤란한 아이야."

따스하고 웃음기가 가득한 목소리와 말투는 이미 란의 것이 아니었다. 온화한 분위기를 한껏 내뿜던 란은 목소리는 물론 모습까지 바꿔버린 것이다. 천천히 형태가 변하며 이내 금발에 가까운 베이지색의 머리의 여성으로 바뀌었다. 그 모습은 마치 방금까지 병실에 있던 아리스를 연상하는 모습이기도 하였다.

머리카락은 허리까지 올 정도로 길었고 나잇대는 20대 중후반인가? 엄청나게 젊어 보였지만 그렇다고 어리다는 느낌은 아니었다. 그녀가 뿜어내는 분위기는, 젊어 보이는 겉모습보다 더 나이가 있어 보이게 하는 마법이라도 걸려 있는 것 같았기 때문이다.

"저…. 누구세요?"

그녀는 한 번도 미소를 잃지 않았다. 그도 그럴 것이 점점 그녀의 모습이 성서에서 글만 보고 테라가 연상했던 성녀의 모습 그 자체로 보였기 때문이다. 그렇다. 성녀는 웃음을 잃지 않는다고, 성서에 그렇게 적혀 있다. 하지만 이 사람은 정말 성녀일까? 구원의 천사일까?

"당신의 이름은?"

테라의 질문에 미소짓던 그녀는 이렇게 말했다.

"류에이아 세이비."

류에이아 세이비라고 그녀는 말했다. 누구도 아닌 세이비, 회사를 설립한 장본인, 마을에 회사의 영향력을 높인 구원의 천사. 그리고 오래전 병으로 죽은 그녀였다.

그녀가 왜 란을 통해 테라에게 다가온 것인가. 아니 애초에 란은 뭐길래 이런 사람이 란을 통해서 테라에게 온 것인가.

"저, 당신을 알아요. 회사 <레이아스>의 설립자. 회사의 구원의 천사, 당신이라면 여러 정보를 알고 있겠죠. 궁금한 것은 많지만 그것보다 왜 란을 통해서 저의 앞에 선 거죠? 란은 뭐길래 지금 이런 상황을 만들 수 있는 것이죠? 애초에 지금 무슨 상황인지도 모르겠어요."

입에서 있는 대로 흘러나왔다. 묻고 싶은 것 궁금한 것도 많았지만 일단 지금 일어난 이 상황에 대해서 물어야겠다고 생각해서 나름 선정해서 말한 것이다만, 그럼에도 너무 많이 흘러나왔다. 어쩔 수 없는 것이 아닌가? 애초에 이 상황에 당황하지 않는 것이 이상하다.

"질문이 너무 많네. 일단 내가 이 소년의 몸을 통해 너에게 말을 걸을 수 있는 이유는 이 소년이 가장 적합한 몸을 가지고 있기 때문이야."

"그게 무슨 말이죠?"

"이 소년이 성녀에게 선택된 이유가 뭔지 알아? 천사계에 가장 가까운 몸이라서야. 이 소년은, 그러니까 단순하게, 무엇이든 담을 수 있는 몸이니까. 천사든 사람의 영혼이든 말이야. 그러니까 천사계와 현세를 잇기에는 가장 적합한 몸이지. 이 아이가 받은 천사의 힘 중 '빙의'의 힘도, 애초에 무엇이든 담을 수 있는 자신의 몸 덕분에 자유자재로 사용할 수 있는 것이야."

무슨 이야기를 하는 것인지 모르겠다. 따스한 목소리로 무언가를 설명하고 있는데 이야기가 하나도 머릿속에 들어오지 않았다. 주변 사람들은 다 이런 식인가. 내가 전부 알고 있다고 가정하고 이야기를 하니 말이다.

테라의 표정에서 당혹스러움을 읽었는지 세이비님은 표정을 누그러트리며 고개를 살짝 끄덕이곤 말하였다.

"미안, 최대한 많은 정보를 알려주고 싶어서 나도 모르게 멋대로 이야기를 시작했구나. 아리스의 친구니까 최대한 도움을 주고 싶었거든."

"역시 아리스의 어머니이셨군요⋯."

"그래, 이미 죽었지만 이렇게라도 다시 만날 수 있어서 좋았어."

그렇군, 아마 빙의라고 말한 것을 보면 잠시동안 란의 몸속에 있는 상태로 아리스와 마주했다는 것인가.

"그것보다 테라, 넌 란에 대해서 잘 모를 테니 내가 이야기해줄게. 아주 긴 이야기가 될 건데 괜찮아?"

"괜찮아요."

애초에 테라도 정보를 원했으니 상관이 없었다. 물론 지금 이 장소에 있는 것으로 저쪽 시간도 흐르는지 같은 사소한 것이 신경 쓰이지만 말이다.

"그래⋯. 이 이야기는 몇백 년 전으로 거슬러 올라가."

이야기는 시작되었다. 란이 오랫동안 걸어온 길고 긴 이야기가 말이다.

38

"소년, 누군가가 너를 부르는데?"

"소년? 이것 좀 도와줄 수 있어?"

"네! 지금 가요!"

나는 이름이 없다. 나도 나 자신의 이름을 모른다. 부모님은 내가 태어날 때부터 없었다. 오래전에 이 좁은 마을에 나를 버리고 밖으로 나갔다고 마을 사람에게 들었다.

이 마을에서 이름이 없는 사람은 무시당하고 심하면 마을 밖으로 쫓겨나게 된다. 나에게 남아 있는 것은 이 마을밖에 없으니 나는 살아남기 위해서, 마을 사람들에게 미움받지 않기 위해서 사람들이 요청하는 것은 무엇이든 해주었다.

간단한 짐을 옮기는 일부터 밭을 대신 갈아준다거나 하는 온갖 잡일을 해왔다. 무시하고 가끔씩 폭력을 행사하는 사람도 있었지만 어떻게든 버티고 버텼다. 언젠간 자신도 살아갈 의미를 찾을 수 있다고 믿으면서 말이다.

어릴 때부터 부모도 없이 살아남을 수 있었던 이유는 모든 사람이 나를 싫어하는 것이 아니었기 때문이었다. 같은 마을 사람이어도 각자의 생각들이 있다. 나에게 살갑게 대해주는 사람도 분명 있던 것이다.

내가 현재 사는 곳은 검은 숲이라고 불리는 깊고 어두운 숲속 제일 안쪽에 있는 작은 마을, 사는 사람은 겨우 몇백 명 밖에 안되는 마을이었다.

마을 전체의 분위기를 보면 그다지 어두운 느낌이 들지는 않았지만, 왠지 모를 어둠을 느끼는 것은 내가 이름이 없는 사람이라서 그런 것일까.

지겹도록 힘들지만 나름대로 의미를 찾아가 살아가던 나는 어느 날 검은 숲 너머에는 무엇이 있을까 하는 생각이 들기 시작하였다. 마을 사람들을 말로는 검은 숲 중간에는 한 오두막집이 존재하는데, 그곳에 기억의 마녀라는 존재가 살고 있다고 했다. 그리고 그 마녀는 검은 숲에 들어온 사람들을 납치하여 기억을 전부 없애버리고 바깥으로 버려버린다고 했다.

그런 말도 안 되는 이야기가 나도는 것을 의심하지 않을 만큼 순응적이지 않은 나는 당연하게도 그 말에 진위를 파악하고 싶었다. 그렇게 밖으로 나갈 준비를 시작하였다.

사람들이 무서워하며, 때로는 증오하는 바깥을 만약 내가 기록해서 돌아오면, 사람들은 새로운 정보에 기뻐하며 나를 인정해 줄 것이다. 아무도 가려 하지 않는 곳을 처음으로 맞서는 사람은 분명 용기가 넘치는 사람이라고 나 자신은 그렇게 생각했기 때문이다.

내가 짐을 싸든 말든 신경을 쓰지 않는 마을 사람들과 내가 밖으로 나가는 것을 딱히 캐묻지 않고 도와주던 사람들이 그의 곁을 지나가고 이내 결심의 날이 다가왔다.

 마을에 밤이 깊어졌고 하늘에는 별 하나 없었다. 무엇보다 고요한 밤, 나는 밖으로 나갈 준비를 끝내고 등에 가방을 멘 상태로 잎이 검푸른 나무들이 울창하게 서 있는 안개 너머로 걸어나갔다. 검은 숲 바로 앞까지 다가간 나는 그날 이변을 느끼게 되었다. 분명 아무것도 없이 공허로 가득 찬 밤하늘은 어느새 반짝반짝 빛나는 별로 가득 차 있었다. 그리고 그 별들은 유성이 되어서 하나둘 움직여 바닥으로 낙하하였다.

 그리고 그 별 중에 가장 빛나던 별 하나가 엄청난 폭발음을 내며 내 앞에 떨어졌다. 무엇보다 빛나던 그 별에서 어느 여성이 걸어 나왔다. 웅성웅성 사람들의 소리가 들려오고 검은 숲의 경계선에 어느새 폭발음을 듣고 나온 수많은 사람들이 모여 별 안에서 여성이 나오는 광경을 함께 바라보고 있었다.

 "저는 당신들을 도와주기 위해서 나타난 성녀입니다. 신의 이름으로 이곳에 내려오게 되었어요."

 나는 이해가 전혀 되지 않는 이야기였다. 신은 무엇인지, 성녀는 무엇을 말하는 건지 하는 근본부터 시작하는 의문이 들었다. 또한 왜 그녀가 별에서 나온 건가, 왜 우리를 도와주려 하는 것인가 같은 생각들이 머리에서 벗어나려 하지 않았다. 그것이 경계심에서 나오는 것이 아닌 인간의 순수한 호기심에서 나오는 것임을 소년 자신은 몰랐지만 말이다.

사람들은 반신반의하면서 그 성녀에게 물었다. 당신은 신의 사자냐고 말이다. 그 말에 성녀는 고개를 끄덕이며 바로 등 뒤에서 빛나는 별보다 더 눈부신 미소를 보여주었다.

　그 미소에 사람들은 홀린 듯이 그녀에게 하나둘 고개를 숙이기 시작하였고 아예 자세까지 낮추거나 절을 하는 사람마저 생겨 버렸다. 종교에 관해서는 유사한 형태조차 없던 마을 사람들이 그녀에게서 무엇을 봤기에 처음 본 그녀를 이렇게까지 숭배하는 것인가. 무엇 하나 이해가 되지 않았다.

　하지만 내가 당황할 수밖에 없는 일은 그것이 끝이 아니었다. 그 성녀라고 자신을 소개한 여성의 손가락이 가만히 서 있던 나를 향한 것이었다.

　"당신이 이제 제 말들을 글로 옮겨 쓰는 기록자가 될 것입니다. 당신은 제 옆에서 평생 제가 말한 이야기들을 옮겨 적고 제가 시작한 이야기에서 퍼져나갈 수많은 이야기 들을 직접 기록하며 때로는 조언자가 되고 때로는 나의 하나뿐인 말동무가 되어 주세요."

　나는 그녀에게 이름을 부여받았다. 이나야라는 이름을 말이다. 나에게 이름이 생기고 살아갈 목적이 생겼다. 그렇다, 지금까지 열심히 살아온 나에게 보답이 드디어 내려온 것이다.

　성녀가 내려오기 전 마을 사람들은. 바깥과 관계가 점점 안 좋아졌고 검은 숲을 거치지 않고 유일하게 나갈 수 있는 항구를 통해서 물자를 가지러 바깥으로 나간 사람이 돌아오지 않는 일이 생겼다. 또한 농작물도 흉작이어서 마을 전체의 상태가 많이 안 좋았다고 한다.

하지만 성녀가 마을에 오고선 마을은 생기가 돌기 시작했다. 무언가에 홀린 듯이 나에게 못살게 굴던 사람들도 전부 나에게 잘해주기 시작하였고 모든 사람들이 매일매일 행복해 보였다.

분명 각자의 생각이 있고 성격이 있던 사람들도 전부 같은 모습을 보여주었다. 하지만 그런 위화감을 느낄 틈도 없이 나도 성녀의 옆에서 열심히 일하였다. 기록자라는 책무를 등에 업고 말이다.

그녀가 이 마을에 오기 직전, 바깥으로 들고 나가서 기록할 예정이었던 가죽 표지 양피지 노트로 나는 그녀가 말하는 것을 빠짐없이 기록하였다. 물론 그녀 말고도 마을에 일어난 일은 물론, 주민들이 말하는 것도 기록하였다.

그렇게 하나하나 노트에 여러 이야기가 담기고 사람들은 성녀의 말을 들으며 살아나갔다. 그렇게 나는 행복한 하루하루가 영원히 지속될 줄 알았다.

고요한 물에 돌을 던지면 물결이 일어난다. 아주 작은 돌이라고 해도 그 파장은 점점 넓어져만 간다. 사람들은 성녀가 하려는 행동을 이해하지 못했다. 검은 숲에서 직접적으로 바깥으로 가는 길을 만들어내야 한다고 하질 않나, 아예 검은 숲 탐색을 부탁하기도 하였다. 그곳에 발을 들이는 것은 안된다고 생각한 사람들도 있었기에 그녀의 의견을 부정하는 사람들이 하나둘 나타나기 시작하였다. 기어이 그 불안의 불길은 이내 검은 숲으로 옮겨붙었다.

바깥 사람들이 검은 숲에 불을 질렀고 바깥은 이단 심문관이라는 사람들이 마을을 공격하기 시작했다. 그들도 검은 숲이 불길하다고 생각하고 있었다. 생각보다 많은 병력을 보내지 않았지만 이단 심문관이라는 사람은 우리 마을 외곽까지 와서 성녀의 모습을 확인하고는 바로 이단이라고 판단했나 보다.

마을도 아예 공격수단이 없는 것은 아니었고 성녀의 지시로 어느 정도 위병을 만든 마을 사람들은 그 공격에 어느 정도 대처할 수 있었다. 다행히 병력이 많지 않아 전멸까지 내몰리지는 않았다.

하지만 그럼에도 수많은 사람들이 죽었고 성녀를 의심하는 목소리도 나오기 시작했다. 사실 성녀는 우리가 번영하는 것에 관심이 없는 것이 아닌가 하는 이야기가 말이다.

상황은 점점 바깥의 억압으로 안 좋아졌고 사실 성녀는 바깥에서 우리를 망하게 하려고 보낸 첩자가 아닌지, 달콤한 말로 사람들을 속이는 마녀 아닌지 하는 이야기가 마을 사람들에 돌기 시작했다. 결국 성녀는 처형대에 올랐다.

"당신은 꼭 살아남아 기록자의 책무를 완료하세요."

성녀는 나에게 그렇게 이야기했다. 얼굴을 숨기고 목소리도 숨기고 이름도 숨겼다. 나는 오늘부터 이나야라는 이름이 아니다. 나에게는 아직 책무가 있었지만 다시 돌아온 것이다. 성녀가 이 마을에 떨어지기 전 이름 없는 소년으로 말이다.

성녀가 처형당하고 천고 절벽에서 울고 있던 나는 새로운 삶을 또다시 부여받았다. 천고 절벽 저 너머 심연으로 향했을 때 말이다. 심연은 그저 천사계와 현세의 중간지점, 인간이 닿을 수 없는 저편으로 가는 관문 같은 곳이다. 현세에서 일어난 일은 전부 그곳에 기록되어 있고 버려졌다. 심연이라는 공간은 천사계가 처음 현세를 관측했을 때 생겨난 공간으로, 아무것도 없이 그저 어두운 공허였다. 그 안에 있던 공허들은 오랜 시간이 지나 형태가 되었고 그저 무한대로 빈 이 공간을 무언가로 채우려고 하였다. 그래서 그것들이 심연을 지나 현세에 내려와 인간의 이야기를, 감정을 수거하기 시작하였다.

저주의 원천은, 공허가 인간의 감정을 그 마음속에서 나오는 수많은 이야기를 흡수하기 위해 그 사람의 운명을 고정해 버렸을 때 나오는 부작용이었다. 그 사람이 걸어갈 길이 하나로 고정되어 버리면, 만약 고정된 것이 절망이라는 감정의 운명이라면, 그 운명이 절망이라는 감정만으로 가득 찬 길로 펼쳐지는 것이다. 이나야의 4대 저주도 같은 원리다.

하지만 내가 심연에 도달했을 때는 그 공허는 천사들에게 조정당하고 이용당하고 있었다. 공허를 파수꾼으로 써서 인간들의 이야기를 수집하고 있던 것이었다.

당시에 심연에는 관리자가 있었고 12명의 대천사 중 절망의 감정을 부여받은 절망의 천사 디스피어가 공허를 진두지휘하고 있었다.

회색에 가깝도록 바랜 검보라색의 긴 머리카락과 조각이 내는 빛에 반사되어 은은하게 빛나는 것 같은 은색의 눈동자도, 천천히 귀에 스며드는 것 같은 잔잔한 목소리도 너무나도 인상적이었다.

그 천사는 왠지 모르게 나한테 연민이라도 느끼는 것인지 마치 자신의 친자식처럼 대해주었다. 검은 배경에 조각뿐인 이 세상에서 그 조각에 새겨진 수많은 이야기를 나에게 보여주었다.

"디스피어, 사람마다 각각 가야 할 운명이 있다고 하죠. 저의 운명은 어떠한가요."

그 말에 디스피어는 이렇게 말하였다.

"너는 아직 어려서 정해지지 않았어."

조각을 하나하나 보며 여러 이야기를 접하였다. 어리석다고 생각하는 사람도, 행복해 보인다고 생각한 사람도, 희열에 빠져 미쳐버린 사람들도 전부 결말을 향해 달렸고 각자의 결말을 바라보며 생을 마감하였다.

"저의 이야기의 결말은 어떨까요?"

"운명이 정해지지 않았으니 아직 모르지."

그렇게 몇 년이나 그 조각 바다를 여행했을까. 수많은 이야기를 접하고 노트에 기록하던 나는 어느 날 깨달았다. 만약 이 노트가 전부 다 채워지고 다음 노트도, 다다음 노트도 전부 채워서 나의 책무가 다하는 날, 나는 무엇을 하며 살아가야 하는가? 마을은 나를 반기지 않는다. 다른 곳을 찾으라 해도 나에게는 그 마을밖에 없었다.

"디스피어, 언젠간 이 여행도 끝나는 것일까요?"

유난히 불안정한 목소리였을 것이다. 입술이 파르르 떨리고 앞을 내다보기 싫어하는 아이처럼 디스피어의 손을 꼭 잡았다. 그 모습을 가만히 쳐다보던 디스피어는 웃으면서 두려워하는 나를 안아주었다. 이 여행이 끝나면 새로운 여행을 떠나면 된다고 그녀는 이야기해주었다. 그리고 여행의 중후반에 다다랐을 때 디스피어는 이렇게 말하였다.

"소년, 왜 그 노트에는 자신의 이야기는 쓰지 않는 것이지?"

처음 듣는 질문이었다. 딱히 이유 같은 것은 없었다. 나의 책무는 타인의 이야기를 적는 것이라고만 생각하고 있었기 때문이다.

"너의 이야기도 적어 보는 게 어때? 너도 수많은 이야기를 만들어 낼 수 있는 사람 중 하나잖아?"

그렇다. 그 말을 들어서였을까, 두 번째 여행이 끝나갈 때 내 마음속에는 나도 이야기를 만들어보고 싶다는 욕구가 솟아올랐다. 지금 생각하면 그것이 이 길고 긴 비극의 시작이었지만 말이다. 두 번째 여행이 끝나고 나는 심연에서 벗어났다. 디스피어에게 새로운 여행을 가기 전 받은 선물을 간직하고서 말이다,

"소년, 절망의 천사의 이름으로 너에게 이름을 부여하리."

"그 이름은⋯."

"라이(lie)"

나는 모습을 속이고 이름도 바꾸었다. 거짓된 삶을 끝내고 나는 다시 현세에 있는 천고 절벽 위에 섰다. 거짓말은 이제는 나의 인생이다. 마을 사람을 속이고 나는 새로운 여행을 떠났다. 그리고 그 거짓말이 이곳까지 오게 되었다. 나는 아직 완성되지 않았다. 아직 내 인생은 거짓말이다. 그렇기에 나와는 다른 이 세상이 아름답다.

한 번도 놓치지 않은 노트를 들고 나는 한 발짝 앞으로 나아갔다. 분명 검은 숲 안이었지만, 디스피어가 축복이라도 걸어 줬는지 앞이 전혀 어둡지 않았다.

그렇게 몇 년이 지나고 안쪽 마을은 물론 바깥 믿음에서도 널리 퍼진 성서가 나오게 되었다. 성서 이름은 <비극>. 그 성서를 단순한 공상에서 나온 소설로 보는 사람도 있었고 하나의 기록지, 역사서로 보는 사람, 그리고 이나야에 뿌리 잡힌 종교의 성서 그 자체로 보는 사람도 있었다. 저자의 이름은 알 수 없었지만 여러 기록과 대조하여 실제로 일부는 역사서로의 가치가 있다고 판단이 내릴 정도로 꽤나 유의미한 서적이었다. 그러나 그 성서 비극이라는 책은 점점 하나둘 사라져 한 자릿수밖에 남지 않았다.

"내가 전부 다 불태워버렸으니까."

오래전 내가 기록한 노트에 적힌 내용과 내가 직접 겪은 이야기, 그리고 나의 창작까지 합쳐져 꽤나 멋들어진 신화집이 완성됐다. 이름을 비극으로 지은 이유는 그 성서로 이루어진 이야기에는 비극이라는 이름이 딱 맞았기 때문이다.

어떻게 많은 사람에게 그 성서를 널리 퍼트릴 수 있었냐고 묻는다면 천사의 권능의 힘을 조금 빌렸다고 답할 것이다. 나에게 있는 천사의 권능은 4개가 있다. 그중 거짓말의 권능, 사람의 마음을 파고들어 거짓말을 믿게 하는 것이 있었다. 믿음에 있는 대성당에는 대주교가 있었다. 종교의 성지라고 해도 지금은 그 힘이 많이 약해졌지만 옛날에는 그렇지 않았으니까 말이다. 중세 시대에 종교의 힘은 절대적이었다. 내 성서를, 힘을 사용하여 대주교에게 부탁하면 성서가 공인 되는 것은 수일이면 충분하였다.

그렇게 또다시 수백 년이 흘러 세상은 발전하였고 어느새 현대로 접어들었다. 그 사이에 수많은 일들이 지나가고 현재에는 믿음에 정착하게 되었다. 성서의 완성은 이미 오래전에 끝내고 살아갈 의미를 다시 찾아 나서기 위한 세 번째 여행을 준비하고 있었을 때였다.

몇백 년이 지났는데도 나의 겉모습은 일절 변하지 않았다. 당연하게 죽지 않고 살아온 이유 역시 디스피어에게 받았던 천사의 권능 중 영원의 권능에서 나온 힘이었다. 나는 나이를 먹지 않는다. 솔직히 말해서 지금 와서는 나이를 먹고 싶다는 생각이 들기도 하지만 말이다.

내가 이 믿음에 오랫동안 살아가는 동안 이상한 소문 같은 것이 있었다. 말하지 않는 소년의 소문 말이다. 믿음으로 가득 찬 이 마을에서 나에게 내려진 저주, 4대 저주는 존재했었다. 하지만 심연을 관리하는 사람이 나타나고 그 관리자인 디스피어의 조정으로 인해 저주가 발생하는 빈도는 확연하게 줄어 저주가 걸리는 것이 특이 케이스가 되었다. 하지만 내가 성서를 완성하는 그 순간부터 무언가가 변해 버렸다는 것을 나는 눈치챘다.

심연은 언제부터인가 디스피어가 사라졌고, 관리자가 사라지니 공허들도 제어할 사람이 없어 멋대로 날뛰기 시작하였다. 공허들은 또다시 심연을 채우러 마구잡이로 움직였고 그런 현세에는 또다시 저주가 내려지기 시작하였다.

다만 예전과 다르게 수많은 이야기를 흡수한 공허는 더욱더 강하고 연관성이 깊은 성서에 기록된 것들을 위주로 거둬들이기 시작하였다. 어떻게 보면 성서에 얽매이게 된 것이다.

내가 창조한 여러 신화와 관련된 내용을 그대로 거둬들인 공허는 이 믿음에 여러 새로운 법칙을 만들어냈다. 내가 저주라는 것은 별 것이 아니라고 쓴 단 한 문장 덕분에 저주에서 벗어날 수 있게 된 것도 새로운 법칙 중 하나 때문이었다..

내가 그 성서를 만든 덕분에 신화나 그곳에 기록된 이야기를 아는 사람들이 많아졌고, 그에 관련된 이야기에 이끌리던 공허는 연쇄하여 사람을 타고 서서히 퍼져 나갔다. 저주를 피하기 위해 사람들은 종교에 더욱더 의존하기 시작했고 악순환이 계속 되었다. 그 당시 나 역시 거짓말의 권능을 너무 남발한 탓에 그 저주에 사로잡혔다. 4대 저주 중 하나, 거짓말의 저주. 걸린 사람은 어떤 말을 하든 거짓말이라고 생각해 버리는 무서운 저주다.

나는 벌을 받는 것일지도 모른다. 거짓말의 권능을 남용해 수많은 사람을 내 마음대로 조종했고, 주제도 모르고 성서를 많은 사람에게 보여주었으며, 그날 성녀에게 도망쳐 이름과 모습을 숨긴 벌이 아닐까 하고 말이다. 과거의 업보가 저주가 되어 돌아와 거짓말이라는 형태가 되었으며, 사람들은 나의 말을 듣지 않으니 나 역시 그 상황에 익숙해져만 갔다.

삶의 의미도 점점 잃어갔고 가야 할 곳을 아직도 찾지 못한 나는 이 커다란 공원의 벤치에 앉아있었다. 세상은 나에게 아무런 관심도 없었다. 수많은 사람이 내 바로 앞을 지나갔고 무정한 사람들도 있었지만 나에게 다가오려는 사람들 역시 있었다. 어떤 남자는 나에게 안타깝다는 동정의 표정으로 나를 바라보았다.

가까이 다가와 나에게 같이 가자고 이야기하는 여성도 있었다. 하지만 나는 그녀를 피했다. 당연한 것이다. 나에게 연관이 생긴다는 것은 곧 공허와 연결점이 생길 수도 있다는 것, 물론 그렇게까지 깊게 생각하지는 않았지만 누군가와 접점이 생기면 안 된다는 사실 만큼은 가슴에 새겼던 것 같다.

저주는 별것이 아니라고 본인이 성서에 적어놓은 주제에, 말하지 않는 소년이라는 소문을 등에 이고 자신의 운명에 체념하여 버렸다.

그리고 그녀가 그런 나에게 다가왔다. 무엇보다 눈부신 그녀가 말이다. 그녀는 무언가 달랐다. 내 옆을 지나다니는 수많은 사람들과는 다르게 특별해 보였다. 그녀의 눈에는 이 세상이 어떻게 보일까? 나에게는 저주의 탓인지, 거짓말의 죄로 가득 찬 인생 탓인지, 세상의 모습은 커다란 공허로 보였다.

하지만 그녀는 아닌 것 같았다. 왜냐하면 그녀는 어떠한 것도 견주지 못할 정도로 아름다운 미소를 지녔기 때문이었다. 그녀에게서 뿜어져 나오는 기운은 거짓된 나의 삶을, 온몸에 둘러싸인 공허라는 얼음을 녹여서 없애줄 것 같았다. 나는 그녀에게 다가가서 물었다. 너는 이 세상을 어떻게 보고 있냐고 말이다. 그녀는 말했다. 나에게는 그저 아름다움밖에 보이지 않는다고, 아무도 가지 않으려

하는 저 검은 숲마저도 말이다.

이 세상에 무엇을 원하는지 나는 물었다.

"감정이 자아내는 아름다움이 보고 싶어!"

그녀가 말하길, 감정은 단독으로 존재하는 것으로도 충분히 아름다운 것이지만 그 감정이 사로 얽혀 상호작용하면 그 아름다움은 배가 된다고 했다. 그러니 그 상호작용으로 인해 생겨난 감정의 아름다움을 보고 싶다 하였다.

그 후 그녀와 여러 이야기를 나눈 나는 그녀에게 느낀 특별함을 차차 이해하기 시작했다. 그녀는 쉽게 물들이면서도 물들여지지 않았다. 수많은 인간에게 겹쳐져 있는 공허 속의 감정이 그녀에게 향하는 순간 그녀만의 감정으로 변화하여 역으로 우리에게 작용했다.

쉽게 말하자면 저주가 축복으로 바뀌어 버리고, 부정이 긍정으로 바뀌고 거짓이 진실로 바뀌었다. 그것이 기능한 이유는 잘 모르겠다. 천사와 관련되어 축복이라도 받았는지, 아니면 그녀의 태생부터 있던 힘이었는지 알 수가 없었다.

그녀의 출생지를 물어봤지만, 그녀는 알려주지 않았다. 물론 천사의 권능 중 하나인 조각을 빼는 힘을 사용해 그녀의 기억을 읽을 수는 있었지만 나는 그것을 시도할 생각조차 하지 않았다.

"너의 이름을 물어봐도 될까?"

"린, 유페이아 린이야!"

너무나도 활기차고 청아한 목소리가 울려 퍼졌다. 그녀는 말 그대로 모두에게 영향을 주고 우리는 그 영향을 받았다. 나도 이미 그녀의 감정에 사로잡혀 거짓말 같은 것은 잊어버렸다. 현재 나의 운명으로 정해진 거짓말을 말이다. 그날 나의 주변에는 공허가 사라졌다. 내 곁에 자리 잡은 모든 공허들이 말이다.

유페이아는 구원의 천사의 이름이다. 이 믿음에 오래전부터 내려온 신화인데 내가 태어나기 전부터 있었던 이야기이다. 악마가 숲속에서 내려오자 구원의 천사 유페이아가 그 악마를 다시 숲속으로 쫓아냈다는 흔하다고 하면 흔한 이야기다.

그녀의 이름을 들은 순간 나는 그녀를 구원의 천사랑 겹쳐서 보며, 만약 그렇다면 지금 상황이 납득이 된다며 멋대로 생각하였다. 오래전 성녀가 나의 곁에 왔듯이, 디스피어가 왔듯이, 나의 네 번째 여행을 함께 할 사람이라고 그렇게 판단해 버린 것이다.

나는 그녀에게 물었다. 네가 살고있는 곳은 어딘지, 네가 앞으로 갈 길은 어느 방향으로 향하고 있는지. 그녀는 말했다.

"일단, 학교라는 곳에 가보고 싶어!"

그 말을 들은 순간 내 머릿속에는 이미 그녀가 향할 길들의 과정이 하나의 지도처럼 보이기 시작하였다. 그녀의 소원을 들은 순간 내 뇌는 빠르게 회전해 먼저 가야 할 곳을 정하였다.

"집은 있어? 없으면 고아원으로 가자. 아는 곳이 있어."

이번에는 내가 이끌리는 것이 아닌 내가 이끄는 것이다. 이 아이를 원하는 목적지로 향하게 도와주자. 나는 오래전 이미 목적지에 도착했지만 아직까지도 내가 태어난 의미 같은 것은 알아내지 못했다. 하지만 만약 내가 그녀를 올바른 목적지로 데려다주면 내 인생의 의미를 알아낼 것 같았다.

그녀와 함께 향한 곳은 이나야 성당이었다. 그곳을 알고 있던 이유는 아주 몇백 년 전부터 계속 그 자리에 있는 대성당이 지금의 이나야 성당이었기 때문이다. 현대에는 종교의 성지인 믿음에 가장 유명한 관광지가 되었지만 몇백 년이 지나도 그 모습은 전혀 변하지 않았다.

상당히 커다란 건물이었으며 입구가 성인 남자의 키 5배는 될까 싶게 높았다. 입구가 되는 쪽 가장 위에는 시계와 함께 가운데에 둥근 형태의 스테인드글라스 창문들이 있었다. 그 옆에 있는 건물의 옆부분도 수많은 창문이 있었는데 그것 역시 같은 유리인 것 같았다.

고아원이 정식으로 생긴 지는 얼마 안됐지만, 몇십 년 전부터 이 성당에서 고아들을 받아 수도원에서 키우고 있다는 것은 알고 있었다. 성당의 정문으로 들어가지 않고, 능숙하게 유페이아를 데리고 건물 뒤편으로 돌아서 수도원 입구의 바로 옆에 있는 고아원 접수처로 향하였다.

수녀 한 분이 카운터에 앉아서 무언가를 열심히 적고 있는 것을 확인한 나는 그곳으로 다가가 지금도 고아를 받는지, 아직 변성기가 오지 않은 소년의 목소리로 물어보았다. 무언가를 열심히 적던 수녀분은 이내 앳된 목소리를 듣고서는 놀라며 주변을 살펴보았다. 그리곤 나를 발견했는지 카운터에서 일어나 우리 쪽으로 걸어왔다.

"꼬마야, 어디서 왔니? 부모님은?"

"없습니다. 고아에요. 우리 둘 다."

수녀분은 생각보다 아이가 너무 또박또박, 아무렇지도 않게 자신의 부모가 없다고 이야기하자 놀라셨는지 급히 카운터로 돌아갔다. 수화기를 들어서 번호를 누르더니 누군가에게 전화하였다.

몇 분이 지났을까. 직원으로 보이는 사람들 몇 명이 와서 우리를 어떤 방으로 데리고 갔다. 그리 크지 않았지만 테이블과 앉을 수 있는 소파가 준비되어있는 것으로 보아 응접실로 보였다.

건너편에 앉은 중년의 남성이 우리에게 이름을 물었다.

"유페이아 린 입니다!"

그녀의 이름을 들은 중년의 남자와 그 옆에 서 있던 직원들의 얼굴에 놀라움이라는 감정이 떠올랐다. 당연한 것이겠지. 이 마을에서 그 이름은 절대 평범한 이름이 아니니까 말이다.

나도 이름을 대려다가 알 수 없는 충동이 내 머리를 스쳐 지나갔다. 그녀에게 헌신하는 삶을 살기 위해서 이제 라이라는 이름은 필요가 없기 때문이었다. 나는 새로운 삶을 살 것이다. 그렇기 위해서는 오래된 이름 같은 것은 필요 없다. 거짓말은 이제 내게 필요 없는 감정이다.

"유페이아 란입니다."

그녀의 이름을 따서 지은 나의 새로운 이름은 유페이아 란이었다. 남매로 생각하게 하는 전략이 있는 이름이었지만 그것보다는 거짓말의 저주에서 벗어났다고 생각하는 나 자신의 새로운 운명을 나타내는 이름이기도 했다.

나 역시 유페이아라는 이름을 대자, 그들은 내가 의도한 대로 우리를 쌍둥이 남매로 보았다. 그리고는 고아원에 들어가기 위한 절차를 진행하기 시작하였다.

그렇게 고아원으로 들어오게 된 나와 린은 순조롭게 아이들과 어울리며 잘 생활하였다. 나는 고아원에 살면서도 정보를 모으는 것은 멈추지 않았다. 아니, 이제야 다시 제 역할에 돌아온 것이다. 나의 업보를 청산하기 위해서 말이다.

먼저 고아원 원장, 그러니까 그 중년의 남성에게 접근해서 성서의 위치를 물었다. 너무 갑작스럽게 내가 다가와서 성서의 위치를 물어서 그런지 원장님은 의아해하는 것 같았지만, 그럼에도 그는 자신이 알고 있는 내용을 그저 고아원에 사는 한 소년일 뿐인 나에게 알려 주었다. 너무 쉽게 알려 준 덕분에 의아함은 나 자신에게 돌아왔지만 일단 그것보다는 성서의 처리가 먼저라고 생각했기에 무시하였다.

성서를 불태우는 것, 더이상 사람들이 그 거짓된 성서를 받아들이지 못하게 전부 없애버리는 것이 나의 남은 책무라고 생각했다. 세 번째 여행의 연장선으로, 또다시 고아원을 떠나 움직이기로 마음을 먹은 것은 이곳에 들어온 지 반년이 지났을 때였다.

나는 여행을 잠시 떠나겠다는 의사를 원장에게 전했다. 당시 내 몸의 나이는 12살밖에 되지 않았다.

당황스러워하며 말리는 원장의 모습을 보면서 나는 고아원에 들어왔을 때 원장이 내가 묻는 성서의 존재에 대한 정보를 그냥 알려준 것이 떠올랐다.

"오래전 제가 성서의 정보를 물었을 때, 제가 성서의 존재를 알고 있는 것도, 그 정보를 묻는 것도 이상할 텐데 왜 저한테 알려 줬었습니까?"

그 말에 나는 상상도 하지 못한 대답이 돌아왔다. 바로 내 앞에서는 거짓말은커녕 얼버무리는 것도 불가능하다고. 왜 그런지는 모르겠지만 있는 그대로 알려줄 수밖에 없다고 말하였다.

그리고 나는 그가 말하는 것에 대한 의미를 어느 정도 깨달았다. '유페이아의 이름을 갖고 있으니'라고 판단한 것이다. 단순히 그 이름을 가지는 것만으로도 나의 운명은 린에게 향하고 있다. 그것은 즉, '유페이아'에게 나타나는 특성, 감정의 공유로 인해 나타나는 거짓을 진실로 바꾸는 힘이 나에게도 지금 작용한다는 의미다.

나에게는 오래전 사용하던 천사의 권능 대부분이 없었다. 이 고아원에 와서 유페이아의 이름을 사용한 그 순간부터 심연 저 너머로 권능을 반납했기 때문이었다.

이미 오래전부터 연락이 되지 않던 심연이었지만 일방적으로 열어 아주 잠깐 간섭하는 것 정도는 가능했다. 하지만 권능을 벗어던지는 순간 그것조차 불가능하게 되었다.

하지만 괜찮다. 그 권능조차 나의 업보니까 말이다.

"원장님, 검은 숲 너머에 있는 마을에 대해서 아나요?"

어느 정도 설명을 해야 내가 떠나는 것을 납득할 것 같아서 꺼낸 이야기였지만, 나조차 예상하지 못한 사실을 그 원장은 실토하였다.

"알지, 내가 그 마을 출신이니까."

"네?"

전혀 생각도 하지 못했다. 이 이냐야 성당의 사실상 주인인 그가 사실 마을 출신이었다니. 당연하게 오래전부터 내려온 대주교의 혈통인 줄 알고 있었다.

"나는 빠져나왔어. 안쪽 마을의 악행이 너무나도 지겨워서 말이야. 하지만 밖도 다를 바가 없다는 사실을 알고는 이 성당에 들어오게 되었지."

"마을은 어떻게 됐어요?"

정말 순수하게 궁금했던 것이었다. 만약 원장이 그 마을에서 떠난 지 몇 년밖에 지나지 않았다면 그 마을의 상황도 어림짐작으로 알 수가 있을 것이다. 하지만 되돌아온 답은 정말 상상도 하지 못한 상황이었다.

"몇 년 전에 불타 없어졌어. 이미 그 마을에는 재밖에 남지 않은 것을 확인했다고 하더군."

"그게 무슨…."

어째서 그렇게 되는가? 언젠가는 멸망할 마을인 것은 알고 있었지만 불타 없어졌다니. 서서히 사망자가 나오고 흩어지는 결말일 것으로 생각했는데 말이다.

"지금 믿음에 영향력이 가장 큰 회사 알지? 그 회사에서 떨어져 나간 어떤 조직이 큰일을 저지른 것 같더군."

원장은 그 조직이 성서를 활용한 병기를 사용하여 그 마을을 섬멸했다고 이야기했다. 묘하게 거창한 이야기지만 많은 이야기를 경험한 나로서는 있을 법한 이야기로 들리긴 했다.

"그 덕분에 지금 여러 가지로 곤란한 상황이라고 하더라. 회사의 버팀목이라고 할 수 있는 분도 어떻게 해야겠다고 생각하고 계시더라고."

나한테 중요한 것은 회사가 아니다. 그 성서가 그저 공허의 연결점이 아니라 사람들이 직접 악용하는 데 쓰였다는 것이다. 나는 아직 3번째 여행이 끝나지 않았다는 것을 오늘 다시 깨달았다. 그 연장선이었던 이 여행을 오르기 직전에 말이다.

"조금 더 걸리겠네…."

나의 중얼거리는 듯한 작은 목소리에 눈을 살짝 찡그리던 원장은 이내 무언가를 깨달았는지 눈을 크게 뜨며 입이 천천히 벌어졌다. 그때 그가 무엇을 생각했는지는 잘 모르겠지만 이후 그는 왜인지 모르게 내가 고아원을 떠나는 것을 허락해 주었다.

그렇게 몇 년 동안 믿음 주변을 돌아다니며 성서의 정보를 찾아 움직였다. 그중 여러 개는 실제로 내 손으로 불태우기도 하였다. 그리고 그 여행이 계속되는 와중에 나는 예상치 못한 사람을 만나게 되었다.

그때는 내가 믿음의 외곽에 있는 어떤 해변가 옆을 지나가고 있었다. 해변가 옆에는 여러 형형색색의 알록달록한 건물들이 세워져 있는 것이 잘 꾸며진 해변가와 조화되어 마치 외국의 관광지라도 온 기분을 자아내었다. 건물들의 높이는 기껏해야 5~6층 정도였고 그곳 안에는 여러 카페나 음식점 같은 것으로 채워져 있거나 서점이나 꽃집 같은 감성적인 가게 같은 게 많이 형성되어 있었다.

또한 앞서 말한 것처럼 해변가와 건물 사이에는 2차선 도로 하나밖에 없었고, 해변가 바로 옆 울타리가 예쁘게 쳐져 있는 길은 저녁때 노을이 지는 것을 구경하면 좋을 것 같아 보였다. 주택 역시 이곳에 자리 잡고 있었고 생각 외로 외곽이지만 사람들은 많이 사는 것 같았다. 당연히 이 광경을 보면 이곳에서 살고 싶다고 생각할 수밖에 없긴 하지만 말이다.

그렇게 도로 옆길을 걸어가며 노을이 지는 수평선 너머를 감상하고 있을 때 뒤에서 누군가 밝은 목소리로 나를 부르는 소리가 들려 왔다.

"어라? 말하지 않는 소년 아니야?"

전류가 척추를 타고 올라오는 것을 느꼈다. 말하지 않는 소년, 그것은 내가 벗어던진 예전의 이명이자 이제는 사람들이 모르는 이름이기도 하였다. 말하지 않는 소년의 소문이 이미 끝났으니까 말이다.

식은땀이 흐르며 발이 떨리는 것이 그대로 온몸에 느껴졌다. 마치 모든 신경이 곤두서는 이 느낌은 무엇일까? 들어선 안 되는 이야기를 들은 듯이 내 머릿속은 혼란스러웠다. 그렇게 오래 지나지 않았다곤 해도 내 불길한 과거를 아는 사람의 얼굴을 보는 것은 꽤나 용기가 필요했다.

하지만 더이상 가만히 있을 수만 없었기에 침을 꿀꺽 삼키며 고개를 돌려 내 등 뒤에 서 있는 사람의 얼굴을 확인했다.

그녀의 얼굴은 석양이 지는 햇빛에 반사되어 더욱더 화사해 보였다. 분명 조명 덕분에 온화하고 잔잔하게 느껴야 할 부분이 이상하게 더욱더 강한 인상으로 변해가는 것은 그녀의 분위기 덕분일까. 방금 입에서 나온 목소리 덕분일까.

"소년, 그때는 많이 어두워 보였는데 밝아 보여서 다행이다."

그렇다. 나는 이 여성을 본 기억이 있었다. 금발에 가까운 머리카락에 털털하고 강한 인상의 여자, 오래전 내가 말하지 않는 소년이었을 시절에 나에게 다가온 사람 중 한 명이었다.

그녀의 주변을 생각하지 않는 성격 덕분에 적극적으로 다가오는 것을 나는 무리하게 피해 다녔던 나날을 생각하면 조금 머리가 어지러웠다. 지금 생각하면 내가 그렇게까지 거부한 것이 오히려 저주의 심화를 초래했던 것을 생각하면 미안한 생각도 역시 들었다. 만약 자신이 더 열심히 그를 설득했다면…. 같은 생각을 분명히 이 사람은 했을 것이니 말이다. 원래 겉은 강해도 속은 약한 사람도 있는 법이다. 그리고 이 사람의 경우는 더욱더 그럴 것이다. 왜 그것을 알고 있냐고 물어본다면 그녀를 떨쳐내기 위해서 별짓을 다 했다는 것만 알고 있으면 된다.

"어디 가고 있는 거니?"

그녀의 질문에 나는 대답하길 망설였다. 또다시 나를 어떻게 해주려고 하는 것이 아닌가 하는 생각이 들었기 때문이었다. 이미 나는 내가 있을 곳을 찾았다. 그렇기에 그녀에게 신세를 질 수는 없었다.

"여행 중이에요. 이것저것 정리할 게 많아서요."

그녀는 내가 입을 열어 말하는 것에 입을 손으로 가리며 놀라더니 정말 안심한 듯한 표정을 지었다. 아마 이것이 내가 그녀에게 처음 들려주는 나 자신의 목소리겠지.

"그 여행의 종착지는 정해졌니?"

"네, 정확하지는 않지만 정해져 있습니다."

그녀의 얼굴에 띠어있는 그 미소의 의미는 나는 어렴풋이 알고 있었다. 그리고 그녀가 앞으로 무슨 말을 할지도 말이다. 하지만 그녀는 무언가를 말하려다가 다시 입을 다물어 버렸다. 그러곤 무언가를 고민하는 듯하더니 이내 자신의 가방에서 사진 한 장과 펜 하나를 꺼내서 그 뒤편에 무언가를 적어나갔다.

무언가를 다 적은 그녀는 그 사진을 내가 잘 보이도록 한 손으로 바로 내 눈앞에 내밀었다. 그 사진 안에는 어떤 고풍스러워 보이는 저택이 있었고 사진의 상태도 꽤나 오래되어 보였다.

"만약 정착할 곳이 필요하다면 이곳으로 가봐."

그녀의 배려라고 생각하고 나는 그 사진을 받아들였다. 하지만 그녀와의 인연은 이게 끝이 아니라는 것을 나는 여행을 끝내고 다시 믿음으로 돌아왔을 때 깨닫고 말았다.

믿음에 자리 잡은 가장 커다란 회사에서 일하고 있던 한 과학자의 정보를 알게 된 나는, 그 과학자와 접촉하여 그들에게 정보를 넘기는 대신 협력을 요청하였다. 이 일대의 성서는 단 두세 권을 빼고는 전부 섬멸하였고 그렇게 성서의 관리를 회사에게 맡긴 후

다시 고아원으로 돌아갔다.

고아원으로 돌아오니 이미 린이 입양 됐다는 사실을 알게 되었다. 입양한 사람은 류에이아 아리스라는 사람으로 원장과 아는 사이였던 사람이었던 것 같았다. 후견인도 있었는데 그 사람의 이름은 류에이 아스타로 많이 들어본 이름이었지만 그냥 넘어갔다.

원장님의 내가 그녀를 찾을 것을 알고 있었는지 내가 고아원으로 돌아왔을 때 바로 그녀가 있는 곳을 알려주며 상황을 설명하였다. 원장에게 주소를 받고 짐을 내려놓을 틈도 없이 바로 성당 밖으로 나와서 달리기 시작하였다.

믿음에 중심이라고 불릴 수 있는 이나야 공원을 지나서 저 멀리 밖으로 나가는 도로로 이어져 있는 커다란 도로 옆길을 달려 마을 외곽으로 향하였다. 숲속 바로 앞에 자리 잡은 저택 주변에는 건물이 그렇게 많지도 않았고 그 건물들은 높이도 1~2층밖에 되지 않아 마을의 외곽 중의 외곽이었다. 주변에 사람은커녕 차 한 대도 보이지 않을 정도로 보이지 않는 곳이었기에 조용히 살기에는 정말 좋아 보였다.

저택의 정문 앞에 서서 초인종을 누르며 안쪽을 살피어 보니, 멀리서 봤을 때부터 느꼈지만, 정말 귀족들이 살 것 같은 모습의 저택이었다. 고택이라고 불려도 좋을 정도로, 정말 오래되어 보였지만 그렇다고 낡았다고 생각이 들지 않는 모습이었고, 벽의 재질은 무엇일까 하는 생각까지 들게 만들 정도로 너무 깔끔하게 관리되어 있었다. 저택 건물과 정문의 사이에 커다란 정원과 연못 등이 구성되어 있는 곳으로 보아 상당한 부자의 고상한 취미라도 되는 것으로 보였다. 생각보다 너무 커다란 주거지의 모습에, 린은 부족함 같은 것은 없이 키워졌을 것이라는 생각이 들어 조금은 안심했다. 물론 원장이 그런 곳으로 갈 수 있게 힘쓴 것도 있겠지만 말이다.

몇 초가 지나자 현관문을 열고 누군가가 걸어오는 모습이 보였다. 눈을 가늘게 떠서 그녀의 얼굴을 보려고 했지만 건물과 정문의 거리가 생각보다 길어서 잘 보이지 않았다.

그녀의 찰랑거릴 정도로 긴 금색에 가까운 머리카락이 갑자기 불어온 바람에 의해 휘날리자 그녀는 서둘러 머리카락을 붙잡았다. 그 광경을 가만히 지켜보던 나는 저렇게 긴 머리를 가지고 있으면 불편하겠구나 라는 생각이 지나가면서 그녀와 닮은 누군가가 머릿속에 떠오르는 것을 느꼈다. 가까이 오면 올수록 그 사람의 얼굴이 그곳에 있었다. 오래전 내가 거절한 그녀, 이번 여행에서 다시 만난 그녀의 얼굴이 말이다.

그 여성이 정문 바로 앞까지 다가오기 전 나는 매고 있던 가방을 열어 계속 버리지 않고 간직하던 오래된 저택이 찍혀 있는 사진을 찾아내 앞에 있는 저택과 대조해 보았다. 사진이 오래되어 색이 바랬고 애초에 흑백에 가까운 사진이었지만 틀림없이 같은 저택의 모습이었다.

사진 뒷면을 보니 원장이 내게 준 쪽지에 적혀 있는 메모와 같은 주소였다. 상상도 하지 못한 곳에서 이렇게 인연이 이어지다니. 오랜 세월을 살았지만 정말 이런 나라도 혀를 내두를 정도의 우연이었다. 아니, 사실 내 운명의 길은 이 저택으로 향하는 게 맞는 것이 아니었을까.

 그 여성과 나의 사이에는 그저 커다란 자동 철문이 자리 잡고 있었지만 내가 느낀 것은 단순히 공간만의 절단이 아니었다. 잠깐의 침묵이 흐르고 잔뜩 경계심이 가득한 표정으로 나를 바라보던 그녀는 천천히 내 얼굴 바로 앞까지 다가와 이렇게 말하였다.

 "누구세요?"

 "류에이아 아리스씨 맞나요? 이곳에 사는 유페이아 린을 만나러 왔는데요."

 경계심이 더욱 커진 듯한 눈빛. 이것을 어떻게 설명할까 망설이는 와중 현관문에서 또 다른 누군가가 걸어 나왔다. 줄곧 잊지 않은 그녀, 유페이아 린이 그곳에서 걸어 나왔던 것이다. 입가에 웃음을 띤 상태로 돌 발판이 박혀 있는 길을 총총 뛰면서 걸어 나왔다.

 "언니, 그 사람은…. 어? 란, 오랜만이야!"

 "아는 사람이야? 린?"

 "응! 고아원 때부터 알던 사이야."

 린이 그렇게 말하자 경계심이 조금 풀어졌는지 방금까지 날카롭던 눈매는 누그러졌다.

 "이름을 물어봐도 될까요?"

 "존댓말 안 써도 돼요. 유페이아 란입니다."

 린과 너무나도 비슷한 이름에 놀랐는지 눈이 커지는 그녀는, 당연한 순서로 내가 그녀와 남매냐는 질문을 이제 나에게 할 것이었다.

눈에 훤하게 보였기에 그녀가 입을 열기 전에 내가 먼저 선수를 쳐서 말하였다.

"남매는 아니에요."

"그럼…."

"그냥 오랫동안 안 친구예요."

철문 사이로 이야기를 나누며, 아리스라는 사람과 나 사이에 단절되었던 공간이 이어지는 기분을 느꼈다. 그리고 그 경계막은 천천히 희미해지고 사라져 버렸다. 물리적으로 말이다.

방금까지 아리스의 옆에 서 있던 린은 어느새 정문 옆 네모난 기둥에 달려있는 개폐 스위치 앞으로 달려가서 손가락으로 꾹 누르고 있었다. 바닥이 살살 쓸리는 소리가 들리며 웅장하게 열리는 철문을 보고 있자니 왠지 정말 분위기가 밖에서 본 그대로라는 생각이 들었다.

스위치를 누르고 있던 린은 가볍게 발을 움직여 내 눈앞으로 다가와 얼굴 바로 앞으로 고개를 내밀었다. 너무나도 가까운 거리임에도 별 느낌이 들지 않은 것은, 아마 이미 고아원 시절 오랫동안 경험해서 그런 것이겠지.

몇 년 만에 보는 것인가. 일단은 바르게 잘 자란 것 같아 한시름 놓았다. 몸은 컸어도 아직 옛날의 모습이 사라진 것은 아니었기 때문이다. 내가 여행을 떠난 지 4년은 지났을까. 내년이면 고등학교에 들어가니 참 많은 시간이 흘렀다.

"란, 갑자기 고아원에서 사라져서 정말 걱정 많이 했다고! 어디

갔다가 이제 온 거야?"

그녀의 물음에 나는 일단 바짝 붙은 그녀의 얼굴을 떼어 놓기 위해 엄지와 검지를 붙여서 가볍게 딱밤을 날리며 말했다.

"정리할 일이 있었어. 말하지 않고 나가서 미안해. 원장님이 대충 전해 줬을 것으로 생각했는데 말이야."

"어? 원장님 알고 있던 거야! 아, 배신당했다~"

시시각각으로 변하는 그녀의 풍부한 표정을 보니 옛날 기억이 떠올라 입꼬리가 올라갔다. 이렇게 이야기를 나누는 것도 정말 오랜만이니까 말이다. 우리 둘, 아니 나 혼자일지도 모르겠지만 추억에 삼켜지는 듯하다가도, 제삼자가 있다는 것을 떠올린 나는 방금까지 올리고 있던 입꼬리를 다시 내렸다.

린의 바로 뒤에서, 왜인지는 모르겠지만 약간의 미소를 띠고 무언가를 생각하고 있는 아리스를 향해 감사 인사를 전했다. 잘 키워 줬다고 덕분에 린도 행복해 보인다고 정말 마음속에 있는 그대로를 그녀에게 전했다.

"아뇨. 린이 잘 커 준 덕분인걸요."

뿌듯함을 느껴서 그런지, 그녀의 표정은 달라지지 않은 채 밑으로 내린 손을 올려서 자신의 뺨을 살포시 감쌌다. 그녀의 몸짓이 왠지 온화하고 자애한 어머니의 포스를 느끼게 하는 것은 그저 착각이 아닐 것이었다.

"존댓말은 하지 않으셔도…."

"그럼 란, 지금 들어와서 내가 만나기 전의 린에 대해서 이야기해

줄 수 있니?"

그렇게 나의 네 번째 여행은 이 저택에서 시작되었다.

린도 나도 이제 고등학교에 들어가야 하는 나이가 되었고 아리스가 재학 중인 학교에 입학하게 되었다. 벚꽃이 나무에 활짝 핀 봄, 드디어 이나야 고등학교의 입학식 날. 나는 린이 모두의 시선을 사로잡는 것도 잘 알고 있고 자신이 그런 린의 곁에 있으면 눈에 띄는 것도 당연하게 생각하고 있었다. 그러니 오히려 눈에 띄자고 생각이 든 나는 일부러 린이 있는 교실로 왔는데 그 문 앞에서 어떤 남자가 길을 막고 있었다.

당연히 그를 불러세우려고 입을 열었지만 그의 가슴팍 주머니에 살짝 나와 있는 학생증을 보고서 다시 입을 다물 수밖에 없었다. 그곳에 표시되어있는 그 사람의 이름이 바로 라이였기 때문이다.

이 마을에서 우연으로 그 라이라는 이름을 가지게 되는 것은 그리 쉬운 일이 아니다. 그는 나처럼 거짓말의 저주를 직통으로 받은 사람이거나 아니면 나에 대해서 아는 사람이 분명하다. 전자라면 학교에 입학하는 것조차 힘드니 후자일 확률이 높다고 생각해서 나는 그를 떠보기로 했다.

"안녕 라이? 앞으로 잘 부탁해?"

"응? 그래?"

당황하듯이 눈을 깜빡 깜빡거리며 자리를 비켜준 그의 모습을 보아 아마 위화감에 눈치를 챈 듯이 보였다. 본인이 알려주지도 않았는데 자신의 이름을 초면인 사람이 말했으니 말이다.

 교복 앞주머니에 빠져나와 있는 학생증 같은 것은 솔직히 말해서 눈치채지 않길 바랐다. 나의 말로 그는 나를 경계하거나 가까이 다가오겠지. 호기심을 풀기 위해서 말이다. 그렇게 되면 자연스럽게 정보를 캐낼 수 있을 것이다.

 이것이 우연일 리가 없으니까, 그 역시 내가 뒤처리를 해야 하는 상대이기 때문에 그의 관한 일은 학교에 다니면서 차근차근 풀어 가면 된다.

 "린! 끝나고 같이 점심 먹을 테니까 바로 정문 앞으로 와!"

 라이라는 이름을 가진 그 남학생이 문 앞에서 비키자 나는 원래 하려던 대로 많은 사람의 시선을 끌었다. 이것으로 린과 나의 관계에 대해서 강하게 생각하는 사람들이 많아지겠지. 이것은 린을 올바른 길로 향하게 할 수 있는 밑 작업이라고 생각하면 되었다. 일종의 빌드업 말이다.

 라이와 테라와 친해진 것은 학기 중반이 되어서였다. 순조롭게 린은 사람들과 교류하며 성장해 나갔고 나도 최대한 그녀에게 맞추어 주었다. 테라가 린을 좋아하는 것을 알고서도 그에게 접근을 허용한 이유는 단순히 그의 인격을 높게 쳐서였다. 절대 린에게 해코지할 사람으로는 안 보였으니 말이다. 하지만 세상에 절대라는 것은 없다. 내 나름대로 조사하고 싶었지만 이미 천사의 권능은 반납했고 심연에 연결도 불가능하며, 성서의 처리를 위해서 이전에 협력했던 회사의 인력도 모두 연락 두절 되었다. 물론 내 쪽에서 먼저 끊은 것이지만 말이다.

결국, 테라를 믿는 것으로 했고 린이 관심을 가지는 여러 사람들을 철저하게 감시했다. 라이도 린의 관심으로 인해서 우리 모임에 들어오게 되었다.

마니아를 알게 된 것 역시 린 덕분이었다. 다른 반이었다는 사실 때문에 별로 교류도 없었고 그냥 지나가는 인상도 그냥 조용한 여학생, 그 이상도 그 이하도 아니었다. 하지만 린은 그녀를 집요하게 따라다녔고 마니아는 그녀는 물론 그 주변 사람들 역시 기피하기 시작하였다. 이상한 린의 집착에 나는 그녀를 따라다니는 이유를 린에게 물었는데 그녀는 단순한 호기심 때문이라고 말하였다.

"린, 그런 이유로 타인이 힘들어하면 그만두는 게 좋아."

타당하다고 할 수 있는 내 의견에도 그녀는 굽히지 않았다. 고집이 생각보다 센 것 역시 풍부하며 짙은 그녀의 성격 덕분이겠지.

"마니아는 무언가를 숨기고 있는 것 같은데 좀처럼 꺼내지 않는단 말이야. 그녀의 얼굴에 드리운 그림자를 보면 안다고."

"그림자? 그녀에게 남에게 알리고 싶지 않은 것이라도 있나 보지. 그것을 무리해서 꺼내는 것은 무례한 거야."

"흐음~ 그렇구나. 그녀의 감정에는 어떻게 해도 닿지 않으니까 흥미가 있었던 것뿐이야."

닿지 않는다고? 누구도 아닌 린이 말인가? 어떤 사람이 무엇을 감추든, 그녀는 겉으로 보이게 할 수 있었다. 본인도 그 힘의 원천은 잘 모르지만 그녀는 자신의 특성 정도는 어느 정도 인지하는 것 같았고 그렇기에 그녀가 안 된다고 단언하는 것은 그만큼 꽁꽁 숨길 만한 무언가가 그녀에게 있는 것이었다. 그리고 그것은 웬만한 성질이 아니면 린에게서 벗어나기 힘들다.

"설마…."

자그맣게 중얼거린 그 한마디는 이후 현실이 되어 나의 곁에 찾아오게 되었다. 그것을 직감했을 때는 나 역시 이 비극의 소용돌이에 휩쓸린 후였지만 말이다.

마니아의 이변을 눈치챈 것은 여름방학. 마니아 언니의 죽음에 관한 진실을 알고 난 후였다. 단순하게 아무에게도 말 못 할 사연을 가지고 있겠거니 생각했으나 그렇게 단순하게 짐작할 만한 이야기가 아니었다. 적어도 나에게는 말이다.

오래전 원장이랑 이야기를 나왔을 때 안쪽 마을 사람들은 섬멸되었다고 들었다. 하지만 마니아의 언니가 죽은 그 20인 학생 사건의 범인은 안쪽 마을 사람이라고 밖에 생각이 들지 않았다. 그렇다면 그 잔당이라는 말인가. 몰살은 역시 불가능하였던 것인가.

그렇게 생각이 다다르자 나는 움직이지 않을 수 없었다. 결국 마니아의 비극 속에는 나에게도 어느 정도 책임이 있으니까 말이다. 아니, 책임이 없든 있든 결국 내가 끝내야만 하는 이야기였다. 그리고 그 날 집에 돌아온 나는 20인 학생 사건에 대한 자료를 조사하기 시작하였다,

밤이 되어 칠흑만이 밤하늘에 남았을 때 나는 결심하였다. 별이 하나도 없는 이 밤, 내가 향할 곳은 단 한 곳밖에 없지 않은가. 나

의 방 책상 의자에 앉아서 컴퓨터로 정보를 조사하던 나는 이내 자리에서 일어나 컴퓨터 전원을 끄고 외출 준비를 하였다. 시간은 10시 정각을 가리키고 있었다.

검은 숲을 헤쳐 도착한 곳은 천고 절벽, 하늘 높이의 절벽이었다. 이곳에서는 공허에 닿을 수 있다. 그리고 그곳에 닿을 수 있다는 것은 이곳이 곧 심연의 연결점이라는 곳이다.

오래전 성녀가 죽은 그날 나는 이곳을 통해 심연으로 향했다. 이미 디스피어는 사라졌을 것이라고 어느 정도 예상은 했다. 그렇지 않으면 심연과 연결이 끊긴 것과 공허가 날뛴 이유가 설명되지 않기 때문이었다.

심연의 연결은 오래전에 끊겼다. 그렇기에 이곳에 온 것은 단순한 도박이었다. 이곳에서 절벽 밑으로 떨어지면 과연 심연으로 향할까, 향하지 않을까의 도박 말이다. 내가 이렇게까지 목숨을 걸고 심연에 도전하는 이유는 이 이야기가 비극으로 끝나면 안 되기 때문이었다.

일단 나의 책무의 연장선이면서 린을 위해서이기도 했다. 린은 남에게 영향을 잘 주면서도 반대로 잘 받았다. 만약 마니아에게 무슨 일이 생기면 린이 어떤 반응을 보일지 눈에 선했다. 그렇기에 내가 짊어진 것은 한 두 가지가 아니라는 것이다.

어차피 이 비극에서 벗어나지 못하면 내가 살아갈 의미가 없으니 여기서 실패해서 죽는 것과 똑같은 것이다. 그렇게 절벽 끝자락까지 걸어가 몸을 그대로 던지려고 팔을 양쪽으로 쭉 폈다. 그리고 떨어지려고 마음을 먹은 그 순간, 내 눈앞에 반투명한 계단이 생기는 것을 발견하고 말았다. 그 계단은 공중에 떠 있는 문으로 향하고 있었고 그 문의 정체를 나는 곧바로 파악하였다.

곧바로 몸을 돌려 그 계단을 걸어 올라가기 시작한 나는 방금까지 주변에서 불던 바람이 멎은 사실을 눈치챘다. 보통이면 고도일수록 바람이 세게 불며 몸이 휘청거리기 마련이었는데 계단 위에는 바람은커녕 소리조차 들리지 않는 정적의 상태였다.

"새로운 심연 관리자의 초청인가."

그 잠시동안 디스피어가 물러나고 새로 부임된 절망의 천사라고까지 생각을 마친 나는 방금까지 잔뜩 긴장하여 굳어진 어깨의 힘을 뺐다.

"후임자는 어떤 녀석일까?"

정말 오랜만에 향하는 심연의 모습은 어떨까 하는 태평한 생각을 하며 문을 연 순간, 내 앞에 펼쳐진 것은 전혀 예상하지 못한 광경이었다.

온 세상이 검은색에 중간중간에 빛나는 조각들이 떠다니던 세상은 온데간데 없었다. 회색 의자가 덩그러니 놓여져 있는 오두막 집 안의 모습이 내 눈앞에 펼쳐졌다. 의자 바로 옆에 있는 벽난로에는 불이 타오르지 않고 전부 식어 꺼진 상태였으며 집안이 차갑게 식어 내려앉은 공기로 가득 차 있었다.

나무로 되어있는 바닥에는 어느새 카펫이 놓여져 있었고 하나였던 회색 의자는 두 개가 되어 서로 마주 보는 모습이 되었다. 이곳이 심연? 하지만 내가 알던 모습과 너무 달랐기에 나는 당황할 수밖에 없었다. 내 지식으로는 심연의 모습 그 자체인 어둠에서 무언가로 변할 수 있다는 것을 의심해 본 적은 없었던 것이다. 애초에 변하지 않을 것이라고 멋대로 생각했기 때문에 반대로는 생각조차 하지 않았다. 하지만 오히려 이렇게 심연의 모습이 변하는 것이 더 심연의 걸맞는 모습일지도 모르겠다. 결국은 혼란이 가득한 곳이 심연이니까 말이다.

그런 시답잖은 생각을 하고서는 다시 의자로 시선을 돌렸을 때는 방금까지 없던, 모르는 얼굴의 여자아이가 그곳에 앉아있었다. 흰색 긴 생머리에 빨려들어 갈 것 같은 검은색 눈, 그리고 호리호리한 몸매, 작은 키. 어떻게 봐도 어린아이로밖에 보이지 않았다. 10대 초반일까?

그녀에게 시선을 빼앗겨 눈치채지 못했지만, 어느새 불을 붙였는지 그녀의 바로 옆에 있는 벽난로 안 땔감들이 연기를 내뿜으며 활활 타오르고 있었다.

"당신이 라이…. 아니, 유페이아 란인가요?"

옛날의 이름을 말하려다 정정하는 것은 고마웠지만 이 어려 보이는 심연의 관리자인가. 천사들은 인력 부족이라도 되는 것인가. 아니면 단순하게 어려 보이는 것일 수도 있지만 말이다.

"당신이 새로운 심연의 관리자? 공허들이 설치던데 어떻게 된 거야? 당신이 공허를 조정한 거 맞아?"

"네? 죄송합니다…."

너무 공격적인 말투 덕분에 오히려 겁을 먹은 듯이 보이는 그녀 모습을 보니 몸만이 아니라 정신까지 아직 어린 듯 보였다. 순간 나의 흥미가 그녀에게로 향하는 것을 가까스로 막고 필요한 정보를 모으기 위해 나는 질문을 시작하였다.

"당신 이름은?"

"트레지티에요."

트레지티? 트레지디(tragedy)를 변형한 것인가? 그렇게 생각하면 정말 좋은 이름이라고는 할 수가 없다. 이나야, 그러니까 믿음에서 이름은 중요한 의미를 가지고 있는데 비극이라는 불길한 이름으로 그녀의 운명을 정해 버렸으니 말이다.

"당신에게 내려진 감정은?"

심연의 관리를 맡을 정도면 분명 12명의 대천사 중 한 명일 것이다. 신코어시스템이 하사해준 감정은 자신이 대천사라는 증거이자 그 천사의 타이틀이다. 그렇기 때문에 나는 내 앞에 있는 이 미숙해 보이는 천사가 무엇을 받았는지 알기 위해서 그렇게 물은 것이다.

"저는 비극의 천사예요."

"비극?"

전혀 알 수 없는 감정, 아니 저것도 감정 카테고리에 들어가는 것인가? 이야기비극 그 자체 아닌가? 드디어 이야기를 모으기 위해 그 개념 그 자체를, 감정축복을 있는 대로 전부 억지를 써서라도 하사하기 시작한 것인가 우리의 신은.

"신빛 은 우리에게 필요한 감정을 내리신답니다."

이마를 손바닥으로 짚고 있던 나는 그녀에게 잠시 멈춰달라는 표시로 반대편 오른손을 들었다. 그리고 손가락을 붙인 채로 손바닥을 보여주었다. 그리고 그녀는 바로 내가 보낸 신호의 의미를 깨달았는지 움직이려던 입을 굳게 닫아 버렸다. 나는 그녀의 배려에 감사하며 이마에서 손을 뗐다. 그리곤 새로운 질문을 꺼내 그녀에게 전달했다.

"그럼 트레지티 씨, 당신이 새로운 심연의 관리자인 것은 확실한 거지?"

고개를 천천히 끄덕이는 트레지티, 그 모습을 보며 나는 곧바로 다음으로 떠오른 의문을 입 밖으로 내뱉었다.

"트레지티 씨, 공허가 날뛴 이유가 뭐지? 당신의 의지인가?"

"저도 최대한 노력해 보았는데 잘되지 않았어요."

그녀의 입에서 나온 것은 금방이라도 울 것 같은 촉촉하고 흔들리는 불안정한 목소리였으며 그 모습으로 보아 일부러 공허를 현세로 보낸 것은 아닌 것 같았다.

정말 조정 실패라는 상황 덕분에 마니아의 상황이 저리 치달은 것인가? 그렇게 단순한 이야기는 아니라고 생각했지만 일단 시작은 미숙한 천사의 실수로 생겼다는 것을 알게 된 것만으로도 이 심연에 온 가치는 충분히 있었다.

"트레지티 씨, 당신은 지금 자신의 실수를 어떻게 생각하고 있지? 설마 아무것도 안 하는 것은 아니지?"

"괜찮아요, 분명."

방금까지 불안정한 목소리는 사라지고 차분한 목소리가 그녀의 입에서 흘러나왔다. 방금까지 그녀가 보인 태도와 정반대되는 행동 덕분에 나도 위화감을 느끼면서도 그만큼 확신이라도 있는 것인가 하며 그녀의 마음을 추측하였다.

"뭐 확실한 대처법이 있나 보지? 그럼 트레지티 씨. 마지막 질문인데 너는 왜 신이 이야기를 모으는지 알아?"

그 질문에는 그녀는 고개를 가로젓는 것으로 대답하였다. 과연 어느 대천사들이어도 신의 의도를 읽지 못하는 것인가.

"그럼 됐어. 트레지티 씨, 너의 전임 관리자가 나에게 넘긴 감정들을 다시 돌려받으러 왔어. 나는 이제 라이가 아니지만, 유페이아의 이름을 가진 나라도 이 비극을 끝낼 의무가 있어."

"네, 애초에 그것을 돌려주기 위해 당신을 초청한 것입니다."

그리고 그 순간 오두막 창문이 열리더니 의자에 앉은 상태로 두 손을 겹쳐 내 눈앞으로 내밀고 있는 그녀의 손 위로 조각들이 날아와 안착하였다. 나는 그녀의 손바닥 위에 있는 수십 개의 조각을 내 손으로 직접 들어 올렸다. 그 순간 닿은 그녀의 두 손에는 체온이 전혀 느껴지지 않았다. 그녀의 사정은 잘 모르겠다. 분명 좋은 꼴의 결말은 아닐 것이다. 다만 그 조각을 들고 그녀에게 등을 돌린 순간 나는 그녀 역시 구해주고 싶어졌다. 이것은 단순한 책무가 아니라 나의 머릿속에서 나온 감정 그 자체였다. 이미 결말을 거쳐 온 그녀에게 내려지는 감정으로 말이다.

"저는 도울 것입니다. 이 이야기의 결말을 보려 하는 자라면 누구든 말이에요."

그녀의 목소리가 내 등 뒤에 들려왔다. 처음 마주했을 때의 불안정한 목소리는 이제 더이상 존재하지 않았다. 그녀에게 남은 것은 그저 확고한 그녀의 감정이었다.

"이용당하고 버려질 누군가를 위해서."

그녀의 말이 내 귀에 그대로 때려 박혔다. 천천히, 아주 천천히 스미듯이 귀에 남았다. 새드 엔딩을 마주한 사람의 여운처럼.

린의 죽음은 전혀 예상하지 못했다. 그날 밤은 분명 린이 하늘에서 춤추는 수많은 별들을 보기 위해서 학교 옥상에 올랐다. 분명 그녀는 내가 위험하다고 말렸음에도 난간 밖에 섰겠지.

그리고 분명 우연이라는 가장 만나선 안 되는 적을 만났을 것이다. 바람은 무심하게 그녀의 몸을 농락하였고 구원의 천사라고 억지로 불린 유페이아는 공허의 곁으로 돌아가 버렸다.

"잘자, 유페이아 린."

갑작스럽고 이해하지 못한 전개였지만 나는 더이상 내가 행하는 일이 그녀만을 위한 일이 아니게 되었다.

별이 하늘에 수놓아 빛나고 바닥으로 떨어지던 날, 내 네 번째 여행은 아직 시작조차 되지 않았다는 것을 깨달았다.

나의 삶의 의미를 잃어버린 동시에 새로운 의미를 찾아버린 나는 아마 영원히 심연으로 돌아갈 수 없겠지. 잘자, 유페이아, 잘자, 란.

너의 인생이 무의미하지 않기를.

제7장

원하는 결말은,

39

병실에서 단절된 이 공간에 테라와 세이비님만이 서 있다. 노을이 지고 햇빛이 조금씩 들어오는 창가, 그곳에서 테라가 생각할 것은 '노을이 예쁘네' 같은 가벼운 것이 아니었다.

란의 일대기를 들은 순간 테라는 무어라 말할 기력조차 남아 있지 않았다. 그 이야기를 전부 듣는 내내 숨이 막혀 죽을 것 같았기 때문이다.

하나같이 무거운 이야기이고 그 내용도 내용이지만, 테라가 놀란 것은 란이 몇백 년을 살았다는 사실이었다. 아무리 주변에서 초현실적인 이야기를 해왔어도 그녀가 말하는 것은 너무 판타지 같은 이야기이지 않은가.

"란이 사실 성서 비극을 만든 사람이라니…. 그리고 천사와 교류도 했고 심지어 자기 손으로 성서를 불태워…. 아! 정보가 너무 많아서 머리에 들어오지 않아!"

"흐음! 당연한 반응이야. 나도 정리하느라 애먹었단 말이야."

12명의 대천사는 또 뭐고 심연은 또 무엇인가. 공허는 우리 주변을 돌았던 검은 것이라는 것은 알겠는데 말이다. 예전에 봉인해 둔 여러 정보를 끄집어내서 조합하려 했지만 그 전에 테라의 뇌가 버티지 못하고 과부하에 걸렸다.

"괜찮아. 모든 것은 네가 넘어서야 할 단순한 과정에 불과해. 우리는 이미 결말의 문턱 앞에 섰어. 나머지는 우리가 원하는 결말을 향해 걸어나가려 노력하는 것일 뿐이지."

"그렇군요."

그럼 결국 이 사람은 도대체 무엇을 전하러 온 것인가. 단순하게 란의 과거를 알려주려고? 아님. 진실을 알려주려고? 도대체 무엇을….

"테라, 너에게만 말하는 건데 란의 이야기는 끝났으니 마지막으로 내 이야기도 조금 해도 될까?"

"네, 그러세요."

그녀의 온화한 분위기는 이 공간 안을 감싸는 것을 멈추지 않았지만, 그녀가 다시 입을 떼는 순간 그녀의 얼굴에는 그림자가 드리워졌다. 마치 아무에게도 말하지 않는 고민이라도 이야기하듯이, 항상 혼자 있는 마니아처럼 그녀의 표정은 더욱더 어두워졌다.

"아리스에게 잘 못 해준 것도 엄마로서의 실격이라고 생각하지만 나에게는 더욱 큰 죄가 있어. 바로 오래전 아리스를 낳기 전에 어떤 여자아이가 내 손을 거쳐 갔었거든. 그 소녀의 이름은 트레지티였어."

"그럼 란이 만난 그 소녀가…."

"맞아. 그 소녀가 바로 천사 연구의 희생양이면서 나에게 잠시동안 키워진 아이, 그리고 내가 끝까지 구하지 못한 아이야."

그 소녀를 마주한 것은 조직들이 안쪽 마을을 습격한 후였다. 불타는 마을, 수많은 시체 사이에 창에 찔린 상태로 살아있는 것을 발견한, 늦게나마 도착한 회사 측 사람들에 의해서 구출된 것이다.

이름이 없었기에 세이비님이 붙여준 이름은 분명 축복의 이름이었다. 그 이름은 지금은 기억이 나지 않는다고 말하였지만, 이미 오래된 일이라 감정이 메말랐는지 아니면 왜인지 모르게 어느 정도 알고 있는 것인지, 그녀의 쓸쓸한 표정에서는 감정의 동요를 눈곱만큼도 찾아볼 수 없었다.

"그때의 그 소녀는 말 그대로 순수했어. 무엇이든 담을 수 있는 몸과 어떤 감정이라도 담을 수 있는 정신을 가지고 있었지. 그래, 마치 란과 같은 조건이었어."

하지만 란과 같은 성질을 가진 그녀는 란과는 다른 인생을, 다른 길을 걸어갔다. 마을이 불타버린 그 날, 그 소녀는 한 번도 사람은 물론 생명체 자체를 만나지 않았다고 한다. 그리고 처음으로 마주한 것이 마을을 불태우던 사람들, 당시 회사의 종교 단체 중 하나, 성창을 부여받은 카니페스라는 이름의 병력이었다.

당연하게 그녀가 받은 것은 고통, 아픔 같은 것이었으며 그 감정은 몸에 제대로 새겨졌다. 세이비님은 그녀의 감정이 그저 아픔만으로 가득 차지 않게 하려고 열심히 그녀를 키웠다. 세상의 아름다운 것을 보여주고 나름대로 노력했지만 결국 그녀와 갈라질 수밖에 없었다.

"나의 몸 상태가 안 좋아져서 어쩔 수 없이 그녀를 다른 사람에게 맡길 수밖에 없었어. 그 사람의 이름은 파니타."

"잠깐만요, 파니타 씨요?"

"응."

테라는 그녀의 말을 끊은 것이 되어 버린 것이 조금 미안했지만, 평범한 자신의 머리로는 지금 한번 끊지 않으면 또다시 과부하가 올 것 같았기 때문에 어쩔 수 없었다. 머리가 또다시 바쁘게 돌아가는 소리가 머릿속에 울려 퍼지며 테라의 머리는 언제나와 같이 머리에 들어온 정보를 정리하려 했다. 하지만 역시 결론에 다다르기 직전에 멈춰버린 것이었다.

파니타라는 사람이 그토록 여러 정보를 알고 있다는 것은 이해가 되었다. 하지만 그 트레지티라는 천사와 관련이 있고 성창을 만들었고 또……. 만약 이것이 소설이나 영화라면 너무 과잉 설정이라 머리가 복잡할 정도였다.

"파니타가 그때 인연으로 우리 아리스도 맡았단다. 할머니라고 아니?"

"네? 그러면 아리스가 할머니라고 했던 사람이 저 한참 젊어 보이는 저 과학자라는 거에요? 도대체 왜? 아, 머리가 아프기 시작했다!"

괜히 머리를 혼란스럽게 만든 세이비님의 한 마디에 테라는 결국 한계에 부딪혔다.

"저는 멋대로 생각하며 들을 테니 마저 해주세요."

"알았어."

눈썹을 한껏 좁혀 혼란해 보이는 테라의 표정에, 세이비 본인도 그런 모습을 보는 것이 괴로웠는지 눈을 반쯤 감고 쓸쓸한 눈을 하며 창밖을 바라보았다.

창밖은 지지 않는 석양이 떨어지기 직전의 모습이었다. 하늘은 주황색에, 처음 테라가 이곳에 들어온 지 몇 시간이나 지난 것 같았지만 결코 변하지 않는 따스한 풍경이었다.

"미안, 테라. 너무 말이 많은 사람이지? 나."

그녀의 얼굴은 창밖으로 향하고 있었고, 그에 더해서 무수히 쏟아지는 햇빛 덕분에 그녀의 표정은 보이지 않았다. 그렇지만 왠지 그녀의 목소리가, 그녀의 마음속 안에 있는 슬픔이 여기까지 느껴지는 것 같았다.

"왜 당신이 사과하는 거죠? 제가 그저 이해하지 못할 뿐이에요."

잊고 있었지만 이 사람은 아리스의 엄마이자, 오래전에 이 세상에서 죽음으로 인해 영구히 떠난 사람이다. 그런 그녀가 슬퍼하는 모습은 절대 볼 수 없었다. 죽었는데도 절망을 한다면, 결국 이승에서 힘들게 고통받으면서 살아왔는데 그 삶을 보상받지 못했다는 것이지 않나.

그녀는 계속 얼굴을 이곳으로 돌리지 않았다. 하지만 테라는 왠지 모르게 알 수 있었다. 그녀가 지금 울고 있다는 사실을 말이다. 테라는 특별한 힘이나 특성 같은 것은 없다. 그럼에도 이 상황에서 할 말은 알고 있었다.

"울지 마세요. 당신은 행복해질 권리가 있어요. 왜냐하면 평범한 내가 보기에는 당신은 정말 굉장한 일을 한 사람이거든요. 회사 사람들이나 당신을 아는 사람이면 누구든 그렇게 이야기할 거예요. 아리스를 이승에 두고 간 것도 마음에 걸리셨죠? 저렇게 잘 컸는데 걱정할 게 뭐가 있어요?"

테라가 건넨 위로의 말이 지나가자 그녀는 드디어 원래의 페이스를 되찾았는지, 창밖으로 돌아가 있던 고개를 다시 돌렸다. 그녀의 얼굴에 슬픔이란 감정은 이미 떠나갔지만 그녀의 눈가를 시작으로 뺨으로까지 이어져 있는 눈물 자국은 아직 그곳에 남아 있었다. 정말 성격이 여린 사람이었다.

"미안, 흐트러진 모습 보여서. 생각보다 별거 아닌 일로 감정적이어서….'

세이비님은 왼쪽 손을 들고 자신의 얼굴에 새겨진 눈물 자국을 쓱쓱 닦더니 이야기를 다시 시작하였다.

"그래도 미안하니까 최대한 요약해서 이야기할게."

"아뇨 그럴 필요는….'

하지만 그녀의 표정은 확고했다. 이것만큼은 절대 용서할 수 없다는 듯이 말이다. 눈을 크게 뜨고 테라의 눈동자를 똑바로 바라보는 것이, 자신이 그렇게 정했으니 하게 해달라고 애원하는 것처럼 보였다.

그녀의 포스에 압도당하여 어쩔 수 없이 테라는 고개를 끄덕일 수밖에 없었고 동의를 받은 세이비님은 다시 이야기를 이어 나가기 시작하였다. 마음은 여린데 생각보다 강단 있는 성격이라니. 테라는 자신의 입으로 말해도 모순적인 이야기로 느껴졌다.

그 후 이어진 것들은 테라가 아는 이야기로 이어주는 과정이었다. 세이비님의 곁에서 그 아이가 벗어나자 조직들이 파니타의 손에서 무력으로 그녀를 빼앗아 버렸다. 그리고 그 후 그녀를 되찾으려 했지만 결국 천사 연구로 돌아올 수 없게 되어 버렸다는 이야기였다.

"그럼 그 소녀의 이름이 트레지티라서 비극의 천사라는 감정을, 타이틀을 받았다는 것인가요? 비극이 애초에 감정의 범위 안에 들어가요? 사실상 다른 개념 아닌가요?"

테라의 질문에 그녀는 고개를 가로저으면서 잘 모른다는 표시를 보냈다. 그 뒤에 하는 이야기로는 사실 자신도 시스템에 대해서는 잘 모르고 신이 무엇인지도 모르기 때문에 답할 수 없다고 했다.

"그럼 트레지티라고 이름이 붙은 것은 언제죠?"

"아마도 파니타의 손에서 벗어나서 조직에 사로잡혔을 때였겠지. 무엇을 위해 그 이름으로 바뀌었는지 모르겠지만 아마 그 조직 사람들은 이름의 중요성을 잘 알았을 거야. 그렇기에 그 이름으로 바꾸었겠지."

그렇다면 그녀가 비극이라는 감정이 아닌, 하나의 명칭에 가까운 것을 받은 것도 그 이름의 영향이 큰 것일까.

"이야기를 모은다는 것도 왜 그런지 모르죠?"

"응. 애초에 저주, 감정, 공허도 모두 천사를 만들어내는 시스템과 관련이 있다는 것은 알고 있는데 왜 이야기가 필요한지는 잘 모르겠어."

천사 시스템…. 생각보다 더 비현실적인 이야기가 나왔지만 뭐 괜찮다. 지금까지 겪었던 거창한 이야기의 연장선일 뿐이니까 말이다.

"더 자세한 건 이제 란에게 듣도록 해. 기다리던 사람도 곧 도착할 것 같고, 나도 이제 이곳에 현현해 있는 것도 한계야."

그러고 보니 햇빛이 강해서 눈치채지 못하고 있었는데 언제부터인가 그녀의 몸이 반투명의 상태였다.

"그렇군요…. 그럼 마지막으로 질문하자면, 사후 세계는 있는 건가요?"

그녀는 미소를 지으며 그 이야기에 답해주지 않았다. 그저 창문에서 불어오는 잔잔한 바람에 몸을 맡길 뿐이었다. 금색에 가까운 그녀의 머리카락이 바람에 휘날린다. 그리고 그 머리카락은 순간 그녀의 얼굴을 가려버리고 말았다.

"세이비님…."

그리고 그녀의 표정이 눈앞에서 사라진 그 순간 테라는 직감했다. 이제 더이상 이곳은 그녀와 함께 서 있던 그 시절의 병실이 아니라는 사실을 말이다. 시간은 다시 오후 2시쯤으로 돌아왔으며 아리스의 양손은 아직도 마니아의 손을 꼬옥 잡고 있었다.

마치 오랜 꿈이라도 꾼 기분이었다. 단순히 그 공간에 있던 시간만 해도 단 몇 시간뿐이었지만, 체감으로는 몇십 년, 혹은 몇백 년 동안 그곳에서 세이비님과 이야기한 기분이었다.

나머지는 란에게 물어봐야겠다고 생각한 테라는 방금까지 란이 서 있던 곳으로 고개를 돌렸다. 그렇지만 그곳에서 란의 모습은 보이지 않았다. 언제 이동했는지 그는 창밖에서 병실 오른쪽 벽에 붙어 있는 책장 앞에 서 있던 것이었다.

 너무 고개를 돌리며 과하게 몸을 비틀어서 그런지 병실 안 사람들을 눈을 쏠리게 만들었다는 사실을 그제야 깨닫고 뻘쭘해진 테라는 그대로 란에게 옆에 섰다. 그는 책장에 있는 책 하나하나를 눈을 관찰하고 있었다. 방금까지 있었던 일이 테라는 자신의 환각이었나 라는 생각 마저 들 정도로 정말 태평스러운 표정이었다.

 그 태평스러운 얼굴을 보니 방금까지 열심히 머리를 굴리던 테라 자신을 떠올려 버려서 괜히 열이 받았지만, 머릿속에서 참을 인을 세 번 외치며 겨우 마음을 진정시켰다. 정말 조금만 앞으로 내밀면 닿을 정도로 바싹 붙어 그의 오른쪽 귀에 이렇게 속삭였다.

 "밖으로 나와."

 전혀 란에게 화낼 일은 아니었지만 방금 겪은 수많은 일에 테라는 머리가 혼란스러워 신경이 곤두서 있었기에 목소리는 날카로워져 있었다. 하지만 란은 테라의 그런 목소리에 일체의 표정 변화 없이 답했다.

 "조금 기다려."

 "무얼 기다려…?"

 테라 자신도 나름대로 급한데 란은 도대체 무엇을 기다리라는 것인가. 방금 테라가 겪은 상황은 물론 궁금한 것은 아직도 해결되지 않았는데 계속 기다리라고 말하다니.

 "내 한계라도 시험하려는 거야?"

그날의 옥상에서부터 계속 기다려 왔잖아. 도대체 무엇을 그리 기다리라고 말하는 것인가.

무엇에 테라는 화를 내고 있는 것인가. 왠지 오히려 아무것도 모르는 것이 더 좋을 것 같다는 생각이 들기 시작했다. 이해할 수 없는 정보를 많이 들어봤자 머리만 아파지기 때문이었다.

"야…."

최대한 조절하였지만 목소리가 점점 커지는 것을 느끼던 테라는 이대로라면 한계에 도달할 것 같아 란에게서 얼굴을 돌려 버렸다. '그래, 때가 되면 란이 알려주겠지'라고 생각하며 그의 모습을 외면한 것이었다. 그리고 그 순간 또다시 병실 문이 열리고 어떤 여성이 들어왔다. 그 여성은 진한 갈색에 머리를 한쪽으로 묶어버리고 앞으로 늘어트려 놓았으며 무엇보다 눈에 띄는 것은 그녀의 오른쪽 눈에 씌워져 있는 안대였다. 그 안대는 파니타의 것과 비슷해 보였는데 아마 그것도 그것 나름대로 사연이 있겠거니 싶기도 하였다.

그녀가 병실에 들어오자 모두의 이목이 그 여성에게 쏠렸고 그것을 의식했는지 그녀는 고개를 숙여 자신을 소개했다.

"안녕하세요. 회사 쪽에서 라이 대표님의 지령으로 찾아온 에클레시아 이나야입니다."

일동 분위기가 가라앉는 것이 느껴졌다. 란은 표정이 전혀 변하지 않았지만 아리스나 마니아의 부모님 두 분은 물론, 파니타의 분위기까지 확 바뀌었다.

그들의 얼굴에 떠오른 것은 무엇일까. 놀라움? 당황? 아리스는 두 손으로 자신의 입을 가렸고 마니아의 부모님도 거의 같은 반응을 보였다.

이나야라고 자신을 소개한 여성은 천천히 마니아 바로 앞까지 다가가 손을 마니아의 머리 뒷부분을 받치고 자신의 이마를 마니아의 이마에 갖다 대었다. 그 행동으로 보아 그녀와 가까운 인물인 것인가. 하지만 주변 사람들은 엄청나게 충격을 받았는지 아무 말도 하지 않고 그저 그 여성을 바라보고만 있었다.

이나야라는 여성은 몇 초 동안 그녀의 바로 가까이에서 자신을 이마를 갖다 대고 있다가 다시 떼고는, 우리에게 다시 한번 허리를 숙여 감사 인사를 전했다. 그러고는 몸을 돌려 다시 문밖으로 나가려는 순간 그녀의 손을 아리스가 낚아챘다.

"저…. 혹시 이나야라면….."

이나야라면? 이나야라는 이름은 확실히 흔치 않은 이름이지만 그 이름을 들었을 때 테라의 머리에서 떠오르는 사람은 고작 란뿐이었다. 어떻게 기억을 하는지 자신도 놀랐지만 세이비 씨가 들려준 란의 일대기에서 성녀에게 받은 이름 역시 이나야였으니 말이다. 생각해 보면 이 마을의 이름이 사실 그곳에서 기원이 되지 않았나 하는 생각이 들기도 했다.

아니 잠깐만, 너무 많은 정보가 테라의 뇌를 왔다 갔다 했기 때문에 잊고 있던 것이 있었다. 오래전 다른 정보를 처리하기 위해서 언제나와 같이 머릿속 구석에 박아놓은 것.

이나야라는 이름을 가지고 있는 사람은 란만이 아니었다. 그래, 마니아 언니의 이름도 이나야라는 이름이었다.

"마니아의 언니신가요?"

무거운 정적이 병실 안에 흘렀다. 왠지 모르게 아리스는 눈치챈 것이다. 왜냐하면, 그녀의 모습이 오래전 마니아가 보여줬던 언니의 모습과 완전히 일치했기 때문이다.

마니아의 어머니는 이미 눈물을 흘리고 계셨고 아버지는 마니아의 언니 바로 앞까지 걸어와 옆에 서 있었다.

"…이제는 아니에요, 죄송합니다. 이제 저는 당신들과 함께할 수 없어요."

그녀의 한마디에 테라는 물론 공기 전체가 얼어붙었다. 숨 막히는 공간에서 자신은 지금 무엇을 보고 있는 것인가. 오래전 많은 사람을 살리고 자신을 희생한 마니아의 언니 이나야가 지금 이 병실에서 있었다. 그녀는 죽지 않은 것이다.

우리는 이나야라는 사람에게 무슨 일이 있었는지 알 수가 없었다. 그렇지만 그녀를 그리워한 사람이 너무나도 넘쳐났기 때문에 우리, 아니 그들은 밀려오는 감정을 주체할 수 없을 것이다. 그도 그럴 것이 이미 마니아 어머니의 눈에 흐르던 눈물은 물론 손으로 가리고 있던 입도 주체할 수 없어졌기 때문이다.

"이나야…. 이나야!"

먼저 이나야에게 뛰어들어 팔을 쫙 벌려 그녀를 안은 것은 바로 그녀의 어머니셨다. 눈물을 닦는 것도 포기하고 그저 하염없이 커버린 딸의 품에서 울고 또 울었다.

아버지는 아무 말도 하지 못하고 그 상황을 그저 바라만 보고 있었다. 아마 지금 당장이라도 그사이에 껴서 울고 싶으셨겠지만, 일단 이나야가 왜 살아있는지 모르겠고 무엇도 이해가 되지 않았기에 일단 상황 파악이 먼저라고 생각하셨던 것이다.

"이나야…. 어떻게 된 거니…. 살아있으면 살아있다고……."

"죄송해요. 아버지, 하지만 이럴 수밖에 없었어요."

목이 메듯이 말을 하다 끊겨 버린 그는 그녀의 목소리를 다시 듣는 순간 더이상 참지 못했다. 그대로 어머니와 이나야를 동시에 안으면서 울기 시작하였고 우리는 그 광경을 가만히 지켜볼 수밖에 없었다.

병실에 울음소리가 울려 퍼지고 그 슬픔의 메아리는 마치 병원 전체를 감싸듯이 우리에게 전염되었다. 그리고 테라 역시 그런 기분이 들기 시작한 것은 그리 얼마 걸리지 않았다.

안겨있는 마니아의 언니 이나야는 자신의 부모님을 번갈아 보다가 이내 그 뒤에 서 있는 아리스에게로 시선을 옮겼다. 눈물이 멈추지 않는 두 사람을 놔두고 이나야는 아리스에게 가볍게 목례를 행했다. 아리스도 그 목례를 받으며 혼란스러운 이 상황을 이해하려고 애쓰는지, 무언가를 고민하는 듯 눈썹을 좁혔다.

"이나야 씨…. 초면이지만 살아 계셨던 거예요?"

아리스의 질문에 병실 안 사람들은 전부 침을 꿀꺽 삼켰다. 고조된 분위기 속에서 모두가 그녀의 대답만을 기다렸다.

"아까도 말했지만 저는 당신들은 물론 부모님, 그리고 마니아와 함께할 수 없어요. 저의 운명이 그렇게 정해져 버렸어요."

"그게 무슨 소리에요?"

"이나야. 오른쪽 눈은 어떻게 된 거야?"

아리스의 물음과 아버지의 질문이 교차하자 이나야 씨는 곤란한 표정을 지었다. 그렇게 그녀는 입을 다물더니 왼쪽 손을 안겨있는 상태로 겨우 위로 올려서 자신의 머리 위로 향하게 했다. 그리곤 자신의 머리를 주먹으로 통통 때리기 시작하였다. 그 후 자신에게 안겨있는 아버지와 어머니를 두 손으로 살며시 밀어내고 무언가를 결심했는지 입술을 꽉 깨물고 결의에 다진 표정으로 눈을 크게 뜨면서 이렇게 말하였다.

"저는 더이상 이제 당신들이 아는 이나야가 아니에요. 20인의 학생 사건 때의 저는 이미 죽은 거나 다름이 없어요. 저의 이름은 그대로 이나야지만 제 목숨을 대가로 무언가를 바쳤으니까요."

"무슨 소리니…. 이나야…. 지금이라도 돌아와도 되니까, 괜찮으니까, 제발 우리의 딸로 있어 주면 안 되겠니?"

마니아의 어머니께서 애원하듯이 그리 말했지만, 씨알도 먹히지 않았다. 무엇보다 그녀는 이미 커다란 결심을 한 것 같았기 때문이었다.

"이나야, 너 무언가 달라졌어…. 너의 엄마도 나랑 같은 생각을 하고 있을 거야. 더는 네가 우리의 딸이 아니게 될까 봐 두려워. 왜냐하면, 너무나도 달라졌어. 이나야."

마니아의 아버지가 그리 말하자 이나야는 고개를 끄덕였다. 그리고 자신의 아버지의 그 말을 동의하는 순간 이미 그녀는 그 둘의 딸이 아니었다.

"이 오른쪽 눈도 제가 바친 대가 중 하나에요. 정말 죄송해요. 엄마, 아빠, 제가 괜히 희생 같은 걸 해서 마음고생 많이 하셨죠. 정말 고마웠습니다. 마니아를 잘 부탁드려요."

그녀의 부모는 아무 말도 할 수 없었다. 그 두 사람은 이미 느껴 버렸기 때문이다. 그녀는 이미 다른 곳을 보고 있었다. 돌아오라고 말하고 싶지만, 그녀의 감정은 이미 다른 길을 달리고 있었다. 그렇다면 아무 말도 할 수 없는 것이 바로 부모의 마음이었다.

그 상황을 옆에서 가만히 쳐다보던 아리스는 이나야의 얼굴을 뚫어져라 쳐다보다 가도 이내 뾰로통한 표정을 지으며 고개를 돌렸다. 아마 그 표정으로 추측하건대, 이나야라는 이 사람에게 불만이 있는 듯 보였다. 똑같은 언니라서 그런가.

"연락이라도 하고 살아!"

겨우 그렇게 외친 그녀 아버지의 말이 그녀를 향해서 달리고 달려갔지만 결국 그 감정은 닿지 못했다. 이나야가 고개를 저으며 부모를 등지고 병실을 걸어 나가 버린 것이었다.

그 뒷모습을 가만히 방관하던 란은 그제서야 테라에게 따라오라고 신호를 보냈다. 테라는 란을 따라 병실을 나왔다.

병실 밖에서 등만을 보이며 오른쪽 끝으로 걸어가는 이나야를 확인한 란은 발을 빠르게 움직이기 시작하였다. 달리고 달려서 그녀의 손에 란의 손이 닿는 그 순간, 이나야는 자신의 잡힌 손을 뺄 힘조차 남아 있지 않았는지 그대로 란에게 끌려왔다. 천천히 란에 의해서 테라의 바로 앞까지 끌려온 그녀는 계속 고개를 내리고 있었다. 점점 가까워지자 테라는 그 이유를 깨닫고 말았다.

"팔이, 몸 전체가 엄청나게 떨리고 있어."

그의 말이 방아쇠가 되었는지 그녀는 란을 손을 놓지 않은 채로 몸을 제대로 가누지 못하고 휘청휘청 댔다. 그리곤 이내 중심을 잃고 란의 방향으로 넘어졌다. 바닥에 닿기 전, 란은 그녀를 받아냈지만 그녀는 여전히 얼굴을 테라에게 보여주지 않았다.

갑작스럽게 일어난 일에 놀란 테라는 그녀가 기절이라도 한 것인지, 풍성한 갈색 머리카락 너머에 가려진 얼굴을 확인하기 위해서 더욱더 가까이 다가갔다. 하지만 란은 손바닥이 잘 보이도록 들어서 테라의 행동을 저지했다.

"죄송하지만…. 란님…. 잠시만 품 안에 있어도 될까요……? 더 이상 못 참을 것 같아요…."

그녀의 입에서 흘러나온 그 말, 불안정하게 떨리며 힘없이 또 끊임없이 흘러내리는 그 목소리. 테라는 주변 인물에서 그리고 자신에게 몇 번이고 느꼈다. 그 감정은 분명 제삼자가 감히 입을 꺼낼 수조차 없는 깊고 어두운 것이라고.

그제서야 란의 저지의 손짓을 이해한 테라는 착잡한 표정을 얼굴에 띄우면서 한걸음 뒤로 물러났다.

란의 품에서 등을 돌린 상태였기에 얼굴은 보이지 않았지만 대충 상상할 수 있었다. 그녀의 어깨에 올라가 있는 절망이라는 감정은 테라가 헤아리지 않아도 건드리지 말아야 할 것임을 잘 알고 있었다. 아무리 자신이 평범한 사람이라도 그런 것을 실수할 정도로 멍청하지는 않았기 때문이었다. 무어라 말할 수 없는 분위기가 병실에서 복도로 이동했을 뿐이었지만, 그럼에도 그녀를 품에 안고 울게 해주고 있던 란은 여전히 태평한 표정이었다.

테라는 울고 있는 그녀를 진정하게끔 놔두고, 질문을 던질 사람을 란으로 바꾸었다. 물론 처음부터 목표 설정을 해놓은 사람도 란이었지만 말이다.

"란, 이게 어떻게 된 거야. 궁금한 것은 많은데 일단 이나야 씨가 왜 살아있는 거야."

"아무도 그녀가 죽었다고 안 했어. 그녀는 그 테러범들에게 끌려가 '행방불명'된 것이지. 결코 죽음은 확정되지 않았어. 기사에도 그렇게 쓰여 있지 않았어?"

"그게 사실상 죽은 거나…."

오래전 마니아의 언니가 죽은 것을 알고 그녀가 휘말린 사건을 다룬 기사를 찾아본 적이 있었다. 그 기사가 말하던 것은 행방불명, 시체는 결국 찾지 못했다고.

안 그래도 세이비님 건도 있었는데 정말 차례차례 이해할 수 없는 상황만이 자신의 눈앞에 닥치는 것인가. 그것도 마지막에 한 번에 휘몰아치듯이 말이다. 테라는 불평을 얼굴에 띄웠지만 란은 그것을 읽고서도 태연하게 말을 계속하였다.

"내가 간단하게 설명해줄게."

란은 그리 말하고 한번 헛기침을 하며 방금까지 태평하던 얼굴을 버리고 다시 평소의 진지한 표정으로 돌아왔다.

"테라, 너는 혼란스럽겠지만 우리에게 남은 시간은 얼마 없어. 그렇기에 최대한 많은 정보를 너에게 남기지 않으면 안 돼. 왜냐하면 너는 오스마 부장의 아들이자 마니아의 단 한 명뿐인 반려자니까."

그러곤 그 매일매일 진지하던 눈동자는 조금씩 흔들리며 다른 형태가 되었다. 그것이 담고 있는 것은 무엇이냐고 하나로 규정하여 말하자면 쓸쓸함일 것이다.

"배우는 커튼이 닫히면 물러나야 하니까."

어디서부터 시작하면 좋을까. 그 뒤 란이 테라에게 들려준 이야기는 의문만 늘려갈 뿐이었다. 천사들이 이야기를 모으는 이유는 본인도 모른다고 하였고, 트레지티라는 존재도 인지는 하고 있었지만 그녀의 자세한 사정은 잘 모른다고 답했기 때문이다. 천사 시스템을 만드는 이유는 결국 이야기를 모으는 이유와 겹치는 이야기라 란은 대답을 넘기기까지 하였다.

"저기 란, 알려줄 생각이 있어?"

"나도 모르는 것을 어떡해."

테라가 어깨를 으쓱하고 위로 올리며 고개를 좌우로 돌리는 것으로 유감의 표시를 보내자 란은 그런 테라의 행동이 웃겼는지 아니면 어이없었는지 헛웃음이 입에서 흘러나왔다.

"그럼 그거 말고, 이나야가 어떻게 이곳에 있는지부터 알려줄게."

"그래! 그거야. 하지만 최대한 짧게 부탁해, 내 주변에는 알고 싶지 않은 것을 알려주는 사람들 천지니까 머리가 아프거든."

헛웃음이 쓴웃음으로 바뀌고, 란은 이나야가 이제 진정 됐는지 확인이라도 하려는지 그녀의 얼굴을 확인했다. 그녀는 여전히 그에게 딱 달라붙어서 아무 말도 하지 않고 있었는데 란이 그녀에게 작게 무어라 속삭이자 그제서야 란에게서 떨어졌다.

생각해 보니 저 녀석 은근슬쩍 이나야를, 여자를 계속 안고 있었던 것이잖아. 이런 여자 복 좋은 녀석. 물론 테라에게는 마니아가 있지만, 린도 그렇고, 란은 참 여자들에게 인기가 많은 것 같았다. 린이 유일하게 마음을 놓고 뭐든지 털어놓을 수 있는 사람이라고 했던가. 정말 학교에서도 평소에도 주변에서 여자들이 잘 꼬이는 녀석이었지.

테라의 눈이 가늘어지는 것을 알아차렸는지 란은 곤란하다는 표정으로 쓴웃음을 멈추지 않았다. 하지만 란과 테라의 사이에 흐르는 공기를 전혀 의식하지 못한 이나야 씨는 테라의 시야에서 얼굴이 보이는 시점에서 방금까지 병실에서 보여준 표정으로 다시 돌아와 있었다. 자신이 흐트러진 모습은 아무에게나 보여주지 못하는 것인가.

"그것보다 이나야 씨랑 란은 아는 사이야?"

"네, 류에이 오빠가 소개해 주셔서."

"그러고 보니 라이도 마니아의 사촌 오빠잖아. 지금까지 헌화하러 간 사람들이 전부 살아있는 거야? 그러면 마니아가 자신을 질책한 의미가 없는 거잖아?"

 그 말을 들은 순간 이나야는 눈이 커지며 이내 다시 표정이 어두워지곤 고개를 내리깔았다. 하지만 이번에는 그녀의 얼굴 전체를 숨길 수 없었는지 겨우 진정된 눈이 무엇보다 빠르게 격동적으로 흔들리기 시작하였다. 그녀의 갑작스러운 이변에 놀란 테라는 자신이 내뱉은 말의 의미를 뒤늦게 깨달아버렸다. 테라의 발밑에서 천천히 죄악감이 올라왔다. 방금까지 건들면 금방이라도 무너질 것 같은 그녀의 모습을 보고도 그런 말을 꺼내는 것은 실례를 넘어 그녀를 질책하는 것이 되어 버렸다. 물론 라이의 건도 있고, 살아있음에도 왜 마니아에게 알려주지 않았는지 그것에 대한 불만은 조금 있었지만, 자신의 잃어버린 가족을 마주하고 한껏 약해진 그녀에게 할 말은 아니었다.

 "죄송해요…. 전부 제 잘못…."

 "아뇨, 제가 잘못했어요. 괜한 말을…."

 둘 사이에 사과가 오가고 나서야 다시 흘러오던 눈물을 닦고 고개를 든 이나야는 자신이 겪은 일을 설명하기 시작했다.

 "제가 그 테러범들에게 끌려간 곳은 어떤 절벽 위였어요."

 천고 절벽인가. 분명 그 절벽 밑에서는 테러범들의 시체만 발견되었지. 모든 사람의 의문이었기도 했다. 왜 테러범들만 발견되고 20인의 학생은 시체도 남지 않고 증발했는지.

 "20명의 학생 중 절반 이상은 죽은 게 맞아요. 테러범들에게 직접 살해당한 사람도 있었지만, 그중 저도 행방을 아직도 모르는 사람들이 있고요. 사실 저도 한번 죽었어요. 그럼에도 여기 있는 것은 심연에 닿았기 때문이에요."

"심연이요? 그럼 설마, 당신도 비극의 천사를 만난 후 이곳으로 다시 내려오게 된 거예요?"

"네, 그 당시에는 그것밖에 선택지가 없었어요. 그렇게 심연에서 벗어나서 현세에 내려왔을 때 그 회사에 반하던 조직에게 사로잡혀 천사 연구의 샘플로 인체실험을 당했어요. 아마 안쪽 마을 사람들의 잔당이 남아있다는 소식을 들은 조직이 누구보다 발 빠르게 검은 숲으로 진입해 잔당을 전부 섬멸하려 했겠죠. 그 결과가 아마 절벽 밑에 잠겨있던 테러범들의 시체들일 테고요. 그리고 그때 우연히, 아니, 차례대로 절벽에 있는 나를 발견한 것이고요. 괴로운 실험이 가해지고 그때 저는 이 오른쪽 눈을 잃었어요. 왼쪽 눈도 서서히 시력을 잃고 있는 것으로 보아 이제는 더이상 세상을 두 눈으로 볼 일은 없겠네요."

절망 투성이다. 이미 이 이야기는, 미쳐버린 비극은 막을 내렸는데 그 뒤에 있는 것이 더욱더 비극이라고 말하지 못할 정도로 어둡다니. 이것을 과연 단순하게 비극이라고 할 수 있을까.

"그 후 실험장이 들켰는지 회사에게 구출되어 지금 회사에서 일하고 있다, 이 말인가요?"

"네, 아까 말씀하셨죠. 왜 마니아에게 자신이 죽지 않았다고 알려주지 않았냐고. 너무 늦어 버렸어요. 그녀에게 내가 살아있다고 이야기하기에는."

이나야는 그 말을 끝으로 자신의 옷소매를 걷더니 팔에 새겨진 수많은 상처를 내 눈앞으로 내밀었다. 얇고 여린 팔에 그녀의 외모와 절대 어울리지 않는 상처들이 있는 것을 보니 괜히 괴리감까지 들 정도였다. 그러곤 자신의 긴 머리카락을 손으로 들어 가려진 귀를, 조금 떨어져 있는 거리에서도 보일 정도로 높게 올렸다.

　그 귀에는 긴 머리카락 덕분에 당연하게 눈치채지 못한 보청기가 끼워져 있었다.

　"눈만이 아니라 귀까지…."

　"네. 제 감각기관은 거의 망가져 있어요. 이미 저주에 심화된 마니아를 제가 마주해 봤자 괜히 그쪽에서 혼란스러워할 것이고, 내 만신창이인 몸을 보기라도 하면 또 자신을 질책하고 괴로워하며 더 손을 쓸 수 없을 정도로 끝까지 가버릴 수도 있어요. 또 그녀의 꿈이자, 그녀가 생각하는 나의 모습은 언제나 완벽하지 않으면 안돼요. 내가 죽었다면 완벽하던 언니의 모습만을 생각하며 희망을 품는다는 선택지가 있지만, 만약 그 심신미약의 상태에서 내가 나타나면 단순히 저주가 심화가 되는 것만으로 끝나지 않고 마니아의 희망도 산산조각 부서져 버릴 거에요. 그리고 무엇보다 그렇게 되면 마니아는 당신을 떠올릴 필요가 없어졌다고 판단해 버릴 것이고, 이 비극 속에서 유일하게 해피 엔딩을 맞이하도록 하는 열쇠인 당신을 마니아가 떠올리지 못하면 이 이야기에 의미가 없으니까요."

　"그렇군요."

확실하게 이나야 씨가 이야기하는 그대로일 것이다. 하지만…. 그럼에도 불만이 사라지는 것은 아니었다.

　"그럼 이제 이나야의 상황을 알았지? 내가 시간이 없다는 것은 앞서 말했듯이 우리는 곧 이 마을을 떠나야만 하기 때문이야. 이나야는 물론, 나도 라이도. 그러니까 되도록 빨리 너에게 견학을 요청한 거야. 조직 건은 너희들에게 절대 해코지 못 하게 손쓰고 떠날게."

　하지만 테라는 아직 납득이 가지 않았다. 무엇 때문에 이나야는 지금 가족들의 품에서 떠나야 하는가. 지금 저주는 무엇 하나 남지 않은 이 상황에서 굳이 이나야가 이곳을 떠날 이유라는 게 있는 것인가. 하나도 이해가 가지 않았다.

　"아까 말했지? 배우는 물러나야 한다고. 도대체 왜 떠나는 거야. 왜 사라지는 거야? 이해가 가지 않아."

　란은 변하지 않았다. 변한 것은 이 세상이지. 아주 오랫동안 이 마을을 지켜본 란이라면 그것을 잘 알 것이다. 마니아는 변했다. 지금의 이나야를 받아 들일 수 있을 정도로 말이다.

　"적어도 마니아에게는 인사하고 떠나. 그것도 못한다고 이야기한다면 이나야 씨, 난 당신을 용서하지 않아."

　테라는 이나야를 잘 모른다. 그녀가 쌓아온 수많은 상처를 테라는 감히 입으로 나열할 수도 없을 것이다. 그래 봤자, 테라 자신은 제삼자. 하지만 테라는 마니아가 받은 상처는 잘 알았다. 그녀에게도 사정은 있고 우리에게도 사정은 있다. 그렇다면 적어도, 적어도 마니아에게 마지막 인사는 해야 한다고 생각했다. 지금 여기서 마니아는 이나야가 살아있다는 사실을 몰라야 이야기가 더욱더 아름답게 끝맺어진다고? 테라는 그런 것은 몰랐다. 단순히 그녀가 마니아에게 자신은 살아있다고 말해주기만 하면 되었다. 테라는 그것밖에 바라는 것이 없었다.

"당신은, 제가 마니아를 마주하지 않으면 저를 용서하지 않을 것이라고 말씀하셨죠. 그렇다면 저는 마니아와 만나지 않을 것입니다. 만약 마니아를 보면 이별이 더욱더 아프고 마니아 역시 그럴 것이에요. 그리고 마니아는 물론 당신도 저를 용서하지 않았으면 해요. 제가 범한 죄는 마니아를 마주하는 것만으로 용서되면 안 돼요. 그게 누구든…."

그녀의 말을 들은 순간 테라는 눈을 찌푸릴 수밖에 없었다. 용서하지 않았으면 한다? 애초에 그런 이야기가 아닌데 이 여성은 잘못 이해하고 있었다. 단 한 번이라도 마니아를 마주해야지 그녀는 구원받을 수 있다. 마니아는 이미 구원받았는데 왜 당신은 그것을 거절하는 것인가. 너무 답답해 미쳐버릴 것 같았다.

그렇게 괴로워하면서 왜 그것에 벗어날 생각을 하지 않는 것인가. 전부 자신을 자책하며 속죄의 길이라고 이야기하면 자신을 몰아붙이는 것인가.

그것은 과거의 테라도 그렇고 란도 그렇고, 라이도, 마니아도, 아리스도, 전부, 전부 같았다. 사람은 역경을 딛고 성장한다. 아리스와 마니아는 자신의 죄를 주변 사람에게 나누는 것으로 앞으로 나아갔다. 테라는 자신의 죄를 지켜야 할 사람을 향한 사랑으로 치환하였다. 모두가 같다. 모두가 자신을 자책하였다. 그리고 그것을 원동력으로 나아갔다. 아마 이나야 역시 마찬가지겠지. 그녀가 가질 것은 죄책감이면 안 된다. 그렇게 해서는 올바른 길로 나아갈 수 없을 것이다. 본인을 구원하는 것도 할 수가 없다. 지금까지의 우리들처럼.

"구원을 바라지 않는 사람 역시 있어."

란은 그렇게 테라에게 말하였다. 누구보다 진지하게, 누구보다 확실하게, 그리고 누구보다 뛰어나게, 항상 우리의 곁에서 누구보다 든든하게 서 있었던 란은 이제 더이상 우리와 같이 걷지 않는다. 아니, 사실 그와 지금까지 같이 걸었다는 사실조차 나의 착각이었을지도 모른다.

이나야는 나에게 고개를 숙이고 그대로 등을 돌려 복도 저편으로 걸어서 사라졌다. 테라는 그녀가 복도를 걸어 병실에서 점점 멀어지는 모습을 가만히 바라볼 수밖에 없었다.

"란, 이나야는 이제 어디를 가는 거야."

"미안."

란은 테라의 한껏 힘이 빠진 목소리가 마음에 걸렸는지 테라에게 짧은 사과를 건넸지만 테라는 지금 그것을 신경 쓸 겨를이 없었다.

"어떻게 된 게 주변 사람들이 다 이해할 수 없는 사람들만 있는 걸까…"

그렇게 테라는 체념한 듯이 고개를 푹 숙이고 팔을 쭉 늘어트리며 병실 바로 앞 벤치까지 천천히 걸어가, 그곳에 털썩하고 주저앉았다. 혹시라도 이번에는 테라가 쓰러질까 봐 걱정이라도 됐는지 곤란한 표정으로 벤치 바로 앞까지 란이 다가왔지만 테라가 손바닥을 쫙 펴서 저지하는 것으로 발걸음을 멈추었다.

"란, 네가 마니아와 아리스한테 그랬잖아. 자신을 자책하는 것은 멍청한 짓이라고. 여러 사람들과 나누라고 이야기했잖아. 주변 사람들에게 민폐라고. 왜, 이나야씨에게는 그렇게 관대한 건데?"

"마니아와 아리스에게는 망설임이 있었어. 그리고 이나야에게는 망설임이 없지. 물론 괜히 부모님의 앞에 나타난 건 민폐라고 말할 수 있지만 그녀는 이미 각오한 거야. 마니아는 그럼에도 각오하지 못했고. 이나야가 바라본 것은 좀 더 짙은 지옥이었어. 마니아는 아직 안일하다고 생각할 정도의 지옥을 겪고 온거야, 그녀를 구원하려고 한 것은 아무리 해도 불가능하더라."

"란 답지 않은데 포기라니."

"저래봐도 마니아는 가장 옅은 종류 중 하나라고."

테라는 자신의 옆에 있는 사람이 몇백 년 동안 살아온 불로불사라는 것을 내심 떠올렸다.

"테라, 궁금한 것은 전부 물어봤어?"

"아니, 하지만 이미 수많은 정보 때문에 무엇을 물어야 이 내용들이 전부 정리될까 생각 중."

일단 그들이 테라에게 그런 정보를 넘기려는 이유도 이해가 가지 않았다.

"아까 전에 내게 이렇게 말했었지, 란? 내가 오스마 부장의 아들이니까, 마니아의 하나뿐인 반려자니까 진실을 알아야만 한다고 했잖아. 마니아는 알겠는데 아빠의 아들은 왜 거기에 끼어 있는 거야?"

란의 표정이 또다시 바뀌었다. 지금 생각해 보면 이 녀석 린이 죽은 뒤로는 표정이 더욱더 풍부해진 기분이 드는 것은 단순한 착각이겠지? 란은 그것을 기억했냐 하고 마음속에 외치기라도 한 듯한 어이없어하는 표정을 짓더니, 어쩔 수 없다는 듯이 한숨을 쉬었다.

"잘도 기억했네. 그것의 이유를 말하려면 또 이야기가 길어질 텐데 괜찮아?"

순간 데자뷰를 느끼며 식겁한 테라는 식은땀을 흘리면서 고개와 손을 재빠르게 젓기 시작하였다. 그 말을 지금 몇 번이나 들었는지 모르겠다. 테라 자신이 지금 느끼는 이 감정이 바로 PTSD라는 것인가. 신선한 체험이었다.

"그냥 나중에 본인에게 물어볼게."

"그래…."

벤치에 나란히 앉은 두 남자는 그렇게 침묵에 침묵을 더해 나갔다. 그리고 그 침묵이 깨진 것은 병실에서 나온 새로운 사람이 그 두 남자, 그러니까 테라와 란을 발견하고 나서였다.

"란, 테라. 밖에서 뭐해?"

"신세 한탄. 라이, 갑자기 여기에 이나야 씨가 왜 나타난 거야? 차라리 나타나지 않았더라면 부모님도 상처받지 않고 끝났을 텐데."

"내가 선택하라 했어. 부모님에게 마지막 인사를 남길지, 그리고 마니아와 마주할 건지 말 건지. 그리고 그녀는 각오를 다지고 가족들 앞에 마주했어."

"그렇게 애매하게 할 거면 안 나오는 게 좋지 않았나? 괜히 부모님들은 상처받고 결국 마니아와 마주하지도 않았잖아. 그리고 마니아의 부모님들도 아무 말씀도 안 하실까?"

"안 하실 거야. 그런 사람들이니까 굳이 마니아에게 이야기하지 않을 거야. 그걸 알고 부모님에게는 한번 모습을 보여준 거지. 자신을 이해할 것이라고 믿고."

"그래도, 굳이 그래야만 했나⋯."

그럼에도 여전히 이해가 되지 않았다. 굳이 그런 짓을 해야만 했을까. 앞뒤가 맞지 않는다. 여전히 납득이 되지 않는다는 테라의 표정을 확인한 라이는 안타깝다는 표정을 지으며 네모난 전등들이 규칙적으로 붙어 있는 천장을 올려다보았다.

"테라, 오늘 이나야와 만나는 게 처음이지? 그 전에 너에게 이나야라는 사람은 어떤 이미지였니?"

"대단한 사람, 많은 사람들을 자신을 희생해서 살릴 수 있는 대단한 사람이라고 생각했어."

즉답이었다. 당연하게 누구라도 그렇게 생각하겠지. 하지만 라이는 예상했다는 듯이 가볍게 테라에게 웃어 보였지만 그것에 대해서 전혀 기뻐하는 표정이 아니었다.

"그녀를 한 번도 만나지 못한 사람이나 오랫동안 함께하지 않은

사람들은 전부 그렇게 이야기하지. 하지만 말이야. 모두에게 사랑
받았으니 사랑을 주었다는 그렇게 형편 좋은 이야기는 아니었어.
사람들은 성녀를, 구원의 천사를 원하기 때문에 그것이 생겨난 것
이야. 그녀는 자신이 자처한 것이 아니라 많은 사람들이 원했던 거
야. 그녀가 성녀라고, 구원의 천사라고. 아무도 강요하지 않았지만
그런 인식이 자리잡히고 자신의 의지조차 사람들을 위한, 그저 사
람들을 위해 희생당하는 장치로 변환된 거지. 그것이 누구의 잘못
이라고 할 수가 없지만 그것 덕분에 그녀는 자신의 의지가 사라져
버린거야."

그는 마음속에 꾹꾹 눌러 담아 놓은 자신의 생각들을 쏟아내듯이
밖으로 내뱉었다.

"방금, 이나야의 행동이 이기적이라고 생각했지?"

"아니 그 정도까지는…."

"괜찮아, 그렇게 생각하는 것은 어쩔 수 없다고 생각하거든. 하지
만 오랫동안 그녀를 지켜봐 온 나의 입장에서는 오랫동안 다른 사
람들을 위해 행동하고 결국 수많은 사람들을 위해 테러범들에게
끌려가 끔찍한 고통을 버틴 그녀가 딱 한번 이기적인 선택을 해도,
자신이 사랑하는 가족의 모습을 마지막으로 보러 가는 것을 선택
해도, 그렇게 나쁜 걸까?"

그는 계속해서 입을 움직이는 것을 멈추지 않았다. 참고 참아왔던
울분을 이곳에서 전부 해방시키는 것처럼 말이다.

"세상에 모든 사람이 원하는 완벽한 사람이란 존재하지 않아. 그

렇게 보이도록 열심히 뼈를 깎아 자신의 마음도 속인 채로 살아갈 뿐이지. 너도 느꼈잖아, 테라. 아리스도 세이비님도 전부 네가 생각한 것과는 조금 다른 사람이었지? 아리스가 자신의 감정을 해방시켰을 때도 느끼지 않았어? 그녀가 자신의 마음을 불태워서 버티고 있다는 사실을 말이야."

아무 말도 할 수 없었다. 다시 생각해 보니 그렇게 생각해 왔던 것 같았기 때문이다. 세이비님의 업적을 들었을 때는 단순하게 대단한 사람으로 생각한 사람, 그리고 다른 사람의 입을 빌려서는 구원의 천사라는 이미지까지 그녀에게 덧씌워졌다. 그리고 이번에 란의 몸을 빌려 나타난 세이비님에게 이미지와 조금 다르다고 느낀 것도 결국은 내가 멋대로 판단한 그녀와 달랐을 뿐이었다.

생각에 빠진 테라를 눈치채지 못한 것인가 아님, 아는데도 계속해서 말하는 것인가 라이의 입은 멈추지 않았다.

"이나야의 부모님은 오래전 그녀가 하는 행동들이 본인의 의지가 아니라는 것을 어느 정도 눈치채고 있으셨어. 그렇기에 이나야는 그들의 앞에 나설 수 있었지. 하지만 마니아는 아니야. 그녀의 시선에서는 다른 사람의 이상으로 그녀를 특별하게 보고 있었어. 가장 가까이서 그녀를 보고 있던 사람이 가장 그녀에게 매료되어 단순한 언니가 아닌 우리가 말하는 구원의 천사로 보고 있던 거야. 그런 마니아에게 지금 자신의 모습을 보여주라는 것은 이나야에게는 너무 가혹한 것이 아닐까."

"그렇구나…. 그랬어. 린도, 아리스도, 세이비님도, 이나야 씨도 전부 그런 시선으로 봤던 거야."

그리고 사실 그 잣대를 사실 란에게서도 들이민 게 아닐까? 란이 테라에게 정보를 알려주기 위해 옥상으로 데리고 가준 그 날 나는 평소의 란이 아니라고 어림잡아 생각했기 때문이다.

그것 말고도 오랜 시간을 버틴 그는 뭐든지 알 것이라고 그에게 보챈 것도, 그리고 그 직후 실망한 것도 테라의 기억이라는 깊고 깊은 바닷속에서 수면 위로 천천히 올라왔다.

테라가 그런 생각을 하면서 란 쪽으로 슬쩍 눈길을 돌렸다. 그 순간을 어떻게 포착했는지 방금까지 아무 말도 안 하면서 진지한 표정으로 바다를 바라보고 있던 란은, 테라의 마음을 읽었다는 듯, 시선을 테라에게 돌려서 굳어 있던 표정을 풀고 이내 기분 좋게 웃으며 고개를 가로저었다.

"테라, 혹시 그렇게 생각한 자신을 책망하고 있니? 그렇게 생각하는 것은 나쁜 것이 아니야. 하지만 이나야를 책망하는 것은 별로 좋은 행동은 아니라는 것은 나도 찬성, 그리고 나에 대해서는 별로 죄책감 같은 것은 안 가져도 돼. 원래 그것을 노리고 행동했거든."

"에? 노렸다고? 물론 원래의 모습이 겉모습과 다르다는 것은 이제야 눈치챘지만 다 생각하고 그런 모습을 보여 준거야? 그건 그것대로 대단한데?"

란은 깜짝 놀라 하는 테라의 반응이 어지간히 마음에 들었는지 얼빠진 테라의 표정을 보며 웃어대기 시작하였다. 그가 웃자 라이도 따라 웃기 시작하고 이내 그 웃음은 머리를 긁적이던 테라에게도 전염되었다.

"그것보다 라이, 너는 왜 마니아한테 말 안 한 거야? 너도 너만의 사정이 있을 거 아니야?"

"응? 나도 대략적으로 이나야와 거의 똑같은 이유야. 물론 지금 와서는 솔직히 나도 그녀의 얼굴을 마주하고 싶지. 하지만 아직 때가 아니야. 그녀가 조직의 손아귀에서 완전히 벗어난 후에 밝혀야지. 물론 내가 그때도 이곳에 남아 있으면 말이야."

테라는 바닥으로 축 내리고 있던 손을 들어 자신의 뺨에 갖다 댔다. 그러고는 상체를 조금 숙이고 뺨을 손에 괴어 비스듬히 고개를 돌린 뒤 라이와 란을 둘 다 한 번에 볼 수 있게 자세를 잡았다.

"흠…. 그럼 왜 이제 이나야 씨는 물론 너도 가족은 물론 우리들과도 함께하지 못하는 이유를 말해줄래?"

눈이 조금 풀린 상태로 던진 질문은 반쯤 아무 생각이 없이 던진 것이었다. 아까부터 수없이 들어오는 질문들을 정리하느라 뇌는 이미 한계점에 도달했고 너무 머리를 돌린 부작용은 피곤함이라는 결과를 불러 왔다. 갑자기 졸음이 몰려오는 것을 겨우 참아가며 앞으로 중심이 기우는 것을 겨우 다리를 지반에 딱 붙여서 지탱하는 것으로 버티고 있었다.

"이유? 이유는 간단해. 우리는 이제 이 현세에 필요 없는 존재이기 때문이야. 세상은 우리를 반기지 않아. 그저 쓰임대로 쓰일 뿐이고 그렇게 쓰임새가 다하면 버려지지. 정말 형편 좋은 이야기야, 천사 시스템은 말이야. 그렇지 않아, 란?"

무언가 시야가 점점 흐려지는 것을 느꼈다. 안돼. 테라, 지금 자면 결국 의문만이 남을 거야.

"기록자의 의견으로 말하자면 신코어시스템은 단순히 그곳에 존재할 뿐이니까. 그리고 보니 트레지티는 이 비극을 어떻게 평가하지? 너무나도 단조롭고 진부한 결말?"

그 둘은 마치 이 자리에 테라가 없다는 것을 상정하고 대화하는 것 같았다. 아 정말, 내가 모르는 이야기만 하고 있으면 어떻게 해. 내 머리는 이미 한계란 말이야. 하지만 그럼에도 테라의 머리는, 테라의 머릿속에 있는 바다는 또다시 정보를 얻기 위해, 쓸어 담기 위해 파도치기 시작했다.

"결말은 독자가 평하는 것이라곤 해도 이번만큼은 주연들이 원하는 결말을 정하라고 말하더라. 이 비극은 끝났지만 그들의 이야기는 끝나지 않았으니까 라고 말하면서 말이야. 정말 언제 그렇게까지 이야기할 수 있게 된 거냐고."

라이의 말이 끝나자마자 란의 모습으로 추정되는 형태가 자신의 머리를 쓸어내리며, 창문이 하나도 없는 복도의 끝을 바라보고 이렇게 말하였다.

"다행이네, 그녀가 깨달았으면 좋겠어. 그런 시스템을 맹신했다가는 자신의 결말은 찾을 수 없을 것이라고 말이야."

"아무렴 어때? 나는 이제 회사로 돌아가서 조직 일을 조금 수습하고 하늘로 돌아가야지."

라이로 보이는 형태는 이내 손을 위로 쭉 뻗어 천장을 가리키는 자세를 취하더니 그대로 벤치에서 일어나서 란이 바라보고 있는 복도의 끝 쪽으로 천천히 걸어갔다.

"라이, 가는 거야?"

"응. 가는 거야, 란. 다시 만날 수 있으면 좋겠네."

"잘 가, 아스타."

발걸음을 옮기던 그가 아스타라는 이름을 들은 그 순간 발소리가 멈췄다. 몇 초 동안 가만히 서 있더니 이내 더 빠르게 들려오는 발소리가 들려오더니 테라의 시야에서 사라졌다.

라이가 사라지자 란은 그제서야 테라에게로 시선을 돌렸다.

"란… 나 너무 졸려… 이거 단순하게 피곤해서 그런 거 맞지? 무언가 능력이라던가 그런 거 아니지."

어디서 본 표정일까. 그는 또다시 란이 아닌 무언가의 표정을 지으며 테라를 바라보아 주었다.

"테라, 마지막으로 말해줄게. 린의 죽음은 단순 사고사였어. 그녀의 안전불감증이 원인이었지. 그날은 밤하늘은 별로 가득해서 정말 아름다웠거든. 그래서 그녀는 단순히 별을 보러 옥상에 올라갔다가 갑자기 강하게 분 바람에 의해서 추락한 거야."

"농담도 심하네 란, 그날 밤하늘에는 별이 하나도 없……."

그래, 란도 분명 오랫동안 살아오는 동안 많이 힘들었겠지. 그러면 그것으로 된 거다. 그녀는 단순한 사고사라고 그렇게 생각하면 된 것이다.

천천히 몰려오는 잠의 기운에서 테라는 결국 벗어나지 못했다. 그대로 앞으로 쏠려 중력의 힘을 그대로 느끼며 지면에 떨어지는 그 순간, 란은 예상이라도 했는지 재빠르게 달려와 이나야 씨에게 한 것처럼 두 팔로 테라의 몸을 받쳐 주었다.

온몸에는 힘이 빠지고 흐려지는 시야는 이제 점점 어두워지기 시작했다. 테라의 눈은 힘이 점점 풀리면서 감기기 시작하였다.

점점 어두워지는 세상에서 란의 얼굴을 바라보는 순간 그곳에 있는 것은 더이상 란이 아니라는 것을 깨달았다. 이번이 몇 번째일까. 죽은 사람의 얼굴을 다른 사람에게 느끼는 것은.

세상이 어두워지기 직전에 테라가 본 것은 분명 다름이 아닌 몇 달 전에 죽은 린의 얼굴이었다. 그녀는 분명 흐려지는 시야 안에서 뚜렷하게 테라에게 미소지으며 귀에다가 이렇게 속삭였다.

"잘 자, 테라."

40

"마니아, 마니아….."

햇살이 마니아의 몸에 내려오고 그 빛이 감겨 있던 마니아의 눈을 간지럽히는 듯하였다. 따뜻한 이불 속에 살짝 오른쪽으로 비스듬히 누워있던 마니아는 누군가가 자신을 부르는 것이 느껴졌다. 감겨 있던 눈을 천천히 열자. 제일 먼저 눈에 들어온 것은 빛, 눈이 부실 정도로 마니아를 내리쬐고 있는 햇빛이었다.

"누구?"

고개를 이러 저리 돌려 마니아가 있는 장소를 확인해 보았지만 그곳에는 아무도 없었다. 마니아에게 주어진 정보는 자신이 지금 하얀색 이불을 덮고 침대에 누워있다는 것뿐이었다.

그리고 이내 자신 몸의 이변을 눈치챈 것은 상체에 힘을 주어 일어나려 했을 때였다. 일어날 수 없었다. 아무리 힘을 주어도 누워 있을 수밖에 없던 것이다. 순간 온몸에 긴장이 흐르며 머리가 회전하기 시작하였다. 불안함을 느끼기 시작하자 이 따뜻한 햇빛조차 거슬렸다.

하지만 다시 들려온 목소리의 정체를 눈치챈 순간 마니아의 불안감은 기대감으로 변하였다. 몇 년이 지나도 절대 잊지 못하는 그 목소리, 마니아의 꿈이자 이상. 나의 삶의 이유. 이나야 언니의 목소리였기 때문이다.

'아…. 이거 꿈인가?'

목소리의 주인을 인식하기 시작하자 세상은 다시 한번 변하고 마니아가 누워있는 침대 바로 옆 의자에 누군가 앉아서 마니아의 손을 잡고 있었다. 이 따뜻한 손, 분명하다. 이나야 언니. 마니아는 그녀의 얼굴을 보기 위해 고개를 위로 올리려 했지만, 무언가에 가로막힌 듯이 얼굴마저 움직이지 않게 되었다.

왜지, 머리를 조금 올리면 그곳에 분명히 이나야 언니가 있는데 움직여지지 않지? 조금만 올리면 분명 내가 오래전에 갈망하던 그 사람이 있을 텐데, 도대체 왜. 마니아는 초조해지기 시작하였다.

"마니아, 나 여기 있어."

언니는 마니아를 안심시키려 하는 듯이 손을 꼬옥 잡고 자신은 여기 있다고, 그러니까 괜찮다고, 마니아의 귀에 속삭이듯 이야기했다. 그녀의 목소리가 마니아의 귀를 타고 뇌에 전달되어 하나의 말로 형성되었다. 그리고 그 말이 감정이 되어, 이야기가 되어 마니아의 머릿속에 울렸다.

"언니…. 나 정말 힘들었어. 정말……."

아…. 언니 목소리다. 이나야 언니가 내 곁에 있다.

마니아는 지금까지 어중간한 신념으로 혼자가 되려 노력했다. 혼자서 절망하였다. 그런 마니아가 이런 말을 해도 분명 위선자라고 욕하겠지. 하지만 어쩔 수 없다. 마니아의 하나뿐이었던, 예전에 공허 저 너머에 두고 온 이나야 언니에게 더이상 만나지 못해 털어놓지 못한 것을 여기서 전부 쏟아내도 괜찮지 않을까? 어리광을 조금 부려도 괜찮지 않을까? 주변에 민폐만 끼치던 나니까 언니에게도 조금은 역겨운 나 자신을 보여줘도 괜찮지 않을까? 라며 마니아는 생각해 버렸기 때문이다.

자신의 머릿속에 있는 수많은 생각이 폭포가 되어 바닥으로 쏟아져 내렸다. 회오리치던 감정들도 그 폭포에 융화되어 하나도 남기지 않고 바닥을 적시고 이내 주변으로 산화하였다. 흘러내린 감정들은 결국 시간이 지나고 말라서 증발하여 버리겠지. 그렇다고 지금 당장 마니아가 느끼는 감정은 거짓말이 아니다.

"언니…. 언니!"

움직이지 않는 몸이었지만 눈물은 멈추지 않았다. 손은 힘이 들어가지 않는데도 뜨거웠고 그 뜨거운 손을 언니는 두 손으로 감쌌다.

그녀의 체온이 마니아의 손에 전해지고 멈추지 않는 눈물이 뺨을 타고 흘렀다. 눈물이 이제 얼굴뿐만이 아니라 침대 이불까지 적시자, 이나야 언니는 마니아의 손을 감싸고 있던 손 중 하나를 자신의 주머니에 넣더니 손수건을 꺼내 마니아의 눈가를 닦아 주었다.

"마니아, 네가 언제 어디에 있든 언니는 이곳에서 너를 기다릴게. 그러니까 마니아, 너의 꿈을 이루고 이곳으로 와 주렴. 이번에는 내 이야기가 아니라 너의 이야기를, 나갈 수 없는 나에게 해주는 거야. 내가 살아갈 이유는 바로 너야, 마니아."

닦인 눈물은 또다시 마르고 과거가 되어 가겠지. 하지만 마니아에게는 지금 이 시간이 무엇보다 소중했다. 비록 이것이 꿈이라고 해도 말이다.

"마니아, 마지막으로 할 말이 있어."

그러고는 몇 분을 뜸을 들이던 그녀는 마니아가 듣고 싶었던 그 한마디를 입 밖으로 내뱉었다.

"마니아, 내가 죽은 것은 마니아 탓이 아니야."

그 순간 마니아가 있던 세상은 사라졌고 반대로 그녀는 눈을 감았다. 방금까지 있던 일이 모두 꿈이 되어가고 또다시 마니아가 눈을 뜰 날을 기대하게 된 것은 아마 변한 자신의 감정 덕분일 것이다.

마니아가 눈을 다시 떴을 때는 어느 정도 예상을 한 상태였기에 오히려 진부하다고 느낄 정도였다. 이번이 도대체 몇 번째인가, 갑자기 기억이 끊겨서 병실에서 깨어난 것은. 익숙한 침대에서 일어난 마니아는 왜인지는 모르겠지만 주변에 사람들이 많다는 것을 느꼈다. 왼쪽에서 의자에 앉아 마니아의 왼쪽 손을 잡고 있는 아리스 언니의 모습이 가장 먼저 보였고, 이내 마니아는 자신의 바로 오른쪽에서 테라가 내려보고 있다는 것도 알아챘다. 침대 앞쪽, 조금 떨어진 곳에서 책장 바로 옆 벽에 기대고 마니아의 쪽을 바라보는 란과 그리고 그 바로 옆에서 울고 있는 엄마를 달래고 있는 아빠를 본 순간 마니아는 '또 많은 사람에게 폐를 끼쳤구나' 하는 생각이 머리를 스쳤다. 그 사람들 말고도 처음 보는 얼굴에 정장을 입은 몇몇 사람들도 보였지만 아마 회사 사람들이라고 생각하고 넘겼다.

가장 가까이에 있는 테라와 아리스 언니를 번갈아 바라보고 마니아는 괜찮다는 표시로 밝게 웃어 보였다. 하지만 테라와 아리스의 얼굴에 깔린 어둠은 쉽게 걷히지 않았다.

도대체 잠들어있는 동안 무슨 일이 일어난 것인가? 마니아의 기억은 회사에서 누군가가 자신을 부른다고 해서 그를 따라간 것을 기점으로 끊겨 있었다.

"무슨 일이 있었던 거야?"

"마니아, 모르는 사람 함부로 따라가는 거 아니야."

"뭐야, 그 어린애한테 하는 말은."

의미를 알 수 없는 테라의 말에 마니아는 발끈하면서도 자신의 머리에 생긴 위화감을 느낀 마니아는 자신의 오른쪽 손을 머리에 가져다 댔다. 그곳에 느껴지는 감촉, 그것은 피부의 것이 아니라 바로 붕대의 감촉이었다. 테라의 이야기를 들어보니 머리를 무언가로 가격당했다고 하였다. 이상하게 아픔은 전혀 느껴지지 않았지만 말이다.

마니아를 데리고 간 사람은 조직 쪽의 사람들이었고, 회사에서는 설마 이렇게 대담하게 본진에 침투해서 목표를 데리고 사라질지는 몰랐기 때문에 회사 쪽의 발견이 늦어졌다고 했다. 이상함을 눈치 챈 한 직원이 나와 그 첩보원을 미행하였고 들켰다고 생각한 첩보원은 마니아의 머리를 무언가로 가격하고 도주하였다. 그 뒤 회사원들이 몰려와 병원으로 이렇게 옮겨졌다는 것인가.

"너 말이야…. 아무나 따라가면 어떡해. 진짜 죽는 줄 알았다고. 호라스 씨가 눈치 못 챘으면 정말 큰일 났어."

"호라스 씨?"

자신의 이름이 불려진 것을 들었는지 입구 부근에 서 있던 하늘색 머리의 장신에 정장을 입은 남성이 침대 쪽으로 걸어오곤 마니아에게 손을 뻗어 악수를 요청하였다.

"안녕하세요, 제가 오늘부터 마니아씨의 경호를 맡은 호라스입니다."

"네, 호라스 씨. 구해주셔서 감사합니다…. 에?"

"호라스 씨가 경호하는 거예요?"

마니아와 테라가 동시에 소리치자, 호라스 씨는 곤란하다는 듯이 하하 웃어 보더니 잘 부탁한다는 인사를 한 번 더 건네고 뒤로 물러났다.

"테라, 그럼 견학은?"

"당연히 중지지."

마니아는 조금 아쉬웠다. 좀 더 회사를 알아볼 기회였는데 말이다. 자신이 갈 길이 좁혀질 것 같기도 했고 말이다. 마니아가 실망한 듯한 표정을 테라는 알아챘는지 테라는 다음에 다시 가면 된다는 말을 하며 마니아의 기분을 풀어주기 위해서 이것저것 열심히 말하기 시작하였다. 그런 테라를 뒤로 하고 왠지 아리스 언니의 상태가 안 좋아 보이는 것은 왜일까. 아리스는, 아까부터 마니아의 오른쪽 손을 놓지 않고 무언가 고민하는 듯 굳어 있는 표정으로 계속 잡고 있는 손만 바라보고 있었다.

"언니? 왜 그래?"

마니아의 관심이 자신에게 향한 것을 느꼈는지 그제서야 아리스는 잡고 있던 손을 놓고 어색한 웃음을 지으며 고개를 가로저었다. 아무것도 아니라고 신경 쓰지 말라고 이야기하는 것처럼 말이다.

"여어~ 깨어났나, 잠자는 공주."

아리스 언니의 상태가 이상해 보여 마니아는 말을 걸어보려 했지만 그럴 틈도 없이 병실 문이 열리고 왠지 신비한 분위기의 여성이 나타났다. 그녀는 검은색에 가까운 긴 머리카락에 오른쪽 눈에 안대를 쓰고 있었다. 그저 장식인가? 아님, 눈이라도 안 좋은 것인가 라는 생각이 들 찰나 '잠자는 공주'라는 것이 자신을 칭한 것를 깨달은 마니아는 얼굴을 새빨갛게 물들였다.

"파니타 씨? 아직 안 갔어요?"

테라가 놀라며 그녀에게 다가가더니 어깨를 잡고 그대로 돌려 병실 바깥으로 밀려고 하였다. 그리고 그 순간 두 번째 외침이 병실에 울려 퍼졌다.

"할머니?!"

그 외침의 주인은 바로 아리스 언니였다. 방금까지 침울해져 있던 얼굴은 어디 갔는지, 누구보다 놀란 표정으로 파니타라고 불린 여성 바로 앞으로 다가가 테라를 옆으로 밀고 정면으로 섰다.

"할머니 맞아요? 할머니네!"

기쁜 듯한 목소리, 그녀와 아는 사이인가. 아리스 언니는 마니아가 처음 보는 감격에 가득 찬 표정을 보여주더니 그대로 그 여성에게 안겼다. 마치 자신의 부모에게 안기는 것처럼 말이다.

"할머니. 보고 싶었어요."

"아리스, 오랜만이구나. 잘 지냈니?"

"네, 할머니."

상황이 하나도 이해가 가지 않았다. 아무리 높게 잡아도 30대로 보이는 그녀가 할머니라는 것도 이해가 가지 않았고 무엇보다 처음 보는, 아리스 언니의 기뻐하는 표정을 보니 조금 질투가 나기도 하였다. 테라는 체념한 것처럼 눈을 감고 고개를 돌렸고 이내 책장 바로 옆에 붙어 있던 란을 노려 보았지만, 란은 그 눈빛을 코웃음치는 것으로 받아쳤다.

"여러분 소개할게요. 제 할머니예요. 피는 이어져 있지는 않지만 제가 존경하는 분입니다."

"처음 뵙겠네. 파니타라고 하네."

"저, 혹시 나이가…."

무례를 무릅쓰고도 자신의 머릿속에 피어오른 호기심을 포기할 수 없었던 마니아는 결국 입을 열어 금기의 말을 꺼내고 말았다. 순간 병원의 공기가 싸해지는 것을 느낀 마니아는 곧바로 자신이 내뱉은 말을 후회하게 되었지만 말이다.

"몇 살 같아?"

다행히 질문을 받은 본인이 재치있게 답한 덕분에 굳어버린 분위기는 순식간에 풀어졌다.

"근데 파니타 할머니는 여긴 어쩐 일이야?"

"마니아가 실려 갈 때 나도 때마침 그곳에 있었어."

"아직도 회사에서 일하고 있었구나?"

"그럼, 아직도 현역이지."

아리스 언니와 파니타 할머니만의 이야기가 시작되었고 마니아는 그사이에 전혀 낄 수가 없었다. 언제 밖으로 나갔는지 엄마 아빠의 모습도 사라져 있었고 저 멀리서 광경을 지켜보기만 하던 란은 아리스 언니 쪽으로 가서 그 둘의 사이에서 이야기하기 시작하였다.

그 모습을 그저 바라볼 수밖에 없던 마니아는 조금은 쓸쓸한 기분이 들어 고개를 오른쪽으로 돌렸다. 그곳에는 테라가 웃으면서 마니아를 내려다보고 있었는데, 그제서야 안심된 마니아는 그를 올려다보았다. 그래, 테라는 언제나 자신의 옆에 있어 준다.

"테라."

"왜~"

"나 꿈에서 이나야 언니를 만났어."

갑작스럽게 나온 이나야라는 이름에 놀랐는지, 아니면 다른 이유라도 있는지 테라는 눈을 크게 뜨며 당황하였다.

"근데 이나야 언니가 나에게 말 해줬어. 자신이 죽은 것은 내 탓이 아니라고. 단순한 꿈이겠지."

입을 한껏 벌리고 넋이 나간 채로 몇 초 동안 마니아의 얼굴을 뚫어져라 바라보던 테라는, 이내 무언가를 깨달았는지 표정을 누그러트리며 무언가에 감사하는 것 같기도 하고 안심하는 것 같기도 한 애매한 표정을 지으며 마니아의 머리를 쓰다듬었다.

"그건 아마도 단순한 꿈이 아닐 거야. 그건…."

또다시 몇 초간 뜸을 들이며 무언가를 고민하더니 바로 다시 말을 덧붙였다.

"그건, 너의 언니의 진심일 거야."

테라의 말을 들은 순간 마니아는 자연스럽게 입꼬리가 올라가는 것을 느꼈다. 지금만큼은 아니, 지금밖에 기회가 없었다. 이나야 언니의 미소를 떠올리는 것은 말이다. 입꼬리를 올리고 입을 벌린 채 누구보다 환하게 웃어 보인다. 예전의 언니처럼, 린처럼 누구보다 밝게, 누구보다 사랑스럽게 자신만의 미소로 말이다.

제8장 폐막

41

뜨거운 여름이 지나고 서늘한 가을을 거쳐 차가운 겨울이 찾아와도 봄은 다시 돌아온다. 마치 그날 춥고 어두웠던 칠흑의 밤이 지나고 밝은 내일이 찾아오듯이 말이다.

고등학교를 무사히 졸업한 마니아와 테라는 결국 <레이아스>, 통칭 회사에 입사하였다. 둘이 나란히 그곳에 들어간 이유는 단순했다. 마니아를 둘러싸고 있던 음모나 여러 가지 사건의 진실을 찾아내기 위해서, 그리고 자신들의 몸을 지키기 위해서였다. 물론 경호는 마니아가 회사에 들어가기 전까지 계속됐지만 말이다.

테라의 성적은 애초에 중상위권에 계속 머물렀기에 조금만 더 힘을 내면 대학을 진학하고 바로 취업할 수 있었지만, 문제는 마니아였다. 그렇게 성적이 나쁘지도 좋지도 않던 마니아는 본인 나름대로 열심히 하였고 테라도 그녀를 도와줬다.

그렇게 열심히 공부한 마니아와 테라는 원하는 대학에 붙는 것을 성공하였고 대학에 다니면서 자연스럽게 자취를 시작한 테라와 마니아는 그와 동시에 동거도 시작하였다. 그렇게 대학을 같이 다니고 순탄하게 회사의 입사까지 완료하였다.

라이는 이미 테라가 회사에 입사했을 때 모습을 감추었고 란 역시 마니아가 머리를 맞아 쓰러진 날 아리스에게 아무 말도 하지 않고 여행을 떠나 버렸다고 했다. 라이는 그렇다 쳐도 란은 아무 말도 안 하고 가다니. 참 너무한 녀석이라고 생각했다. 아리스의 마음도 조금은 이해하라고 바보 녀석.

네스 형은 조금 남아 있던 사고의 여파의 후유증마저 털어내고 의사의 생활로 다시 돌아왔다.

자신의 아버지가 있는 지원부서로 간 테라는 아버지의 밑에서 일하기 시작하였다. 물론 마니아도 같이 말이다. 공정하게 뽑는다고 호언장담하던 회사의 기준에 사실 어느 정도 비리라도 있는 것이 아닐까 하는 의심까지 들 정도로 너무 맞아떨어지는 상황이었지만, 테라야 뭐, 마니아와 함께 하는 것만으로도 상관없었다.

"모두 잘 지내. 라이."

실제로 죽지는 않았지만 테라는 지금까지 마니아와 함께 그녀의 언니 이나야 씨는 물론 사촌 오빠인 류에이 아스타, 즉 라이의 성묘를 다녔다. 그 날은 봄이 지나고 여름이 되어 사촌오빠의 기일이 다가오자 들린 성묘였다. 마니아는 라이의 묘비 앞에 도착하자마자 뭔가를 잊었다고 하며 우리가 왔던 주차장으로 뛰어갔고 테라는 그녀의 뒷모습을 뒤로하고 라이에게 말을 걸었다. 마니아가 없을 때만 할 수 있는 말이 있으니까 말이다.

"라이, 너는 도대체 어디로 향한 거니?"

"어머? 테라 선배?"

묘비 앞에 쭈그려 앉아 라이에게 말을 걸고 있을 찰나 등 뒤에서 어떤 여자의 목소리가 들려왔다. 익숙한 목소리라고 생각하여 고개를 뒤로 돌리자 역시나 그곳에는 학교 후배, 아직 교복을 입고 있는 메타티아가 그곳에 서 있었다. 그녀의 손에는 꽃다발이 들려 있는 것으로 보아 테라와 같은 목적으로 묘지에 들른 것이다.

"메타티아? 오랜만이네. 너도 성묘? 그러고 보니 오빠가 20인 학생의 희생자라면서?"

"네, 하지만 오늘은 그것 때문에 온 게 아니에요."

그녀는 그렇게 말하고는 쭈그려 앉아있는 테라의 바로 옆에 서서 묘비 바로 앞에 꽃을 올리고 다시 뒤로 물러났다. 이 묘는 분명 류에이 아스타의, 라이의 묘인데 어째서 그녀가 헌화하는 것인가. 류에이 아스타와 아는 사이였던 것인가. 무언가 사연이 있는 것이 확실하였다. 테라의 바로 뒤편에 선 그녀는 아련한 표정으로 묘비를 아무 말도 하지 않고 가만히 쳐다보더니 이내 고개를 한번 숙이고 그대로 마니아가 사라진 주차장의 반대편으로 몸을 돌렸다.

"메타티아, 너 아스타랑 아는 사이야?"

"글쎄요. 알았지만 내일의 나는 더이상 모르지 않을까요?"

"응? 그게 무슨 소리?"

의미를 알 수 없는 후배의 말을 듣고는 그녀의 뒷모습을 쳐다보았지만, 그녀는 이미 저 멀리 걸어나간 후였다. 방금 그건 무슨 말이었을까. 내일의 나는 더이상 모른다? 정말 테라는 자신의 주변에는 저런 사람밖에 없는 것인가 하고 불평을 늘어놔도 전혀 이상하지 않은 상황이었다.

메타티아가 저 멀리 사라지기 직전에 주차장으로 뛰어간 마니아가 그제서야 나타났다. 무언가 커다란 가방을 들고 누가 봐도 발랄해 보이는 발걸음으로 총총 뛰어 걸어온 마니아는 길 반대편을 바라보고 있는 테라를 발견하고, 친근한 말투로 이름을 부르면서 다가왔다. 이내 내가 심각한 표정을 짓고 있는 것을 알아차렸는지 앉아있는 내 바로 옆까지 와 놓고는 고개를 갸우뚱거리며 내 눈치를 살피고 있었다.

"뭐야, 마니아. 뭐를 두고 왔길래⋯."

"테라, 왜 그래? 상태가 안 좋아 보이는데?"

물론 신경이야 쓰이지만 마니아가 걱정할 만한 것은 아니었기에 테라는 바로 눈을 크게 뜨고 괜찮다는 듯이 고개를 끄덕였다. 쭈그리고 앉아있던 몸을 일으켜 마니아가 들고 온 꽃을 묘비 앞에 헌화했다. 마니아는 그 모습을 보고선 이미 올라 가져 있는 꽃을 발견했는지 테라에게 물었다.

"이거 꽃, 언제부터 올려져 있었어?"

그녀의 질문에 고개를 갸웃거리면서도 과연 이것을 알려 줘야 할까 싶은 내적 갈등이 수십 초간 테라의 머리를 스쳐 지나갔다. 그러나 굳이 숨길 이유도 없었고 아는 후배가 두고 갔다고 이야기해 주었다.

"누구?"

"메타티아."

"누구야, 그 사람은."

"몰라? 아, 모를 만도 한가. 너랑 직접적으로 이야기한 적은 없겠구나."

메타티아는 같은 동아리를 다니는 후배였다. 그리 많이 말하는 사이는 아니었는데 예전에 할아버지 성묘 때문에 묘지에 왔을 때 만나는 것을 계기로 이야기를 자주 나누게 되었다.

"메타티아도 20인의 학생 중 한 명인 사람이 자신의 오빠라서 이곳에 자주 온대. 아스타 씨를 왜 알고 있는지는 잘 모르겠지만 말이야."

"그럼, 매년 나 말고 류에이 오빠에게 헌화하던 사람은 그 후배인가?"

"무슨 소리야?"

마니아는 매년 헌화하기 위해 아스타의 묘비에 왔는데 그때마다 자신 말고 누군가가 그의 묘비 위에 꽃을 올려두고 갔다고 했다. 그 당시 마니아는 도대체 누구일까 싶어 매년 평소보다 일찍 가서 확인해 보고 어떨 때는 잠복까지 했었지만, 그 사람은 자신이 잠시 한눈을 파는 사이에 두고 가버렸다고 한다.

"정말 할 짓이 없었구나…."

테라의 한심한 눈빛을 마니아는 익숙하다는 듯이 무시해 버리고, 자신의 허리에 손을 올리며 드디어 기나긴 의문이 풀렸다면서 의기양양하게 주먹을 굳세게 쥐었다.

그렇게 좋은 거냐.

마니아의 이야기를 들어보니, 반대로 생각해 보면, 단순히 타이밍 때문에 마니아와 만나지 않았다기에는 몇 번이나 반복되어서 우연으로 치부하기에는 조금 어려웠다고 한다. 그렇다면 사실 마니아의 존재를 알고 있다고 의심이 되는 것은 당연했다. 그렇게 되면 메타티아는 일부로 마니아가 오는 시간대를 전부 파악하거나 먼저 그녀를 눈치채서 그녀의 모습을 관찰하고 피해서 갔다는 것이다. 오히려 마니아도 독하지만 메타티아도 메타티아 나름대로 독한 후배인 것 같았다. 아는 사람의 다른 내면을 알게 된 것은 과연 괜찮은 것일까 라고 테라는 생각하였다.

꽃을 묘비에 두고 절차를 마친 뒤 마니아와 테라는 묘지를 등지고 주차장으로 향하였다. 최근에 뽑은 자신의 차에 올라탄 테라는 마니아와 함께 다음 일정을 이야기하며 주차장을 빠져나왔다. 나가는 길에 인도를 천천히 걸어가는 메타티아의 모습이 순간 창밖에서 비쳤다. 그녀가 들고 있던 꽃은 어디로 갔는지 하나도 남아 있지 않았고 그녀의 표정은 무언가 영혼이 빠진 듯해 보였다. 테라의 눈에는 무언가 상태가 이상해 보였기에 도와줘야 하는 것이 아닐까 생각할 찰나, 눈을 한번 깜빡이는 그 순간 테라의 시야에서 그녀의 모습은 이미 사라진 후였다.

테라가 회사 생활에 익숙해지고 어느 정도 시간이 흘렀다. 회사는 라이가 사라진 후 새로운 대표가 자리를 잡았고 라이가 초석을 깔아둔 회사의 방향성은 더욱더 발전하여 앞으로 나아가고 있었다. 테라와 마니아가 일하는 부서는 지원부서로, 파견 부서가 부족한 인원을 충당하거나 이쪽 계열 부서들을 총괄하는 역할을 맡고 있었다. 당연하게 부장인 테라의 아빠 오스마 부장님이 이 부서를 이끌고 있었고 전에 나름대로 면식이 있었던 아이키 씨나 에리타 씨도 이곳에서 일하고 있었다.

하지만 성묘를 하고 메타티아를 목격한 그 날 이후 회사에 다시 출근했을 때는 무언가 달라졌음을 느꼈다. 왼쪽 자리에는 분명 에리타 씨가 있었고 그녀의 자리 바로 뒤에는 아이키 씨가 항상 그곳을 지키고 있었는데 오늘은 달랐던 것이었다.

테라는 오스마 부장님, 즉 자신의 아빠에게 아이키 씨와 에리타 씨의 행방을 물었다. 하지만 아빠에게 돌아온 대답은 '모른다'였다.

말이 되는 것인가? 회사의 상사조차 모른다면 도대체 누가 안다는 것인가. 답은 하나밖에 없다.

"가족."

테라는 조금 죄책감은 들었지만 오래전 라이에게 귀띔으로 들었던 회사의 정보망을 사용하게 되었다. 테라가 그 정보망을 사용할 수 있었던 것은, 라이가 테라의 이름을 화이트리스트에 은근슬쩍 넣어 놨기 때문이었다. 이를 파니타 씨의 말 덕분에 알게 되었다. 그리고 그 정보망을 이용하여 알아낸 결과는, 그들의 정보가 하나도 남아 있지 않다는 충격적인 사실이었다.

"이나야에 살고 있지 않는다고요?"

"네. 살고 있지 않아요."

기이한 일은 아직 끝나지 않았다는 것이다.

회사 생활은 중반으로 접어들고 1년이나 시간이 지나갔다. 마니아는 몇 달 전 테라를 따라 원하는 것을 얻기 위해 시작한 회사 생활에 마지막을 고했고 결국 퇴사하여 오래전 접어 두었던 소설가의 꿈을 좇아가기 시작하였다. 물론 테라도 그녀를 따라가 서포트하고 싶었지만 무언가 걸리는 것이 아직 남았기 때문에 잠시 회사에 남기로 하였다.

갑자기 사라진 주변 사람들, 알고 보니 사라진 것은 에리타 씨나 아이키 씨만이 아니라 호라스 씨도 사라졌고 메타티아도 행방불명이 되었다. 이나야 고등학교의 학생 명부에 있었을 터였던 메티타아의 정보도 전부 다 사라졌고 에리타 씨와 아이키 씨처럼 호라스 씨가 어디로 갔는지도 아무도 알 수 없었다.

점심시간, 테라는 회사 뒤편에 있는 작은 공원 벤치에 앉아 한숨을 내쉬며 푸른 하늘을 바라보았다. 테라는 회사에 들어온 후 지금까지 귀에 들어오는 정보를 전부 노트에 필기하여 정리해 두었다. 그 결과물은 항상 테라의 바지 오른쪽 주머니에 넣어 두고, 그것을 점심시간마다 공원에 와서 읽어보며 머릿속을 정리하는 것이 테라의 일과가 되었다.

테라가 그렇게 바람을 쐬고 따뜻한 날씨를 느끼면서 한가한 오후를 만끽하고 있을 때 인적이 드문 이 장소에 오는 별난 사람이 저 멀리서 걸어오고 있었다.

솔솔 부는 바람에 따라서 검은색 머리카락과 흰색 긴 코드를 휘날리며 다가오는 그 모습, 아마 이 회사에 그런 차림을 하고 있는 사람은 단 한 사람밖에 없을 것이다. 고개를 당당히 들고 걸어오는 모습은 아무리 시간이 지나도 전혀 변하지 않았는데 그것이 특징이라고 할 수가 있었다. 그녀는 천천히 걸어와 테라의 바로 옆에 앉더니 대뜸 안부 인사를 건넸다.

"아리스는 잘 지내는가?"

"직접 보러 가시지, 물론 잘 지냅니다. 원장님이 은퇴하시고 고아원 원장을 이어받았다고 하더라고요."

설마 원장직이 되다니. 테라는 조금은 믿기지 않았지만 왠지 어울리기도 했고 잘 해낼 것 같았기에 안심이 되었다. 원장님과는 어릴 때부터 알던 사이였고 고아원을 세운 것이 아리스의 어머니시니까, 사실상 그녀가 이어받는 게 맞기도 하였고 말이다.

"결국, 고아원 원장인가… 자네는 잘 지내나?"

"네…."

그러고는 테라는 입을 다물었다. 바람은 계속해서 불었고 하늘에 구름은 여전히 하얀색이었다. 나뭇잎이 부딪치며 내는 소리가 상쾌하게 느껴질 정도로 정말 좋은 날씨였다.

테라는 순간 옆에 사람이 앉아있다는 사실도 잊어버린 채 하늘을 바라보고 있다가 이내 옆으로 고개를 돌려 파니타 씨를 바라보았다. 침묵은 별로 어색하지 않았는지, 파니타 씨는 테라와 똑같은 표정으로 하늘을 바라보고 있었다.

"뭐 하는 거예요?"

"너야말로?"

동기화라도 된 것일까. 너무나도 똑같이 행동한 자신들이 어이가 없었는지 고개를 갸우뚱거리던 둘은 이내 웃음이 터지고 말았다.

이 상황 자체가 어이가 없었기 때문이다. 한바탕 웃고 나서 파니타
는 자리에서 일어났다.

"어디 가세요?"

"연구실, 다시 돌아가야지."

"정말 바쁘게 사는 것 같네요. 파니타 씨는."

테라는 힘들겠다…. 라고 동정 아닌 동정을 자신의 머리에 떠올렸
지만, 왠지 이 사람의 성격상 단순히 해야 하므로 그렇게 빡세게
하는 것은 아닌 것 같다는 생각이 들었다. 테라가 인사를 건네며
돌아가려는 그녀의 손을 낚아챈 것은 그 직후였다. 아직 풀리지 않
은 여러 가지 미스터리와 묻고 싶은 일이 더 생겼기 때문이다.

"왜 그러지, 테라군?"

생각보다 보기 힘든, 그녀의 의아한 듯한 표정이 얼굴에 떠올랐지
만 파니타 씨는 바로 의도를 알아차렸는지 곧바로 다시 벤치에 착
석하였다. 수석 연구원쯤 되려면 눈치도 엄청 좋아야 하는 것인가.

"파니타 씨, 제가 아직 못들은 게 있는데요…."

테라는 지금도 신경 쓰고 있었다. 그 죄를 짊어지고 마니아와 함
께하기로 맹세를 하였는데도 말이다. 이미 벌어진 일은 어쩔 수 없
었다. 하지만 납득이 가지 않았다. 왜 그날 테라는 그녀의 목을 졸
라야 했나. 아무리 생각해 봐도 부자연스러웠기 때문이었다. 공허
에 삼켜졌다고 란이나 라이에게 잠깐 들었지만 그렇다고 해도 이
해가 가지 않았다.

"란이나 라이한테 전부 들으셨다고 생각하는데 저는 도대체 그

날 마니아의 목을 졸라야 했을까요? 그렇게 악감정 같은 것은 없는데…. 공허에 사로잡히면 원래 그런 건가요?"

"그것을 알면 무엇이 바뀌지? 본인의 탓이 아니라는 것인가?"

"질문이 짓궂어요. 파니타 씨, 그 말이 아니라 이미 일어난 일은 돌이킬 수 없고 만약 직접적인 원인은 내가 아니라도 내가 그녀의 생명의 위협한 사실은 사라지지 않으니까요. 그러니까 이건 단순히 제 납득의 문제입니다."

테라의 말을 듣자 파니타 씨는 자신의 오른손을 턱에 갖다 대고 골똘히 생각하기 시작하였다. 파니타 씨는 생각에 빠졌을 때 오른손을 턱을 만지는 것이 습관인 듯했다.

"둘의 상황으로 보아 공허가 너에게 넘어갈 조건은 전부 충족됐어. 물론 너에게 있던 망각의 저주 때문에 어느 정도 공허가 자리 잡고 있었지만 그렇게 강하게 작용하지 않았지. 네가 기억을 잃은 것은 장치의 영향이 더 크니까. 그러니까…."

파니타 씨가 빠른 박자로 혼잣말을 시작하였다. 저렇게 자기 생각을 입으로 내뱉는 것은 다른 사람이 들으라고 하는 말이 아닌 자신의 생각을 말로 하여 다시 확인하고 정리하기 위한 과정이라 그냥 대답하지 않고 가만히 기다리면 알아서 결론을 내려 줄 것이다. 물론 테라처럼 그녀를 많이 겪은 사람이나 그런 반응을 할 수 있지 역시 초면이나 그녀의 성격을 모르는 사람은 아마 이 장면을 보는 것으로 파니타 씨를 기피하게 될 것이다.

물론 파니타 씨는 그것을 전혀 신경 쓰지 않는다. 그렇기에 더더욱 문제가 되지만 말이다. 처음 보는 사람에게는 조금 내숭을 떨면 어디가 덧나나? 물론 반대로 테라는 그녀의 내숭을 상상도 할 수 없지만 말이다. 그래도 평소에는 생각보다 더 타인을 신경 써주고 말도 그리 어렵게 하지 않으시니 나쁜 사람은 아니다. 파니타라는 사람은 말이다.

"테라군, 그 날 너는 어떤 생각을 했지?"

"그게…. 잘 생각이 안 나서…."

솔직히 말하자면 테라는 그날의 대부분 기억을 잃었다. 눈치를 채니 자신의 손이 그녀의 목에 있었고 그것을 눈치챘을 때 이미 늦었다는 사실만이 테라의 머릿속에 선명하게 남아 있을 뿐이었다.

"혹시, 마니아의 증오의 감정을 느끼거나 나 자신이 그녀라고 생각하지 않았나?"

"어…. 솔직히 잘 기억은 안 나지만 그랬던 것 같기도 해요."

"공허의 영향으로 그 날의 기억은 잘 안 나는 것인가? 이건 가설인데 아마 공허의 특성은 연쇄되고 사람을 타고 연결된다는 것이야. 그렇다면 수많은 공허를 받아들여 버린 마니아가 공허의 의지와 동화되어 너에게 넘어가지 않았을까 생각이 드는데?"

"그게 무슨 소리인가요?"

"간단하게 말하자면 그녀가 자신을 죽여줄 사람을 찾고 있었기에 그 역할을 너에게 넘긴 것이 아닌가 라는 것이지."

그 후 그녀의 입에서 나온 것은 감정의 공유라는 하나의 개념이었다.

"혹시 그 당시 자신의 것이 아닌 감정이 자신의 감정과 합쳐진다는 것을 느꼈다던가. 왠지 무언가의 의지가 억지로 내 감정들을 지배하던가 같은 기분을 느끼거나 하지 않았나?"

"흠…. 잘 모르겠네요."

턱을 만지고 있던 그녀의 손은 언제 어디서 꺼냈는지 펜 하나를 꺼내 빙빙 돌리고 있었는데 그것 역시 그녀가 자신의 의견을 말할 때의 버릇이었다.

"그 날 너의 저주의 형태를 직감한 그녀가 자네 역시 자신의 저주 때문에 그렇게 되었다고 멋대로 자책하고 자신을 죽여달라고 무의식적으로 생각하였다. 가장 강한 감정에 들러붙는 공허는 그 의지를 들고 사방으로 퍼졌다. 마침 그곳에서 가장 적성이 좋고 가까운 사람이 테라였고 마니아에 비해서 공허의 양이 적은, 테라의 안은 비어 있는 것을 채우려고 하는 특성을 가진 공허가 그곳을 마니아는 죽어야 한다는 의지로 채웠다. 결국 그 의지가 테라의 뇌리에 박혀 행동이 되었다…. 어때 괜찮은 가설이지 않나?"

"용케도 그런 것을 연구해서 특성까지 알아내셨네요."

"성서의 해석에서 나온 결과지. 성창도 사실 공허의 힘을 참고한 것이고 말이야. 감정의 공유와는 배척되지만 결론 그 창은 신을 죽이는 무기였으니까."

신을 죽이는 무기? 롱기누스가 말인가? 하지만 일단 테라에게는 그것이 중요한 것이 아니었다. 결론으로 보자면 감정의 공유, 그리고 의지의 동기화 때문에 테라가 그녀를 해쳤다는 것이다. 단순한 가설이었지만 일리가 있다는 것도 알고 만약 그것이 사실이라면 정말 자신을 한심하게 느낄 수밖에 없다.

"애초에 공허를 받아들인 나의 잘못인가…. 너무 무능하잖아. 저주는 별것이 아니라고 란이랑 라이가 말했는데, 쓸데없이 저주에 걸리기나 하고…."

"나는 말이네, 테라군. 인간의 마음속에는 누구나 심연이라는 넓은 바다를 가지고 있다고 생각하네. 아주 어둡고 깊은 심연을 말이야. 그리고 인간은 계속해서 그 공허로 넓혀져 있는 바다에 무언가를 담으려고 하지. 계속해서 욕심을 내서 넓힌 바다에는 쓸데없는 것까지 담은 결과 결국 무너지고 마는 거야. 어떻게 보면 우리가 천사계의 통과지점이라고 할 수 있는 그곳도 누군가의 머릿속에 있는 심연이 아닐까 하는 생각이 들기도 한다네. 그리고 공허는 그 심연을 채우려는 인간의 욕심으로 이루어져 있지 않을까 하고 말이야."

그렇게 한참을 떠들던 파니타가 갑자기 조용해졌다. 위로하는 것도 아니고 반대로 꾸짖는 것도 아닌 알 수 없는 말만 하고 말이다. 침묵이 계속되자 이상함을 느낀 테라가 그녀에게 다시 고개를 돌렸을 때는, 그녀답다고 해야 할까. 보는 테라가 보기에는 어이가 없는 상황이 펼쳐졌다. 그녀는 자신의 가설이 꽤나 마음에 들었는지 언제 꺼내 들었는지 모를 자신의 수첩에 가설들을 정리하고 있었다.

테라는 그 모습을 어이없다는 표정으로 쳐다보다가 이내 자신도 필기를 해야겠다 생각이 들어서 파니타 씨와 똑같이 노트를 펴서 펜으로 열심히 적기 시작하였다. 누군가 자신들을 본다면 조금 우스운 상황이 연출 되었을 것이라 생각하니, 테라는 왠지 모르게 웃음이 나오기도 하였다.

필기를 전부 끝내고 테라는 곧바로 두 번째 고민거리를 그녀에게 털어놓았다. 바로 아이키 씨, 에리타 씨는 물론 호라스 씨, 메타티아마저 사라졌다는 것에 대해서 말이다.

"흠, 사람의 증발인가…. 실제로 회사에서도 사라진 것이 한두 명이 아니긴 하지. 단순한 집단 행방불명이라 넘겨도 좋긴 하다만 우연이 연속되면 필연이라는 말인가."

"네, 행방불명된 사람들의 공통점을 생각해 보았는데도 전혀 떠올려지지 않고…."

"사라진 사람 리스트를 넘겨주게."

테라는 바로 노트의 빈 종이 부분을 뜯어 리스트를 작성하고 파니타 씨에게 넘겨주었다. 파니타는 리스트를 골똘히 보다가 이내 무엇을 깨달았는지 왼쪽 집게손가락과 엄지손가락을 딱! 소리가 들릴 정도로 크게 튕겼다.

"이 구성원, 마니아 대책팀에 배치된 인물들이야. 회사에서 직위가 높은 나는 열람 가능한 정보였으니까 말이야."

"마니아 대책팀? 그게 뭐예요?"

"뭐 간단한 거야. 마니아에게 행해지는 조직의 관여를 막기 위해 아스타…. 아 실례, 라이 대표가 만든 팀이야. 그 팀에 배정된 게 이 리스트의 사람들이고."

"그렇군요…. 이나야 씨도 호라스 씨도 에리타 씨, 아이키 씨도 전부 마니아를 위해서 움직이셨군요."

그렇다면 테라는 만약 다시 만나게 된다면 감사 인사를 전해야겠다고 생각하였다.

"그런데 그 대책팀 전체가 증발했다면 당연하게 천사와 관련 있지 않을까 생각이 든다만."

"예? 도대체 왜 그렇게 되는 거예요?"

파니타의 표정이 어두워졌다. 그녀에게 있는 감정은 그저 환희, 그리고 무감각밖에 없었을 줄 알았는데 지금 그녀의 표정은 명백하게 애석함이었다.

"라이는 하늘로 돌아간다고 이야기하지 않았나? 그렇다면 그는 심연에서 천사와 계약을 했을테고 기한은 아마 이 비극의 결말이 나올 때까지였겠지. 라이나 란이 계속 이야기하지 않았나? 시간이 별로 없다고. 공통점이 라이가 만든 팀이었고 그 팀을 만든 라이가 하늘로 돌아갔다면 나오는 결말은 그것밖에 없지."

그녀의 말이 끝나자 그 순간만 기다렸는지 무엇보다 따뜻하고 무엇보다도 차가운 강한 바람이 우리를 타격하였다. 파니타 씨의 머리카락과 테라의 머리카락은 거센 바람에 더욱 크게 휘날렸다. 불온한 바람이 사라진 후 이곳에는 나뭇잎이, 풀이 부딪히는 소리만이 남았다. 생명체의 소리는 하나도 들리지 않는 공간. 그리고 세상은 변하였다. 회색이었던 하늘도 빛나지 않던 별도 각자의 자리를 찾아 항해할 뿐.

42

"아이키! 아이키!"

누군가 자신을 익숙한 목소리로 부른다. 하지만 왠지 일어나고 싶지 않다. 자신은 이 상태가 너무나도 좋기 때문이다. 어둡지만 밝고 춥지만 따뜻하다. 하지만 이제는 안식만을 취할 수 없다. 결국 언젠가는 일어나야 한다는 압박감이 느껴지는 순간 아이키의 행복은 이미 저 공허 너머로 사라지기 때문이다.

어쩔 수 없다. 이건 이제 일어나야만 한다. 자신의 몸이 그렇게 말하기에 아이키는 결국 눈을 떴다. 앉아있는 것도 힘들지는 않았지만 굳이 이곳에 있을 필요는 없다. 하지만 일단 눈앞에 서 있는 이 여성을 마주하는 것이 우선순위였기에 졸린 눈을 비비고 겨우 뜬 눈을 치켜떴다.

아이키의 앞에 있는 사람은 에리타 씨, 원래 회사가 아니면 만나지 않았지만 오늘은 아니었다. 주말, 그것도 저녁 시간 때 갑자기 나를 호출한 것이다.

그러고 보니 나는 왜 여기서 자고 있던 거지? 왜 나의 앞에 에리타 님이 있는 거지? 나는 분명 호출을 받고 집에서 막 나왔을 텐데. 도대체 왜 나는 이곳에 앉아서 잠을 청하고 있었던 것일까. 아이키의 기억이 애매해지는 사이에 에리타 씨는 그의 어깨를 강하게 잡고 있었다.

"에리타 대리님? 여긴 어디?"

"이나야 공원이야. 깜짝 놀라게 하면 어떡해. 여기 도착하자마자 바로 벤치 앞에서 쓰러져 버려서 얼마나 걱정한 줄 알아?"

아이키는 머리를 긁적이며 주변을 살펴보니 나무와 풀들이 보였고 에리타님 뒤에는 수많은 사람의 이름이 적혀 있는 커다란 비석이 있었다. 아이키가 그 비석에 눈이 가는 이유 따위는 모른다. 그곳에 쓰여 있는 것이 하나하나 아이키의 머릿속에 들어오고 하나의 문자가 되자 오래전에 봉인된 기억이 활성화되기 시작하였다. 비석에 적혀 있는 것은 단순히 이름이었다. 하지만 그것의 의미를 눈치채는 것은 아마 지금 이 공원 벤치에 앉아있는 아이키, 자신뿐이겠지.

"기억이 돌아왔어? 아이키?"

에리타님이 그렇게 말하였다.

무엇이 기억났는지는 한마디로 표현할 수 없었다. 그것은 이 비극이 시작되었을 때부터 이어져 온 것이니까 말이다.

아이키에게는 가족이 없다. 애초에 부모는 물론 형제가 존재했는지도 모른다. 어딘가에서 산 기억조차 없다. 매일 같은 회사에 출근하여 대표의 호출을 받아 마니아라는 여학생의 케어를 있는 힘껏 행한 것뿐, 그 이외의 다른 것을 생각하지 않았다.

아이키에게는 감정축복이 없다. 빼앗긴 것이다. 이 믿음이나야에 내려온 그 순간부터 말이다. 아이키의 앞에 있는 이 여성도 돌아왔을까. 우리가 본래 있어야 할 곳을, 심연의 저 너머에 있는 우리가 있어야 할 자리를 말이다.

"아이키, 우리의 역할은 드디어 끝났구나. 메타티아나 라이는 이미 올라갔어. 호라스도 아마 이미 자신의 기억을 찾고 결말이 난 이야기를 뒤로하고 하늘로 돌아갔어. 이제 우리만 가면 끝이야."

그녀는 더이상 <레이아스>, 일명 회사의 지원부서 대리 에리타가 아니었다. 오래전 이야기를 이끌기 위해 이곳으로 내려오게 된 이방인이다.

"이제 더이상 이 비석도 보지 못하겠네."

"그러게."

둘은 동시에 하늘을 올려다보았다. 이미 어두워진 하늘에는 오늘도 역시 별 하나 있지 않았다. 그 날 비석에 쓰인 20명의 이름 중 아이키와 에리타의 이름이 누구도 인식하지 못한 채 자연스럽게 사라졌다.

43

오랜만에 들린 병원은 너무나도 한결같아서 오히려 마음이 놓였다. 그 특유의 평화로운 분위기가 너무나도 좋기 때문이었다.

오랫동안 방문을 멈췄지만, 그런 아리스가 오늘 병원에 온 이유는 단순하게 사람을 만나기 위해서였다. 아직도 이 병원에 남아 있는지 확인을 위해 테라에게 전화를 걸어보는 절차 역시 절대 잊지 않았다.

병원 부지 내에 있는 공원을 거닐며 시간을 죽이다가 약속시간이 다가오는 것을 확인한 아리스는 빠른 발걸음으로 병원 정문을 통해서 중앙 로비로 들어갔다. 카운터 앞에서 서자 익숙한 얼굴이 아리스를 반기었다. 정말 오랜만에 온 거라 기억하지 못할 거라 생각했지만 이쪽 회사 계열사에서 아리스의 얼굴은 누구나 다 알고 있는 듯했다. 이것도 엄마의 원인일까.

"아리스님? 정말 오랜만이네요."

"기억하실 줄은 몰랐는데. 반가워요."

"아리스님의 얼굴을 어떻게 잊어요~ 면회 오신 거죠? 사실 오늘 방문하신다는 것을 네스 선생님께 들어서요."

그녀는 여느 때처럼 친절하게 미소 지으며 네스 선생님의 위치를 알려주었다. 아리스는 복도를 걸어 예전과 같이 자연스럽게 진료실 앞까지 왔다. 이미 살짝 열려있는 문을 밀고 진료실 안쪽 테이블에서 업무를 확인하고 있는 네스 선생님의 바로 앞까지 걸어갔다. 당연하게 네스 선생님은 아리스가 들어온 것을 확인하고는 컴퓨터에 고정되어 있던 시선은 돌아가 아리스의 얼굴로 향하였다.

"아린은 괜찮아졌나요?"

"아뇨, 크게 진척은 없었어요. 아리스씨는 잘 지내나요?"

"네. 저는 잘 지내죠."

아린의 병은 아직도 치료되지 않았고 그녀의 보호자인 아이비 씨와 아렌 씨는 슬슬 이곳을 떠나 다시 여행을 시작하기로 결심했다. 그리고 그 여행의 출발일이 몇 주밖에 남지 않았던 시점에 아리스가 찾아온 것이었다.

"이제 더이상 아린은 물론 그녀의 언니와 아렌 씨까지 볼 수 없다고 생각하니 이걸 후련하다고 해야 할까, 마음이 답답하네요. 결국 저는 그 병의 치료는커녕 원인도 찾지 못했으니 말이에요."

쓸쓸해 보이는 표정이 네스 선생님 얼굴에 떠올랐다. 오랫동안 함께했고 결국 답을 찾지 못했지만 그대로 그들과 헤어질 수밖에 없는 이 상황에 말이다.

"저, 사실 이번에 그들을 만나게 해달라고 한 이유는 저도 그 여행에 동참하게 해달라고 말하기 위해서예요."

"네?!"

네스 선생님은 놀랐다. 아니, 누구라도 놀랄 수밖에 없었다. 너무나도 터무니없고 염치없는 부탁이라는 것은 둘째치고 고아원 원장을 맡고 있는 아리스가 그들을 따라가게 되면 고아원을 이끌 사람이 없어지기 때문이었다.

"고아원은 어쩌고…."

"인계받을 사람은 찾았어요."

"누구를…."

"마니아예요."

"네??"

그는 연속으로 놀랐다. 이것 역시 예상한 반응이다.

마니아는 자신의 꿈을 찾아 그녀가 가장 좋아하는 소설가가 주로 출판하는 출판사에서 여러 책을 내었고 그 결과 몇 권의 소설을 출판하는 것도 성공하였다. 그 책의 이름들을 나열하자면 <증오>, <절망>, <침식>, 그리고 <거짓말>이었다. 각자 여러 이야기를 참고해서 만든 소설로 나름 판매량도 나쁘지 않았다. 하지만 마니아는 <거짓말>의 출판을 마치고 더는 글을 쓰지 않았다. 자신이 생각한 소설은 <거짓말>이 마지막이라고 말하기까지 하였다.

그 후 마니아를 서포트 하던 테라와 함께 자연스럽게 이나야 고아원에 들어와 아이들을 돌보기 시작하였다. 절대 마니아랑 어울리지 않을 것이라고 생각한 아리스는 적응에 힘들 것이라고 멋대로 생각했지만, 마니아가 생각보다 아이들을 잘 돌보는 것을 보고 놀라기까지 하였다.

고아원에서 같이 일하기 시작할 무렵 결국 마니아와 테라는 결혼에 골인했고 아리스가 물러난 후 원장과 부원장 자리를 넘겨 주려고 하였다. 둘의 승낙도 받았다.

아리스가 이 여행을 떠나기 결심한 것은 란이 자신의 곁을 떠난 후 고아원을 이어받고 난 뒤 5년이 지난 후였다. 란은 아직도 돌아오지 않았고, 아리스는 작별 인사도 하지 않고 떠난 것이 마음에 걸린 것 같았다. 그렇게 또다시 시간이 흐르고 아리스는 이대로 란이 돌아오지 않을까 하는 불안감에 휩싸였고 결국 오늘 이렇게 병원으로 오게 된 것이었다.

솔직히 말해서 란이 언제 온다고 이야기하지도 않았고 아리스가 여행을 떠나는 것으로 엇갈릴 수도 있다. 하지만 그럼에도 아리스가 여행을 떠나기로 마음을 먹은 것은 그녀가 향하는 곳은 단순히 란을 찾으러 가는 길만이 아니기 때문이다.

오래전 린이 동아리 시간에 만들었던 여행 계획지와 가고 싶은 곳이 정리되어있는 파일이 아직도 린의 방에 남아 있었다. 만약 그들에게 목적지가 없다면, 염치가 없더라도 아리스가 원하는 곳으로 여행하자고 이야기하고, 만약 있다면 여행을 오래해 본 그 사람들에게 어드바이스를 받아야겠다고 여기까지 온 것이었다. 물론 아리스에게 전자는 희망 사항이고 후자의 이유가 더 크긴 하지만 말이다.

"그렇군요…. 그럼 아린네는 물론 아리스씨도 못 만나겠네요."

네스 선생님은 더욱더 쓸쓸한 표정을 짓는다.

"하지만 언제나 제가 돌아올 곳은 여기예요. 의미를 찾아내기 위해 떠난 <소생>처럼요."

아리스는 네스 선생님께 마지막으로 인사를 건네고 진료실을 나왔다. 이 복도를 걷는 것이 몇 년 만인가. 근래 몇 년은 다칠 일도 없었고 주변 사람들도 이 큰 병원에 올 정도로 다치지는 않았기에 딱히 방문할 일이 없었던 것이었다.

아린이 입원하고 있는 병실 111호에 도착하자 그 안에는 아직 점심시간인데도 평소와는 다른 상황이 펼쳐졌다. 보통은 이 시간대면 아린이 혼자 병실에 있거나 아렌 씨랑 아린, 두 명만 있었는데 3명 다 있는 경우는 처음 보았다.

"아리스씨? 여기 어쩐 일로?"

아린의 언니인 아이비 씨가 의아한 표정으로 아리스를 바라보았다. 아렌 씨는 아랑곳하지 않고 이쪽은 쳐다보지도 않은 채 아린에게 밥을 떠먹여 주고 있었다.

"소식 들었어요. 이제 곧 이나야에서 벗어나서 여행을 시작하신다면서요. 혹시 가실 곳은 정해졌나요."

아리스의 질문에 아이비 씨는 무엇을 망설이는 것인지 쩔쩔매며 아렌 씨의 어깨를 잡았지만, 아렌 씨는 역시 표정 하나 바꾸지 않고 여전히 아린에게 음식을 먹이고 있었다. 아이비 씨는 도와달라는 표정으로 아렌 씨의 어깨를 계속해서 흔들었지만 꼼짝하지 않았고 아린 분의 음식이 전부 떨어졌을 때쯤 겨우 고개를 돌려 아이비를 진정시켰다.

"아리스씨, 우리는 어디로 갈지 아직 정해지지 않았어요. 그저 방랑할 뿐이죠. 오늘 온 건 자신도 데리고 가달라고 요청을 하러 오셨군요."

"역시 전부 다 아시네요. 괜히 네스 선생님이 '무엇이든 아는 사람'이라고 이야기하시는지 알 것 같아요."

무엇이든 꿰뚫어 보는 사람, 뭐든지 아는 사람. 네스 선생님은 그렇게 아렌 씨를 평가하였다. 만약 정말 그렇다면 아리스의 마음도 자신이 앞으로 어떤 말을 할건지도 예상할 것이다. 솔직히 아리스는 자신이 입으로 꺼내기 전에 아렌 씨가 예상을 해서 대답을 내줬으면 한다. 하지만 그는 그 뒤로 입을 열지 않았다.

"정말 없으시다면 제가 그 목적지를 정해도 될까요?"

또다시 침묵이 우리의 곁에 다가왔다. 아이비 씨는 안절부절못한 상태로 아리스와 아렌 씨의 얼굴을 번갈아 보고 있었는데 도대체 무엇 때문에 저렇게 발을 동동 구르고 있는 것인가. 아리스는 궁금하였다. 얼마나 지났을까. 아렌 씨는 드디어 결단을 내렸는지 고민하기 위해 내린 고개를 다시 들은 뒤 내뱉은 말은 ok였다.

"아리스씨의 심정은 어느 정도 이해가 되고 우리야 목적지가 생기면 좋죠. 다만 중간에 저희는 다른 길로 향할 수 있어요. 그것에 대해서는 확실하게 이해하시고 함께한다면 저희는 말리지 않겠습니다."

"네, 그 정도는 감수하고 말고요. 당신들이랑 같이 여행을 할 수 있다는 것만으로 저는 너무 기쁜걸요."

그렇게 시간은 또다시 흘러서 여행 출발일이 다가왔다. 만반의 준비를 마친 아리스는 긴 여행을 떠나는데도 평소와 같은 가벼운 발걸음으로 집을 나섰다. 약속시간에서 한참 벗어나 일찍 나오기는 했지만 말이다. 이제 봄이 끝나가서 벚꽃은 전부 져버렸지만 아리스의 마음속에는 린을 처음 만난 그날만큼, 린이 고등학교를 입학했던 그 날만큼 벚꽃이 활짝 피어 있었다. 하늘도 너무 아름답고 이야기꽃을 피우고 있는 거리를 거니는 사람들의 모습도 아리스는 너무나도 마음에 들었다.

아리스는 이나야가, 믿음이 좋았다. 그렇기에 언젠가는 돌아오게 되겠지. 하지만 이제는 떠날 시간이다. 가족이라는 이름에 매달리고, 어머니라는 이름에 매달리고, 린이라는 하나뿐인 동생에 매달린 이야기는 끝이다. 란과 마찬가지로 아리스, 자신의 새로운 여행이 시작된 것이다.

집합하기로 한 곳은 병원 정문 앞이었다. 아리스는 란과 다르게 확실히 작별 인사를 하기 위해 마니아와 테라, 그 외 친했던 사람들은 전부 불렀다.

아리스는 린과 자주 들렸던 번화가 그리고 그곳에 있는 꽃집, 학교가 끝나면 자주 가서 친구들을 기다리던 이나야 공원, 린을 처음 만나고 일까지 하여 결국 원장직까지 올라간 이나야 성당의 고아원, 마니아가 다니고 자신도 가끔씩 들리던 이나야 병원, 아리스가 다녔던, 그리고 뿔뿔이 흩어지게 되었지만, 모임의 추억이 서려 있는 이나야 고등학교 등 아리스는 자신의 추억 속에 새겨져 있는 장소를 전부 가보기로 마음 먹었다. 아리스가 약속시간보다 일찍 나온 이유 역시 이 마을을 떠나기 전 그 추억의 장소들을 하나하나 눈에 새기기 위해서였다.

아리스는 먼저 제일 가까운 이나야 공원 비석 앞에서 희생된 20명의 학생에게 인사를 건네고 번화가의 꽃집으로 향하였다. 가게를 열기에는 너무 이른 시간이었기에 거리에 있는 사람은 적었고 많은 곳의 문이 굳게 닫혀있었다. 하지만 그 꽃가게만큼은 언제나 꽃들이 바깥에 나와서 누구라도 반기듯이 활짝 피어 있었고 언제든 들어오라는 듯이 문이 열려있었다.

아리스는 가게 바로 앞까지 다가가 가게 안을 살펴보니 오늘도 역시 아름다운 모습을 뽐내며 꽃을 진열하는 에로스 씨의 모습을 볼 수 있었다. 이리저리 왔다 갔다 하면서 꽃을 옮기던 에로스 씨는 가게 밖에 서 있는 아리스를 발견했는지 언제나 와 같은 미소를 얼굴에 띄우며 아리스에게로 다가왔다. 그 모습이 죽어버린 린을 떠올리게 해서 아리스는 조금 마음이 아팠지만 멋대로 다른 사람을 겹쳐 보는 것은 별로 좋은 버릇이 아니라 생각하여 금세 마음을 고쳐먹었다.

"아리스씨, 이 시간에 여기 어쩐 일로?"

당연히 놀랄 수밖에 없다. 지금 시간은 아침 7시였으니 말이다. 지금 시간대에는 방금 번화가의 상태를 보면 잘 알겠지만 사람의 방문은 정말 드물었다.

"아마 앞으로 못 만날 가능성이 높아요. 저, 결심했거든요. 여행을 떠나기로 말이에요."

"그렇군요."

놀라지 않았다. 에로스 씨는 어쩌면 이럴 것이라고 이미 예상을 한 것이었다. 이 사람도 아렌 씨 이상으로 조금 이상한 사람이기 때문이다. 무엇이든 빠르게 받아들이고 이해하고 인정하고 또 공감

하기 때문이다. 아니, 어쩌면 린이 죽은 그날부터 아리스가 이럴 것이라고 알고 있었는지도 모른다. 이 사람이라면 가능할 것이라고 그렇게 생각했다. 사람의 감정을 전부 꿰뚫어 보는 듯한 사람이었기 때문에 말이다.

"린에게 안부 인사 전해주세요."

"네."

더이상 할 말은 없을 터였다. 린을 찾아 나서는 것도 알아차린 이 사람에게는 말이다. 아리스의 마음을 완벽하게 파악하고 있는 이 사람에게는 말이다.

아, 생각해 보니 안 물어봤네. 이 사람이 엄마와 관련이 있다는 사실을 전에 들었다. 실제로 병원 건물을 디자인한 사람도 이 사람이라고. 그것이 사실인지 아리스는 마지막인 오늘 물어보기로 마음먹었다.

"혹시 저의 엄마와 아는 사이세요?"

"네, 제 예전 직업은 디자이너였어요. 이것으로 대답은 됐을까요?"

"네, 감사합니다. 언젠간 또 봐요."

신기하다. 정말 이 사람은 아렌 씨와 똑같이 무엇이든 알고 있는 것인가. 그 후 아리스는 그녀에게 손을 흔들고 번화가를 지나서 학교까지 뛰어갔다. 새로운 여행을 시작하기 위해서 과거를 돌아보는 작은 여행을 시작한 것이다.

마을 전부를 돌아본 아리스는 마지막으로 병원으로 향하게 되었다. 시간을 보니 약속시간은 이미 코앞이었고 그 덕분에 이 가파르다고 하면 가파른 길을 뛰어서 올라가고 있었다.

 병원으로 직행하는 커다란 도로와 그 옆에 있는 인도, 그리고 나무, 사방에는 나무밖에 없는 이 길은 항상 도보로 보다는 차를 타고 오기 편한 길인 것 같다는 느낌을, 아리스는 이곳을 지날 때마다 항상 느꼈다.

 아리스가 오르막길을 올라가자 어느새 이나야 병원의 커다란 정문이 보이기 시작하였다. 정문 양옆에 있는 커다란 기둥 바로 앞에서 5명이 서 있는 것을 확인한 아리스는 속도를 더해서 달리기 시작하였다. 등에 메고 있는 배낭이 얼마나 무거운지 망각한 채 말이다.

 이미 와 있는 사람은 아린과 아렌 씨, 그리고 아이비 씨와 마니아, 테라였고 모두들 아리스를 기다리는 것처럼 보였다. 아리스가 조금 늦었다 생각한 찰나, 검은 차 몇 대가 아리스의 옆을 지나가더니 정문 앞에 멈췄다. 차에서는 검은 양복을 입은 사람들이 몇 내리고 테라의 부모님, 그리고 마니아의 부모님은 물론, 회사 사람으로 추정되는 몇 사람이 더 내렸다. 하지만 그것이 끝이 아니었다. 그 뒤에 내리는 사람들은 아리스가 학교에서 친했던 친구들, 선생님, 고아원에서 같이 일한 사람들과 아이들, 전 원장님까지 온 것이었다.

 물론 여러 명 부르긴 했지만 그것이 소문으로 번져 수많은 사람들이 온 모양이었다. 아무리 그렇다고 해도 감당할 수 없는 인원 수이지 않은가. 회사에서 봤던 사람들, 학교에서 봤던 사람들, 고아원에서 자신이 자주 다니던 가게 주인이나 직원분들 역시 이 병원에 모여서 아리스의 새로운 여행을 축복해주었다. 얼굴도 잘 안 비추던 친척들 역시 와서 아리스를 격려해 주었다. 아리스는 설마 오래전 린의 입양을 도와준 삼촌이 왔나 살펴봤지만 그는 역시 오지 않았다. 그도 그럴 것이 친척들도 그와 연락이 끊긴 지 좀 오래되었다고 했기 때문이다.

정말 상상도 하지 못한 광경에 아리스는 많이 부담스러웠지만 이상하게 너무나도 행복했다. 아리스는 생각하였다. 감정을 나눌 수 있는 사람이 이렇게 많다니 자신의 인생은 축복받은 게 분명했다. 린이 자신의 곁을 떠났지만, 분명 자신에게는 린 뿐이라고 생각했지만 아니었던 것이다. 그것을 처음으로 알려준 것이 란이고, 아리스의 앞에 있는 사람들이다.

"감사합니다, 여러분 덕분에 새로운 여행을 누구보다 행복하게 떠날 수 있게 되었어요. 저, 아리스, 이 축복받은 마을의 아름다움을 간직한 채로 여행하고 절대 잊지 않겠습니다. 저의 집은 바로 이곳이라고, 언젠가는 돌아오겠다고. 감사합니다. 정말…!"

감정이 복받친다. 하지만 이번에는 울지 않는다. 아리스는 이제 모두의 언니이자 동생이자 학생이자 손님이니까. 사람들에게 한명 한명 인사를 건네고 시간은 이미 오후에 접어들었다. 어느 정도 사람들이 사라지고 남은 사람은 처음에 있던 아리스를 포함하여 6명 뿐이었다.

테라가 말한다.

"란에게 안부 인사 전해줘."

마니아가 말한다.

"몸조심해, 언니."

아이비 씨가 말했다.

"아린을 잘 부탁드립니다."

아이비 씨, 그리고 테라와 마니아는 이곳에 남는다. 그들은 이별을 고하지 않았다. 언젠가는 다시 만나기를 믿고 있기 때문이다. 그렇기에 아리스는 그들에게 그에 걸맞는 인사를 건네야 한다.

"다녀올게!"

여느 때처럼 상쾌하게 또 활기차게 대답한 아리스는 오늘도 새로운 여행길에 올랐다.

44

"덕분에 연구가 일보 진행되었어. 고마워, 란."

항상 아름다운 바다가 바로 옆에 있는데도 그것이 절대 보이지 않는 격리된 듯한 공간을 가지고 있는 이 카페에서 오늘도 마라나는 누군가와 이야기를 나누었다. 별다른 이유는 없었다. 그저 너무 많이 본 그 아름다운 광경도 이제는 질린 것일지도 모른다.

마라나의 앞에 앉아서 차를 마시고 있는 이 소년은 오래전 이나야에 있던, 말하지 않는 소년의 주인공이다. 연구에 필요하다는 이유로 그런 소문 하나하나 전부 조사하던 시절에 마라나는 그를 발견했고 접촉까지 해보려 했지만 결국 그쪽에서 자신을 피해버리는 것으로 대화조차 못 하고 끝나버린 기억이 있다. 당시에 마라나는 그 소년이 불쌍하다고 생각하여 끝까지 쫓아가려 했고 자신이 입양까지 할까 생각도 들었지만, 그가 너무 싫어하는 것 같아 보여서 결국 그만두었다.

그가 자주 오는 공원에서 모습을 감췄을 때 마라는 자신이 그가 있을 곳을 빼앗은 게 아닐까 하고 자책을 하기도 했었다. 그랬던 소년이 지금 잘 커서 마라나의 앞에 앉아있다. 몇십 년 전에 한 번 접촉한 것이 마지막이라, 너무나도 커버린 소년의 모습을 보니 괜히 마라나 혼자 감격스러운 기분이 드는 것은 그에게는 비밀이지만 말이다.

"갑자기 만나자고 한 이유는 뭐야?"

"당신에게 마지막으로 할 말이 있어서요."

"무슨 말?"

그는 손을 익숙하다는 듯이 턱에 갖다 대며 이렇게 말했다.

"연구 진척은 어느 정도 됐어요?"

"애초에 진행도를 확실하게 정해서 이야기할 수도 없지만, 가설이라면 몇 개 세워졌어."

"그렇다면 그 가설을 조금 들어볼 수 없을까요?"

가설이라면 몇 개 세웠다고 이야기했지만 무엇하나 허점이 명확한 것밖에 없었다. 성서의 해석도 파니타 씨에게 맡겼지만 최근 조직의 움직임 덕분에 진행이 느려졌고 그 덕분에 마라나의 연구도 자연스럽게 지연되었다. 물론 조직이 움직이자 마라나 역시 이리저리 바쁘게 움직였으니 당연한 결과지만 말이다.

"내가 세운 가설은 말이야. 우주 밖에서 온 외계인이 천사 시스템을 만들고 이 마을을 거점으로 하여 인간에게 무언가를 착취하는 것이 아닐까 해."

오래전 신화로 보자면 하늘에서 빛나는 운석이 떨어지고 그곳에서 성녀가 나왔다고 적혀 있다. 그것은 사실 운석이 아니라 비행정 같은 무언가였고 그곳에서 나온 성녀는 엄청난 발전한 외계문명의 힘을 주민들에게 보여줘 자신을 섬기게 하였다. 정말 초등학생이라도 세울 수 있는 가설이었지만 마라나의 가설은 그것이 끝이 아니었다.

"하지만 그 성녀는 처형당하고 말지. 그래서 나온 게 아마 저주가 아닐까? 신의 신벌."

저주가 신의 신벌이라고 종교인들은 많이들 이야기한다. 물론 종교적인 관점에서만 보자면 그것이 맞는 말이겠지만 초자연적인 힘을 가지고 있는 것이 신이라면 자신이 원하지 않는 사람을 저주가 걸렸다고 착각할 정도로 몰아넣는 것도 가능할 것이다.

"그들이 이곳에 온 것은 무언가를 착취하기 위해서야. 성서에 감정이라는 단어가 나오기 때문에 인간이 가진 감정을 모아서 무언가의 에너지로 쓰려는 것이 아닐까?"

하지만 성서를 조금 읽어보면 이 가설이 틀렸다는 것은 알 수 있다. 감정과 저주는 천사를 선별하기 위한 장치, 그리고 그 감정을 신이 대천사에게 하사한다. 그렇다고 하면 조금 이상하지 않은가. 만약 감정을 가지고 가는 것이 목적이라면 '신이 감정을 하사했다.' 이 소절은 반대가 되어야 하기 때문이다.

"천사 시스템의 선별 기준은 강한 감정, 그것을 성서에선 축복이라고 정의하던데. 저주와 축복은 상반되는 데 똑같이 해석되기도 하는 것이 정말 모르겠네."

모르겠는 것은 그것뿐이 아니었다. 공허의 존재와 심연, 모르는 것투성이다. 아직 마라나가 허점투성이인 가설을 낼 수밖에 없을 정도로 진행이 되지 않았다. 이것이 아무리 조직의 방해가 있다고 하더라도 이 정도밖에 진행이 되지 않은 것은 마라나, 자신의 잘못일 것이다. 차라리 때려치우고 다른 사람에게 맡기는 것이 더욱더 빨리 진행되지 않을까 같은 약한 생각까지 했으니 말이다.

"먼저, 신이 무언가의 의사를 하고 있다는 생각부터 오산이에요. 신은 그저 빛, 또는 코어시스템이에요."

이상하게 이 소년은 이것에 대해서 잘 알고 있었다. 그것의 이유는 아직은 모르겠지만 이상하게 그가 하는 말은 전부 사실이라는 생각이 드는 것은 왜일까. 거짓말의 소년이라고 불리던 그가 말이다.

"일단 외계에서 온 것에 대해서는 저도 동의를 해요. 밖에서 온 것은 틀린 게 아니니까요. 그들의 목적에 대해서는 아직도 저는 잘 모르겠어요. 일단 사람들의 이야기를 모으는 것 같기는 한데 말이에요."

"이야기라, 그러고 보니 이번 마니아의 비극은 비극의 천사 사주라고 들었는데 갑자기 그런 천사가 등장하는 게 가능한 거야?"

"잘 모르겠어요. 저라고 해도 아직 모르는 것투성이니까 말이에요. 확실한 것은 심연이나 공허는 신이 만든 것은 아니다. 아무리 대천사라 해도 그것을 다루기는 쉽지 않다, 신은 감정을 하사하고 이야기를 모은다, 이것뿐이네요."

신의 목적이라. 신이 그저 의지가 없는 장치면 그것을 만든 사람 역시 있을 것이고, 만약 있다면 그 신에게 목적 같은 게 존재할까? 그런 생각들이 마라나의 머리를 지나갔지만, 자신은 전해야 할 건 다 정했다고 생각했는지 자신의 앞에 있는 란이라는 소년은 자신의 가방을 주섬주섬 들고 있었다.

"잠시만 란! 니가 왜 여기 왔는지 알 것 같은데 말이야… 아직 그걸로 연구가 진행될 거라 보이지는 않는데…."

"그럴 것 같아 새로운 정보를 가지고 왔어요."

그 말을 한 동시에 가방을 뒤적거리더니 노트 몇 개와 파일을 마라나의 앞에 내밀었다.

"이번 마니아 사건에서 일어난 일과 그에 대한 저의 해석, 정보들을 정리해 놓은 문서와 파일이에요. 연구에 잘 쓰이길 바랄게요."

마라가 두꺼운 파일을 받아 들자 그는 그제서야 다시 원래 자세로 자리에 앉았다. 그러고는 그는 진지한 표정으로 마라나에게 마지막 질문을 했다.

"조직은 마니아 사건이 끝난 뒤 어떻게 됐어요?"

"파니타 씨의 말로는 무력 충돌 직전까지 갔었대."

실제로 조직 사람이 본사에 침투해 무고한 사람을 또다시 실험재료로 쓰려 했으니 말이다. 회사 위에서는 화난 사람들도 많았을 것이다. 애초에 그들을 배제 대상으로 보던 데우스 포에나도 종교 집단도 움직이기 직전이었다.

하지만 그것을 막은 것이 바로 라이 대표였다. 그의 말이라면 한순간의 회사의 의견도 싹 정리가 된다. 그만큼 그의 권력이 높다는 의미겠지. 출세했네, 아스타.

물론 그를 마음에 안 들어하는 사람도 있었다. 하지만 구세주 세이비의 바로 옆에서 활동하던 얼마 안 되는 사람이었기에 그를 지지하는 의견이 압도적으로 많았다. 무력 충돌은 결국 벌어지지 않았지만 그에 상응하는 대처는 하였다. 서로의 공간은 절대 침범하지 않는다는 조약을, 조직은 어긴 것이다. 실제로 무력으로 움직이지는 않겠지만 데우스 포에나를 움직이겠다는 협박을 조직에게 행하자 그곳에서는 소수의 조직원들이 자기 멋대로 일을 행한거라 이야기하고 꼬리를 내렸다. 그렇게 몇 조직원만 축출하여 회사에게 넘기자 회사는 그정도의 선에서 그들의 행동을 어느 정도 용서했고 그렇게 이 일은 어느 정도 정리가 되었다.

"역시 끝까지 추궁하는 것은 별로 좋은 일이 아니라는 것을 잘 알고 있군요."

"내 말이~"

란은 그 말을 마지막으로 마라나에게 인사를 건네고 카페를 나섰다. 아마 이것이 마지막일 것이라 고하고 말이다. 그는 여행을 떠

낳다고 했다. 저번과 마찬가지로 말이다. 언제 돌아올지 모르는 이 여행을 말이다.

"그때 도와주지 못해서 미안해…."

그가 이미 자신의 시야에서 사라진 후 마라나의 입에서 오랫동안 담고 있던 마음이 조용히 흘러나왔다.

45

만약 자신이 성녀가 내려온 그 날로 돌아간다면 같은 선택을 했을까 같은 의미 없는 생각을 란은 가끔 한다. 하지만 이만큼 와서는 더이상 돌아갈 수 없기에 오늘도 란은 앞을 보며 걸어간다.

여행을 시작한 지 몇 년이나 지났을까. 란이 현재 있는 곳은 바닷가 근처에 있는 항구 마을이었다. 인구수도 별로 많지 않고 한적한 마을 안의 사람들은 여느 때와 같이 각자가 해야 하는 일들에 최선을 다하기 위해서 자신의 자리를 지키고 있었다.

부두 바로 옆에 나열되어있는 몇십 개의 배, 그리고 그곳에 실려 있던 해산물을 나르는 남자들과 그 옆을 신난듯한 표정으로 달려가는 꼬마 아이들, 가격을 외치는 장사꾼들의 소리가 여기저기로 울려 퍼져서 항구 특유의 활기참이 란의 바로 앞까지 전해지는 것 같았다.

분명 인구수는 작다고 이야기는 했지만, 외곽의 조용함도 다 이 항구의 와자지껄함을 위해서 존재하는 것이라고 할 수 있을 정도로 정말 경제 사회가 활성화되어 있는 것 같았다.

란이 이 마을의 분위기가 꽤나 마음에 들어서 이곳에 묵은 것도 이제 이틀, 오늘 밤 등대에 올라가는 것을 마지막으로 이 마을도 작별이다.

란은 항구를 벗어나 집 사이 사이에 벽돌 담장으로 이루어져 있는 골목을 걸으면서 벽화나 자연이 어울려진 아름다운 풍경을 눈에 새겼다. 이 마을의 관광지나 볼거리를 찾아 이동하는 것도 이 여행의 과정 중 하나일 것이다. 물론 이곳에까지 성서 비극이나 신화가 연관되어있나 확인하는 것도 란의 일이긴 하지만 말이다.

란의 책무는 오래전 끝났다고 생각했다. 마니아의 비극을 결말까지 이끄는 것으로 말이다. 그 후 란은 자신만의 이야기를 만들기 위해 이 여행을 시작하였다. 하지만 오랫동안 여행을 한 결과 란은 깨닫고 말았다. 성서 <비극>을 만들던 과정도, 그것을 푸는 과정도 전부 자신의 '이야기'라는 사실을 말이다.

성녀와의 만남을 알게 모르게 부정적으로 생각하던 란에게 남은 것은 거짓말뿐이었지만 그 거짓말 역시 자신의 것이었다. 절대 남에게서 넘겨 온 것이 아닌 오직 란이 초래한 이야기였다. 그렇기에 란은 비극의 이야기에서 벗어나려 하지 않았다. 이미 자신이 범한 죄는 물론 거짓말로 이루어진 라이. 그리고 린에게 이어받은 유폐이아 란이라는 이름 역시 전부 긍정했다.

린이 바꿔놓은 란의 세상에 만족하면서도 더 많은 사람의 구원을 위해 남은 생을 살리라. 그것이 지금 란에게 내려진 가장 완벽한 속죄라고 생각하기 때문에 말이다.

란은 구원의 이름을 한때는 필요하다 생각했고 한때는 비겁하다고 생각했으며 나중에 가서는 이기적이라고도 생각하였다. 구원을 강요하는 세상도 강요받지 않고도 이행하는 사람도 전부 그것 역시 그 사람의 이야기가 아닐까 하고 납득해 버리는 것도 드라마틱한 이야기에 질려버린 결과가 아닐까 생각한다.

지금은 란에게 느껴지는 구원이라는 이름은 조금 달라졌다. 원하든 원하지 않든 행해지는 자연스러운 현상으로 생각하기로 하였다. 그것이 나쁘다고 하거나 착하다고 하는 것도 이제 지쳤다.

구원을 원하는 사람도 있고 원하지 않는 사람 역시 존재한다. 구원하려는 사람과 하지 않는 사람도 존재한다. 타인에게 완벽한 구원자가 되라고 강요하는 사람 역시 있다. 하지만 우리에게 중요한 것은 그것이 아니다.

"우리에게 중요한 것은 각자가 살아갈 이야기지? 그것이 비극으로 정해질지 희극으로 정해질지 아무도 알 수 없어. 우리에게 있는 선택지는 단순하지 않잖아?"

그곳에 남는 것은 이야기뿐. 그것은 비극이나 희극이 아니다. 자신이 원하는 결말로 향할 뿐이니까 말이다. 그 과정이 아름다운 것이다. 그것이 비극이든 희극이든.

골목을 벗어나니 마을은 고사하고 바다가 전부 다 보이는 전망대가 있는 언덕에 입구가 보이기 시작하였다. 이 마을에 관광지 중 하나이며 좋은 경치에 많은 사람이 들리는 명소라고 한다.

커다란 입구에 커다란 표지판으로 적혀 있는 이 언덕의 이름의 재회의 언덕이었다. 오래전 이 언덕에 관련해서 전해지는 전설 덕분에 이런 이름이 붙여졌다고 하는데, 오래전 두 남녀가 하늘과 땅으로 갈라졌고 별이 빛나는 밤 이 언덕에서 다시 만나 이 마을을 만들었다는 어디에나 있는 신화에서 나온 이름이었다. 특이한 것은 아니지만 눈에 조금 들어온 이유는, 이나야의 신화와 완전 반대 되게 별이 '없는' 밤이 아니라 별이 '많은' 밤에 이야기가 시작된다는 것이다. 그 신화 덕분에 란의 발걸음이 이 언덕으로 향한 것이었다. 바닥이 초록색 잔디로 이루어져 있고 바람도 솔솔 불어오기에 그냥 서 있는 것만으로도 상쾌한 기분이 들었다. 아직 해가 저물지 않아 세상은 밝았지만 여기 전망대에 앉아서 해가 지는 것을 보는 것도 나쁘지 않을 것 같았다.

해가 지고 나서 노을을 감상한 뒤 란은 예정대로 등대 위로 올라갔다. 등대의 크기는 작은 마을이라고는 해도 많은 배들이 왔다 갔다 하기 때문에 상당히 컸다. 하지만 왠지 모르게 등대 위에는 아무도 없었는데 그 이유가 아마 이번 주에 있는 마을 단위의 축제 때문일 것이다. 많은 인파가 그곳에 몰렸으니 말이다.

밤하늘에는 매일 보던 별 하나 없는 하늘이 아니었다. 하늘에 수놓은 수많은 별들이 자신의 자리를 지키고 있었다. 그 별들을 보면 린이 떠오르는 것이 어쩔 수 없는 것이었다. 하늘을 올려다보며 오래전 그녀의 모습을 떠올리니 왠지 모르게 동기화 되는 느낌이 들어서 양손으로 반대쪽 팔을 잡고 싸늘함에 몸을 떨었다.

"린, 너가 보고 싶어하는 별이야. 너의 꿈은 그곳에 이루었니?"

반짝반짝 빛나고 아름다운 것을 쫓던 린은 결국 하늘로 올라가 가장 빛나는 별이 되었다. 성녀는 사후 천사 계에 고정되어 편안한 안식조차 이룰 수 없다는 섬뜩한 이야기가 내 귀에 들어온 적도 있었지만 그대로 믿지는 않았다. 그녀가 란에게 구원의 천사임이 아닌 것처럼 말이다.

성녀가 죽으면 그곳이 성역이 된다느니, 구원의 천사는 언제나 존재한다느니 하는 말을 란은 지금 와서는 하나도 믿지 않는다. 란에게는 그저 대체할 수 없는 소녀만이 있을 뿐이다.

오래전 란이 했던 생각이 본인의 머리를 스쳐 지나갔다. 린의 성녀가 아니다, 구원의 천사가 아니다 같은 말들을 하며 유페이아 란의 이름은 축복받은 이름이 아니다. 라던가 유페이아는 평범한 사람이라고 외치던 란의 과거들이 머릿속에서 주마등처럼 천천히 지나간 것이다.

애써 부정하고 싶어하는 것도 이해는 갔다. 란의 입장에선 그녀가 평범하게 행복해야 한다는 욕심과 그녀가 구원의 천사여야만 한다는 욕심이 부딪히고 그녀의 특별함을 부정하는 결과를 낳았다. 그녀가 죽었으니 반대로 애써 부정하고 싶어진 것일 것이다. 그녀가 구원의 천사가 아니라고 말이다.

마니아에게 신념을 지키라고 이야기한 주제에, 이나야에게 뭐라 하는 테라를 가로막았다. 란은 자신의 마음도 자신의 행동도 용서할 수 없었다. 다른 사람에게 지지 말라고 이야기한 주제에 자신이 죄의식에 눌리다니, 오래 산다고 절대 무뎌지지 않는구나.

한때 자기모순에 잡아먹혀서 괴로워할 때도 있었지만 지금은 전부 다 받아들였다. 아무리 천사의 권능으로 세상의 이야기를 몇백 년을 목격해도 인간인 이상 완벽할 수 없다. 그렇다면 란은 앞에서 일들에 최선을 다해서 임할 수밖에 없다.

그렇다고 해서 란은 자신이 벌인 일들에 죄책감이 안 드는 것은 아니었지만 결국 자신이 최선을 다했다는 사실은 변하지 않는다. 그리고 그녀가 구원의 천사든 아니든 이제는 상관 쓰지 않는다.

그녀는 평범한 소녀라고 이야기했지만 역시 아닌 것 같다. 란에게는 무엇보다 소중하고 특별한 사람이다. 그것을 부정하는 것은 오히려 린을 욕보이는 행동이다. 과거의 자신 행동에 반성하고 아름다운 그녀의 모습을 가슴에 안고 란은 자신이 원하는 결말로 나아가리라. 그것이 그녀에게 보일 수 있는 최선의 성의일 것이다.

유페이아 란은 역시 축복받은 이름이다. 린과 만나는 그 날 내게 내려진 이름이니까 말이다. 각자에게 각각의 구원의 이름이 있을 것이다. 그리고 란에게 린은 구원의 천사가 아닌, 하나뿐인 가족이었다. 특별하다고 밖에 말할 수 없지 않은가.

란은 하늘 위에 있는 별에게 말을 걸었다. 그곳에 있는 린은 잘 지내고 있냐고 원하는 결말을 찾았냐고 계속해서 말을 걸었다.

"내가 원하는 결말은 이미 이루어졌어."

린이 말하는 것 같았다. 그녀는 별이 되어 우리를 지켜볼 것이 분명하다.

뒤에서 언제 올라온 건지 모르겠지만 남녀가 떠드는 소리가 들려왔다. 이야기를 들어보니 여행을 다니는 사람들인 것 같았다. 여자는 말한다. 정말 볼거리가 많은 마을이라고 남자는 말했다. 관광지로 유명하다고.

"과연 린이 오고 싶어 한 마을이네요!"

여자가 한 말이었다. 그리고 란은 그 말을 들은 순간 눈을 크게 뜨고 그 남녀들을 바라보았다. 휠체어에 앉아있는 여성과 그 휠체어를 미는 남성, 그리고 그 옆에 붙어 이야기를 나누는 여성이 란의 반대편에 서 있었다. 말하는 것으로 보아 축제에 갔다가 오는 길이겠지. 휠체어에 앉아있는 여성이 웃자 기분이 좋아졌는지 남성은 이곳에 오길 정말 잘했다고 말했다. 그에 덩달아 옆에 서 있던 여성도 웃었다. 누구보다도 상쾌하게, 누구보다도 활기차게 말이다.

란의 잘 아는 그 미소, 틀림없다. 그녀다.

란은 재회의 언덕에서 일어난 재회를 뛰어넘는 극적인 만남을 이 등대에서 이뤄냈다. 란은 별의 감상을 뒤로 미루고 그대로 그 남녀들을 향해 걸어갔다. 별이 된 사랑스러운 그대여, 이 재회에 축복을 내려주소서.

46

비극은 일단 막을 내렸다. 시초의 이야기는 끝나고 앞으로 우리에게 다가올 것은 천사들의 이야기겠지. 이 마을에는 아직 남 수많은 수수께끼가 남아 있다. 그것이 풀리는 것은 나중의 이야기지만 말이다.

감정, 운명, 저주, 사명, 공허, 목적, 의미, 이유, 별 모든 것은 사실 다 같은 존재가 아닐까? 많은 단어들이 나오고 각자의 의미를 찾으려 하지만 사실 다 같은 것이라고 자신의 머리는 멋대로 생각한다.

비극의 천사인 트레지티는 이용당하고 버려질 누군가를 위해 오늘도 노래했다. 자신이 그랬던 것처럼 오늘도 역시 누군가는 버려지겠지. 그럼에도 트레지티는 기도를 멈추지 않았다.

그 사람들의 이야기는 원하는 결말을 찾아 향할 것이다. 그렇다면 트레지티의 결말은 어디로 가야 하는 것일까. 단순히 감정을 담는 존재로 태어난 기록자는 무엇을 위해 살아가야 하는가.

자신에게 피어오르는 감정이 없는 것은 즉 스스로 삶의 목적을 찾기 어렵다. 그렇다면 그런 존재는 살아갈 의미가 있는 것인가? 그것에 대한 답은 트레지티의 조상이자 오빠프로토타입가 답을 알려주었다. 본인이 살아갈 이유를 타인에서 찾는 것으로 그는 목표를 정했다. 분명, 그것만 하더라도 우리그룻에게는 커다란 의미가 있겠지.

하지만 트레지티는 다른 사람의 힘을 빌리기에는 이미 늦어 버렸다. 자신을 구해주는 사람은 이미 세상을 떠났고 이제 아무도 자신의 곁에 오려 하지 않기 때문이었다. 트레지티에게 측은함을 느낀 사람들은 전부 자신이 계약으로 묶어 버렸다. 그리고 계약으로 묶여버린 사람은 트레지티를 구할 수 없다.

하지만 만약, 계약을 뛰어넘고 천사를 뛰어넘어 신ِ에게 도달하는 사람이 나온다면…. 나는….

트레지티가 비극을 찾아 움직이듯이 신은 우리에게 빛을 비추는 것밖에 하지 않는다. 애초에 부정적인 감정으로 뭉친 트레지티에게 너무나도 상반되는 존재지만 본질은 같은 것이다.

신은 이야기가 없다. 하지만 그럼에도 끌어모은다. 감정도 없지만 하사한다. 이것이 무엇을 의미하든 신은 그곳에 존재한다. 언제나 모든 것을 비추면서 말이다.

그것은 하나의 개념, 우리가 상상도 할 수 없는 공간. 전지전능하다면 그렇다고 할 수 있지만 그렇지 않다고 이야기한다면 그렇지 않은 것이다.

"신은 그런 게 아닐까?"

다음으로 돌아올 것은 천사와 감정의 이야기. 이 이야기는 아직 끝나지 않았다. 혼자만이 남은 이 심연 속에서 비극의 천사는 가운데 서서 심연 밑바닥으로 몸을 던진다. 몸은 낙하하고 천장은 더이상 보이지 않을 때가 돼서야 소녀는 말한다.

"이 비극의 결말까지 함께 해주셔서 감사합니다. 비극은 폐막입니다."

자그맣게 그리고 천천히 천사는 이 이야기의 폐막을 고했다.